Cyteen

2

C.J. CHERRYH

C.J. CHERRYH

Cyteen
2

TRADUIT DE L'AMÉRICAIN
PAR JEAN-PIERRE PUGI

ÉDITIONS J'AI LU

Ce roman a paru sous le titre original :

CYTEEN

5

Il régnait dans le restaurant de la galerie nord une étrange atmosphère... due à l'attitude du personnel et au nombre de clients. Ce modeste établissement était bondé et les tables avaient été réservées dès le milieu de l'après-midi. Seuls les plus avisés avaient compris que *Le Relais* était l'unique endroit où il resterait quelques places. Grant déclarait avec fierté que s'il avait téléphoné cinq minutes plus tard ils auraient dû se contenter de manger quelques sandwiches au fromage à leur domicile. Sa vivacité d'esprit leur permit de commander des cocktails, des hors-d'œuvre, un rôti de porc aux épices et des fruits d'importation au milieu d'une foule venue dépenser ses crédits et boire un peu plus que de coutume, moins pour célébrer l'événement que pour se détendre après avoir passé toute la journée devant un petit écran à regarder et écouter une petite fille bien plus en danger qu'elle ne devait s'en douter : parce que le Projet aboutissait enfin sur quelque chose de concret, que ce qui avait monopolisé leurs vies pendant des années venait d'être rendu public et de provoquer... Dieu sait quoi : une réaction alchimique, ou tout simplement humaine.

Justin était surpris de se sentir à ce point concerné, si anxieux... quand le fruit de l'expérience en cours – assis sur une chaise et offert aux regards de toute la population de l'Union – balançait ses pieds comme une petite fille semblable aux autres et passait d'un bavardage pétillant d'intelligence à un air pensif, et vice versa...

Indemne et toujours à flot.

La présence du clan Warrick dans ce restaurant devait surprendre les autres clients du *Relais*, autant que s'ils avaient trouvé un squelette dans un placard. Ils constituaient la cible privilégiée des regards, et sans doute des commentaires échangés à la table de Suli Schwartz.

– Ils doivent se dire que nous avons voulu nous montrer en public, dit-il à Grant.

– Possible. Tu y prêtes attention ? Pas moi.

Justin laissa échapper un petit rire sans joie.

– Je pense toujours...

– À quoi ?

– D'un bout à l'autre de l'interview, je n'ai pas cessé de me dire : Pourvu qu'elle ne parle pas de « son ami Justin Warrick ».

– Mmm, elle a bien trop de bon sens pour commettre une erreur aussi grossière. Elle sait ce qu'elle fait, crois-moi. Elle pèse chacun de ses mots.

– Es-tu sincère ?

– Absolument.

– Ils disent pourtant que ses résultats sont inférieurs à ceux d'Ari.

– À ton avis ?

Justin posa le regard sur le vase placé au centre de la table et le géranium à la fragrance végétale agréable mais entêtante. Une tache très nette, rouge vif, étrangère à ce monde gris-bleu.

– Je crois que c'est... une battante. Dans le cas contraire, ils l'auraient déjà rendue folle. J'ignore ce qu'elle est mais... Seigneur, il m'arrive de me demander pourquoi ils ne déclarent pas l'expérience réussie et ne la laissent pas grandir en paix. Je pense alors au clone de Bok et je m'interroge... sur ce qui se passera s'ils ont fait la même chose, s'ils finissent par la rendre cinglée avec leurs foutues hormones et leurs maudites bandes, ou encore s'ils décident de tout arrêter et qu'elle soit dans l'incapacité...

– D'intégrer les ensembles ? demanda Grant.

C'était un terme de psych azi : le point de vérification, le passage à la maturité dans une pyramide ascendante de structures logiques.

Il s'appliquait à ce cas, de façon étrange. Il convenait au concept qu'il avait à l'esprit, sans être pour autant approprié. Pas pour un CIT dont les valeurs étaient – si

Emory avait vu juste et si Hauptmann et Poley avaient fait fausse route – apportées par le flux puis enchâssées dans la gangue des matrices.

– La maîtrise du flux, dit-il.

Une théorie de l'Ari précédente, en contradiction absolue avec les thèses d'Hauptmann et Poley.

– L'esprit qui contrôle les hormones, et non l'inverse.

Grant prit son verre, le leva et contempla le breuvage.

– Vin. Dieu. Révélation. Et l'homme accepte l'hypothèse des flux.

Puis un regard sur Justin, calme, non voilé par l'alcool mais par l'inquiétude.

– Tu y souscris... pour ses raisons ?

– Je ne sais pas. Je ne sais plus.

Il porta à sa bouche une cuillerée de potage, et lui trouva un goût différent, cuivré ; il en prit une autre, et l'impression désagréable disparut. Il recouvrait sa santé mentale, qui s'accompagnait de regrets pour une petite fille placée dans une situation peu enviable.

– Je ne peux m'empêcher de me demander... s'ils arrêtaient le programme, quelle direction indiquerait sa boussole ? Pour celui qui a passé toute son existence emporté dans un tourbillon... lorsque le vent tombe, quand il n'y a plus que le silence, un silence oppressant...

Il prit conscience d'avoir cessé de se référer à Ari. Son ami le dévisageait, angoissé, et un éclair à la blancheur glacée mit en relief les traits de Grant et la fragrance du géranium, au sein d'un néant ténébreux où des inconnus demeuraient en suspension, des existences séparées et révélées par une clarté soudaine.

– Quand le flux s'interrompt, lorsque les forces s'équilibrent... les contacts avec le monde extérieur disparaissent. Plus rien n'a de sens. Toutes les valeurs étant égales, aucune ne s'impose aux autres. Et c'est la paralysie. Et si l'on exerce soi-même une pression pour recréer un mouvement, on engendre un état de flux. Même la panique peut alors représenter une solution. Faute de quoi on est condamné à devenir un clone semblable à celui de Bok, et à émetttre des informations dans toutes les directions sans rien capter en retour.

– Emporté par le courant, sans superviseur pour vous venir en aide, dit Grant. J'ai connu ça. Parlons-nous d'Ari ou essaies-tu de me faire comprendre autre chose ?

– Je parle de nous. Des CIT. Nous pouvons avoir des pensées ou des états-flux qui se subdivisent à l'infini. Nous nous forons des tunnels entre les plans de la réalité.

Il termina le potage et but une gorgée de vin.

– N'importe quoi peut provoquer cela... nous sommes comparables à un hologramme brisé dont chaque morceau contient la totalité des informations sur l'image complète. La saveur d'un jus d'orange. À partir de ce soir... la senteur des géraniums. On puise dans les souvenirs pour se remémorer les déplacements hormonaux, parce que lorsque le vent tombe et que rien ne bouge il est nécessaire de recouvrer des états passés pour pouvoir entrer dans... Mes propos ont-ils un sens ? Quand le vent tombe, il ne reste plus rien. La deuxième Bok est devenue une musicienne. Valable, sans être pour autant une virtuose. Mais la musique est faite d'émotions. C'est un flux de sensations dont l'onde porteuse est un courant mathématique de tonalités et de rapports harmoniques. Flux et courants, pour un cerveau à même de résoudre tous les mystères de l'hyperespace.

– Tu oublies que dans son cas ils n'ont jamais réduit l'importance du stress.

– Des stimuli faussés et chaotiques, des sources de confusion. Tu es brillante. Tu es une ratée. Tu nous déçois. Pourrais-tu nous expliquer comment tu peux être lamentable à ce point ? Je me demande ce qui se serait passé si on avait inséré une boucle de plaisir dans ses ensembles-profonds.

– Ce serait irréalisable. Toute intervention de ce genre provoque un flirt avec les psychoses. Je pense que tu conditionnes le sujet à apprécier les montées d'adrénaline ou à jouir du flux lui-même, plutôt que d'aller chercher des motifs de satisfaction dans les banques de données.

Le serveur approcha et récupéra les bols vides, avant de verser du vin dans leurs verres.

– Cette définition me paraît correspondre à celle d'un masochiste, déclara Justin avec malaise.

Son esprit ne cessait d'effectuer des bonds entre sa situation personnelle ; Jordan ; l'enfant qui comparaissait devant le tribunal ; des lignes vertes, froides et lumineuses, sur l'écran de son moniteur ; la population de la Ville à la tension nerveuse accentuée ou atténuée avec soin et au sein de laquelle un système logique placé sous contrôle écrêtait les surtensions.

Plaisir et souffrance, mon cœur.

Il empêcha sa main de trembler pour boire une gorgée de vin puis reposer le verre, pendant que le serveur leur apportait le plat de résistance.

Il était toujours plongé dans ses pensées, lorsqu'il mâchonna la première bouchée. Grant attendait avec patience la fin de ce silence interminable.

Seigneur, pensa-t-il. *Dois-je céder à la panique pour avoir les idées claires ?*

Existe-t-il un moyen de savoir si je m'engage sur le chemin de la folie ou si je défriche une piste inexplorée ?

– Je suis tenté de leur faire une suggestion, à propos d'Ari.

Grant s'empressa de déglutir.

– Seigneur ! Ils vont exploser... Mais tu sembles sérieux. Que voudrais-tu leur conseiller ?

– De lui attribuer un autre professeur, ou en tout cas un second professeur moins patient que John Edwards. Elle l'a percé à jour et ce n'est pas ainsi qu'elle repoussera ses propres limites. Tout au long de sa vie, elle a croulé sous les félicitations et manqué d'affection. À quoi t'intéresserais-tu le plus, avec cet homme ? C'est un brave type... et un excellent enseignant. Il n'a pas son pareil pour retenir l'attention de ses élèves, mais à quoi consacrerais-tu le plus d'efforts, si tu étais Ari... à susciter son intérêt ou à obtenir des bonnes notes ?

Grant haussa un sourcil, sidéré.

– Tu as peut-être raison.

– Bon sang, je sais que j'ai raison. Qu'est-elle venue chercher, dans notre bureau ?

Il se souvint de ses pensées, lorsqu'ils avaient réservé cette table au *Relais* : la sécurité saurait où ils seraient. Ce foutu géranium pouvait être truffé de micros. Cette mise en garde avait été charriée par un courant d'adrénaline, tel un pense-bête destiné à lui rappeler qu'il vivait.

– Cette gosse veut attirer l'attention sur elle, voilà tout. Et ils viennent de lui offrir le plus grand trip à l'adrénaline auquel elle a eu droit depuis des années. Elle était très à son aise, pendant l'interview. Tous gardaient les yeux rivés sur elle. Elle n'a sans doute jamais été aussi heureuse. Comment Edwards redressera-t-il la barre, à son retour ? Que pourrait-il lui proposer à même de l'inciter à s'intéresser encore à ses études ? Ce dont ils ont besoin, c'est de quelqu'un qui puisse retenir l'attention d'Ari, et non l'inverse.

Il secoua la tête et posa le couteau dans son assiette.

– Et puis merde ! Ce n'est pas mon problème, après tout.

– Je te conseille de ne pas l'oublier. Ne t'en mêle pas, n'en dis pas un mot à Yanni.

– L'ennui, c'est qu'ils ont tous peur de devenir sa bête noire. Nul ne souhaite tenir le mauvais rôle. Nous les premiers, d'ailleurs. La précédente Ari avait un caractère exécrable... mais au moins pouvait-elle se contrôler. Elle était capable d'attendre son heure. Je ne l'ai pas assez bien connue pour en savoir plus, mais ce n'est pas le cas de nos aînés, non ?

6

La voiture s'arrêta et les membres des services de sécurité se ruèrent hors des autres véhicules. Ari descendit sur le trottoir puis se dirigea vers les portes de verre, au côté d'oncle Giraud. Florian et Catlin fermaient la marche pour lui éviter d'être bousculée par les gardes et les journalistes.

Les panneaux transparents s'ouvrirent, mais elle ne put voir que cela par-dessus l'enceinte d'épaules formée autour d'elle. Parfois, la foule l'effrayait, même quand les gens voulaient la voir ou la protéger.

Elle craignait d'être piétinée, tant ils étaient proches, et elle souffrait toujours de ses ecchymoses.

Ils venaient d'effectuer une promenade et de voir les quais, la Volga qui se jetait dans la Baie de Swigert, le port spatial et des lieux qu'elle eût aimé visiter. Mais oncle Giraud lui avait opposé un refus catégorique car la foule était trop importante.

Comme à l'hôtel où ils avaient passé la nuit : une immense suite, et tout l'étage à leur disposition. À leur sortie, les gens s'étaient agglutinés dans le hall puis autour de leur voiture, et elle avait été effrayée. Cette frayeur réapparut au Palais de l'État, quand les portes commencèrent à se refermer sur elle. Mais Catlin tendit la main pour les immobiliser et ils purent entrer.

Ce fut le seul lieu où ils purent s'attarder, à cause des badauds et des journalistes.

Le Palais de l'État était exactement comme dans les bandes : une immense salle dans laquelle tous les sons se réverbéraient, si vaste qu'il suffisait de regarder autour de soi pour avoir des vertiges. Ici, les curieux avaient dû s'entasser sur les balcons. Cet endroit était bien réel, tout comme la Cour Suprême dont elle n'avait auparavant vu que des images, et elle savait ce qu'elle verrait en haut du grand escalier depuis qu'oncle Giraud lui avait dit que les Neuf se réunissaient dans la salle située à son sommet.

Les bruits décrurent. Tous continuaient de parler, mais désormais à voix basse, et les gardes faisaient reculer les journalistes afin de leur permettre d'admirer le palais.

Oncle Giraud l'accompagna vers le haut des marches, où attendait Nasir Harad, le président du Conseil des Neuf : un homme maigre aux cheveux blancs, un dissimulateur. Elle le savait et découvrait d'autres choses bizarres à son sujet, dans la façon dont il continuait de tenir sa main après qu'elle l'eut serrée et dans le regard qu'il lui adressait... comme s'il désirait se voir accorder des faveurs.

– Oncle Giraud, murmura-t-elle lorsqu'ils entrèrent dans la Salle du Conseil, ne t'a-t-il pas paru étrange ?

– Chut, fit-il.

Et il lui désigna le grand bureau semi-circulaire autour duquel les conseillers prenaient place.

C'était le comble : devoir demander à Giraud qui étaient les amis et les ennemis ! Elle regarda les sièges qu'il montrait du doigt en précisant qui les occupait. Il y avait celui où il prenait place, lors des Conseils. En passant devant le palais des Sciences Giraud avait précisé avoir un bureau à sa disposition dans ce bâtiment, ainsi qu'un autre au Palais de l'État, avant d'avouer qu'il n'y passait guère de temps et que ses secrétaires et ses directeurs se chargeaient de toutes les formalités.

Il ordonna à un garde de presser un bouton et toute une paroi se déplaça pour révéler la Salle du Grand Conseil qui s'ouvrait au-delà de la Salle du Conseil, ainsi transformée en alcôve latérale. Une tribune se dressait devant un immense mur qu'oncle Giraud disait fait de grès rouge non équarri des berges de la Volga.

Par rapport à cette paroi démesurée, les sièges paraissaient minuscules.

– C'est ici que sont promulguées les lois de l'Union, déclara Giraud dont la voix se réverbéra dans la salle en même temps que leurs pas. C'est dans la tribune que tu peux voir là-haut que prennent place les présidents.

Elle le savait. Sa mémoire-bande lui permettait de voir la salle bondée d'hommes et de femmes qui allaient et venaient dans les allées. Son rythme cardiaque s'emballait.

– Nous sommes au cœur de l'Union. C'est ici que sont réglés tous les différends importants. Sans cette institution, rien ne pourrait fonctionner.

Elle n'avait jamais entendu oncle Giraud parler d'une voix aussi posée et solennelle, destinée à indiquer que ses propos étaient très importants. On aurait cru le Dr Edwards, en plein cours.

Puis ils revinrent sur leurs pas, vers le vacarme et la cohue que les gardes devaient repousser. Ils descendirent l'escalier, en direction des caméras installées en contrebas.

– Nous allons leur accorder une interview et ensuite nous irons déjeuner avec Harad, lui annonça oncle Giraud. Le programme te convient ?

– Qu'est-ce qu'il y aura, au menu ?

La perspective d'un repas la séduisait, mais pas celle de le prendre en compagnie d'Harad.

Une femme s'approcha de Giraud et le retint par la manche.

– Conseiller... En privé. C'est urgent.

Ari comprit aussitôt qu'ils avaient des problèmes. L'inconnue semblait rongée par l'angoisse et son oncle se figea un bref instant avant de dire :

– Attends-moi ici, Ari.

Ils s'écartèrent pour discuter. La femme tournait le dos à Ari et le bruit de fond couvrait ses paroles.

Oncle Giraud revint, bouleversé et livide.

– Sera, dit Florian.

Rapidement, à voix basse, comme s'il sollicitait des instructions. Mais elle ignorait les raisons de leurs ennuis autant que leur nature.

– Ari.

Oncle Giraud lui fit signe de le suivre, le long du mur, au-delà de la fontaine monumentale, vers des bureaux. Les membres de la sécurité leur emboîtèrent le pas, accompagnés par Florian et Catlin. Les murmures de la foule étaient comparables à ceux d'un ruisseau.

Les gardes ouvrirent une porte et ordonnèrent aux occupants de la pièce d'évacuer les lieux : des employés déconcertés et affolés.

– Attendez dehors, ordonna oncle Giraud à Florian et Catlin.

Puis il poussa Ari à l'intérieur du bureau à présent désert. Ses azis allaient la suivre, malgré son ordre, mais il répéta :

– Dehors !

Et elle leur dit :

– Obéissez-lui.

Il referma le battant derrière eux. Ils étaient terrifiés. Oncle Giraud également. Et Ari ne savait pas ce qui se passait, hormis qu'il l'avait prise par les épaules et la regardait droit dans les yeux.

– Ari... Ari, nous venons de recevoir de Lointaine une mauvaise nouvelle. Écoute-moi bien. Ça concerne Jane. Elle est décédée, Ari.

Elle resta figée sur place. Les mains d'oncle Giraud pesaient sur ses épaules et il lui tenait des propos absurdes. Sa maman ne pouvait pas être morte. Cela n'avait aucun sens.

– Elle nous a quittés il y a six mois, Ari. L'information vient de nous parvenir. Cette femme... Elle m'a averti sitôt après avoir entendu la nouvelle. Et il valait mieux que je te le dise avant que les journalistes ne puissent te l'apprendre. Respire à fond, ma chérie.

Il la secouait, et elle souffrait. Pendant un long moment elle ne put respirer et oncle Giraud l'attira contre lui, pour lui caresser le dos en l'appelant encore « ma chérie ». Comme l'eût fait maman.

Elle le frappa. Il la serra plus fort, pour l'empêcher de se débattre. Elle pleurait.

– C'est un mensonge ! hurla-t-elle dès que ses poumons continrent assez d'air pour le lui permettre.

– Hélas, non. Jane était âgée, ma chérie, très âgée. Et tous les vieillards finissent par mourir. Écoute-moi. Je vais te ramener à la Maison. À la Maison, tu m'entends ? Mais il va d'abord falloir sortir d'ici, passer devant tous ces gens et atteindre la voiture. La sécurité nous escortera jusqu'à l'aéroport mais tu devras arriver jusqu'au véhicule. T'en sens-tu capable ?

Elle écoutait. Elle écoutait tout. Les mots passaient près d'elle. Mais elle retint ses larmes et il la repoussa à bout de bras pour essuyer son visage avec ses doigts et réordonner sa chevelure. Il la fit asseoir dans le fauteuil.

– Est-ce que ça va ? lui demanda-t-il d'une voix très douce. Ari ?

Elle inhala une autre bouffée d'air et le regarda sans

le voir. Elle le sentit caresser son épaule et l'entendit gagner la porte et appeler ses azis.

– La maman d'Ari est décédée, leur annonça-t-il. Nous venons de l'apprendre.

Des gens, de plus en plus nombreux. Florian et Catlin. Si nul ne mettait cette information en doute, elle devait être exacte. Tous ces inconnus, là-dehors. On parlait de maman aux informations. La totalité de la population de l'Union savait que sa maman était morte.

Oncle Giraud revint s'accroupir devant elle et prit un peigne pour démêler ses cheveux. Elle secoua la tête et se tourna vers le mur. *Va-t'en*.

Mais il recommença, avec douceur et patience. Lorsqu'il eut terminé Florian apporta un verre d'eau, qu'elle prit dans sa main valide. Catlin restait immobile, très ennuyée.

La mort n'est que la mort, disait-elle souvent. Elle ne savait quelle attitude adopter en présence d'une CIT convaincue du contraire.

– Ari, nous allons sortir d'ici, dit oncle Giraud. Il faut rejoindre la voiture, d'accord ? Prends ma main. Les journalistes te laisseront tranquille. Il suffit d'aller jusqu'au véhicule.

Elle se leva pour le suivre, toujours plus loin, vers la foule massée à l'extrémité de la salle. Mais le grondement des voix s'atténuait et elle pouvait à présent entendre les gargouillis de la fontaine. Giraud lâcha sa main et la prit par l'épaule. Elle restait à son côté, précédée par Catlin et protégée de l'autre côté par Florian, eux-mêmes entourés de gardes. Mais ces mesures étaient superflues. Nul n'osait lui poser la moindre question.

Ils devaient s'apitoyer sur son sort, pensa-t-elle. Elle leur inspirait de la pitié.

Et elle ne pouvait le supporter. Les regards qu'ils lui adressaient l'exaspéraient.

C'était une marche interminable. Mais ils finirent par franchir les portes et atteindre la voiture. Florian et Catlin en firent le tour pendant qu'oncle Giraud l'installait sur la banquette arrière et s'asseyait près d'elle, pour la serrer contre lui.

Les gardes fermèrent les portières puis l'un d'eux monta à l'avant et le véhicule démarra. Ils roulaient très vite, à présent, et elle voyait les lumières du tunnel filer sur les côtés.

Giraud fit lever Florian et s'assit à sa place, en face d'elle.

– Ari, je sais à présent ce qui s'est passé. Ta maman est morte à son bureau, pendant qu'elle travaillait. Une crise cardiaque. Elle n'a pas souffert. Ils n'ont même pas eu le temps de la transporter à l'hôpital.

– Où sont mes lettres ? demanda-t-elle en le fixant droit dans les yeux.

Il soutint son regard.

– À Lointaine, et je suis certain qu'elle les a toutes lues.

– Alors, pourquoi ne m'a-t-elle pas répondu ?

Il s'accorda un instant de réflexion, puis :

– Je ne sais pas, Ari. Et j'ignore s'il me sera possible de l'apprendre. J'essaierai. Mais il me faudra du temps, compte tenu de la lenteur des communications entre Cyteen et Lointaine... beaucoup de temps.

Elle détourna le visage, pour regarder par le hublot le paysage rouge et brumeux de l'arrière-pays.

Sa maman était morte depuis six mois et elle n'avait rien suspecté. Elle avait continué de vivre comme si de rien n'était, comme avant. Elle en éprouva de la honte, puis de la colère. D'autres choses affreuses avaient pu se produire depuis, et elle ne l'apprendrait pas avant aussi longtemps.

– Je veux qu'Ollie revienne.

– Je vais voir si c'est réalisable.

– Je le veux !

– Il est libre de ses choix. En tant que partenaire de ta maman, il la remplace et doit faire en sorte que tout se passe bien, là-bas. Il n'est pas un serviteur mais un excellent administrateur et il occupe désormais le poste de Jane. Je doute qu'il veuille y renoncer, mais je lui ferai part de tes désirs.

Elle avala la boule qui obstruait sa gorge. Elle espérait que Giraud la laisserait bientôt tranquille. Elle ne savait quoi penser. Elle n'avait pas terminé de tirer des conclusions.

Elle se rappelait leur longue marche, tous les gens qui la suivaient des yeux. Et elle savait que tout recommencerait à Reseune... tous l'étudieraient comme une bête curieuse, tous sauraient ce qui s'était passé.

Ce qui la mit en colère. À tel point qu'elle ne pouvait plus avoir des pensées cohérentes, alors qu'il lui fallait trier vérités et mensonges.

Savoir qui voulait la déposséder de ses biens et si Giraud ne lui mentait pas sur ce qui était arrivé à sa maman.

Qui sont-ils, où sont-ils, quels sont leurs atouts ?

Elle regardait son oncle chaque fois qu'il cessait de lui prêter attention. Elle se contentait alors de le fixer, sans ciller.

7

Ils repassaient la même scène : la fillette vêtue de bleu traumatisée par la nouvelle traversait en compagnie de Giraud et de ses azis la foule de journalistes et de fonctionnaires pendant que des gardes formaient autour d'eux une haie protectrice.

Mikhaïl Corain serra les dents et regarda la suite : des vids procurées par Reseune sur l'enfance d'Ari et la carrière de Jane Strassen, entrecoupées de séquences du procès et de la conférence de presse tenue après que le verdict eut été rendu. Puis tout recommençait au début, avec les explications fournies par le service des relations publiques des laboratoires, Denys Nye, les psychologues de l'enfant... sur un fond de musique solennelle, des images sorties des archives pour permettre de comparer la première Ariane enregistrée aux funérailles de sa mère à des clichés de sa réplique blême et bouleversée extraits des bandes qu'ils ne cessaient de leur passer.

Tout Cyteen était captivé par le plus fascinant des spectacles dont Reseune aurait pu rêver. Cette mégère de Catherine Lao n'avait pas eu de difficultés à manipuler les médias chargés d'assurer la couverture du débat sur le décret de Divulgation ; la révélation de l'existence d'une Emory dupliquée qui revendiquait ses droits à la succession de sa génémère – pas un clone comparable à celui de Bok mais une enfant pleine d'avenir – et la comparution de cette dernière devant le tribunal puis l'interview... autant de points marqués par les expansionnistes ; l'invocation du secret Défense par les militaires pour réclamer l'invalidation de la proposition de loi déposée par les centristes et de brefs extraits des protestations de ces derniers...

Et pour couronner le tout la mort de Strassen, et la fillette qui apprenait ce décès presque en direct...

Seigneur, c'était du cirque !

Un cargo appontait à Station Cyteen et vidait le contenu de ses mémoires. La masse de données était transmise aux ordinateurs des services d'Information de la planète qui soumettaient chaque nouvelle au jugement d'un observateur humain, et ce qui n'eût fait l'objet que d'un simple entrefilet en d'autres circonstances – le décès d'une administratrice au nom inconnu du grand public – devenait le plus grand scoop depuis...

Depuis le meurtre d'Ariane Emory et la comparution de Jordan Warrick devant la commission d'enquête.

Cette nouvelle ne pouvait avoir été créée de toutes pièces : les vaisseaux qui arrivaient déversaient la totalité des données se rapportant à la dernière station visitée – dépêches, courrier électronique, publications, cours de la Bourse, relevés financiers et statistiques, bulletins de vote et états civils – dans le système informatique de la planète qu'ils venaient d'atteindre, pendant que tout ce qui concernait cette dernière était stocké dans leurs mémoires. Une telle méthode permettait aux marchés d'être actifs et à l'ensemble de l'Union de maintenir sa cohésion. Modifier les informations d'une boîte noire était matériellement irréalisable et moralement impensable, et compte tenu du fait que Lointaine était à six mois de voyage de Cyteen cet avis de décès n'avait pu été communiqué dans le but d'obtenir l'effet produit...

Seigneur, il se surprenait à analyser toutes ses actions et tous les contacts qu'il avait eus avec Giraud Nye et les autres responsables de Reseune. Il se demandait s'il n'avait pas été manipulé. Ne l'avait-on pas incité à déposer la proposition de décret de Divulgation juste au moment où les laboratoires s'apprêtaient à sortir cet atout de leur manche ?

Il avait eu affaire à Emory tout au long de son existence, et cela expliquait de telles pensées.

Et le soupçon que Reseune eût commandité l'assassinat de Strassen, fait éliminer une collaboratrice âgée de cent quarante et quelques années pour qu'une enfant issue de ses labos eût un comportement satisfaisant face aux médias...

Quelle valeur pouvaient accorder à la vie ceux qui la créaient et la détruisaient à leur guise ?

Cette question méritait d'être approfondie, sans hâte intempestive. Il utiliserait pour cela tous ses moyens d'investigation. Mais RESEUNESPACE était une enclave civile au cœur des installations militaires de Lointaine, et seules deux navettes quotidiennes la reliaient à la station commerciale. Y pénétrer serait très difficile.

Et le moindre faux pas ferait encore perdre du terrain aux centristes... porter des accusations impossibles à prouver, ne pas retirer ce projet de loi qui entraînerait des auditions interminables et un procès dirigé contre une petite fille qui venait de séduire tous les journalistes et de susciter un tel engouement du public que le bureau de l'Information avait dû mettre en place un service chargé de répondre aux demandes de renseignements, en lui attribuant des indicatifs d'appel spéciaux.

Et ce n'était qu'un début. Les vaisseaux qui appareilleraient cette semaine de Station Cyteen formeraient la lame frontale d'un raz de marée qui se propagerait jusqu'à la Terre.

Les centristes devaient renoncer à leur proposition de loi. Tout ce qui incluait des procédures interminables risquait d'avoir de graves conséquences.

19

Bien qu'une enquête me paraisse indispensable dans l'intérêt général, je juge préférable de suspendre toute action entreprise en ce sens. Telle était l'idée que ses spécialistes en communication tentaient toujours d'exprimer de la meilleure façon possible.

Il n'aurait pas le beau rôle, quoi qu'il en soit. Il avait envisagé de réclamer une investigation sur le bien-être de la fillette, en laissant entendre que Reseune avait pu la créer dans l'unique but de protéger ses fichiers.

Une seule chose était certaine : son parti avait un problème épineux à résoudre.

8

Nelly l'aida à retirer son corsage... il se fermait du mauvais côté et il avait fallu fendre la manche pour lui permettre de l'enfiler avec le plâtre. Elle possédait plusieurs chemisiers du même genre et elle les portait avec des vestes qui pouvaient être drapées sur l'épaule droite.

Elle se sentit aussitôt plus à son aise. Pour prendre ses douches, elle devait ensacher son bras dans une poche en plastique hermétique fermée au-dessous de l'épaule avec du ruban adhésif, et lorsqu'elle sortait de la cabine elle ne pouvait retirer le sac et enfiler son pyjama sans aide.

Nelly était au bord de la dépression nerveuse et Ari savait qu'elle n'aurait pas dû s'emporter contre elle.

– Je ne veux pas me coucher tout de suite, déclara-t-elle quand l'azie voulut la mettre au lit.

– Il le faut, insista Nelly.

Ce qui donna à Ari envie de la frapper, ou de pleurer : des réactions aussi stupides l'une que l'autre. Elle puisa donc dans sa patience pour répondre :

– Laisse-moi seule et va dans ta chambre. Tout de suite.

Elle revenait d'assister à la cérémonie funèbre célébrée à la mémoire de sa maman. Elle avait pu rester jusqu'à la fin, sans pleurer... ou presque. Elle ne s'était pas donnée en spectacle comme Victoria Strassen, qui avait reniflé et sangloté jusqu'au moment où les gardes étaient venus la rappeler à l'ordre. C'était sa première rencontre avec tante Victoria, et elle la trouvait exaspérante. Même maman eût été en colère, bien qu'elle fût sa demi-sœur. Ari se retrouvait avec des plaies à l'intérieur de la bouche, tant elle avait mordu ses joues pour ne pas laisser éclater son chagrin. Mais elle s'en fichait, c'était parfait, de loin préférable à la conduite de tante Victoria.

Réfléchis bien avant de décider d'y aller, lui avait dit oncle Denys. Rien ne t'y oblige, et je suis certain que Jane n'y accorderait aucune importance. Tu sais ce qu'elle pensait des réunions de ce genre... Elle est partie pour le soleil de Lointaine, elle a eu des funérailles de spatiale. Ta maman en était une, autrefois. Mais les traditions de la Maison sont différentes. Si le temps le permet, nous sortons dans le Jardin oriental où se dressent tous les monuments commémoratifs, sinon nous allons ailleurs. Les amis de Jane raconteront quelques anecdotes à son sujet, comme le veulent nos coutumes. N'y assiste pas, si tu penses avoir de la peine, mais si tu viens, tu apprendras des choses sur la jeunesse de ta maman, tout ce qu'elle a accompli. Si tu préfères rester ici, ne te gêne surtout pas. Et si tu m'accompagnes et changes d'avis par la suite, tire-moi par la manche. Nous repartirons et nul n'en sera choqué. Les enfants n'assistent pas toujours à ces cérémonies. Certains amis non plus. Seulement ceux qui en éprouvent le besoin, tu comprends ?

Florian et Catlin n'avaient pas été présents. Oncle Denys les disait trop jeunes et précisait que des azis n'auraient pu assimiler le sens des funérailles CIT.

Tu ne voudrais pas qu'ils soient ensuite obligés de recevoir une bande ? avait-il conclu.

Elle était heureuse que tout fût terminé. Elle se sentait aussi mal moralement que physiquement. Oncle Denys lui avait donné de l'aspirine et le Dr Ivanov était venu lui injecter un médicament qui, selon lui, la ferait tituber mais l'aiderait à attendre la fin du service.

Elle regrettait d'avoir accepté, parce qu'elle eût aimé entendre plus nettement certains passages et que tout avait grondé et résonné à l'intérieur de son crâne.

C'était toujours le cas, mais sitôt après avoir dit à Nelly de lui envoyer Catlin et Florian elle poussa l'azie hors de sa chambre en lui grommelant d'aller se coucher et de prendre la bande prescrite par le Dr Ivanov.

– Bien, sera, répondit Nelly, l'air malheureux.

Ari mordilla encore sa lèvre, rongée par la colère qu'elle s'inspirait. Mais elle se contint et alla donner à manger aux poissons. Elle regarda les guppys poursuivre les grains de nourriture et se faufiler entre les plantes. Les petits étaient nombreux. Ari avait placé son plus joli mâle avec les vilaines femelles, dans l'espoir qu'elles auraient des bébés un peu plus beaux. Elle dirait à Florian de le capturer avec l'épuisette et de le remettre dans son aquarium habituel; elle craignait de le blesser en maniant le petit filet de la main gauche.

Demain. Elle n'était pas d'humeur à s'occuper d'eux, ce soir.

Ses azis entrèrent, toujours en uniforme et très tristes. Ils l'étaient depuis qu'ils avaient appris ce qui était arrivé à sa maman. Ari savait qu'ils ne pouvaient comprendre ce qu'on ressentait en pareil cas, mais ils souffraient de la voir malheureuse.

Florian s'était déclaré très ennuyé, pour sa fracture et à présent pour sa maman. Il avait ensuite voulu savoir s'ils ne pourraient rien faire pour elle.

Elle regrettait d'avoir dû leur fournir une réponse négative. Florian ne devait pas se tourmenter ainsi. Elle l'avait déclaré, avant de lui demander s'il souhaitait recevoir une bande : la question que devait poser tout super lorsqu'un de ses azis s'adressait à lui en quête de réconfort.

Oncle Denys le disait souvent.

– Non, avait répondu Florian, sur un ton catégorique. Que se passerait-il si vous aviez besoin de nous pendant notre séjour à l'hôpital? Non. Nous ne le voulons pas.

Et à présent :

– Vous passerez la nuit avec moi, leur dit-elle dès qu'ils entrèrent.

– Bien, sera, fit Florian.

– Nous allons prendre nos affaires, déclara aussitôt Catlin.

Ils paraissaient soulagés.

Ari se sentit elle aussi moins oppressée, lorsqu'ils furent près d'elle, sans témoins. Elle éprouvait de la gêne, en présence d'autres personnes ; comme si elle était sortie toute nue de chez elle ou avait eu un corps en verre, ce qui eût permis aux gens de voir ce qu'il y avait à l'intérieur de son être, tout ce qu'elle voulait dissimuler. Mais elle n'avait jamais ressenti cela avec ses azis. Ils étaient ses véritables amis. Ils pouvaient dormir dans la même chambre et s'y promener en pyjama, bien que Florian fût un garçon.

Et dès qu'elle fut seule avec eux elle remarqua la diminution de l'angoisse qui accentuait la souffrance, lui donnait des nausées et la rendait lasse, si lasse d'avoir mal.

– Ils ont dit des tas de choses gentilles sur maman, leur expliqua-t-elle.

Ils avaient installé les matelas dans l'angle de la chambre et enfilé leurs pyjamas, avant de venir s'asseoir au pied de son lit.

Maman avait eu beaucoup d'amis. Ils paraissaient la regretter. Tante Victoria était inconsolable. Quand les gardes étaient allés lui parler, sans doute pour lui dire de se conduire avec un peu plus de dignité ou lui intimer de s'en aller, elle avait piqué une colère puis était partie, tout seule, pendant que le Dr Ivanov expliquait ce qui s'était passé dans la section un à l'époque où maman la dirigeait.

Ari avait une multitude de choses à raconter à Florian et Catlin. Elle le ferait, mais pas tout de suite. Elle devrait attendre un peu.

Tous avaient été bouleversés, mais pas comme les journalistes. Les gens de Reseune étaient tristes, mais ils paraissaient également irrités, peut-être parce qu'ils trouvaient la mort injuste. Elle avait répertorié diverses nuances de ressentiment, de chagrin. Ce n'était pas du tout comme à Novgorod : elle découvrait des sentiments plus puissants et profonds, complexes, dissimulés derrière ce qui transparaissait sur les visages.

Il y avait eu Justin et Grant, le seul azi présent.

De nombreux adultes disaient que maman avait été leur professeur, et qu'ils l'aimaient beaucoup.

Le Dr Schwartz déclarait s'être chamaillé avec Jane, si fort qu'on pouvait les entendre dans tous les couloirs de la section un, mais qu'il fallait attribuer ces querelles à la conscience professionnelle de maman et que tout ce qu'elle avait entrepris à RESEUNESPACE était parfait, parce que la perfection était sa seconde nature.

Elle se rappela sa voix, entendue à travers les murs de sa chambre : Ollie, bordel... Et elle eut chaud dans tout le corps, comme si maman s'emportait contre elle :

Bon sang, redresse-toi, Ari. Et ne me débite plus des bêtises de ce genre, compris ? Ça ne prend pas, avec moi.

Comme si maman avait été de retour pendant une seconde. Comme si elle s'était trouvée là, et reviendrait chaque fois qu'Ari penserait à elle. Elle ne vivait plus à Lointaine, désormais.

Ce qui n'était pas le cas d'Ollie. Et peut-être de tous les autres Disparus.

À bord de l'avion qui la ramenait à Reseune elle s'était demandé : Qui pourrait savoir plus de choses que moi, dans la Maison ?

Et être assez peureux pour ne pas oser refuser de répondre à mes questions ?

9

– Vous êtes un imbécile, gronda Yanni.

Et Justin le regarda droit dans les yeux pour répondre :

– Ce n'est pas la première fois que vous me le dites. Tout est là, dans ce mémo. Et si vous pensez que j'ai des motivations d'ordre personnel, vous vous trompez. Sachez en outre que je n'ai rien à reprocher à John Edwards, ou à d'autres. Je ne sais même pas si j'ai vu juste, mais...

Il haussa les épaules. Il risquait d'aller trop loin, avec cet homme. Si ce n'était déjà fait. Il jugea préférable de battre en retraite, de procéder à un repli précipité.

– Je retourne terminer mon travail. Je dois rendre le projet GY demain matin.

– Ne bougez pas.

Il se laissa redescendre dans le fauteuil, sous le regard menaçant de Yanni.

– Vous estimez donc qu'elle n'est pas assez stressée.

– Je n'ai jamais dit ça, et vous le savez.

– Mon garçon, l'administration est surexcitée. Moi aussi. Je sais que vous aimez bien cette petite et que vous croyez pouvoir l'aider... mais nous sommes tous crevés et sur les nerfs, et j'espère que vous n'en avez parlé qu'à moi.

– C'est exact.

– Savez-vous à quoi je pense ?

Ce n'était pas une question de pure rhétorique.

– Non, ser.

– A votre folie, ce bourbier dans lequel vous revenez vous enliser, aussi inéluctablement qu'une pierre retombe quand on la lance en l'air... voilà ce qu'évoque pour moi votre comportement. Structure de motivation et de récompense.

– J'ai fait une hypothèse.

– Et vous l'avez couchée par écrit.

Yanni prit le mémo de trois pages et le glissa dans une fente, sur le côté du bureau. Un voyant rouge clignota et un bourdonnement à peine audible indiqua que même les cendres avaient été dispersées.

– C'est un service que je vous rends, mon garçon. Je ne devrais détruire aucun des documents qui se rapportent au Projet et je viens d'enfreindre mes instructions. En fait, vous n'êtes pas le seul à partager ce point de vue et je trouve d'ailleurs un de vos arguments très pertinent... à tel point que je compte vous l'emprunter et l'utiliser lors de la prochaine réunion du comité. Si vous n'y voyez pas d'inconvénients, bien sûr.

– Faites, mais évitez de citer vos sources.

Yanni l'étudia un long moment.

– Vous m'inquiétez.

– Je n'ai pas de mauvaises intentions, rassurez-vous. Mais je préfère que mon nom ne soit pas mentionné.

Un autre regard perçant.

– Psych de motivation... Nous ne vous avons pas communiqué toutes les données, sur Rubin. Je vous ai promis de ne plus vous faire travailler en temps réel, mais je vais vous demander de me rendre un service. Faites-moi une faveur. Je compte vous adresser le dossier Rubin, au complet.

– Ils sont combien... deux ?

– Je ne parle pas de la réplique, uniquement de l'original.

– Pourquoi ?

– Il n'est pas dans mes intentions de vous le dire.

– Que voulez-vous que je fasse ?

– Je vous laisse le soin de le déduire.

– Je crois savoir.

– Parfait.

Yanni se pencha sur ses coudes, mains croisées devant lui.

– Traitez le problème, et je vous dirai ensuite ce que j'en pense.

– Est-ce un exercice ?

– Devinez.

– Bordel, Yanni...

– Vous avez raison, pour la gosse. Elle est bien plus intelligente que ne l'indiquent ses résultats scolaires. Je me charge de ça et vous vous occupez du reste, d'accord ?

Oncle Denys reprit des œufs. Ari piquait les siens du bout de sa fourchette et les poussait sur le pourtour de l'assiette, consciente que son estomac les refuserait.

– Nous pourrions sortir dîner, ce soir, proposa oncle Denys. Ça te plairait?

– Non. J'ai pas faim.

C'était son neuvième anniversaire, et elle eût aimé pouvoir l'oublier. Elle ne voulait pas se plaindre de ses nausées car oncle Denys aurait appelé le Dr Ivanov qui se serait empressé de lui faire une nouvelle piqûre, alors que son esprit était déjà bien embrumé.

– Il n'y a donc rien qui te ferait plaisir?

Revoir maman, pensa-t-elle. Et sa colère fut telle qu'elle eut envie de casser la vaisselle posée sur la table.

Mais elle s'en abstint.

– Je sais que c'est une période très pénible pour toi, Ari. Mais je ne peux rien y changer. Crois bien que je le regrette. Il n'y a rien qui te tente? Quelque chose que tu voudrais et que je pourrais t'obtenir?

Elle réfléchit. Il eût été stupide de laisser passer une offre pareille. Lorsque l'occasion de recevoir un cadeau se présentait il fallait la saisir, quitte à n'être content que plus tard. Elle était parvenue à cette conclusion longtemps auparavant.

– Si, j'ai trouvé.

– Qu'est-ce que c'est, ma chérie?

Elle le fixa, les yeux brillants de désir.

– Cheval.

Oncle Denys prit une inspiration.

– Mon enfant...

– C'est toi qui as demandé.

– J'aurais cru qu'un bras cassé te suffirait. Non. Inutile d'insister.

– Je veux Cheval.

– Il appartient à Reseune, Ari. Tu ne peux pas le posséder.

– M'en fiche. Je le veux.

– Non.

Ce refus était pénible à entendre. Elle repoussa son assiette et se leva de table.

– Ari, ne comprends-tu pas que c'est trop dangereux ?

Elle était sur le point de pleurer, ce qu'elle s'interdisait de faire devant témoins. Elle se dirigea vers la porte.

– Ari, la rappela oncle Denys. Il faut que je te parle.

Elle le regarda.

– Je ne me sens pas bien. Je vais me coucher.

– Viens ici.

Elle ne tint pas compte de cet ordre et alla s'enfermer dans sa chambre.

Et elle s'allongea sur son lit et pleura comme un bébé, jusqu'au moment où la colère lui fit jeter Poo-Poo à l'autre bout de la pièce.

Et elle eut alors l'impression que quelque chose venait de se briser, parce que Poo-Poo lui avait été donné par maman.

Mais ce n'était après tout qu'un jouet.

Elle entendit ouvrir la porte. Certaine qu'il s'agissait d'oncle Denys elle se tourna en fronçant les sourcils et fut surprise de voir ses azis sur le seuil.

– Ser Denys vous demande, lui déclara Florian d'une voix feutrée.

– Dis-lui d'aller au diable.

Florian parut gêné. Mais elle savait qu'il irait le répéter et qu'elle aurait ensuite des ennuis.

– Bien, sera.

– Non, j'y vais.

Elle se massa les yeux et se leva, termina d'essuyer ses larmes, puis passa devant les azis pour regagner la salle de séjour.

Céder ainsi à la colère constituait une grave erreur, surtout avec oncle Denys. Elle lui avait offert une opportunité de la Travailler, et elle devrait à présent revenir près de lui et se faire pardonner.

Idiote, idiote, se reprocha-t-elle. Et elle ravala sa colère pour aller rejoindre son oncle avec soumission. Il s'était installé dans le coin-repas et prenait son café. Il feignit de ne pas remarquer sa présence.

Un autre moyen de Travailler les gens.

– Je te demande pardon, oncle Denys.

Il lui adressa un regard, but une gorgée de café, et lui dit :

– J'avais l'intention de te faire une surprise, pour ton anniversaire. Veux-tu un peu de jus d'orange ?

Elle approcha, boudeuse, et grimpa sur l'autre chaise en soutenant son plâtre à l'aide de sa main valide.

– Si Florian et Catlin peuvent en boire aussi.

– Seely.

Et l'azi apporta deux verres supplémentaires pendant que Florian et Catlin s'installaient sans rien dire de l'autre côté de la table.

– Nelly a dû retourner à l'hôpital, Ari, dit oncle Denys. Tu sais pourtant que ça lui fait de la peine, quand tu la renvoies et que tu appelles tes azis.

– Je ne peux pas m'en empêcher, elle fait des histoires pour un rien.

– Elle ne sait plus comment se comporter avec toi. J'estime qu'il faudrait l'autoriser à aller travailler en Ville, à la pouponnière. Penses-y. Mais c'est à toi de décider.

Elle ne pourrait se résigner à perdre maman et Nelly la même semaine. Même si l'azie la rendait folle. Elle regarda la table et tenta de penser à autre chose.

– Réfléchis bien, répéta oncle Denys. Elle serait plus heureuse si elle avait un bébé dont elle pourrait s'occuper. Tu n'en es plus un, et tu lui fais beaucoup de peine... surtout quand tu lui donnes des ordres. Garde à l'esprit ce que je viens de te dire. La situation serait différente si tu ne pouvais plus la voir. Si tu t'y opposes, nous devrons lui fournir une bande de réadaptation et la charger par exemple de faire le ménage.

– Et Nelly, qu'est-ce qu'elle voudrait ?

– Que tu aies toujours trois ans ; ce qui est un souhait irréalisable. Voilà pourquoi elle doit changer d'emploi ou se reconvertir.

– Elle ne pourrait pas travailler au labo de naissance et continuer de vivre chez nous ?

– Eh bien... pourquoi pas ? C'est même une excellente idée.

Il posa sa tasse afin que Seely pût le resservir, puis il remua le café.

– Si c'est ce que tu veux.

– Ce que je veux, c'est Cheval.

Il fronça les sourcils.

– C'est bien trop dangereux.

– Florian m'a parlé d'un petit.

– Ils grandissent vite, Ari, et nul ne pourrait t'apprendre à les monter. Si nous les avons créés c'est pour les étudier, pas pour jouer avec.

– Tu pourrais me donner le poulain.

– Seigneur !

– Florian sait tout, sur les chevaux.

Oncle Denys regarda l'azi, qui s'abstint de confirmer ou de démentir les dires d'Ari.

– Non, répéta oncle Denys sur un ton catégorique. Mais j'en parlerai à l'AG, d'accord ? Je ne connais pas assez ces animaux. Quand tu seras un peu plus grande, peut-être ? Lorsque tu auras démontré que tu possèdes suffisamment de bon sens pour ne pas descendre à l'AG en cachette et te rompre le cou.

– Ce que tu dis n'est pas gentil.

– Mais c'est la vérité, il me semble ? Tu aurais pu te briser la nuque, la colonne vertébrale, ou le crâne. Tu peux faire beaucoup de choses : un jour, tu piloteras un avion. Tu auras de nombreuses activités. Mais, pour l'amour de Dieu, ne pénètre pas en cachette sur le terrain d'aviation pour essayer de faire décoller un des jets ! Tu dois étudier. Il n'y a aucun droit à l'erreur, quand un de ces appareils pique du nez. Il est indispensable de savoir ce qui risque d'aller de travers, ce qu'il convient de faire pour redresser la situation, et être capable de l'effectuer. Si tu veux monter à cheval, par exemple, il serait préférable que tu sois à la fois assez grande pour te tenir sur ta monture et un peu plus maligne qu'elle.

Ce n'était pas gentil, ça non plus. Mais elle devait reconnaître qu'il n'avait pas tout à fait tort.

– Tu t'es laissé surprendre parce que tu ignorais quelle serait sa réaction. Je te suggère donc d'étudier les animaux. Ce ne sont pas des machines. Ils ont la faculté de penser. Et Cheval s'est dit : Tiens, une petite idiote ose se permettre de grimper sur mon dos. Et comme il était bien plus fort que l'idiote en question il s'est empressé de s'en débarrasser. Tu dois le comprendre.

Elle se renfrogna encore plus, car cette version des faits lui paraissait trop proche de la réalité. Mais le refus catégorique d'oncle Denys semblait s'être réduit à un peut-être, ce qui représentait déjà une victoire.

– Je n'avais pas de selle ni de bride.

– D'accord, mais même dans le cas contraire aurais-tu su les mettre à Cheval ? Non, il faut commencer par étudier la question, en consultant par exemple certains ouvrages de la bibliothèque. Peut-être devrais-tu en parler à ceux qui ont des chances de savoir. Quoi qu'il en soit, je te demande de me prouver que tu es consciente de tes responsabilités, et ensuite nous en reparlerons.

À mi-chemin entre un refus et une acceptation. Pendant deux secondes elle en oublia sa souffrance et fut surprise lorsqu'elle la perçut à nouveau. Elle pensa à ce qu'elle avait éprouvé lors du départ de maman pour Lointaine et à la façon dont elle avait surmonté cette épreuve.

Se remettre de la mort de maman lui paraissait impossible, mais elle sentait le processus débuter : oncle Denys était moins gentil avec elle, elle devrait retourner en classe, et tout redeviendrait comme avant.

Se sentir mieux l'attristait, ce qui était absurde.

Elle regretta de ne pas avoir mentionné Cheval dans ses lettres.

Avant de se demander si elles étaient parvenues à destination... à maman ou Ollie. À cette pensée, sa gorge se serra et ses yeux devinrent larmoyants. Elle se leva de table pour aller se réfugier dans sa chambre, chercher un mouchoir, s'essuyer le visage et se moucher.

Florian et Catlin arrivèrent et restèrent sur le seuil.
– Ça va aller, dit-elle.
Ce qui dut les confondre, comme eût dit maman.
– Ari, lui cria oncle Denys depuis l'autre pièce. Ari ?

Elle lui avait fait subir une matinée assez pénible mais il affirmait ne pas lui en tenir rigueur. Selon lui, c'était comparable à ces douleurs passagères qui s'atténuent rapidement. Il n'était pas en colère.
– J'ai eu un entretien avec ceux de l'AG, déclara-t-il au cours de leur dîner au restaurant. Dès qu'ils disposeront d'une cuve, ils feront un essai.
– Tu veux dire... un cheval ?
– Ne parle pas la bouche pleine, Ari. N'oublie pas les bonnes manières.
Elle déglutit. Très vite.
– Et voilà quel sera ton travail. Tu devras consulter toutes les données et rédiger des rapports sur un ordinateur, comme une tech. La machine comparera tes conclusions à celles des spécialistes. Elle te signalera tes erreurs, et tu chercheras leurs causes et les analyseras. Tu feras cela de la conception à la naissance, sans interrompre ni tes autres activités ni tes études. Si tu veux un cheval, tu dois le mériter.
Ça représentait un travail fou.
– Il est à moi, alors ?
– Pas « il » : « elle ». Nous voulons une autre femelle, car les mâles ont tendance à se battre entre eux, quelle que soit l'espèce. Nous allons en créer un du même génotype que celui que nous avons déjà, afin de ne courir aucun risque. Mais si tu ne fais pas ce qu'on te demande tu n'obtiendras rien du tout parce que tu n'en seras pas digne. C'est bien compris ?
– Oui, ser, dit-elle.
Pas avec la bouche pleine. Les chevaux grandissaient vite. Elle s'en souvenait. Très vite. Comme tous les animaux grégaires. Ils atteignaient leur taille d'adulte en... un an, peut-être ?
– Ils sont très délicats, ajouta oncle Denys. Ils posent même de sacrés problèmes, mais l'Ari précédente les ju-

geait indispensables à l'humanité. Nos ancêtres ont partagé la planète-mère avec d'autres créatures. Les côtoyer lui paraissait nécessaire pour permettre d'appréhender ce qui n'est pas humain, et pour nous enseigner la patience et la valeur qu'il convient d'accorder à la vie. Elle refusait de se résigner à ce que la population de Cyteen en fût privée. Sa maman, Olga, s'intéressait aux porcs et aux chèvres ; des bêtes utiles, résistantes et faciles à acclimater. Ari se passionnait pour les chevaux. Nous disposons de nombreux renseignements sur ces ongulés et leur étude nous permettra de faire des progrès pour des projets de préservation d'espèces plus exotiques. Mais elle disait surtout que leur contact nous apporterait quelque chose. « Ils sont les catalyseurs d'un élément enfoui dans nos psychsets. » Je la cite. « Je refuse que les humains de l'Espace profond vivent sans eux. Nos compagnons de toujours devraient à nouveau faire partie de notre existence : chevaux, bœufs, buffles, dauphins... Chiens et chats, si nous pouvions nourrir des animaux carnivores ou tolérer la présence de prédateurs sur Cyteen... ce qui viendra peut-être un jour. Tous les éléments de l'écosystème terrestre sont imbriqués et les hommes risquent de perdre une partie de ce qui les rend humains s'ils restent privés de ce que leur apportaient leurs anciens compagnons. » Elle n'avait aucune certitude en ce domaine, mais elle a procédé à de nombreux essais. Il n'est pas surprenant que tu veuilles un cheval. Elle devait certainement en désirer un, elle aussi, même si son âge l'aurait empêchée de le monter... Dieu merci. Ça ne t'ennuie pas que je te parle d'elle ?

– Non.

Un mouvement d'épaules, saccadé.

– Je trouve ça... un peu drôle. Voilà tout.

– Je l'imagine. Mais c'était une femme admirable. As-tu terminé ? Nous pouvons rentrer, maintenant.

Florian fit de son mieux. Catlin également.

Il demanda même à ser Denys s'ils ne manquaient pas à tous leurs devoirs envers leur sera, et s'ils n'auraient rien pu faire pour lui changer les idées. Ser Denys lui tapota l'épaule et lui affirma qu'ils s'étaient très bien comportés. Les CIT ne pouvaient trouver de réconfort dans les bandes, et si leur entourage réussissait à supporter leur tension nerveuse, c'était parfait. On n'aurait pu en demander plus à des CIT.

– Ne vous inquiétez pas pour elle, elle en souffrirait encore plus. C'est en vous protégeant que vous la protégez, est-ce clair ?

Florian comprenait. Il alla expliquer tout cela à Catlin, parce qu'il servait d'intermédiaire entre sa coéquipière et les CIT. Elle se sentait mal à l'aise, lorsqu'elle avait affaire à eux.

– Nous faisons tout ce qui est en notre pouvoir. Sera s'en remettra bientôt. Nous n'avons rien à nous reprocher. Ser Denys est content de nous.

– Pas moi, lui répondit Catlin pour résumer son opinion.

Sans doute souffrait-elle encore plus que lui de cette situation. Elle bouillait de rage parce que sera était malheureuse et qu'ils ignoraient qui en portait la responsabilité. Ils ne savaient même pas si les autres faisaient tout leur possible pour l'aider.

Ils se sentirent soulagés le jour où sera leur annonça qu'elle avait eu une idée et qu'elle désirait leur confier une mission. Elle retourna en classe et leur existence redevint normale. Ser Denys déclara qu'ils devaient quant à eux reprendre leur entraînement et sera approuva cette décision.

– Retrouvez-moi après les cours, leur dit-elle.

Ils l'attendaient, à sa sortie.

Ils allèrent jusqu'à l'étang et donnèrent à manger aux poissons.

– Nous devrons attendre le prochain jour de pluie. Ce sera mardi, j'ai vérifié.

Sur les tableaux où était indiqué quand les météorisateurs tenteraient de provoquer un orage ; des graphiques assez précis à court terme. Sera leur expliqua ensuite ce qu'ils devraient faire.

Et Catlin en fut ravie, car ce serait une véritable opération de commando.

Quant à Florian, il espéra que cela n'attirerait pas de sérieux ennuis à sera.

Les libérer pour la journée ne poserait aucun problème : sera n'aurait qu'à téléphoner à leur super et déclarer qu'ils ne pouvaient aller à l'entraînement.

Puis ils cherchèrent un moyen d'atteindre le tunnel-C sans traverser le grand vestibule de la Résidence. Ils décidèrent d'emprunter les couloirs de service. C'était également très facile.

Sera leur exposa la suite de son plan et ils préparèrent l'opération en prévoyant de nombreuses variantes ; mais sera opta pour un autre projet qu'elle jugeait moins risqué, plus simple, et qui lui permettrait de reprendre la situation en main en cas d'imprévu.

Catlin assurerait l'arrière-garde et Florian servirait d'éclaireur, car nul ne se méfierait d'un azi et Catlin le jugeait bien plus éloquent qu'elle.

L'orage éclata comme prévu et les élèves respectèrent l'emploi du temps que sera avait relevé dans le calepin du Dr Edwards. Lorsque les enfants revinrent de leurs cours dans la section Ed ils empruntèrent le tunnel et passèrent devant le passage latéral qui conduisait au poste de maintenance des systèmes de ventilation. Le commando les attendait dans ce boyau et sera murmura :

– Les deux dernières, sur la gauche.

Ils disposaient d'une cachette idéale. L'obscurité les dissimulait et le ronflement des ventilateurs couvrait leurs paroles.

Florian respecta les instructions de sera et laissa passer le groupe. Ils en avaient longuement discuté.

Puis sera lui tapota le dos, à l'instant où il s'avançait. Il gagna le milieu du couloir juste avant que les derniers élèves n'atteignent l'angle du passage.

– Sera Carnath! cria-t-il.

Tous s'arrêtèrent. Il leva le poing.

– Vous avez fait tomber quelque chose.

Et, comme l'avait prévu sera, la plupart des enfants repartirent et disparurent au-delà du tournant. D'autres les imitèrent et finalement Amy Carnath revint sur ses pas en faisant l'inventaire de ce qu'elle tenait dans ses bras.

Il s'avança vers elle à petites foulées. Il ne restait plus qu'une fille, avec Amy. Il s'assura qu'ils étaient seuls dans cette section du tunnel.

Catlin attendait à l'autre angle. Elle s'entaillerait la main en cas d'urgence, afin d'occuper d'éventuels importuns.

Il remit à Amy Carnath le mot qu'avait écrit sera.

Chère Amy, y lisait-on. C'était ce qu'il fallait mettre au début de toutes les lettres, avait-elle affirmé. *Ne lis pas ces mots à haute voix et ne dis pas où tu vas. Déclare que tu as oublié quelque chose et que tu dois retourner dans ta classe. Ne laisse personne t'accompagner. Je veux te parler. Florian te conduira jusqu'à moi. Si tu refuses, nous ferons le nécessaire pour que tu regrettes d'être née. Sincères salutations, Ari.*

On lisait de la terreur, sur le visage d'Amy Carnath. Elle regarda l'azi, puis son amie.

Florian attendait. Sera lui avait bien recommandé de ne rien ajouter devant témoins. Amy Carnath se tourna vers l'autre fille.

– J'ai oublié quelque chose, déclara-t-elle d'une voix faible. Continue, Maddy. Je te rattraperai.

La nommée Maddy fit une grimace puis alla rejoindre le gros de la troupe.

– Je vous en prie, sera, dit Florian.

Il lui indiqua d'un geste dans quelle direction elle devait aller.

– Que me veut-elle?

– Je l'ignore, sera. S'il vous plaît?

Amy Carnath lui emboîta le pas. Elle tenait un sac de la bibliothèque et aurait pu s'en servir pour lui assener un coup sur la tête, mais sera affirmait qu'elle ne savait pas se battre.

– Par ici, précisa-t-il quand ils atteignirent le couloir de service.

Elle s'immobilisa devant le passage plongé dans les ténèbres.

D'où émergeait sera.

– Salut, Amy.

Et sera saisit son corsage et l'attira vers elle pendant que Florian ouvrait la porte du corridor latéral et que Catlin venait les rejoindre dans le boyau obscur.

Amy Carnath la regarda, terrifiée.

– Là-dedans, ordonna sera.

Elle fit reculer sera Carnath, qui n'opposa aucune résistance ; sans doute pour éviter que son vêtement ne fût déchiré.

– Lâche-moi, dit-elle d'une voix tremblante. Lâche-moi !

Florian sortit la torche de sa poche et l'alluma. Catlin referma la porte. Sera poussa leur captive contre le mur.

– Laisse-moi partir !

Mais son cri fut couvert par le grondement des ventilateurs.

– Je n'ai pas l'intention de te faire du mal, dit sera d'une voix posée. Mais Catlin te cassera le bras si tu refuses de répondre à mes questions.

Des larmes coulaient sur les joues de sera Carnath et Florian en était embarrassé, bien qu'elle fût leur Cible.

– Je veux que tu me dises où est Valery Schwartz, ordonna sera.

– Je ne sais pas, cria sera Carnath avant de se mordre la lèvre et d'essayer de se calmer. J'ai entendu dire qu'il est à Lointaine, c'est tout.

– Et Sam Whitely ?

– Il est en bas, au collège de mécanique. Lâche-moi ! Laisse-moi partir...

– Florian a un couteau. Tu veux le voir ? Arrête de

37

hurler comme une folle et réponds-moi. Que sais-tu sur ma maman ?

– Rien, rien ! Je te le jure !

– Et ne pleurniche pas, bon sang ! Réponds à mes questions ou je dis à Florian de te découper en morceaux. Tu m'entends ?

– Je ne sais rien, je ne sais rien.

– Pourquoi me fuyez-vous comme une pestiférée ?

– Je ne sais pas !

– Tu le sais, et si tu refuses de parler nous irons plus loin dans les tunnels et mes azis se chargeront de ton interrogatoire, c'est compris ? Et tu auras beau hurler, on ne pourra pas t'entendre.

– Je ne sais rien, Ari. Je ne sais rien, je te le jure.

Elle pleurait et hoquetait.

– Florian...

– Je ne peux pas te le dire ! Je ne peux pas, je ne peux pas !

– Qu'est-ce que tu ne peux pas me dire ?

Sera utilisa sa main valide pour déboutonner son corsage.

– Ils vont nous exiler ! hurla la prisonnière en reculant.

Mais Catlin l'immobilisa par-derrière.

– Ils vont nous envoyer loin d'ici !

– Vas-tu tout me dire, oui ou non ?

Amy ravala sa salive.

– C'est bon. Tu peux la lâcher, Catlin. Amy va tout nous raconter.

Catlin obéit et sera Carnath s'adossa aux conduites qui suivaient le passage. Florian gardait le faisceau de sa lampe braqué sur son visage.

– Alors ?

– Ils les transfèrent. Tous ceux qui ont un accrochage avec toi sont envoyés à Lointaine.

– Par qui ?

– Ton oncle.

– Giraud ?

Sera Carnath hocha la tête. Elle était en sueur, malgré la fraîcheur ambiante. Et elle pleurait. Les larmes ruisselaient sur ses joues, son nez coulait.

– Tu parles des enfants ?

Un autre oui silencieux.

Sera approcha et la prit par l'épaule, sans brutalité cette fois. Sera Carnath crut qu'elle allait la frapper, mais sera la fit asseoir sur les marches, s'accroupit près d'elle et posa la main sur son genou.

– Je ne te ferai pas de mal, Amy. Je veux que tu me dises si tu sais pourquoi ma maman a été envoyée là-bas.

Sera Carnath secoua la tête.

– Qui a ordonné son transfert ?

– Ser Nye. Je pense que c'est ser Nye.

– Giraud ?

Sera Carnath le confirma d'un geste et mordilla sa lèvre.

– Amy, je ne suis pas en colère contre toi. Je ne te ferai pas de mal. Raconte-moi ce que les enfants disent de moi.

– Eh bien...

Elle déglutit.

– ... Qu'il faut te laisser faire tout ce que tu veux, parce qu'ils savent ce qui arrive à ceux qui te déplaisent et qu'ils n'ont pas envie d'être exilés...

Sera attendit un moment, puis :

– Comme Valery Schwartz ?

– Des fois, ils se contentent de les transférer dans une autre section. Ou alors, ils viennent les chercher et les font monter dans un avion, comme Valery et sa mère.

Ses dents claquaient à nouveau.

– Je ne veux pas quitter Reseune. Ne leur répète pas ce que je viens de te dire.

– Rassure-toi, Amy. Qui t'a appris tout ça, bon sang ?

– Ma maman. Elle disait toujours... quoi qu'Ari puisse te faire, ne lève pas la main sur elle, ne lui réponds pas.

Sera Carnath se remit à pleurnicher et enfouit son visage entre ses paumes.

– Je ne veux pas que ma maman soit envoyée à Lointaine...

Sera se leva et sortit du cercle de clarté. Les mots maman et Lointaine étaient pénibles à entendre. Florian en avait conscience, mais le faisceau de sa torche ne vacilla pas.

– Je n'en parlerai à personne, Amy. Ce sera notre secret. Je voudrais être ton amie.

Sera Carnath s'essuya le visage et leva les yeux sur elle.

– Je suis sincère, ajouta sera. Florian et Catlin aussi. Et ce sont d'excellents amis. La seule chose que je te demande, c'est de nous accorder toi aussi ton amitié.

Sera Carnath renifla et reboutonna son corsage.

– C'est la vérité. Pas vrai, Catlin ?

– Nous respectons toujours les volontés de notre sera, c'est la Règle.

Sera s'accroupit à côté d'Amy et laissa son plâtre reposer sur ses cuisses.

– Si tu acceptes, tu pourras compter sur mon aide. Nous ne dirons pas que nous sommes amies. Pour les autres il n'y aura rien du tout entre nous, ni en bien ni en mal. Comme ça, tu ne seras pas en danger. Nous ferons pareil pour nos autres amis. Je ne savais pas ce que tu viens de me dire. Je ne l'ai jamais voulu. Je peux demander ce que je désire à oncle Denys, qui l'obtient de Giraud. Être mon alliée a des avantages.

– Je ne veux pas être ton ennemie, déclara sera Carnath.

– Et mon amie ?

Sera Carnath mordilla une fois de plus sa lèvre puis hocha la tête, avant de remarquer que sera avançait son bras.

Et elles échangèrent une poignée de main, à la façon des CIT qui voulaient sceller un accord.

Florian se détendit. Il était soulagé car il ne serait pas nécessaire de torturer leur prisonnière. Il n'avait pu l'assimiler à une Ennemie.

Après avoir cessé de sangloter, sera Carnath discuta avec sera. À présent qu'elle s'était calmée et ne criait plus ses propos étaient pleins de bon sens. Elle cessa d'inspirer du dégoût à Catlin qui s'accroupit à son tour. Florian fit de même.

– Il ne faut pas qu'on devienne amies du jour au lendemain, déclara sera Carnath. Les autres se méfieront
de moi, parce qu'ils te craignent.

Comme si elle n'avait jamais eu peur de sera, qui lui
répondit :

– Il faudra les contacter discrètement, un à la fois.

12

– Fermez la porte, grommela Yanni.

Justin s'exécuta puis vint s'asseoir en face de lui.

Pour une fois, ce n'était pas son problème mais celui
de son interlocuteur. Le Projet. Ces papiers entassés sur
le bureau, les rapports et les tests qu'il avait analysés
sur un ordinateur portable, sans se brancher sur le système central.

Le mémo ne portait pas sa signature, mais Yanni savait qui l'avait rédigé.

– Je l'ai lu. Qu'en pense Grant ?

Justin se mordit la lèvre et fut tenté de hausser les
épaules. Son supérieur le rendait nerveux, ce qu'il jugeait stupide. De vieilles histoires, une tension trop importante.

– Nous en avons discuté. Il ne se juge pas qualifié
pour donner son avis sur une affaire de CIT mais... il lui
semble que Rubin supporte mal cette expérience.

– Nous avons reçu ces données avec les six mois de
retard habituels. Aucun vaisseau en provenance de
Lointaine n'a apponté à Station Cyteen depuis un mois
et demi, et nul autre appareil ne croisera dans les parages avant le 29. Jane s'inquiétait, pour Rubin. Si les
CIT de l'annexe laissaient les coudées franches à Ollie,
je suis certain qu'il réussirait à régler le problème, mais
à cause de son statut d'azi ils doivent lui faire vivre un
véritable enfer... je pense aux intrigues de ma garce de
fille qui se prend pour une spécialiste et se croit plus
compétente que lui pour analyser le psych d'un CIT.

– Pas de commentaire.

– Pas de commentaire ? Merde, je peux vous dire ce qu'elles ont fait, au cours de ces derniers mois. Je parle de Jenna et de Julia Strassen. Je précise que je n'ai jamais voulu d'elles au sein de cette équipe. C'est pourquoi je les ai chargées de travaux sans importance... dans la section résidentielle, cela va de soi. Auprès de Rubin, pas de son clone. Quand Jane est arrivée là-bas avec Julia, sa fille et la mienne ont tout de suite sympathisé. À mon avis, ce n'est pas étranger à sa crise cardiaque.

Justin avait mal au cœur... la fille de Yanni, têtue comme un âne, affectée à Lointaine contre son gré – malgré une possibilité de promotion – pour procéder à l'installation des labos et des services administratifs de RESEUNESPACE, en compagnie de Johanna Morley; puis de l'ancienne adversaire et parfois maîtresse de son père : Jane Strassen l'Immuable promue administratrice... ce qui la plaçait au-dessus de tout le monde. Et si Justin sentait gargouiller son estomac, il pouvait imaginer sans peine ce qui devait se passer dans celui de l'autre homme.

Bordel, ceux de l'administration sont cinglés.

Cinglés.

– J'aurais fait confiance à Strassen, dit-il d'une voix posée.

Il était évident que Yanni avait attendu un commentaire.

– Oh, moi aussi ! Jenna est un superviseur de section valable, mais elle est incapable d'effectuer un tri dans sa vie privée et elle se métamorphose en véritable furie lorsqu'on lui tient tête. Quand Jane est morte, quelqu'un a dû prendre la situation en main. Jenna est ouverte aux suggestions de son équipe, d'accord, mais la mère de Rubin pose un problème complexe. Elle a été ivre de puissance en apprenant que son fils avait obtenu un statut de Spécial, avant d'en devenir jalouse quand on lui a attribué des labos personnels et un semblant d'autorité. Les troubles psychologiques de Rubin... vous avez lu la liste : angoisse due à sa santé précaire, rapports avec sa mère... tout ça. Il semble décontracté. Il paraît heureux comme un poisson dans l'eau. Pendant que sa mère ne songe qu'à accorder des interviews aux journalistes. Finalement, Jenna voit rouge et Stella Rubin ne l'apprécie pas. Pas du tout. Elle ne s'entend pas non plus avec le bureau de la Défense. Le problème de son fils est classique : impossibilité de vivre avec ou sans maman. Il se joue des tests psych, il est heureux et ne risque donc pas de craquer. Je cite Jane... pas une réaction sincère depuis que les militaires font tenir sa mère tranquille. Il y a six mois, en temps spatial. C'est pour cela que je vous ai demandé de jeter un coup d'œil à tout ça...

– À cause de ce qu'ils apprendront dans un semestre.

– Vous pensez aux interviews d'Ari.

– Il est biochimiste. Il a conscience de servir de sujet témoin dans le cadre d'une expérience génétique.

Yanni tapota le rapport posé sur son bureau.

– D'autant plus que... nous avons ici la preuve qu'il se découvre des talents de politicien. On pourrait en dire autant de sa mère.

– Reseune devrait pouvoir régler la question, non ?

– Je vais vous brosser son profil. Rubin a changé, depuis le jour où il a obtenu ce statut de Spécial. Il a grandi. Il a compris qu'il se passait des choses, hors de son labo. Il découvre qu'il a un sexe et est frustré par ses problèmes de santé. C'est alors qu'une crise éclate au sein de la direction de RESEUNESPACE et que sa mère – une femme jusqu'alors effacée et hypocondriaque qui veille à entretenir ses craintes et sa dépendance envers elle – se dresse contre l'administration et le bureau de la Défense. Elle tire les ficelles qui le contrôlent et il se met à fausser ses tests psych. Pendant que Jenna s'empare du pouvoir, proclame son autonomie dans cette section et déclare qu'Ollie n'est pas qualifié pour porter un jugement valide sur le psych d'un CIT.

– Merde, murmura Justin.

C'était une réaction viscérale, qu'il regretta aussitôt. Mais l'autre homme restait calme. D'un calme inquiétant.

43

– Il serait inutile de préciser que je compte la virer. Je vais l'écarter de tous les projets de Reseune et la faire revenir. Dans six mois. Quand cet ordre arrivera à destination. Si je vous dis tout cela, mon garçon, c'est pour que vous compreniez que je me sens personnellement concerné.

Mais pourquoi m'a-t-il mêlé à cette histoire ? S'il le sait, pourquoi me demande-t-il mon avis ? Où veut-il en venir, bon sang ?

– Le regard que vous portez sur une situation est presque toujours différent du mien, ajouta Yanni. L'idée que vous vous faites de vos activités ne doit pas y être étrangère, même si elle peut paraître un peu folle à première vue. J'ai parlé de vos suggestions au comité et... j'ai informé Denys de mes sources.

– Merde...

– Parce qu'il partage votre point de vue et prend les décisions, pour tout ce qui se rapporte à Ari. Si Giraud a été aussi ergoteur que d'habitude, j'ai eu un long entretien avec son frère : à votre sujet, sur vos projets et la situation actuelle dans son ensemble. Je vais vous dire dans quel milieu vous évoluez. Vous êtes au cœur d'un système parvenu à sa tension maximale, ce qui permet à des responsables administratifs de troisième ordre – comme ma fille – d'occuper des postes importants parce que les autres sont encore moins qualifiés et que sans eux la situation serait catastrophique. Reseune a atteint ses limites, et la Défense voit son projet partir en fumée. Si Jane avait vécu six mois de plus, ou seulement deux semaines, si Ollie avait pu bénéficier de l'appui de Jenna ou lui dire d'aller se faire foutre... mais c'était impossible, parce que nos règlements à la con l'empêchent de superviser un programme CIT et qu'il n'est pas habilité à flanquer ma fille à la porte. Jane lui a obtenu une bande finale et il devrait bénéficier d'un statut de CIT, mais Jenna s'est installée au-dessus de lui grâce au soutien du reste de l'équipe et de Julia Strassen – qui s'est bombardée exécutrice testamentaire de Jane – et ce sont ces deux harpies qui doivent avaliser les documents d'Ollie. On peut dire que nous sommes vraiment très malins, pas vrai ? Jenna le paiera cher. Reseune a fait d'Ollie un citoyen, mais cette décision ne sera notifiée à Lointaine que dans plusieurs mois et il ne pourra pas le savoir entre-temps.

Yanni agita la main et secoua la tête.

– Bordel, quel merdier ! C'est un vrai gâchis. Et je vais vous demander quelque chose, mon garçon.

– Oui ?

– Il faut que vous contrôliez toutes les données qui concernent Rubin, quel que soit votre emploi du temps. Notre représentant auprès de son clone est Ally Morley, mais étudiez les conséquences de l'insertion de certaines de vos boucles de récompense dans le psych d'un CIT.

– Envisageriez-vous une intervention ? Sur lequel des deux intéressés ?

– Seules les structures nous intéressent. La rétroaction travail-récompense. Gustav Morley se penche sur la question. Vous ne connaissez pas assez le psych des CIT, et c'est d'ailleurs depuis toujours votre principale lacune. Non. Si nous décidons d'intervenir, vous n'aurez pas à concevoir le programme. Nous voulons simplement comparer ses conclusions aux vôtres. Et nous assurer qu'il n'existe aucun parallèle entre sa situation et celle d'Ari.

Il était très calme, en surface.

– J'espère que vous me dites la vérité, Yanni. Est-ce un problème en temps réel ?

– Hélas non. Je vais tout vous dire, Justin. Un courrier militaire a apponté peu après sur le cargo qui nous avait apporté ces données, un appareil doté de nouveaux propulseurs top secret qui lui permettent de voyager bien plus vite que tout autre vaisseau. Il était chargé de nous informer du... du suicide de Benjamin Rubin.

– Ô Seigneur !

Yanni se contenta de le fixer. Il paraissait très vieux, épuisé, vidé.

– Si nous n'avions pas remporté un tel succès avec Ari, Reseune aurait dû déposer son bilan. Nous sommes déficitaires. Nous restons à flot en puisant dans les fonds mis à notre disposition par le bureau de la Défense et nous manquons de personnel. Je pense que vous comprenez, à présent... les anomalies dans le comportement de Rubin nous sont apparues avant même que le projet de décret de Divulgation ne soit déposé, avant la petite escapade d'Ari. Nous savions que nous aurions des problèmes. Nous nous sommes empressés d'envoyer de nouvelles instructions... mais elles sont arrivées trop tard. Nous subissions de fortes pressions, nous redoutions ce qui allait arriver. Il devenait urgent de révéler l'existence d'Ari, et les événements se précipitaient. Je doute que vous puissiez pardonner à Giraud, mais vous devez savoir ce qui se passait en coulisses. À présent l'administration vous regarde... sous un jour nouveau.

– Je ne nourrissais pas la moindre rancœur envers cette gosse, bon Dieu ! J'en ai apporté la preuve quand j'ai été interrogé sous psychosondage...

– Calmez-vous. Je n'ai jamais dit le contraire. Nous avons à Lointaine la réplique psych d'un suicidé. Il faut prendre des décisions... Nous pourrions confier le clone à Stella Rubin, étant donné qu'elle est son représentant légal, mais cette femme a trop de problèmes. Le laisser à Morley ? Nous ignorons qui ou quoi a été le ferment de ce drame. Jenna, ou le psychisme perturbé d'un enfant étouffé par sa mère et à la santé fragile ? Il est impératif d'obtenir des réponses. Il serait temps. C'est le problème de Gustav et d'Ally Morley, pas le vôtre. Mais certaines parties de vos travaux ont éveillé mon intérêt, et celui de Denys. Je pense que vous avez deviné lesquelles.

– Psych de motivation.

– Lié de près aux recherches d'Emory. Je suis désormais enclin à croire qu'elle avait de bonnes raisons de vous vouloir dans son équipe. Nous avons transmis ce dossier à Jordan. Quand vous vous serez fait une opinion, vous irez passer une semaine à Planys.

– Grant...

– Vous seul. Votre azi ne risque rien, ici. Vous avez

ma parole. Il ne sera pas inquiété. Nous voulons éviter les complications. La Défense se méfie de nous. Nous sommes entrés dans des eaux dangereuses. Je vous le dis, mon garçon. L'administration vous surveille de près et sait que vous n'avez rien à vous reprocher. Si vous – et Jordan – faites en sorte que rien ne change... eh bien, il devrait être possible d'améliorer sa situation et la vôtre. Mais s'il se produit quoi que ce soit – si Ari nous pose le moindre problème – je ne réponds plus de rien. Pour aucun d'entre nous.

– Bon sang, nul ne pense donc à l'enfant ?

– Si, nous. La situation financière de Reseune est catastrophique et c'est la Défense qui nous maintient à flot. Que deviendra Ari, si les militaires décident d'intervenir, si le Projet est placé sous leur contrôle ? Que deviendrons-nous ? Quelle politique adoptera ensuite l'Union ? Des changements se produiront, c'est certain. Un bouleversement... dans toutes nos priorités actuelles. Je ne fais pas de politique. Les politiciens m'exaspèrent. Mais je suis capable de voir le gouffre qui s'ouvre devant nous, mon garçon.

– Je le vois aussi. Mais pas devant moi. J'y vis en permanence. Comme mon père.

Yanni attendit un moment avant de dire :

– Ne faites pas d'erreurs. Vous et Grant... soyez prudents.

– Essayez-vous de me faire comprendre quelque chose ? Soyez plus explicite.

– Je vous dis que nous avons subi une perte irréparable. Nous. Tout le monde, bordel ! Tout est devenu si fragile. J'ai l'impression d'avoir perdu un enfant.

Son menton tremblait. Pendant un instant il ne dissimula rien de ce qu'il éprouvait et Justin en fut profondément ébranlé. Puis :

– Allez, lui déclara Yanni d'une voix à nouveau posée. J'ai du travail.

Ari sortit de l'ascenseur, dans un grand couloir du niveau supérieur de la section un. Elle ne s'était pas attendue à découvrir un tel luxe. Elle voyait un sol ciré et un peu plus loin une porte semblable à celles de la Résidence. Une seule sur toute la longueur du corridor, à l'exception d'une issue de sécurité située à l'autre bout.

– J'ai une chose à te montrer, lui avait dit oncle Denys.

– C'est une surprise ?

Son oncle était resté à son bureau jusqu'à une heure si tardive qu'elle se félicitait que Nelly fût toujours avec eux. Seely était absent, lui aussi.

– En quelque sorte.

Elle ne se serait pas doutée qu'on trouvait des logements, dans ce secteur.

Elle accompagna oncle Denys jusqu'à la porte et fut étonnée de constater qu'il ne sonnait pas le concierge.

– Où est ta carte ? s'enquit-il.

Comme un enfant qui voulait la taquiner et l'inciter à regarder si elle ne l'avait pas laissée tomber en chemin. Mais il semblait sérieux. Il lui demanda de la prendre et de l'utiliser.

Elle glissa le rectangle de plastique dans la fente de la serrure.

Le battant s'ouvrit, et le concierge fit la lumière avant de déclarer :

– *Vingt-sept entrées ont été enregistrées depuis la dernière utilisation de cette clé. Instructions ?*

– Dis-lui de sauvegarder, fit oncle Denys.

Elle découvrait un intérieur magnifique, avec un sol de pierre pâle, de gros meubles et beaucoup de place, bien plus que chez maman et que chez oncle Denys. L'appartement était immense, et elle établit un rapport entre *dernière utilisation de cette clé, vingt-sept entrées*, et le fait qu'elle avait utilisé sa carte pour entrer.

À elle. Ari Emory.

– Voilà où habitait l'Ari précédente.

Le concierge répéta sa demande.

– Dis-lui de sauvegarder.

– Sauvegarde, concierge.

– *Voix non conforme.*

– Sauvegarde, dit oncle Denys.

– *Veuillez insérer la carte dans la console.*

Il utilisa la sienne et le voyant rouge s'éteignit.

– Tu devras faire très attention avec ces systèmes, dit-il. Ari s'était protégée contre les intrus. Les spécialistes de la sécurité ont eu de sérieuses difficultés à réinitialiser le concierge.

Il s'avança encore.

– Tout ceci est à toi. Tout cet appartement et ce qui s'y trouve. Tu ne viendras y vivre que quand tu seras plus grande, mais nous allons malgré tout apprendre au concierge à reconnaître ta voix.

Il descendit un escalier et remonta de l'autre côté, suivi par Ari qui grimpait les marches deux à deux pour ne pas se laisser distancer.

C'était impressionnant. Comme dans un conte de Grimm. Un palais. Elle resta près d'oncle Denys pendant qu'ils suivaient le couloir et atteignaient une autre vaste pièce dont la partie centrale était située en contrebas, avec un canapé à l'armature de cuivre et des parois lambrissées de lainebois... magnifique mais dangereux s'il n'avait pas été recouvert d'une pellicule de plastique transparent, comme les échantillons qu'il y avait en classe. Elle voyait des tableaux sur les murs, le long du passage qui longeait le salon encastré dans le sol. Un grand nombre de toiles.

Ils gravirent d'autres marches et laissèrent derrière eux un bar aux étagères garnies de verres. Puis ils suivirent un nouveau corridor qui donnait sur un cabinet de travail, un cabinet de travail démesuré avec un énorme bureau noir qui lui rappelait celui d'oncle Denys.

– C'est ici qu'Ari venait travailler.

Oncle Denys pressa un bouton et un clavier sortit du plateau du meuble.

– Voici ta « Base » informatique, reliée à l'ordinateur central de la Maison. Mais ce terminal est très... bien défendu. Essayer de trafiquer ces bases d'accès ne serait pas judicieux, surtout la mienne... ou la tienne. Assieds-toi, Ari, et entre ton matricule-CIT.

Elle se sentait tendue. C'était très différent du micro-ordinateur de sa chambre. Il fallait attendre d'être devenu un adulte pour se connecter au système central. Ceux qui passaient outre avaient de sérieux ennuis avec la sécurité et Florian affirmait que certaines de ces bases étaient très dangereuses.

Elle lança un autre regard à oncle Denys, puis s'assit et parcourut le clavier des yeux.

– Où est l'interrupteur ?

– Glisse ta carte dans la fente que tu vois sur la droite et ensuite fournis-lui ton empreinte.

Elle fit pivoter le siège vers oncle Denys, pour lui demander :

– Ce n'est pas risqué, au moins ?

– De simples mesures de sécurité. N'aie crainte, il ne va pas te souffler des gaz empoisonnés à la figure. Vas-y.

Elle tapa sur le clavier et la plaque palmaire s'éclaira. Elle y appliqua sa main droite.

– *Nom ?* demanda le concierge.

– Ariane Emory.

Un voyant rouge s'alluma sur la console.

Le moniteur ne sortait toujours pas du plateau du bureau.

– Que fait-il ?

– Il vérifie ton identité. Il consulte des fichiers pour s'assurer que tu existes et savoir quel est ton âge, car s'il trouve des similitudes entre tes empreintes palmaires et vocales et celles de la précédente propriétaire il sait que l'autre Ari est morte. Il recherche dans les archives les données enregistrées quand elle avait ton âge actuel. Il en aura pour une minute.

C'était bien plus simple, quand oncle Denys voulait

utiliser son terminal. Il n'avait qu'à le demander au concierge. Elle regarda le voyant rouge, toujours allumé, puis se tourna.

– Qui a écrit ce programme ?

– C'est une excellente question, et la première Ari l'aurait probablement posée. Elle en est l'auteur. Elle savait que tu naîtrais un jour et t'a laissé de nombreuses choses, très importantes pour la plupart. Quand tu verras le caractère de sollicitation tu entreras une commande.

– Laquelle ?

– COP D/TR virgule B1 virgule E/IN.

Chargement de logiciel à partir du fichier de l'unité par défaut.

– Que veulent dire B1 et IN ?

– Base 1, car ce terminal est la Base un, et visualisation écran. Si je pensais que c'est réalisable je te dirais d'essayer P/IN, mais il est préférable de ne courir aucun risque. Là !

L'écran sortit du plateau du meuble et s'alluma.

Bonjour, Ari.

De quoi lui donner à nouveau des frissons. Elle tapa : COP D/TR, B1, E/IN.

Confirmé. Bonjour, Ari.

– Tu dois lui répondre, Ari. Tu peux lui parler. Il enregistrera ton empreinte vocale.

– Bonjour, Base un.

Quel âge as-tu ?

– J'ai neuf ans.

Bonjour, Denys.

Elle prit une inspiration et se tourna vers son oncle.

– Bonjour, Ari, répondit Denys avant d'avoir un étrange sourire.

Il n'avait regardé nulle part, il ne s'était pas adressé à elle mais à la machine.

Qui écrivit : *N'aie pas peur, Ari. Ce n'est qu'un simple logiciel. Je suis morte depuis 11,2 années. Un programme est assemblé à partir de divers fichiers et la valeur des variables provient des informations disponibles. L'ordinateur fait son travail et je ne peux intervenir. Tu vis chez Denys Nye. As-tu un terminal, dans ta chambre ?*

– Oui, lui souffla oncle Denys.

Et lorsqu'elle se tourna pour protester il posa un doigt sur ses lèvres et hocha la tête.

– Oncle Denys dit que oui.

Nomme-moi les cours d'eau, les continents, et tous les autres noms qui te viennent à l'esprit, Ari. L'ordre n'a pas d'importance. Je veux prendre ton empreinte vocale. Continue jusqu'à ce que je te dise d'arrêter.

– Il y a la Novaya Volga et le fleuve Amity, Novgorod et Reseune, Planys, les Antipodes, la Baie de Swigert, Gagaringrad et le Haut-Brésil, la Castille, le Don et Svetlansk...

Stop. C'est suffisant. Où que tu sois, tu n'auras à l'avenir qu'à glisser ta carte dans la fente du concierge et lui indiquer ton nom pour être connectée au système central. Cette base est désormais active. J'effectue une trancription continue. Tu pourras y accéder en demandant une sortie écran ou fichier. Tu dois savoir ce que je veux dire, si Denys a bien fait son travail. As-tu besoin d'explications complémentaires ?

– Non.

Parfait. Tu pourras me consulter aussi souvent que tu le souhaiteras. Pour couper la liaison avec le système central il suffit de dire « déconnexion ». La sauvegarde et le rappel sont automatiques. L'ordinateur saura toujours où tu es, mais il ne se manifestera que si tu lui dis bonjour. Denys te fournira les détails. À la prochaine fois. N'oublie pas de tout arrêter.

Elle regarda oncle Denys et murmura :

– Je peux ?

Il hocha la tête et elle dit :

– Déconnexion.

L'écran s'éteignit et se rétracta à l'intérieur du meuble.

Archives : projet Rubin
Confidentiel, classe AA

Copie soumise à autorisation 768
Contenu : transcription du fichier 5979
Bloc 28 – Emory I/Emory II

2415 : 24/01 : 2332

B/1 : Bonjour, Ari.
AE2 : Bonjour.
B/1 : Es-tu seule ?
AE2 : Avec Florian et Catlin.
B/1 : Personne d'autre ?
AE2 : Non.
B/1 : Tu utilises le terminal 311 de la Maison. Dans quelle pièce es-tu ?
AE2 : Ma chambre, chez oncle Denys.
B/1 : Je vais t'expliquer les fonctions de ce logiciel, en évitant les termes techniques car j'ignore à quel âge tu utiliseras cette Base. Nous sommes en 2415. Le programme a été chercher cette variable à l'adresse de l'horloge de la Maison. Les fichiers de la banque de données centrale indiquent que ton tuteur est Denys Nye, et je peux t'annoncer que tu auras des pâtes au déjeuner car il vient d'en commander aux cuisines. Comme tu as 9 ans, les accès offerts par ta carte sont limités, pour t'empêcher d'ordonner à la sécurité d'arrêter tous les gens que tu ne trouves pas sympathiques ou de vendre 9 000 génésets d'Alpha à Station Cyteen. Je n'ai pas oublié les bêtises que je faisais à ton âge et de telles précautions s'imposent.

Les sous-programmes qui ne correspondent pas à ton âge actuel fusionneront avec ceux qui sont actifs au fur et à mesure que tu grandiras. Cette mise à jour s'effectuera de façon continue.

Chaque fois que tu interrogeras l'ordinateur, il cherchera la réponse dans tous les fichiers auxquels ton âge et ton statut du moment te permettent d'accéder. Les recherches se dérouleront dans la totalité du système informatique de la Maison, y compris la bibliothèque. Tes possibilités croîtront au fil du temps. Dès que tes capacités de compréhension auront atteint un niveau prédéterminé, elles seront étendues. Plus tu démontreras avoir conscience de tes responsabilités, plus ton pouvoir grandira.

La liste de ce qui t'est d'ores et déjà accessible figure sur une bande. L'as-tu reçue ?

AE2 : Oui, hier.

B/1 : Parfait. Si tu avais fourni une réponse négative la séance aurait été interrompue et tu aurais dû aller chercher cette bande avant de pouvoir me consulter à nouveau. C'est ce qui se produira si tu te trompes en me fournissant tes codes. Comme dans tous les autres domaines, tu dois faire attention : le terminal que tu utilises est relié au système central et tout s'interrompt automatiquement en cas d'erreur. Si elle est grave, la sécurité en est informée. Tâche de l'éviter.

N'essaie pas de jouer des tours à ce logiciel. Ne lui mens jamais, et ne t'avise pas d'entrer des réponses fantaisistes. Tu aurais des ennuis.

Sans entrer dans les détails pour l'instant, je te précise qu'il est possible de conserver des informations mensongères sans avoir de problèmes, à condition de stocker les données exactes correspondantes dans un fichier protégé où le programme pourra aller les chercher. L'avantage, c'est qu'il lira simultanément l'autre renseignement et le communiquera à tous ceux dont le statut est inférieur au tien. Il en découle que seuls des responsables de la sécurité ou de l'administration pourront accéder à ce que tu souhaites cacher. C'est la seule façon de dissimuler des choses personnelles ou secrètes.

Je pense à des fichiers de données, tes comptes financiers, etc. Ils seront protégés contre l'effacement mais pourront être complétés et mis à jour. Quand tu auras atteint un certain temps d'accès au système central et que tes erreurs seront inférieures à un pourcentage prédéterminé, tu recevras les instructions nécessaires pour te permettre d'utiliser ces fonctions. En attendant, réponds sans mentir sous peine de devoir attendre très longtemps de passer au stade supérieur.

Tu as déjà dû découvrir qu'il est impossible d'interroger le programme quand il est dans ce mode. Tu as la possibilité d'interrompre à tout instant ces explications en disant : « Ari, pause. » Base un prendra la relève et tu pourras lui poser tes questions avant de tout reprendre au point où tu t'es arrêtée en disant : « Ari, reprise. »

Ne va surtout pas assimiler ce logiciel à un être vivant. Ce ne sont que des lignes d'instructions semblables à celles de tes propres programmes. Mais il a reçu la capacité d'apprendre et de se modifier en fonction des paramètres dont il dispose.

Une copie de ce que je te dis est parfois transmise à ton tuteur, mais pas de façon systématique. Ce n'est pas le cas en ce moment. Tout ceci est stocké dans des fichiers auxquels tu es la seule à pouvoir accéder. Pour réentendre ces explications, tu n'auras qu'à t'adresser au concierge et lui préciser la date et l'heure de cette séance. C'est un parfait exemple de fichier protégé. As-tu compris comment tu dois procéder ?

AE2 : Oui.

B/1 : Si tu fais une erreur, le programme te répétera ces instructions.

Mais ne consulte jamais un fichier de ce type devant qui que ce soit, Florian et Catlin exceptés. Même Denys Nye ne doit pas connaître leur contenu. S'il tente de les lire, la sécurité en sera informée. Une mise en garde vient d'ailleurs d'être adressée à sa base. Sache que j'ai de bonnes raisons de prendre ces précautions.

Certains de ces fichiers sont si personnels que même Florian ou Catlin ne devront pas être présents lorsque tu les consulteras. Ne le fais jamais devant un tiers. Tu ne pourras pas non plus en demander une copie, car ils se *rapportent à des faits que même tes amis ne doivent pas connaître.*

La plupart concernent tes études et incluent mes propres notes de travail.

Souvent, ces informations te seront fournies comme réponse à une de tes questions, quand l'ordinateur aura trouvé un mot clé.

Tu as ma carte, mon matricule, et mon nom. La différence entre nos fichiers, c'est que les miens sont stockés dans les archives et les tiens dans la banque de mémoire du système central. Ne sois pas ennuyée parce que je suis morte. Je ne m'en soucie pas le moins du monde. Pour simplifier les choses, tu n'auras qu'à m'appeler Ari senior. Il n'existe en effet aucun terme adéquat pour définir les liens qui nous unissent. Je ne suis ni ta mère ni ta sœur, simplement ton aînée. Je présume que ce mot n'est pas tombé en désuétude.

Tu ne dois pas confondre Base un et l'Ari qui dicte tout ceci à un scripteur. À l'aide de son synthétiseur vocal, Base un peut te répondre comme un interlocuteur véritable, alors que j'en suis incapable. Elle t'entend, moi pas. J'ai perdu tout contact avec le monde des vivants en 2404.

J'ignore par exemple quelle date vient de t'être communiquée. C'est une autre variable trouvée dans la mémoire centrale.

Base un répondra à tes questions et complétera parfois ses explications par des commentaires que j'ai laissés à ton intention. Tu pourras dialoguer avec elle.

Mais veille à bien nous différencier.

Lorsque tu souhaites obtenir des explications complémentaires, interroge Base un. En cas d'erreur, la lecture de ce fichier reprendra à l'instruction que tu n'as pas assimilée. Tu peux aussi demander une répétition. Bonne nuit, Ari. Bonne nuit, Florian et Catlin.

AE2 : Ari, pause.

B/1 : J'écoute, Ari.

AE2 : C'est bien Base un qui me répond ?

B/1 : Oui.

AE2 : Qui a envoyé ma maman Jane Strassen à Lointaine ?

B/1 : Information inaccessible, statut insuffisant. Ari a laissé un commentaire. Attends.

Ari, ici Ari senior.

Tu viens de poser pour la première fois une question dont la réponse figure dans un fichier doté d'un verrou de sécurité. J'ignore sa nature. Il te suffit de savoir que le fichier en question est protégé et que ton statut actuel n'est pas assez élevé pour t'en autoriser l'accès. Sans doute parce que tu es encore mineure. Fin d'intervention.

AE2 : Ari, pause.

B/1 : J'écoute, Ari.

AE2 : Où est Valery Schwartz ?

B/1 : Statut insuffisant.

AE2 : Où est Amy Carnath ?

B/1 : Amy Carnath a signalé son entrée au concierge du U8899. L'appartement U8899 est attribué à sera Julia Carnath. Le concierge n'a pas enregistré de sortie.

AE2 : Elle est donc chez elle ?

B/1 : Paramètres insuffisants.

AE2 : Amy Carnath se trouve donc chez sa mère ?

B/1 : Affirmatif. Amy Carnath se trouve donc chez sa mère.

2415 : 27/01 : 2035

AE2 : Base un, cherche à Ariane Emory dans la bibliothèque.

B/1 : Accès limité. Ari a laissé un message. Attends.

Ari, ici Ari senior.

Je t'inspire donc de la curiosité. Ce n'est pas un reproche. Je me renseignerais moi aussi, si j'étais à ta place. Mais tu as 9 ans et ton accès à mon fichier est limité par le programme aux événements qui ont eu lieu avant mon 4ᵉ anniversaire. L'écart entre nos âges est de cinq ans et se réduira progressivement. Un jour, tu sauras tout ce qui me concerne jusqu'à l'âge que tu auras, et même au-delà. Tu ne pourras comprendre que plus tard le bien-fondé de cette décision, mais je connais une raison que tu devrais assimiler dès maintenant. Ces enregistrements sont très personnels et le comportement des adultes te laisserait perplexe.

À 9 ans tu n'es pas assez grande pour analyser les causes de mes réussites et de mes erreurs. On ne trouve dans ces fichiers que mes faits et gestes enregistrés dans la mémoire centrale de la Maison, sans la moindre explication.

À présent que tu as fait cette demande, Base un élargira le champ des informations accessibles selon une fréquence hebdomadaire. J'avais envisagé une mise à jour quotidienne, car les données sont nombreuses, mais je crains que tu ne finisses par vivre un peu trop avec moi et pas assez dans le monde réel.

Tu peux désormais te renseigner sur tout ce qui s'est passé à Reseune jusqu'en 2287, l'année de mes 4 ans. Si les gens auxquels tu t'intéresses n'étaient pas nés à cette époque, ta demande ne pourra aboutir.

L'écart se réduira au fur et à mesure que tu grandiras et que tes questions et le contenu de tes fichiers indiqueront à Base un que tu satisfais à certains critères. Ainsi, plus tu étudieras et plus tes possibilités seront grandes. La vie est ainsi faite.

N'oublie jamais que je suis responsable de mes actes, et que tu l'es des tiens.

Il ne me reste qu'à te souhaiter bonne chance, ma chérie.

Les enregistrements de mon existence jusqu'à l'âge de 4 ans vont à présent être copiés dans un fichier appelé BIO.

2415 : 14/04 : 1547

B/1 : Attente pour la demande d'accès à la bibliothèque.
AE2 : Saisie de données.
B/1 : Confirmé. Saisie de données dans le fichier. Je dois signaler l'existence d'un copyright. Si je ne vide pas ces informations de ma mémoire sous quarante-huit heures, ton compte sera débité des 20 crédits qui correspondent au prix d'achat de l'ouvrage.

AE2 : Recherche : cheval, équidés et équestre.

B/1 : Trouvé.

AE2 : Combien de références ?

B/1 : 82.

AE2 : Comparaison avec les données qui figurent déjà dans mon fichier : CHEVAL. Mise en évidence et stockage-prov des informations additionnelles ou contradictoires. Avertis-moi dès que tu auras terminé.

B/1 : Estimation du temps nécessaire : trois heures.

AE2 : Déconnexion.

2416 : 12/01 : 0600

B/1 : Bonjour, Ari. Joyeux anniversaire.

AE2 : C'est toi, Base un ?

B/1 : Ari, ici Ari senior. Tu as aujourd'hui 10 ans. Ton droit d'accès est élargi. En consultant ton catalogue de la bibliothèque tu pourras constater que la liste des bandes disponibles s'est allongée.

Ta moyenne est supérieure à la mienne d'un point en géographie mais inférieure de trois points en maths et de cinq en expression écrite...

CHAPITRE IX

1

Oncle Giraud l'appelait la boutique la plus prisée de tout l'univers connu – pour ne pas parler de Novgorod – et Ari la trouvait fantastique. Elle essaya un chemisier qui ferait tomber Maddy Strassen à la renverse : en satin bronze et brun, avec un foulard, une topaze et une broche en or... massif. Normal, dans ce magasin.

Elle se tourna vers son oncle pour lui adresser un sourire savamment calculé : un sourire d'adulte. Elle s'y était entraînée pendant des heures devant un miroir.

Le chemisier coûtait deux cent cinquante crédits. Il fut placé dans une boîte et Giraud en fit débiter le montant sur sa carte sans ciller ni s'autoriser le moindre commentaire.

Elle dédicaça une de ses photos qui irait rejoindre les portraits des célébrités qui accordaient leur clientèle à cette boutique. Située à proximité du port spatial, elle avait son propre garage et une entrée bien gardée. En outre, les clients n'étaient reçus que sur rendez-vous.

C'était pour cela qu'oncle Giraud avait estimé qu'ils pouvaient y aller sans déroger aux règles de sécurité.

Elle remarqua une photo de la première Ari et en eut froid dans le dos, bien qu'elle connût ce cliché. Ari senior était restée très jolie, même à cent vingt ans. Elle avait des yeux magnifiques et de longs cheveux noirs et soyeux (teints, sans doute, car elle était sous réjuv) divisés par une raie médiane. Elle avait exprimé le désir de se maquiller comme Ari senior, pour se voir opposer un refus catégorique par oncle Denys ; elle pourrait mettre du fard, mais beaucoup moins. D'ailleurs, ce n'était plus la mode.

À l'occasion du dernier Jour de l'An, il lui avait offert un flacon d'eau de Cologne préparée pour elle par le plus renommé des parfumeurs de Novgorod. L'odeur était enivrante, comme celle des jardins-serres quand les tulipes étaient en fleur.

Ari grandissait, et en avait conscience. Longtemps auparavant, le jour où Nelly lui avait déclaré qu'elle était trop grande pour se promener dans l'appartement sans corsage, elle avait baissé les yeux sur sa poitrine et compris qu'elle ne s'empâtait pas mais que ses formes changeaient.

Ce qui était ennuyeux, car elle n'aimait pas devoir porter une chemise.

Il était indubitable que son corps se modelait. Celui de Catlin aussi, ou presque. Ari n'aurait pu prétendre rivaliser avec Maddy Morley-Strassen, qui avait un an de plus qu'elle et était revenue de Planys avec sa mère : Eva, la fille de tante Victoria Strassen et en conséquence la nièce de maman et la cousine d'Amy Carnath par le père de cette dernière : Vassily Morley-Peterson qui vivait à Planys.

Maddy était...

Une fille au développement précoce, pour citer oncle Denys.

Elle acheta une écharpe à Maddy, une broche en or massif à Amy, un pull-over à Sam et un autre à Tommy ; des achats qu'elle refusa de faire expédier à Reseune. L'important était moins le cadeau lui-même, expliqua-t-elle à oncle Giraud, que le fait qu'il venait de Novgorod, la grande ville où ses amis ne pouvaient aller. Elle emporterait tout cela avec elle, dans l'avion. Elle pensa aussi à Catlin et lui choisit un corsage qu'elle porterait lors des réceptions : noir, mais en tulle. Et l'azie parut très surprise quand elle se vit dans le miroir. Elle acheta ensuite une chemise à Florian, au rayon hommes : noire et satinée, avec un col montant qui rappelait ceux des pulls de son uniforme habituel mais bien plus élégant. La propriétaire de la boutique pensa à un pantalon moulant qui compléterait la tenue de Catlin. Ce ne fut alors que justice si elle en offrit également un à Florian. Puis elle dénicha un fuseau de satin gris métallisé qui lui allait à merveille, et le chandail assorti : en dégradé qui passait de lavande cuivré aux épaules à noir métallisé au-dessous de la taille. D'un chic fou. Oncle Giraud protesta qu'elle était bien trop jeune pour se vêtir ainsi jusqu'au moment où elle l'essaya, et il dut admettre qu'il ne l'avait pas vue grandir.

Elle savait où se procurer du fard à paupières assorti qui compléterait cette tenue, pour la soirée que donnerait Maddy Strassen.

Prends ça, Maddy.

Lorsqu'ils sortirent de *La Lune* (1), ils avaient tant de paquets qu'oncle Giraud et Abban durent en mettre un bon nombre dans le véhicule d'escorte ; pendant qu'elle, Florian et Catlin s'entassaient l'un sur l'autre sur la banquette arrière.

Oncle Giraud grommela qu'ils ne ressortiraient de la décont de Reseune que le siècle suivant.

Novgorod lui paraissait formidable. L'agglomération était immense et s'étendait de l'escarpement d'Amity à l'est aux tours du Mur rideau formées des déblais du terraformage à l'ouest ; il y avait une multitude d'habitants et la ceinture verte des algues qui débutait dans les hauts-fonds, et c'était avec Reseune un des rares lieux de ce monde où on pouvait se promener sans combinaison-D... et le seul autre aéroport où il était possible de récupérer ses valises après une simple pulvérisation et une inspection rapide.

L'aéroport, où elle dut accorder une interview pendant qu'Abban supervisait le chargement de leurs bagages. Mais elle connaissait bien les journalistes, à pré-

(1) En français dans le texte. *(N.d.T.)*

sent ; surtout une femme, deux hommes d'un certain âge et un autre très jeune qui lui adressait des clins d'œil pour la faire rire. En outre, elle n'avait plus rien d'urgent à effectuer.

Selon oncle Giraud, c'était le prix qu'ils devaient payer pour avoir été laissés tranquilles – à l'exception des flashes des photographes – pendant leur visite des jardins botaniques.

– Qu'avez-vous fait aujourd'hui ? demanda une femme.

– Je suis allée voir les jardins et faire quelques courses, répondit-elle en s'asseyant au milieu des caméras.

Et la présence de ces dernières dissipait sa profonde lassitude. Elle savait être en direct, ce qui réclamait de la promptitude d'esprit. Elle était une spécialiste... c'était facile et ça rendait les journalistes, le public et oncle Giraud heureux... car si elle ne portait toujours pas ce dernier dans son cœur elle réussissait à s'entendre avec lui. Il s'avérait en fait aisé de le Travailler et il avait des points faibles qui le rendaient vulnérable. Il lui achetait des cadeaux, des montagnes de cadeaux. Son comportement changeait du tout au tout, quand il était avec elle. Il pouvait même être drôle, ce qui ne lui arrivait jamais en d'autres circonstances.

Il était toujours aussi hargneux, lorsqu'ils donnaient une réception ou organisaient une fête.

Giraud et maman... elle n'avait pas oublié. Elle n'oublierait jamais.

– Qu'avez-vous acheté ?

Une moue.

– Trop de choses, à en croire mon oncle.

Et elle baissa la tête et adressa aux caméras un sourire qu'elle savait mutin. Elle s'était étudiée à la vid et entraînée devant un miroir.

– Mais je ne vais en ville qu'une fois par an. Et il ne m'était encore jamais arrivé d'y faire des emplettes.

– N'y a-t-il pas de magasins, à Reseune ?

– Oh, si... mais ils sont minuscules et on sait à l'avance ce qu'on va y trouver. On peut acheter tout ce qui est nécessaire, mais c'est presque toujours la même chose. Et si on veut par exemple un chemisier qui sorte de l'ordinaire, il faut le commander... puis attendre de le recevoir en sachant déjà ce qu'on mettra.

– Et comment se portent vos guppys ?

Un petit rire et un haussement d'épaules à peine esquissé.

– J'ai eu quelques grandes queues vertes.

Oncle Denys avait mis un véritable labo à sa disposition et les poissons et les aquariums étaient à présent à la mode, à Novgorod. Selon oncle Denys, la population de ce monde pouvait pour la première fois avoir des animaux de compagnie. Reseune recevait des monceaux de commandes de guppys, depuis l'interview où elle avait déclaré que les élever était à la portée de tous.

Elle avait même un débouché pour ses rebuts. Oncle Denys lui disait de garder tous les enregistrements qui s'y rapportaient, que cela lui permettrait de parfaire ses connaissances.

La plupart des transports de fret de la RESEUNAIR emportaient quelques-uns de ses guppys, enfermés dans des sacs en plastique ayant reçu le sceau de Pureté exigé par les douanes. Mais la demande dépassait la capacité de production de son labo et oncle Denys jugeait le moment venu de céder cette affaire, parce que les poissons se multipliaient mais dégénéraient et que pour réaliser des profits il convenait d'en avoir de plus beaux, et donc d'obtenir des génésets. Elle trouvait très drôle qu'il fût presque plus facile de cloner des humains que des guppys.

– Nous avons entendu dire que vous vous lancez dans un nouveau projet, déclara un autre journaliste. Pourriez-vous nous parler du cheval ?

– De la pouliche. C'est le nom qu'on donne aux jeunes femelles. Mais elle n'est pas encore née. Je dois pour l'instant faire des études, aider les techs à surveiller la cuve et rédiger de nombreux rapports... ce qui représente une montagne de travail. Mais elle sera aussi jolie que sa génésœur, qui est d'ailleurs pleine et qui mettra bas peu après la naissance de ma pouliche. Nous aurons alors deux petits.

– N'êtes-vous pas dégoûtée des chevaux ?

– Oh, non ! Il faut les voir. Je compte monter le mien. C'est facile. Ils se déplaçaient à cheval, sur Vieille Terre. Il suffit de les dresser.

– Vous n'allez pas vous casser l'autre bras, au moins ?

Elle sourit et secoua la tête.

– Non. J'ai bien étudié la question.

– Et qu'avez-vous appris ?

– Qu'il faut en premier lieu habituer l'animal à avoir une selle et une bride, et ensuite à porter un poids sur son dos. Ainsi, il ne s'affole pas quand on lui grimpe dessus. Mais les chevaux sont intelligents, c'est toute la différence. Ils ne sont pas comme les platythères, ils pensent à ce qu'ils vont faire. C'est le plus merveilleux. Ils ne sont pas non plus comparables à des ordinateurs. Ils sont comme nous. Au même titre que les porcs et les chèvres, d'ailleurs. On les regarde et ils en font autant, et on sait qu'ils ont des pensées dont on ignore tout. Et il se dégage d'eux la chaleur de la vie, ils jouent et réagissent parce qu'ils ont la faculté de penser.

– Pourrions-nous obtenir une vid ?

– Est-ce possible, mon oncle ?

– Je présume, répondit Giraud.

2

Ils regagnaient Reseune et oncle Giraud paraissait satisfait de leur séjour à Novgorod. Ari s'était installée à l'avant de l'appareil avec Florian et Catlin, à leurs places habituelles, et ils buvaient des sodas en étudiant le paysage par les hublots pendant que Giraud, les secrétaires et les autres membres de l'équipe travaillaient à l'arrière de la carlingue et riaient.

Son oncle paraissait satisfait, ce qui pouvait expliquer sa générosité. Il lui arrivait de le trouver presque sympathique. Elle ne s'en plaignait pas. Il se sentait à son aise, en sa compagnie. Elle avait appris à se mon-

trer gentille avec ses Ennemis, voire même à les apprécier parfois, mais cela ne signifiait pas pour autant
qu'elle avait renoncé à les Avoir un jour. Elle savait
qu'ils feraient tôt ou tard quelque chose qui lui rappel-
lerait qui ils étaient en leur for intérieur. Mais les enfants devaient attendre leur heure, tout simplement.
Elle l'avait dit à ses azis, avant de placer Catlin devant
un miroir et de lui ordonner de se dérider et de s'y entraîner tant que cela ne paraîtrait pas naturel.

Catlin s'était révélée chatouilleuse, ce qui les avait
beaucoup surpris. Embarrassée, l'azie s'était empressée
de faire remarquer qu'eux seuls auraient osé la toucher
ainsi. Au début, elle avait paru irritée par les rires d'Ari et
de Florian, avant d'admettre que c'était effectivement
très drôle et de les imiter : avec son rire authentique
proche d'un simple sourire et non la contrefaçon. Elle
réussissait à imposer sa volonté à chacun de ses muscles.

Ils avaient eu droit à une autre de ses manifestations
de joie authentique dans la boutique de Novgorod.
Quand Catlin avait essayé le chemisier de tulle noir ses
yeux s'étaient même mis à briller, comme lorsque Florian leur montrait ce qu'il venait d'apprendre à son dernier cours d'électronique. Catlin possédait une nouvelle
capacité.

Elle s'était alors tournée vers la propriétaire du magasin en imitant Maddy Strassen : une parodie désopilante,
eût dit maman. Elle avait même reproduit à la perfection
la langueur de Maddy pour se tordre et étudier ses fesses
dans le miroir. C'était tout à fait Maddy, et Ari avait ri
aux éclats, au point d'en prendre un point de côté, surtout après avoir remarqué l'expression de Giraud.

Florian était resté à la limite du rayon hommes, très
azi... ce qui signifiait qu'il souffrait lui aussi d'un point
de côté parce qu'il n'avait jamais eu besoin de s'entraîner à rire. Il faisait cela naturellement, et il devait se retenir pour ne pas trahir Catlin.

La vie était agréable, à Novgorod, et Ari y avait perçu
une diminution de la tension. Giraud pensait qu'il existait un débouché pour des bandes sur les animaux ; il
disait que si des gens n'hésitaient pas à dépenser deux

cent cinquante crédits pour s'offrir un guppy il y avait bien d'autres choses qu'ils pourraient leur vendre et qu'ils ne céderaient rien en franchise. Ils feraient travailler Moreyville en sous-traitance et se lanceraient dans la production de koïs. Les entreprises qui avaient fabriqué des aquariums et des systèmes de filtrage pour les labos de Reseune n'hésiteraient sans doute pas à investir dans ce nouveau domaine.

– C'est comme ça qu'on fait des affaires, tout s'enchaîne, disait-il.

Des hommes isolés dans les petits dômes bruns de l'arrière-pays dépensaient une fortune en guppys aux couleurs chatoyantes et en plantes vertes parce qu'ils aimaient leurs teintes et les clapotis de l'eau, là-bas, au cœur de ce désert rouge délavé et gris-bleu. À Reseune on disait qu'un tel contact avec un écosystème non hostile avait un effet apaisant et les mineurs affirmaient que les bulles d'air qui s'élevaient de leurs aquariums assainissaient l'atmosphère. Ce n'était qu'une simple impression, mais ces aquariums donnaient l'illusion de vivre en harmonie avec tout ce qui était vert, coloré et terrien.

Giraud se contentait de déclarer que c'était une affaire rentable et qu'ils auraient dû lire de vieilles histoires et consulter les génébanques pour découvrir s'il ne manquait rien d'autre aux habitants de ce monde.

En outre, il était ravi que la population de Cyteen vît en Ari l'enfant qui lui avait apporté tout cela. La tâche de leurs adversaires n'en serait pas facilitée.

C'était Giraud, d'accord. Mais elle agissait comme lui lorsqu'elle s'entraînait à sourire devant les caméras. Elle avait rencontré la conseillère de l'Information, Catherine Lao, aux cheveux tressés et remontés en couronne au sommet du crâne comme ceux de Catlin, aussi blonde que l'azie mais âgée d'une bonne centaine d'année. Cette vieille amie d'Ari senior s'était déclarée heureuse de voir à quel point elle avait grandi.

Ari avait pour principe de ne jamais sympathiser au premier contact. C'était dangereux : on omettait de voir des choses qui crevaient pourtant les yeux. Ari senior le lui avait dit, et elle le savait en outre depuis toujours.

Mais elle appréciait cette femme, qui se montrait bien plus amicale avec elle qu'avec Giraud, même si elle essayait de le dissimuler. La différence d'attitude permettait à Ari d'établir des comparaisons, de voir son entourage sous son jour véritable, et d'en déduire que Lao faisait partie de ceux auxquels elle pouvait accorder son amitié.

Et que Catherine Lao fût conseillère de l'Information lui donnait le contrôle des médias, des bibliothèques, de l'édition, des archives et de l'éducation.

Elle avait également rencontré l'amiral Gorodin, le représentant de la Défense qui s'était opposé à la confiscation de ses biens : un personnage très différent de Lao. Son attitude n'était ni amicale ni hostile et il paraissait irrité par Giraud, mais il avait abordé Ari comme si elle était une vieille connaissance.

Elle avait même été présentée à Mikhaïl Corain, un Ennemi officiel. Elle s'était montrée courtoise avec cet homme en face des caméras installées dans le Palais de l'État. Le conseiller, qui semblait souffrir d'une indigestion, avait déclaré avoir une fille de son âge et espérer qu'elle trouvait son séjour à Novgorod agréable, avant de lui demander si elle comptait présenter un jour sa candidature au Conseil.

C'était une supposition trop proche de certains projets qu'elle eût refusé de révéler même à ses oncles, et elle avait répondu ne pas avoir eu le temps de se pencher sur la question tant ses études l'accaparaient. Les journalistes s'étaient esclaffés, et Corain les avait imités : un gloussement comparable à celui de Catlin dans son imitation de Maddy. Puis il s'était repris et avait dit que Cyteen aurait intérêt à rester sur ses gardes.

Lui aussi, pensa-t-elle avec irritation. Cet entretien s'était achevé sur un ton agressif et elle regrettait de ne pas avoir trouvé une repartie qui lui eût permis de l'Avoir devant les médias. Mais elle ignorait à quoi il avait voulu se référer, oncle Giraud affirmait qu'elle s'en était très bien tirée, et elle chassa ces préoccupations de son esprit.

Il y eut donc le vol, puis l'atterrissage à Reseune où

l'attendaient d'autres journalistes... et Amy et Tommy qui eurent eux aussi droit aux honneurs de la vid. Elle se contenta de sourire aux caméras, car aucune interview n'était prévue. Les médias ne voulaient que quelques images. Ce fut rapide, puis les cameramen plièrent leur matériel pour embarquer à bord d'un appareil de la RESEUNAIR qui devait décoller pour Svetlansk, où ils tourneraient un reportage sur un gros platythère qui venait de défoncer un pipe-line. Ari eût aimé aller voir, mais oncle Giraud lui rétorqua qu'elle avait trop longtemps interrompu ses études et qu'elle devait s'occuper de sa pouliche.

– Elle va bien? s'enquit-elle, inquiète.

– Comment veux-tu que je le sache? lui répondit-il, pour la Travailler. Tu n'as fait aucun contrôle depuis une semaine.

Elle n'attendit pas les bagages. Elle prit le car avec oncle Giraud, Florian et Catlin, Amy et Tommy. Sans passer chez elle, elle alla droit aux labos.

La pouliche se portait à merveille, mais le super lui remit un gros paquet de fiches : tout ce qu'elle devrait étudier pour se mettre à jour.

Un piège, évidemment. Elle jeta un coup d'œil au moniteur : l'embryon ressemblait de moins en moins à un fœtus humain et de plus en plus à un cheval. C'était passionnant.

Elle était fébrile, lorsqu'elle passa voir Denys à son bureau et obtint la permission de ramener Amy et Tommy à la Maison avec elle, parce qu'on avait dû entre-temps y apporter ses bagages et qu'elle souhaitait leur donner leurs cadeaux.

– Ne sème pas le désordre, lui recommanda oncle Denys.

Car Nelly restait désormais toute la journée à la pouponnière et ne rentrait que le soir, ce qui contraignait Seely, Florian et Catlin à faire une partie du ménage. Le sort de l'azi de son oncle ne lui importait guère, mais elle ne tenait pas à donner du travail supplémentaire aux siens.

– Viens que je t'embrasse, lui dit oncle Denys. Et sois bien sage.

Elle prit conscience d'avoir oublié de lui acheter un présent. Embarrassée, elle décida de lui commander quelque chose à l'épicerie fine de la galerie nord et de faire débiter cet achat sur sa carte ; un compte alimenté par son allocation mensuelle.

Une livre de café, par exemple. Il saurait l'apprécier et il n'était pas nécessaire qu'il vînt de Novgorod.

En outre, elle pourrait en profiter.

Dès son retour à l'appartement elle dit à Base un de passer cette commande, ce qui était aussi facile que de donner des ordres au concierge.

Amy et Tommy en furent impressionnés.

Ils se déclarèrent ravis de leurs cadeaux. Elle alla chercher les paquets dans sa chambre, pour ne pas leur montrer le reste... oncle Denys disait toujours qu'il ne fallait pas faire étalage de ce qu'on possédait devant ceux qui n'en avaient pas autant.

Il avait raison. Ce conseil paraissait plein de bon sens.

Tommy aimait beaucoup son sweater. Il lui allait très bien.

Amy parut se méfier de l'écrin. Elle semblait penser que la boîte était trop petite pour pouvoir contenir quelque chose de valable... jusqu'au moment où elle l'ouvrit.

– C'est pas du toc, précisa Ari en se référant à la broche.

Et le visage d'Amy s'illumina. Elle n'était pas jolie. Elle deviendrait très grande et très maigre, avec une figure allongée, et elle n'avait pas pris de bande pour améliorer son maintien ; mais pendant un instant elle fut resplendissante. Sans doute se sentait-elle belle, supposa Ari. C'était cela qui faisait la différence.

Elle regretta qu'Amy n'eût pas comme elle des revenus qui lui auraient permis de s'offrir des choses de prix.

Puis elle eut une idée.

Et elle prit note de demander à oncle Denys si Amy ne pourrait pas reprendre à son compte l'affaire des guppys. Amy connaissait tout sur ces poissons, savait d'instinct qui il convenait d'accoupler à qui, et elle était très forte en calcul.

La pouliche lui donnait beaucoup de travail et elle souhaitait désormais ne s'occuper que de quelques jolis guppys sans devoir perdre son temps avec les ratés.

3

Justin lâcha ses sacs puis se laissa choir sur le lit et cessa de percevoir ce qui l'entourait, jusqu'au moment où il sentit qu'on remontait la couverture.

– Allons, lui disait la voix de Grant. Tu vas prendre froid. Déplace-toi.

Il s'éveilla à demi, se tourna, et trouva l'oreiller qu'il ramena sous sa tête.

– Un vol mouvementé? demanda son ami qui s'assit au bord du lit.

– Un avion minuscule... et nous avons essuyé une forte tempête au-dessus des Téthys. Il a fallu esquiver les cumulus d'orage et nous avons été secoués.

– Faim?

– Seigneur, non. Seulement sommeil.

Grant se leva, éteignit la pièce et le laissa se reposer.

Justin n'en gardait qu'un vague souvenir quand il fut réveillé par des bruits qui provenaient de la cuisine. Il était tout habillé, avec une barbe d'un jour.

Et l'horloge indiquait 8 : 20

– Bon sang, marmonna-t-il.

Il repoussa la couverture et gagna en titubant la salle de bains, puis la cuisine.

Où Grant buvait un café, à la fois élégant et décontracté en chemise blanche et pantalon beige uni.

Justin passa une main dans sa chevelure afin de se rendre un peu plus présentable puis alla chercher une tasse dans le placard sans rien faire tomber.

L'azi partagea son café avec lui.

– Je peux m'en préparer, protesta Justin.

– Je n'en doute pas, mais assieds-toi. Je présume que tu n'as pas l'intention d'aller travailler, aujourd'hui... Comment se porte Jordan ?

– Bien. Vraiment.

Il s'assit et fit reposer ses coudes sur la table : pour pouvoir trouver la tasse sans coup férir malgré les mauvais tours que lui jouaient ses yeux.

– Il semble en pleine forme. Et Paul aussi. Nous avons eu une longue séance de travail... comme toujours : trop de discussions et pas assez de repos. Mais c'était formidable.

Il ne mentait pas. Et il lut du soulagement dans le regard de son ami. Grant avait appris la nouvelle la veille au soir, à l'aéroport, mais il paraissait avoir douté de la véracité de ses dires ; ils étaient condamnés à devoir attendre un signe de confirmation discret.

Puis l'azi vit l'heure et tressaillit.

– Zut ! Il serait préférable que l'un de nous fasse acte de présence. Yanni est de mauvais poil, cette semaine.

– Je compte y aller.

– Tu ne pourras rien faire. Reste ici. Repose-toi.

Justin secoua la tête.

– J'ai un rapport à lui remettre.

Il avala d'un trait le restant de café.

– Mais vas-y le premier. J'irai te rejoindre sitôt après avoir réuni les papiers. Annonce-lui que je remets un peu d'ordre dans les fax et que j'arrive. Ceux de la décont ont tout mélangé.

– Il faut que je me sauve.

Grant transvasa dans l'autre tasse le café qui lui restait.

– Tu en as plus besoin que moi. Ce breuvage semble être un élément vital, pour les CIT.

Bon sang. À son retour il s'était effondré sans pouvoir dire un mot, alors que Grant avait attendu des nouvelles toute la journée, et à présent il le privait de son café.

– Je te revaudrai ça, cria-t-il à son ami qui se trouvait dans la pièce voisine. Réserve une table au *Relais*, pour le déjeuner.

L'azi passa la tête par l'entrebâillement de la porte.

– C'est donc formidable à ce point ?

– La socio a testé le TR sur dix générations, sans rien mettre en évidence. Jordan est convaincu qu'il n'y a aucun risque.

Son ami donna un coup de poing au chambranle et lui fit un large sourire.

– Espèce de fils de pute ! Tu aurais tout de même pu me le dire !

Justin haussa un sourcil.

– S'il existe une insulte qui ne peut pas s'appliquer à moi, c'est bien celle-là. Et à présent Giraud devra reconnaître son erreur.

Grant se précipita vers le vestibule en s'exclamant :

– En retard, bordel ! Ce n'est pas juste !

Puis la porte d'entrée s'ouvrit et se referma aussitôt.

Ils passèrent la matinée à travailler dos à dos dans le même bureau mais n'eurent pas le temps d'en discuter. Grant pianotait sur son clavier ou murmurait des commentaires à son scripteur, pendant que Justin passait au scanner ses notes et celles de Jordan, ainsi que les transcriptions des réunions de la semaine : quatorze cents heures d'enregistrement constant que l'ordinateur triait en fonction des mots clés. Cette méthode n'était pas infaillible – il risquait de sauter des passages importants ou de ne pas les entrer dans les bons fichiers – ce qui empêchait Justin d'effacer le reste. Il créa une rubrique Divers et utilisa la fonction autoréf pour pouvoir retrouver l'emplacement original de l'information.

Il avait terminé de traiter quatre comptes rendus préliminaires et un rapport quand Grant le tira de sa concentration profonde en lui déclarant qu'il ne leur restait que dix minutes pour aller au restaurant.

Il se massa les yeux, fit une sauvegarde et étira ses bras ankylosés.

– Ça se tire, pour Rubin, déclara-t-il.

Mais ce fut d'un autre projet qu'ils parlèrent dans l'escalier et les couloirs qui menaient à la galerie nord, puis lorsqu'ils entrèrent dans Le Relais et gagnèrent leur table : des explications interrompues le temps de commander des boissons, puis les repas.

– Il ne me reste qu'à convaincre Yanni de donner son feu vert pour un test, dit-il.

– Je me porte volontaire.

– Faut pas y compter.

L'azi haussa un sourcil.

– Tu n'as pas à t'inquiéter. Je suis un cobaye idéal, étant donné que je peux identifier tout ce que cela m'apporte... J'ai bien mieux assimilé les principes que ne le feront ceux de la section d'expérimentation...

– Le problème, c'est que tu n'es pas un observateur impartial.

Un soupir.

– Je me demande ce que l'on ressent. Un CIT ne peut comprendre. C'est tentant, pour un azi.

– Voilà bien ce qui m'inquiète. Tu n'as pas besoin d'être motivé... hormis par la perspective de prendre des vacances, sans doute.

– Des congés à Novgorod. C'est évident. Mais je tiens malgré tout à y jeter un coup d'œil... dès que tu auras terminé.

Justin lui adressa un froncement de sourcils lourd de sous-entendus. Ils devaient toujours se méfier des micros espions. Ils ne tenaient pas à révéler à la sécurité que Grant était un expert en matière de lecture-assimilation d'un programme.

Grant put lire dans ses yeux : *Aucun problème, mon ami. Mais si tu le testes sur toi tu auras affaire à moi.*

Un sourire de l'azi : *Espèce de CIT plein de suffisance, je sais me protéger.*

Les lèvres serrées : *Ne dis pas de conneries.*

Un autre sourire et les yeux mi-clos : *On en discutera plus tard.*

Une voix juvénile :

– Bonjour.

Et Justin sentit son cœur bondir dans sa poitrine.

Il regarda l'enfant qui venait de s'immobiliser à côté de leur table : une petite fille vêtue d'un ensemble de prix qui laissait deviner l'ébauche d'une taille. Il huma

74

une fragrance qui raviva un souvenir de panique et leva les yeux sur un visage devenu sérieux et timide... aux pommettes accentuées, aux yeux plus sombres et – Seigneur ! – soulignés de fard à paupières violine.

– Bonjour, répondit-il.

– Ça fait longtemps qu'on ne s'est vus.

– C'est exact. J'ai été très occupé.

– J'étais là-bas.

Elle désigna l'arrière-salle du restaurant, au-delà de la voûte.

– J'avais déjà entamé mon sandwich, quand je vous ai vus entrer. Mais j'ai tenu à venir vous saluer.

– Je suis très content de vous voir, déclara-t-il d'une voix qu'il put contrôler en mettant toute sa volonté à contribution.

Il réussit même à avoir un air joyeux. Cette gosse analysait les réactions de son entourage en moins de temps que les ords de la sécurité.

– Comment se passent vos études ?

– Oh ! Je travaille bien trop.

Ses yeux brillèrent. Elle redevenait une enfant... ou presque.

– Vous savez, oncle Denys m'a permis d'avoir un cheval... à condition que je le mette au monde et que je me charge de tout ce qui s'y rapporte. C'est pour lui un moyen de m'obliger à étudier.

Son index dessina un motif invisible au bord de la table.

– J'avais cette affaire de guppys... (Un rire cristallin.) Mais je l'ai cédée à Amy Carnath. Ça me prenait trop de temps. Et elle a dû s'associer à son cousin. Enfin... et vous, qu'est-ce que vous faites ?

– Des projets pour le gouvernement. Et des recherches personnelles. Je travaille trop, moi aussi.

– Je me souviens que vous êtes venu à ma fête d'anniversaire.

– Je n'ai pas oublié, moi non plus.

– Vous êtes dans quelle section ?

– La conception.

– Et Grant ?

Elle porta les yeux sur l'azi.

– Lui aussi.

– C'est une matière que je commence à étudier, précisa-t-elle.

Son doigt traçait un autre dessin sur la nappe. Le timbre de sa voix était plus grave, dépouillé d'une partie de ses intonations juvéniles. Justin découvrait une enfant très différente de celle qu'il avait pu voir à la vid.

– Vous savez que je suis une DP, n'est-ce pas ?

– Oui, fit-il avec un calme qui le surprit. Je le savais.

– La première Ari était très forte. L'avez-vous connue ?

Seigneur, que dois-je lui répondre ?

– Effectivement, oui. Pas très bien. Elle était plus âgée que moi.

Mieux vaut ne pas créer de mystères.

– Elle a été mon professeur pendant quelque temps.

Ari releva les yeux du point sur lequel elle les avait laissés rivés : une manifestation de surprise et des hésitations dans ses pensées.

– C'est drôle, non ? Vous savez plus de choses que moi sur la femme que j'ai été. J'aimerais pouvoir prendre une bande et découvrir tout ce qui la concerne.

– Une seule n'y suffirait pas.

– Je m'en doute. (Un autre petit rire.) Mais je saurai désormais à qui m'adresser pour me renseigner.

– Votre oncle m'étriperait, si je vous aidais à faire vos devoirs.

Elle rit encore et tapota la table du bout du doigt.

– Votre déjeuner refroidit et je dois retourner au labo. J'ai été ravie de vous revoir. Toi aussi, Grant.

– Le plaisir était partagé, murmura Justin.

– Sera, marmonna Grant.

Ari s'éloignait déjà. Justin la suivit des yeux jusqu'à la porte, puis il libéra sa respiration et fit reposer son front entre ses paumes.

– Seigneur ! soupira-t-il avant de tourner la tête vers son ami. Elle a grandi, pas vrai ?

– Elle est venue nous saluer par simple courtoisie.

– C'est probable, approuva Justin qui se reprit et piqua un bout de jambon avec sa fourchette.

Il était déterminé à traiter par le mépris le malaise qui s'accentuait dans son estomac.

– Pas la moindre malice. C'est une brave gosse. Elle est très gentille. J'en ai parlé à Jordan. Bon sang, j'aimerais bien consulter son bulletin scolaire.

L'azi dirigea son regard vers le mur, avec frayeur. *Tu oublies les micros.*

– Ils utilisent...

Rubin n'était pas un nom qu'il pouvait prononcer dans un lieu public.

– Ils se servent du second sujet comme élément de comparaison, mais nous n'obtiendrons rien de valable avant une quinzaine d'années.

– Trop tard, commenta Grant.

Trop tard pour que ce fût utile à Ari, voulait-il dire. Et il fronça les sourcils afin d'indiquer : *Mais ce n'est ni le moment ni le lieu pour en discuter, bon Dieu !*

Du simple bon sens.

– Oui, dit Justin.

Comme s'il répondait à la remarque précédente.

Il mangea une autre bouchée et but, tiraillé par la faim. En raison des turbulences atmosphériques on ne leur avait servi qu'un repas réduit à la portion congrue, à bord de l'avion, et après avoir passé la matinée à travailler sur le terminal nul incident ne pourrait lui couper l'appétit.

– Parles-en à Yanni, lui dit Grant lorsqu'ils traversèrent la cour intérieure pour regagner leur bureau. Et appelle Denys. Respecte ses instructions, pour moi autant que pour toi.

– J'en avais la ferme intention, répondit Justin.

Ce qui était la stricte vérité. Il n'osait cependant préciser qu'il comptait en profiter pour aborder un autre sujet.

Mais tout ce qu'il dirait se trouvait déjà dans la transcription des discussions qu'ils avaient eues à Planys.

Son opinion et celle de Jordan... si elles pouvaient intéresser une administration soucieuse de sa propre survie.

4

Ils s'enfonçaient dans les tunnels, de plus en plus loin à l'intérieur de la zone de maintenance du système d'aération grâce à l'habileté de Florian. Ils venaient d'un secteur dont l'accès n'était pas contrôlé par des cartes et ils devaient toujours arriver les premiers – car eux seuls pouvaient ouvrir la porte de leur salle de réunion – puis partir les derniers pour permettre à Florian et Catlin de faire disparaître toutes les traces de leur présence.

Ils avaient plusieurs de ces petites cachettes, auxquelles ils attribuaient des numéros. Ari n'avait qu'à dire «le 3» pour qu'Amy transmît le message à Maddy et à Tommy, qui se chargeait d'aller chercher Sam.

Ils attendaient de telles convocations puis s'y rendaient ensemble : Amy, Tommy, Sam et Maddy, qui était aujourd'hui accompagnée par une certaine 'Stasi Morley-Ramirez. C'était pour cela qu'ils se dirigeaient vers une salle qu'ils n'utilisaient presque jamais.

'Stasi, une amie d'Amy et de Maddy, avait eu droit à des confidences intempestives de cette dernière.

Elle avait peur de s'aventurer si loin dans les entrailles de Reseune, et elle fut terrifiée en face d'Ari qui la foudroyait du regard, les mains sur les hanches. Catlin se tenait sur sa gauche. Une lampe-torche posée sur un conteneur rendait leurs ombres démesurées et leurs visages effrayants. Ari le savait. Elle s'était entraînée devant un miroir à avoir une expression menaçante.

– Assieds-toi, ordonna-t-elle à 'Stasi.

Et Amy et Tommy lui désignèrent la grosse conduite qui tenait lieu de banc, pendant que Florian venait se placer derrière elle. La nouvelle venue exceptée, tous restèrent debout. Une technique de psych.

– Quiconque s'aventure jusqu'ici ne peut plus revenir sur ses pas, déclara Ari. Soit nous t'acceptons dans notre groupe, soit ton sort ne sera pas enviable, 'Stasi Ramirez. Nous t'attirerons beaucoup d'ennuis, parce que tu nous auras fait perdre un lieu de réunion. Et si tu en parles à la sécurité, je me débarrasserai de toi. Je te ferai exiler loin d'ici avec ta mère et vous ne remettrez jamais les pieds à Reseune. As-tu compris?

Un hochement de tête vigoureux.

– Pourquoi veux-tu entrer dans notre bande?

– Je connais tous les autres.

Elle se tourna vers Amy, Maddy et les garçons.

– Pas Sam.

– Si, je l'ai rencontré dans la Maison.

– Mais tu n'es pas son amie. Maddy ne peut voter, car c'est ta marraine. Amy et Tommy non plus, parce qu'ils sont tes amis. C'est donc à moi, Sam, Florian et Catlin de nous prononcer... Qu'en penses-tu, Catlin?

– Que sait-elle faire? demanda l'azie d'une voix plate.

– Réponds, ordonna Ari.

– Dans quel genre? De quoi parlez-vous?

– On veut savoir si tu peux forcer des serrures, mémoriser des messages, tromper la vigilance d'un concierge ou voler des trucs dans les labos.

Les yeux de 'Stasi s'écarquillèrent.

– Catlin et Florian en sont capables. Ils peuvent aussi tuer des gens... pour de bon. Te trancher la tête avec un bout de câble. Pop! Comme ça. Sam nous procure des outils, du matériel. Maddy nous apporte des fournitures de bureau.

Et du fard à paupières.

– Tommy nous procure un tas de choses et tu n'as pas à savoir ce qu'on fait, Amy et moi. Alors, et toi?

La peur voilait les yeux de 'Stasi.

– Mes parents sont les propriétaires du *Ramirez*. On trouve tout ce qu'on veut, là-bas. De quoi avez-vous besoin?

Elle le savait déjà. *Le Ramirez* était un restaurant de la galerie nord.

– Mmmm. Couteaux et trucs de ce genre?

– C'est possible, s'empressa d'affirmer 'Stasi. Et de la

nourriture. Toutes ces choses. Et comme mon oncle est contrôleur de vol, je pense pouvoir vous procurer des appareils de navigation...

– Bien, ça va. Mais ce n'est pas tout. Si tu fais partie de notre groupe et que la sécurité t'attrape, tu ne dois pas parler de nous. Tu dis que tu es seule. Mais ne te fais pas prendre. Et n'amène personne ici sans nous en parler avant. Et pas un mot sur notre organisation à qui que ce soit. Compris ?

'Stasi hocha la tête.

– Juré ?

Stasi refit le même mouvement.

Elle ne parlait guère. Comme Sam. C'était bon signe.

– Je vote pour, dit Ari.

Sam donna son accord en inclinant la tête. Ari se tourna vers ses azis.

Ils ne semblaient pas avoir d'objections à émettre. Catlin avait toujours les sourcils froncés, quand elle jaugeait quelqu'un.

– Ils acceptent, déclara Ari.

Ils enjambèrent la conduite, pour s'y asseoir. Le tuyau était propre. Florian et Catlin n'omettaient jamais de s'en assurer, pour ne pas révéler qu'ils s'aventuraient dans des coins poussiéreux.

Et les azis se contentaient de s'accroupir sur leurs talons, pour se reposer.

Ils passèrent alors à l'ordre du jour : la narration de son voyage à Novgorod... Sam et Tommy avaient leurs nouveaux sweaters et Maddy portait son écharpe, mais la broche d'Amy était trop précieuse pour qu'elle la mît en classe. Ils parlèrent ensuite de la fête que donnerait bientôt Maddy, et à laquelle ils seraient tous invités. Maddy était heureuse qu'ils aient accepté 'Stasi, car cela lui permettrait de faire l'importante pendant quelque temps.

Oncle Denys avait raison de parler de développement précoce, au sujet de Maddy. Ses formes étaient mises en relief par la lumière qui se reflétait sur leur table improvisée et elle passait son temps à émoustiller les garçons.

Ce qui troublait bien moins Tommy que Sam. Ce dernier était en outre devenu très maladroit. Tommy attribuait cela au fait qu'il avait poussé trop vite, mais il manquait s'assommer à tout bout de champ... comme s'il oubliait qu'il avait tant grandi. Mais son habileté manuelle était telle que voir ses doigts à l'ouvrage était fascinant. Il avait un don incontestable pour la mécanique.

Sam était aussi amoureux d'Ari, ou presque. Il semblait depuis toujours souhaiter devenir pour elle un ami plus proche que les autres. Elle gardait ses distances, parce qu'elle ne partageait pas tout à fait ses sentiments, mais elle était irritée de le voir prendre les simagrées de Maddy au sérieux... car il ne faisait pas partie de la Maisonnée et vivait là-bas, à côté de la Ville. Maddy n'appartenait pas au même milieu et il n'en résulterait jamais rien de bon, pas plus qu'avec elle.

Il ne pouvait rien y avoir de durable à leur âge, mais Sam ne prenait rien à la légère et Maddy était en chaleur depuis qu'elle avait appris quelle était la différence entre les garçons et les filles.

Ari savait cela depuis longtemps. On ne pouvait étudier les guppys et les chevaux sans parvenir à certaines conclusions et faire un rapprochement avec le comportement des garçons et des filles qui essayaient de s'exciter mutuellement à partir d'un certain âge.

Les choses du sexe ne l'intéressaient guère. Elle était même irritée par ces pulsions qui incitaient tout son entourage à se conduire de façon ridicule et qui compliquaient la situation chaque fois qu'elle essayait d'organiser quelque chose.

Ils sortirent, et elle vit Maddy feindre de trébucher et donner un coup de hanche à Florian.

Il ne fallait pas le bousculer. Ses mécanismes de défense se déclenchaient sitôt qu'on le heurtait. Mais il tendit le bras pour recouvrer son équilibre, et Maddy saisit son poignet. Elle pouvait s'estimer heureuse qu'il eût appris à Novgorod à contrôler ses réactions au sein d'une foule, car dans le cas contraire il l'eût sans doute projetée contre le mur.

Maddy put même poser les mains sur ses épaules, et elle gloussa comme une idiote avant de se redresser et de franchir la porte.

Sans voir l'éclat des yeux de Florian.

Mais Ari le remarqua. L'azi se tourna vers elle, et il semblait penser qu'il venait de se faire Avoir d'une façon indéfinissable, et se demander s'il s'était ou non comporté ainsi qu'il le fallait.

Elle s'abstint de dissiper ses doutes. Et Catlin n'avait pas dû relever l'incident.

5

Justin n'était pas retourné dans le bureau de Denys Nye depuis longtemps. Il ne se rappelait que trop sa dernière visite : l'homme corpulent assis en face de lui, les moindres détails de cette pièce.

Son frère, Giraud Nye. Il n'aurait pas pu l'oublier, lui non plus.

— Yanni m'a informé que vous désiriez me parler, déclara-t-il depuis le seuil de la pièce.

— C'est exact. Asseyez-vous.

Il entra et prit place dans le fauteuil. Denys se pencha vers lui, les paumes à plat sur le bureau, à côté d'une petite soucoupe pleine de pastilles. Il en prit une et lui en proposa.

— Non, ser, merci.

Denys lança la sienne dans sa bouche puis s'inclina en arrière. Le siège craqua. Il croisa les mains sur son ventre.

— Yanni m'a adressé vos travaux et indiqué que vous souhaitiez faire procéder à un test. Vous semblez sûr de vous, cette fois.

— Oui, ser. C'est un programme très simple, réduit au strict nécessaire. Je ne pense pas qu'il sera utile de le tester longtemps.

— Je doute que cela nous apprenne grand-chose. Jordan affirme qu'il ne devrait pas y avoir de problème. L'ennui, avec vos travaux, c'est que les conséquences n'apparaîtront pas à la première ou à la deuxième génération. Si c'était le cas... nous n'aurions rien à redouter. Il suffirait d'installer le programme et de le lancer.

Grant avait lui aussi des arguments à l'appui de sa demande, d'un point de vue azi. Il savait comment procédaient les testeurs et aurait pu faire un essai sur lui-même. Mais Justin n'en parlerait pas à Denys, même s'il lui fallait renoncer, même si cela avait constitué sa seule opportunité de parvenir à ses fins.

Car rien ne pouvait justifier de faire courir des risques à son ami.

– J'accorde de l'importance à l'opinion des testeurs, répondit-il. Et à leur expérience. Nul ordinateur ne pourrait fournir des conclusions comparables aux leurs. C'est pour cela que nous faisons appel à leurs services.

– Et c'est pourquoi leur temps est si précieux. Mais ils ne sont d'aucune utilité quand les problèmes risquent de se poser aux générations futures.

– Je ne sais pas, ser. J'ai confiance en leur jugement. Et cela me permettrait de disposer d'éléments sur lesquels travailler, si cet essai révélait des anomalies. Jordan pense qu'il devrait être concluant. Il ne dit pas cela parce qu'il est mon père. Il ne me mentirait pas. L'enjeu est trop important.

Denys lui adressa un semblant de sourire et soupira. Le fauteuil craqua, comme il se penchait en avant et faisait reposer ses coudes sur le plateau du bureau pour presser un bouton. Le bourdonnement de l'audio-brouilleur les enveloppa et fit vibrer leurs os, leurs nerfs, leur estomac.

– Il faudrait plus de vingt années d'études, même si nous vous accordions un essai complet sur le généset. C'est le fond de l'affaire. Pour démontrer de façon irréfutable que vous avez tort ou raison, nous devrions procéder à une expérience aussi importante que celle du projet Géhenne. Sur vingt générations, en fait, et non sur vingt années. Nous manquons de planètes que nous pourrions mettre à votre disposition et, en admettant le contraire, que ferions-nous de la société qui verrait le jour si vous avez tort ? Faudrait-il utiliser des bombes atomiques pour la détruire ? Voilà à quelle échelle vous travaillez, mon garçon.

Il assimilait ces propos aux prémices d'un refus. Il se mordit la lèvre et tenta de se calmer.

– Un peu comme Emory, dit-il avec amertume.

La fierté suprême des laboratoires. Et il faillit ajouter : Si votre comité avait opposé son veto à ses expériences, Reseune ne serait toujours qu'un simple centre de reproduction.

Mais nul ne pouvait savoir ce qui résulterait des recherches de cette femme dans vingt ou trente générations. Que Denys eût parlé de Géhenne le glaçait.

– Comme pour Emory, approuva son interlocuteur d'une voix atone. Les sociologues ont été ébranlés... par la possibilité que l'analyse de vos travaux ait mis en évidence une lacune des logiciels de prévision. Vous avez fait passer des nuits blanches à leurs programmeurs. Et je vous avouerai que nous n'en avons pas soufflé mot à la Défense. Vous savez... les militaires s'emballent pour un rien.

– Il n'a jamais été dans mes intentions de m'adresser à eux.

– Jamais ?

– Non, ser. Je n'y aurais eu aucun intérêt. Reseune... a des avantages. Bien plus que Planys.

– Même si on vous proposait d'y vivre avec votre père ?

Il prit une inspiration, gêné par les vibrations que l'audiobrouilleur communiquait aux racines de ses dents. Il ne réussissait pas à en faire abstraction.

– J'y ai songé, mais je préférerais le voir revenir ici... plutôt que d'être à mon tour exilé dans ce trou perdu. Il comprend mon point de vue. Je dirais même qu'il partage cet espoir. Un jour, peut-être. Nous aurions pu faire en sorte que la Défense apprenne l'information. Nous nous en sommes abstenus.

– Jordan n'a jamais aimé les militaires. Et ils ne l'ont pas aidé, lors de son procès.

– Vous l'espériez. Il aurait pu leur parler. Il ne l'a pas fait, que je sache ?

– C'est exact. Ils lui inspirent de la méfiance. Mais c'est surtout votre carrière – et celle de Grant – qui le préoccupe. Soyons direct. Nous savons ce qu'il peut utiliser contre nous... et pourquoi il ne s'en servira pas. Restons dans le domaine de la franchise. Votre père a de nombreuses raisons de mentir, à nous comme à vous : pour nous convaincre que vous avez de la valeur et nous inciter à assurer votre protection... s'il devient imprudent. Vous êtes d'une naïveté impensable, si vous l'en croyez incapable.

Justin encaissa le direct sans broncher.

– Il tient à Grant, autant qu'à moi. Vous disposerez d'un second otage, tant qu'il ne lui arrivera rien.

– Nous le savons. C'est pour cela que votre compagnon n'est pas autorisé à voyager.

– Mais si vous lui permettiez de rencontrer Jordan, seul – ne serait-ce que pour quelques heures –, tout le monde en bénéficierait. À quoi sert une monnaie d'échange dont on finit par oublier la valeur ?

Denys soupira.

– Je n'apprécie pas plus que vous cette situation, mon garçon. J'aimerais faire une trêve avec le clan Warrick, sans commettre une erreur et nuire à qui que ce soit. Je suis franc avec vous, je vous expose mes inquiétudes. Je crois en vos capacités, et vous allez participer au Projet sur la simple recommandation de Yanni. Reseune est redevenue solvable, mais ce n'est pas une raison pour prendre des risques et dépenser sans compter, et voilà que vous réclamez un effort supplémentaire pour financer des recherches qui ont déjà donné des migraines aux sociologues...

– Si leurs prévisions sont erronées, si leurs programmes laissent à désirer, cela devrait intéresser la Défense. C'est d'une importance capitale, ser. J'ignore ce qu'il vous faudrait de plus.

Denys se renfrogna.

– Mon jeune ami, si vous ne m'aviez pas interrompu j'aurais ajouté : « mais qui nous seraient en fin de compte profitables ». Entendu, vous avez votre cobaye. Pour six mois.

– Merci, ser. Croyez que j'apprécie votre franchise.

Autant que l'enfer.

– Et j'espère que vous comprenez ce qui s'est passé lors de cette rencontre regrettable...

– Absolument. Je suis heureux que vous m'ayez aussitôt averti. Ari va parfois déjeuner dans cet établissement et vous ne pouvez rester cloîtré à longueur de temps dans votre bureau. Vous vous êtes très bien comporté.

– Je lui ai dit qu'Ari était autrefois mon professeur, lorsqu'elle m'a demandé si je l'avais connue. J'ai jugé préférable de... ne pas lui cacher dans quelles circonstances j'avais fait sa connaissance.

– Tout cela appartient à une période sur laquelle elle ne peut pour l'instant se renseigner, mais je comprends votre raisonnement. Je n'y trouve aucune objection. Avec elle, il est parfois nécessaire de prendre des décisions rapides... je suis bien placé pour le savoir. Je vis près d'elle.

Il rit et se pencha à nouveau en arrière.

– Elle représente un défi. Oui... Je suis bien placé pour le savoir.

– Je...

C'était une ouverture. Il ne lui restait qu'à saisir cette opportunité.

– L'autre chose dont je voulais vous parler, ser : les ensembles de Rubin. J'aimerais... J'aimerais que vous y jetiez un coup d'œil, ainsi qu'à mes conclusions. Comme vous étudiez le cas d'Ari, j'ai pensé que... vous auriez peut-être un point de vue différent du mien.

– Sur Rubin ? Ou sur elle ?

– Je... Il me semble que les deux cas sont plus ou moins liés.

Denys fit balancer son siège et haussa les sourcils.

– Yanni m'en a touché deux mots.

– Je désirais simplement savoir si vous aviez pris connaissance de mon dernier rapport.

– Je l'ai lu. Il me l'a transmis. Une grande partie de ce

que vous faites est valable, très valable. Je pense avoir cerné votre personnalité. Je sais que travailler en temps réel, ou dans des conditions qui s'en rapprochent, vous est très pénible et que vous êtes alors soumis à un stress considérable... dû à votre tendance à tout intérioriser. C'est un sérieux handicap, pour un clinicien psych. Mais pour en revenir à Ari et Rubin, il est évident que leurs cas sont liés et naturel que vos inquiétudes pour l'un s'étendent à l'autre. C'est inévitable, compte tenu de votre caractère. Mais vous comprendrez que nous ne pouvons pas vous confier les deux projets, Justin, pas plus qu'une planète sur laquelle effectuer vos tests.

– Je...

Tant de personnes l'avaient déjà traité d'imbécile qu'il aurait dû n'en éprouver que de l'indifférence, mais la remarque de Denys venait de le piquer au vif.

– ... J'espérais que... si vous en aviez le temps, ser, vous réfléchiriez aux risques.

Un trait décoché contre son interlocuteur.

Qui se pencha à nouveau vers lui et prit appui sur le bureau.

– Nous étudions un changement de cap radical, pour le jeune Rubin. Votre point de vue nous est utile, car nous sommes en effet confrontés à un problème, mais la situation n'est pas la même pour Ari...

– Excusez-moi si je me trompe, mais Rubin n'a pas éveillé vos inquiétudes avant de s'effondrer. Et les causes de son suicide ne sont pas uniquement Jenna Schwartz et Stella Rubin...

– J'avoue que la conviction de ne pouvoir commettre d'erreurs m'inspire de l'inquiétude. Je sais que Yanni en a parlé avec vous.

– Je vous enverrai une copie de mes rapports. À mes frais, pour que votre foutu comité ne puisse rien trouver à redire. Communiquer une hypothèse... est-ce de l'ingérence?

Il prit une inspiration profonde.

– Je pense qu'il est nécessaire de prendre en compte toutes les données qui se rapportent de près ou de loin au programme. Je ne vous demande pas de me communiquer le dossier d'Ari, pas même celui de Rubin alors que j'en aurais pourtant besoin, car je sais que je n'ai aucune chance d'obtenir quoi que ce soit. Mais rien ne m'empêchera de vous transmettre mes conclusions – à mes frais puisque Reseune n'a pas les moyens de me rembourser – parce que je suis convaincu que vous devez disposer de tous les éléments. Vous n'aurez qu'à tout déchirer si ça vous chante, mais au moins je n'aurai rien à me reprocher !

Denys se massa les lèvres avant de prendre une autre pastille et de la lancer dans sa bouche.

– Bon sang, vous êtes obstiné.

– Oui, ser.

L'homme le fixa, un long moment.

– Dites-moi... Votre expérience... Le fait que vous soyez un double de Jordan renforce-t-il votre certitude de comprendre le Projet ?

La question qu'il avait espéré ne pas entendre. Jamais. Son cœur sombra.

– Je ne sais pas. Ce sont mes idées. Comment pourrais-je les trier en fonction de leurs origines ?

– C'est intéressant. Vous n'avez pas eu conscience d'être un dupliqué avant... quel âge ?

– Six. Sept ans. Cette période. Je ne sais plus.

– Toujours dans l'ombre de Jordan, impatient de connaître ses opinions pour savoir si elles confirmaient les vôtres. Je pense qu'il y a en vous quelque chose... de très important, sans doute. Mais vous avez hérité de votre père son obstination, son besoin d'avoir raison à tout prix.

Il secoua la tête et soupira.

– Vous employez de bien étranges méthodes pour solliciter le financement de vos recherches. Vous attaquez ceux qui peuvent vous l'accorder... comme Jordan.

– Si la forme compte plus que le fond...

– Son portrait craché.

Justin repoussa son siège en arrière et se leva pour sortir avant de perdre son calme.

– Alors, excusez-moi.

– Justin, Justin... vous rappelez-vous ? Vous souvenez-vous qui a financé vos recherches ? C'est moi, sur mon budget, à une époque où Reseune ne pouvait se le permettre. J'attribue tout ce que vous avez fait à un désir sincère de nous aider. J'ai demandé à ma secrétaire de préparer des copies de votre rapport. Je compte les remettre aux membres du comité. Et je leur retransmettrai tout ce que vous voudrez encore m'adresser.

Il restait immobile, et la colère le faisait trembler. Il fourra les mains dans ses poches, afin de dissimuler cette réaction.

– Merci, ser. Et pour ma demande de test ?

– C'est accordé, mon garçon. Rien n'a changé. Mais... rendez-nous un service. Ne vous immiscez pas dans le Projet, restez-en là. Vous avez été prudent... continuez. Ari nous donne entière satisfaction. Elle a admis qu'elle est le double de la première Ari et a pu surmonter ce traumatisme. Mais elle vous porte de l'affection et ignore comment est morte la femme dont elle est la réplique. Son accès au passé de cette dernière est toujours décalé. L'Ari qu'elle connaît va avoir six ans et n'est pour elle qu'une image sur quelques photos. Mais pensez à l'avenir.

– *Quand* saura-t-elle ?

– Je l'ignore encore. Je vous le dirai. Nous devons décider au jour le jour, dans le cadre d'un tel programme. Il me serait pour l'instant impossible de répondre à cette question. Mais vous pouvez compter sur moi pour vous avertir lorsque ce sera... imminent. Nous nous en inquiétons autant que vous.

6

De nouvelles *injections*. Ari tressaillit quand l'hypo claqua contre son bras, pour la troisième fois. Sans compter les prises de sang qu'ils effectuaient à quelques jours d'intervalle.

Vous n'avez aucune maladie, lui avait répété le Dr Ivanov. *C'est la procédure habituelle.*

Un mensonge. Il avait fini par l'avouer, le jour où – après avoir appris qu'elle était une dupliquée – elle s'était décidée à lui demander si l'autre Ari n'avait pas eu une santé précaire. *Non, mais elle a été comme vous suivie de près par les médecins, parce que sa maman savait qu'elle n'était pas comme les autres et que ces tests nous apprennent des choses importantes. Vous êtes une petite fille très intelligente et nous aimerions savoir s'il ne se passe rien de particulier dans votre système circulatoire.*

Mais les piqûres lui donnaient des étourdissements et des nausées, et elle en avait plus qu'assez de se faire injecter des produits dans les bras.

Elle foudroya du regard l'infirmière, puis étudia la partie de son anatomie où elle eût aimé lui faire à son tour une piqûre, lorsqu'elle lui tourna le dos. Mais elle plaça malgré tout le thermomètre sous sa langue, le laissa pendant la seconde réglementaire, puis le ressortit.

– Un dixième en dessous, dit-elle à l'infirmière.

Qui insista pour vérifier.

– C'est ma température normale. Est-ce que je peux partir, à présent ?

– Attendez.

La femme sortit. Ari resta assise. Elle frissonnait malgré sa robe de chambre. Comme toujours, ici. Les patients devaient *crever* de froid, dans cet hôpital.

Le Dr Ivanov entra un instant plus tard.

– Bonjour, Ari. Ça va ?

– La piqûre m'a épuisée. Je veux un jus d'orange.

– Entendu. C'est une bonne idée.

Il approcha pour prendre à nouveau son pouls.

– Hmm, il me semble noter une certaine irritation.

– Je commence à en avoir par-dessus la tête. J'ai déjà dû venir ici deux fois, cette semaine. Il ne me restera bientôt plus une goutte de sang.

– Eh bien, votre corps subit des modifications. La croissance, tout simplement. C'est normal. Vous devez déjà savoir beaucoup de choses sur ce sujet, mais vous vous passerez une bande, cet après-midi. Si vous avez ensuite des questions à poser n'hésitez pas à me contacter, ou à vous adresser au Dr Wojkowski... elle devrait s'en tirer un peu mieux que moi.

Le nez d'Ari se plissa. Elle n'avait pas une idée précise de ce dont il parlait mais suspectait l'existence d'un rapport avec le sexe et les garçons, ce qui l'embarrasserait encore plus si le Dr Ivanov décidait de lui expliquer ce qu'elle avait compris toute seule.

Vous saisissez ? lui demanderait-il toutes les trois phrases, et elle serait contrainte de répondre *oui, docteur,* parce qu'autrement il n'en finirait jamais.

Mais il se contenta de lui dire d'aller chercher la bande en question à la bibliothèque.

Elle s'y rendit et on lui remit une cassette en lui précisant qu'elle devrait se la passer chez elle, sur son lecteur domestique. Ce n'était donc pas une de ces bandes instinctives qu'il fallait recevoir en présence d'un tech.

Elle en obtint la confirmation lorsqu'elle lut le titre : *Sexualité humaine.* Elle rougit devant le bibliothécaire – un homme –, fourra la vid dans son sac et rentra chez elle. Elle était heureuse que Seely fût sorti et Nelly à la pouponnière. Il n'y avait pas âme qui vive dans les parages.

Elle colla la biosonde à l'emplacement de son cœur, s'allongea sur le divan du vidsalon et prit la pilule. Sitôt que le produit commença à faire effet, elle pressa le bouton.

Et elle se sentit soulagée de ne pas avoir dû regarder cette bande en compagnie d'un tech.

Elle découvrait des choses qu'elle ignorait, différentes de ce qui se passait pour les chevaux. Le Dr Edwards avait abordé ces questions en biologie, mais sans entrer dans les détails et sans rien lui montrer de comparable.

Lorsque la bande fut terminée, Ari resta allongée pour attendre que les effets de la pilule se soient dissipés. Elle se sentait bizarre. Pas mal... pas mal du tout, mais comme s'il se passait en elle des phénomènes qu'elle ne pouvait contrôler, et qu'elle voulait dissimuler à oncle Denys et à Seely.

Il devait exister un rapport avec le sexe. Elle dut faire

un effort pour se lever et ne parvint pas à chasser ces pensées. Elle envisagea de repasser la bande, pas par crainte d'oublier son contenu mais pour ressentir la même chose, s'assurer que tout était bien conforme au souvenir qu'elle en gardait.

Puis elle craignit d'être déçue et remit la cassette dans son sac. Parce qu'elle ne voulait pas la laisser dans sa chambre, où Nelly risquait de la trouver, elle but un verre de jus d'orange puis retourna à la bibliothèque et glissa la bande dans la fente de la boîte des restitutions.

Elle alla ensuite déjeuner, puis assista à ses cours. Mais son esprit vagabondait. Même le Dr Edwards lui fit les gros yeux, quand il la surprit à rêvasser.

Elle rédigea son rapport quotidien sur la pouliche. La journée lui paraissait interminable. Tous étaient très occupés, oncle Denys, Seely, Nelly, Florian et Catlin, partis trois jours plus tôt effectuer un exercice d'entraînement, ne reviendraient qu'en fin de semaine.

Elle se rendit au labo des guppys pour voir si Amy y était. Il n'y avait que Tommy, mais elle s'assit quand même et discuta un moment avec lui. Amy l'avait chargé de s'occuper des rouges et elle pouvait lui donner des conseils.

Puis elle rentra chez elle. Seule.

– Ari, dit le concierge avec la voix de son oncle.

Ils avaient dîné et elle venait de regagner sa chambre pour terminer ses devoirs.

– Ari, je voudrais te parler. Viens dans mon cabinet de travail.

Oh, non! pensa-t-elle. Oncle Denys voulait lui poser des questions sur la bande. Elle eût préféré tomber raide morte.

Mais il était encore plus embarrassant d'en faire toute une histoire, et c'est pourquoi elle se leva et alla le rejoindre. Elle s'immobilisa sur le seuil de la pièce.

– Ah! Te voilà.

Je vais mourir. Ici. À cet endroit.

– J'ai des choses à te dire. Assieds-toi.

Mon Dieu, il va falloir que je le regarde.

Elle obtempéra et agrippa les accoudoirs du fauteuil.

– Ari, te voici devenue une grande fille. Nelly t'aime beaucoup... mais elle ne fait plus que du ménage, ici. Sa véritable vie, c'est de s'occuper des nouveau-nés du labo, où elle fait d'ailleurs du très bon travail. Je me suis demandé si tu n'accepterais pas que... eh bien, qu'elle reste là-bas à plein temps. C'est pareil pour toutes les nourrices, tu sais ? Leurs bébés grandissent.

C'était donc *ça*. Elle prit une inspiration profonde et pensa à l'affection qu'elle portait à Nelly. Mais si elle l'aimait, c'était surtout de *loin*, parce que l'azie s'offusquait d'un rien et faisait tout un drame chaque fois qu'elle souhaitait rester seule avec Florian et Catlin, lorsqu'elle ne passait pas son temps à la peigner, à brosser ses vêtements, à redresser son col... Parfois, elle lui donnait envie de hurler.

– Bien sûr, fit-elle. Bien sûr, si c'est pour *son* bien. Je ne crois pas qu'elle soit très heureuse, ici.

Elle s'en sentait coupable, en quelque sorte. Nelly avait appartenu à maman, Nelly avait été *sa* nourrice... mais Nelly était Nelly et ne changerait jamais.

Et elle était d'autre part si contente qu'oncle Denys lui eût parlé de l'azie, et non du reste, qu'elle s'empressa de donner son accord et de regagner sa chambre.

Elle se sentit encore plus fautive le lendemain matin, quand Nelly partit pour l'hôpital sans savoir dans quel but.

– Je ne suis pas inquiète, déclara-t-elle à oncle Denys.

Elle se tenait sur le pas de la porte, avec sa mallette à la main.

– Je ne vois pas pourquoi je le serais.

– Tant mieux, répondit-il. Je pense malgré tout qu'une visite de contrôle est nécessaire.

Un super ne devait pas hésiter à mentir, si cela lui permettait de rassurer ses azis.

Puis elle vint embrasser Ari.

– Adieu, Nelly.

Et la fillette la prit par le cou et la serra très fort contre elle, avant de la laisser partir.

Elle ne pleura pas, parce que Nelly aurait pu comprendre et en aurait été terrifiée. Ari attendit que la porte se fût refermée derrière l'azie pour mordre sa lèvre avec force et dire à oncle Denys :

– Je vais en classe.

– Ça ira, Ari ?

– Très bien.

Sitôt dans le couloir, elle sentit couler quelques larmes. Mais elle redressa la tête, essuya ses joues et se reprit, car elle n'était plus un bébé.

Aucun mal ne serait fait à Nelly. Ils la réadapteraient pour un emploi qui lui procurerait de plus grandes satisfactions et lui diraient qu'elle venait de faire du bon travail, que son premier nourrisson n'avait plus besoin d'elle contrairement à bien d'autres.

Pleurer était ridicule, stupide. De telles séparations devenaient inévitables, quand on grandissait.

L'appartement serait désert jusqu'à l'heure du dîner, et elle alla faire ses devoirs chez Amy. Elle lui parla du départ de Nelly.

– Elle commençait à être gênante, tu vois ? Elle s'en prenait toujours à Florian et Catlin.

Pour se reprocher aussitôt ces propos.

– Comment te sens-tu ? lui demanda à nouveau oncle Denys lorsqu'ils passèrent à table. Ça va, pour Nelly ?

– Très bien. Je regrette seulement que Florian et Catlin ne soient pas là.

– Veux-tu les rappeler ?

Juste à la fin d'un de leurs exercices. Ils y accordaient beaucoup d'importance. C'eût été les priver d'une chose à laquelle ils tenaient.

– Non. Ils aiment ça. Enfin... *aimer* n'est pas le terme qui convient, car ils reviennent couverts de bleus et d'égratignures, mais... tu sais, ils sont contents de pouvoir me raconter ce qu'ils ont fait. Ils ne me manquent pas à ce point.

– Je suis très fier de toi, Ari. C'est ainsi que doit se comporter un bon super.

Ce compliment lui fit plaisir et elle décida d'aller faire tous ses devoirs de la semaine ; parce qu'elle en avait la possibilité, qu'elle souhaitait occuper son esprit, et qu'elle aurait ainsi du temps à consacrer à Florian et Catlin quand ils reviendraient.

Mais un message l'attendait, lorsqu'elle entra dans sa chambre.

– Consulte Base un, Ari, lui dit le concierge.

– Vas-y, répondit-elle avant de poser le regard sur l'écran.

Ari, ici Ari senior.

Le sexe fait partie des choses de la vie, ma chérie. Ce n'est pas la plus importante, mais le moment est venu de te faire un cours sur la puberté. J'ignore quel est ton âge, ne l'oublie pas, et je m'en tiendrai donc à des généralités. Selon la bibliothèque, tu as reçu Sexualité humaine. *T'es-tu passé cette bande ?*

– Oui, hier.

Parfait. Tu as 10 ans et c'est à partir de ton fichier médical qu'a été lancé ce sous-programme.

Tu auras bientôt tes premiers flux menstruels, ma chérie. Je te souhaite la bienvenue parmi les membres du club de la calamité du mois. Le service domestique en a été informé. Tu trouveras à l'avenir tout le nécessaire dans ton armoire de toilette. Il est en effet embarrassant de ne pas avoir certaines choses sous la main, quand ça se produit. Tu recevras une injection qui t'évitera de tomber enceinte. Voilà au moins un inconvénient dont tu n'auras pas à te préoccuper... ton corps est capable de faire des bébés dès à présent.

Je laisserai les pourquoi et les comment aux cassettes, ma chérie. J'imagine ce que tu ressens. Ce que tu as vu a dû te donner des idées. Je le sais. Je l'ai vécu avant toi. Les idées en question ne sont pas mauvaises par elles-mêmes, mais je te demande de bien écouter ce que j'ai à te dire et d'y consacrer toute ton attention, comme si c'était une bande. C'est intime, cela concerne le sexe, et c'est une des choses les plus importantes que je te dirai jamais. Es-tu seule ?

– Oui.

Parfait.

De telles idées sont naturelles, ma chérie. Ton pouls n'est-il pas un peu plus rapide que d'habitude ?

– Si.

Ne te sens-tu pas un peu bizarre ?

– Si.

C'est parce que tu penses au sexe. Si je t'avais demandé de résoudre un exercice de maths un peu ardu, il est probable que tu aurais déjà commis quelques erreurs. C'est cela, la leçon. Biologie et logique ne font pas bon ménage. Il existe deux façons de régler le problème : satisfaire ce besoin pour le chasser de son esprit, car le désir sexuel éclate comme une bulle de savon après l'acte... ou réfléchir à deux fois avant de coucher avec quelqu'un que tu aimes ou que tu hais, tout homme à même de te bouleverser et de te procurer des émotions puissantes. Car si la bulle explose toujours, le désir réapparaît aussitôt et revient te harceler. Pendant l'acte sexuel, tu n'es plus placée sous le contrôle de ton esprit mais de ton corps, et c'est très dangereux.

Il existe une différence entre les adultes et les enfants. En certains domaines, la logique est inversement proportionnelle à l'âge. C'est ce qui vous permet de porter un jugement catégorique sur les gens qui vous entourent. Mais les sensations dont tu fais la découverte affectent le bon sens des adultes.

Certains individus leur permettent de dominer la totalité de leur être et quand elles exercent leur emprise, les émotions, les souvenirs, ce que nous avons été conditionnés à juger beau ou érotique... plus rien de tout cela n'entre en ligne de compte. En bref, tous les liens avec la réalité sont coupés.

Des gens découvrent très tôt qu'ils possèdent un pouvoir de séduction sur leur entourage... et ils l'utilisent pour parvenir à leurs fins. Ils ne partagent pas toujours les sentiments qu'ils inspirent et c'est pourquoi on ne doit pas coucher avec n'importe qui. Tu devras apprendre à identifier ceux qui ont sur toi un tel effet.

Tu pourras encore être amoureuse de quelqu'un que tu laisses indifférent, et c'est le cas le plus pénible. Il est indispensable de se dominer et de permettre à l'esprit d'être le plus fort, car on ne peut obtenir tout ce que l'on souhaite et imposer ses volontés n'est pas juste. Si tu prends

*la peine de réfléchir, tu sauras quels sentiments tu ins-
pires et ce qui se passera si tu t'obstines.*

*Tu comprendras sans peine qu'il suffit d'un rien pour
tout gâcher.*

*C'est parfois l'inverse qui se produit. Et si tu ne t'en
rends pas compte ou si tu manques de force de caractère
tu risques de blesser plus profondément cette personne
qu'en lui disant : Désolée, ça ne pourrait pas marcher
entre nous.*

*Mais c'est quand les sentiments sont partagés qu'il
faut redoubler de prudence, car le sexe n'est pas tout et si
on lui accorde plus d'importance qu'il n'en mérite il finit
par prendre le pas sur tout le reste.*

*Je vais à présent te dire le plus important, si tu ne l'as
pas déjà déduit : il faut agir de façon à pouvoir faire le
plus longtemps possible ce qui procure le plus de satisfactions. Et je ne me réfère pas au sexe, ma chérie, pas plus
qu'aux confiseries. Je parle de la compétence. D'une capacité que je définirai comme le fait d'avoir du temps, de
l'argent, de l'habileté et un but qui justifie de vivre pour
pouvoir l'atteindre.*

*Tu n'en auras une vision précise qu'après avoir décou-
vert le monde tel qu'il est et pu imaginer ce qu'il serait si
tu réussissais à lui imposer tes volontés.*

*Et c'est pourquoi, chaque fois que tu seras en proie à
ce besoin, tu devras te demander si tu peux le satisfaire
sans que ton existence ne bifurque vers une impasse.
Pour résumer, tu ne dois coucher avec quelqu'un que si
tu es certaine de dominer la situation, au même titre que
tu n'utiliserais pas ta carte si ton compte n'était pas cré-
diteur ou ne t'engagerais pas à faire une chose irréalisable. Si c'est sans lendemain et que nul ne risque d'en
souffrir, n'hésite pas. S'il doit en découler des complications, si tu n'as pas l'absolue certitude de pouvoir maîtriser ce qui en résultera, si tu ne peux prévoir les conséquences... abstiens-toi. À dix ans, tu n'as qu'une vision
réduite de ce qui t'entoure. J'ai commis des erreurs. J'ai
eu une liaison avec un homme que j'ai beaucoup aimé. Il
ne possédait malheureusement pas mon niveau intellec-
tuel et voulait m'imposer ses volontés, me dire comment*

gérer ma vie, parce qu'il savait que je tenais à lui et qu'il avait un tempérament autoritaire. Moi aussi, tu t'en doutes. Et quand je l'ai compris, ce qui m'a pris du temps parce que les glandes traitent moins vite les problèmes de logique que les neurones – je plaisante, bien sûr – j'ai rompu, j'ai renversé la vapeur, et il n'a pas apprécié. L'amour qu'il me portait s'est transformé en haine. C'est ainsi que j'ai perdu un excellent ami, que j'aurais conservé si je n'avais pas eu la faiblesse de me plier à ses volontés. Si je te raconte tout ceci, c'est parce qu'il existe deux moyens d'apprendre ce qu'est une flamme. La première consiste à placer sa main dans un feu et découvrir la brûlure par l'entremise des nerfs ; la seconde à écouter et comprendre la même chose en mettant à contribution les neurones. C'est le cerveau qui doit transmettre à la main l'ordre de ne pas approcher des flammes. Il faut utiliser les sens reçus à la naissance pour s'épargner la souffrance et l'embarras d'une véritable leçon.

Cerveau et sexe se livrent un combat ininterrompu pour s'assurer le contrôle de ton être et, grâce à Dieu, l'intellect prend le départ le premier. Rien ne rend plus vulnérable que les pulsions sexuelles. Rien ne rend plus fort que l'esprit. Il doit remporter cet affrontement, pour t'offrir la sécurité qui permet d'accorder des interludes au plaisir charnel. Ne l'oublie jamais.

Ne te méprends pas : il est naturel d'être parfois sans défenses, mais pas de l'accepter. Trop de gens sont à l'affût de telles occasions. Il serait tout aussi stupide de se condamner à l'abstinence par crainte de se placer en position d'infériorité... mets ton intelligence à contribution pour trouver quelqu'un, un lieu et un moment où tu ne risques rien. L'esprit est le moyen dont t'a dotée la nature pour te permettre de vivre et de frayer... si tu étais un poisson. Mais ton intellect est supérieur à celui de ces créatures. Alors fixe-toi pour but de vivre le plus longtemps possible.

Et, pour l'amour de Dieu, n'utilise jamais le sexe pour obtenir ce que tu désires si tu ne peux l'avoir par d'autres moyens. Rien n'est plus stupide, parce qu'il devient alors plus puissant que le reste. Je ne sais comment te l'expliquer en termes plus compréhensibles.

Je veux que tu consultes ceci aussi souvent qu'il le faudra, jusqu'à ce que tu aies assimilé le fond de ma pensée.

Si on m'avait enseigné ces choses à ton âge, j'aurais sans doute commis moins d'erreurs au cours de mon existence.

Bonne chance, Ari. J'espère que cette leçon portera ses fruits.

Elle y réfléchit, tard dans la nuit. Elle souffrait de la solitude ; avec Florian et Catlin absents, et Nelly partie pour toujours. Le lendemain matin, elle était en piteux état.

Elle ne tarda guère à découvrir pourquoi elle avait mal au ventre et des instincts meurtriers. Ce dont elle aurait besoin se trouvait comme annoncé dans la salle de bains. Elle lut le mode d'emploi et comprit sans peine : le Dr Wojkowski lui avait remis un guide, avec la boîte. Les explications étaient très claires et correspondaient à ce qu'elle avait appris grâce à la bande.

Ses progrès en biologie étaient plus rapides qu'elle ne l'eût souhaité, cette semaine. Et elle fut à la fois en colère et embarrassée quand le concierge lui annonça que son oncle l'attendait pour le petit déjeuner.

– J'irai le rejoindre dès que possible, lui hurla-t-elle.

Elle avala sa pilule, se prépara et alla rejoindre Denys.

– Ça va ? demanda-t-il.

Elle le foudroya du regard, certaine qu'il savait, que tous savaient.

– Très bien, répondit-elle.

Puis elle mangea sans dire un mot pendant qu'il lisait des rapports, comme chaque matin.

Florian et Catlin rentrèrent plus tard que prévu, meurtris et épuisés. L'azie avait une main bandée et de nombreuses anecdotes à lui narrer : sur leurs exercices, la blessure qu'elle s'était infligée en bloquant un piège avec un bout de métal. Mais ils étaient les seuls de leur âge à avoir effectué la totalité du parcours.

Elle eût aimé avoir une histoire plus drôle que celle du départ de Nelly à leur raconter, et elle ne tenait pas à leur expliquer pourquoi elle boudait dans sa chambre à leur arrivée.

Pas à Florian, en tout cas. Mais elle prit Catlin à part pour lui parler de ses problèmes. L'azie écouta, fit une grimace et déclara que c'était la vie et que celles qui devaient effectuer des missions recevaient un médicament pour que ça vienne plus tôt, ou plus tard.

Ne jamais prendre des pilules pour azis, disait maman, mais c'était tout de même tentant.

Elle décida d'en parler au Dr Wojkowski. Pas à Ivanov, bon sang.

C'était aussi un retour sur terre brutal, après toutes ces choses *passionnantes* sur le sexe. C'est pas juste, se dit-elle. Pas juste.

Pour couronner le tout, il fallait que ça se produise le jour où ses amis revenaient à la maison.

Dont un garçon, un azi dont elle était la super. Elle devait assumer ses responsabilités.

Zut !

Maman avait eu Ollie. Ari pensait souvent à lui. Il était devenu l'administrateur de RESEUNESPACE et effectuait le travail de maman. Mais il ne lui avait pas écrit, alors qu'il aurait pu le faire s'il l'avait souhaité. Sauf s'ils n'avaient jamais reçu ses lettres, ou pas voulu les lire.

C'était une pensée pénible. Elle avait en fait une conviction profonde : son courrier n'était jamais parvenu à maman, Giraud l'avait intercepté. Et à présent il l'empêchait de communiquer avec Ollie.

Elle essaya de chasser tout cela de son esprit, pour n'y laisser qu'Ollie ; sa gentillesse, sa patience, sa compréhension. Elle le revit caresser l'épaule de maman, quand elle était abattue, et se sentit réconfortée.

Il y avait Sam. Il deviendrait aussi grand et fort qu'Ollie. Mais il entrait dans cette catégorie dont parlait Ari senior ; les amoureux dont les sentiments n'étaient pas partagés.

Elle était fière d'avoir compris ces choses avant d'entendre ses mises en garde, ce qui semblait en outre démontrer le bien-fondé des conseils de son aînée.

Ce que lui inspirait Tommy n'était guère mieux. Elle aimait sa compagnie mais lui reprochait son obstination. En outre il était le cousin d'Amy et faire quoi que ce soit avec lui nuirait aux rapports qu'elle entretenait avec sa meilleure amie. Les avertissements de l'Ari précédente incluaient ce cas à la rubrique : «complications».

Restaient les plus grands : Mika Carnath-Edwards, Will Morley et Stef Dietrich. Ils méritaient qu'elle y réfléchisse. Mais Mika était trop vieux, Will se comportait toujours comme un épouvantable raseur, et Stef avait déjà été pris par Yvgenia Wojkowski, une fille de son âge.

Ari soupira et continua d'avoir de telles pensées et d'observer Florian dès qu'il ne la regardait pas.

Il était plus intelligent et plus drôle que les autres. Même que Sam. Il était séduisant, pas avec une figure de poupon comme Tommy, et pas maladroit comme Sam. Elle se surprit à admirer ses mouvements, à étudier le profil de son menton, ses bras et...

Tout le reste.

Il possédait la plus harmonieuse des silhouettes, parce qu'il entretenait sa forme physique. Les muscles qui faisaient défaut à Tommy lui permettaient de se déplacer avec souplesse, et il était bien plus élancé que Sam. Il possédait de longs cils, des yeux noirs, une bouche parfaite et une mâchoire virile.

Mais il était le partenaire de Catlin. Il formait un couple, avec elle. Ils vivaient ensemble depuis longtemps et devaient pouvoir compter l'un sur l'autre. Si leurs rapports se dégradaient, cela pourrait leur coûter la vie.

Ce qui était bien plus important que du simple désir. En outre, ses azis avaient en elle une confiance absolue et ils la lui accorderaient aussi longtemps qu'elle vivrait.

Seule dans sa chambre, elle se repassait les conseils d'Ari senior, sur l'écran du moniteur à cause des écoutes de la sécurité. Et elle finit par se dire qu'il devait y avoir quelque part un garçon qui ne lui ferait pas de mal, qu'elle ne blesserait pas, et qui ne détruirait pas toute son existence.

Elle arriva à la conclusion que toutes ces histoires de sexe n'étaient pas drôles, que c'était une chose très compliquée qui donnait des crampes, embrouillait les idées et incitait les adultes à vivre dans la méfiance. Quand ça ne tournait pas à la catastrophe et qu'on tombait enceinte, ou qu'on dressait ses meilleurs amis les uns contre les autres.

Non, ce n'était pas amusant du tout.

7

Le printemps arriva. Le onzième. Et la pouliche s'agitait à l'intérieur de la cuve : une boule composée de longues pattes et d'un corps devenu trop volumineux pour qu'il fût possible de l'observer en entier.

Florian aimait cet animal depuis que sera l'avait conduit au laboratoire, pour lui permettre de constater que l'embryon prenait l'apparence d'un cheval. Le moment de le mettre bas était venu et sera déclarait éprouver autant d'appréhension que si elle l'avait gardé dans son ventre pendant tous ces mois de labeur acharné et de rapports interminables. Florian savait qui était le plus qualifié pour leur donner un coup de main. Il connaissait un azi assez fort pour tenir la pouliche et l'empêcher de se blesser, un spécialiste de ces choses.

Il en parla à sera, qui suivit son conseil et contacta le chef du personnel du labo de l'AG. Ce fut ainsi qu'Andy vint les rejoindre : un Andy visiblement ravi qui accepta la poignée de main de sera avec timidité et se confondit en remerciements, parce qu'il aimait beaucoup Cheval et que sera ne lui tenait pas rigueur de sa chute... un accident auquel il devait d'avoir vécu les instants les plus pénibles de toute son existence.

Ce fut donc un Andy radieux qui alla aux labos AG et obtint la confirmation des confidences de Florian : sera n'était pas du tout en colère contre Cheval et voulait au contraire faire multiplier son espèce. Elle n'avait pas ménagé ses efforts pour engendrer une autre femelle, avec laquelle elle comptait démontrer de quoi étaient capables ces animaux.

– Sera, dit Andy en s'inclinant bien bas devant elle.

– Florian affirme que tu es le meilleur.

Et Florian put lire les pensées d'Andy. Il se disait que sa m'sera était la plus gentille et la plus sage de toutes celles de Reseune. Pour ne pas dire de toute l'Union.

– Je ne saurais répondre, sera, mais je prendrai soin d'elle.

La parturition eut lieu en début de soirée et ils durent se contenter d'un rôle de simples spectateurs, pendant que la pouliche glissait dans le lit de fibres, que les techs de l'AG coupaient son cordon ombilical, et qu'Andy prenait des éponges et des serviettes pour la sécher puis l'aidait à se dresser sur ses pattes tremblantes.

Sera s'avança pour la toucher. Puis elle la caressa et aida Andy. Florian en fit autant et Andy déclara que ça suffisait. Il prit la pouliche dans ses bras – il était effectivement très fort – et déclara qu'il la porterait ainsi jusqu'à l'écurie.

– Je veux encore la voir, dit sera.

– Nous pouvons l'accompagner, répondit Florian.

Et il jeta un coup d'œil à Catlin, qui restait à l'écart. Il pouvait lire dans ses pensées. Elle était troublée par ce remue-ménage, les bébés, et l'agitation de leur m'sera... L'animal était en bonne santé, alors pourquoi sera se mettait-elle dans un état pareil ? Une naissance n'était tout de même pas un événement extraordinaire. Ils auraient mieux fait de retourner se préparer à l'exercice prévu pour le lendemain.

– J'irai seul, lui dit-il. Sera et moi, nous serons de retour dans environ une heure.

– Entendu, répondit-elle.

Parce qu'elle avait de nombreux préparatifs à faire et que si Florian descendait à l'AG ce serait à elle de le protéger. Il savait qu'il ne pourrait aller jusqu'au bout du parcours que si sa coéquipière lui résumait tout ce qu'il devrait savoir, avec concision et précision.

Mais pour sera, et pour la pouliche qui n'avait pas

choisi l'instant de sa naissance, il n'eut pas la moindre hésitation : un exercice d'entraînement n'était qu'un exercice, alors que sera était tout pour lui.

Et quand sera emboîta le pas à Andy qui emportait la pouliche vers l'écurie située au pied de la colline, Florian resta à son côté. Il se sentait heureux parce qu'elle l'était, et qu'il y avait désormais trois chevaux sur ce monde.

Andy installa l'animal dans une stalle chauffée, puis ils firent tiédir le lait et sera voulut nourrir le bébé. Il donnait des coups de museau à sa main, semblant croire que le lait coulerait plus vite, et plus abondamment. Sera rit et recula. La pouliche la suivit, en conservant un équilibre précaire.

– Restez où vous êtes, sera, lui cria Andy. Tenez simplement le biberon.

Elle rit, et obéit.

Plus loin, dans une autre stalle, Jument hennit et étira son cou au-dessus de la porte.

– Elle a dû sentir l'odeur de Pouliche, commenta sera. Ça peut nous poser un problème. À moins qu'elle puisse la prendre avec elle. Je ne sais pas.

– Moi non plus, avoua Andy.

– Parce qu'il n'y en a que trois. C'est toujours pareil, pas vrai ? Aucun livre ne parle du comportement d'un cheval qui n'a eu l'occasion de voir qu'un seul de ses congénères.

– Elle attend un petit, précisa Andy avec sa timidité coutumière. Elle a déjà du lait, sera. Et les animaux sont comme les CIT, ils prennent des habitudes. Ils ne reçoivent pas de psychset. Il n'existe aucune bande, pour eux.

Sera se tourna vers lui, surprise qu'il eût dit tant de choses mais pas irritée par ses propos. Il n'avait d'ailleurs fait qu'exprimer la stricte vérité, Florian le savait. Dans la même portée tel porcelet avait mauvais caractère et pas les autres. De nombreux facteurs entraient en ligne de compte, et quand les bébés résultaient de l'accouplement d'un verrat et d'une truie, par exemple, les génésets s'embrouillaient et il eût été impossible de prévoir ce qui en résulterait... comme pour les CIT.

Au moins savaient-ils que Pouliche ressemblerait à sa génésœur, Jument, et donc qu'elle serait probablement très docile.

Bang! plus loin dans l'allée. Jument hennit, très fort, et les azis venus admirer le nouveau-né se hâtèrent d'aller la calmer.

– Rien n'est simple, déclara sera, ennuyée.

– Comme toujours, avec les bêtes, lui répondit Andy. Jument se porte bien. Ce serait formidable, si elle acceptait le bébé. Les animaux savent ce qu'ils doivent faire, même lorsqu'ils viennent de naître.

– L'instinct. Tu devrais enregistrer une bande qui traite de ce sujet. Je parie que tu sais plus de choses qu'on n'en trouve dans les livres.

L'azi laissa échapper un petit rire, gêné.

– Je ne suis qu'un Gamma, sera. Pas un Alpha comme Florian. Un simple Gamma.

Puis un tech arriva au pas de course pour leur annoncer que Jument ne s'était pas blessée et qu'ils allaient l'installer dans le petit bâtiment adjacent.

– Entendu, mais faites-la passer devant cette stalle, ordonna Andy. Et tenez-la bien. Je me demande ce qu'elle fera. Sera, apprêtez-vous à gravir la barrière et sauter dans le box d'à côté, si elle devient méchante. Je tiendrai le bébé avec Florian pendant que les aides s'occuperont de Jument, mais je ne voudrais pas que vous vous cassiez l'autre bras.

– Je peux vous aider.

– Je vous en prie, sera. Nous ignorons quelles seront ses réactions. Préparez-vous à vous mettre à l'abri.

– Andy sait ce qu'il fait, intervint Florian. Il vit ici en permanence, alors que les supers ne sortent pas de leurs bureaux. C'est lui qui a aidé à mettre bas tous les animaux de l'AG. Il faut lui obéir, sera.

– D'accord, dit-elle.

Ce qui le surprit.

Mais elle aimait bien Andy et respectait son bon sens. Elle alla se placer à l'écart pour observer avec inquiétude les techs qui amenaient Jument : ils étaient deux et lui avaient passé un licol.

Jument obliqua vers la stalle, et ils lui permirent de s'arrêter et de regarder dans le box. Elle renifla et fit un bruit étrange, qui semblait traduire de l'intérêt.

Pouliche dressa les oreilles et ses naseaux frémirent. Andy s'adressa aux techs qui la tenaient.

– Mettez-la dans l'autre stalle. Nous allons étudier leur comportement.

Il travaillait ainsi. Il lui arrivait de ne pas savoir ce qu'il convenait de faire, parce qu'il était confronté à des cas sans précédent, mais il veillait à empêcher les bêtes de se blesser et devinait quelles seraient leurs réactions sans avoir lu un seul livre.

– On dirait qu'elle lui parle, dit sera.

– Elle lui apprend des choses, précisa Andy. Il serait presque possible de dire que les animaux se passent des bandes.

– Ils vivaient en hardes, autrefois, et ils ont dû conserver leur esprit grégaire. Je pense qu'ils voudraient être réunis.

– Eh bien, Jument pourrait élever la pouliche. Elle a déjà du lait. Et le lait d'un animal en bonne santé est bien plus nourrissant que celui qu'on peut leur donner. Ce que je me demande, c'est ce qu'elle fera lorsqu'elle aura son propre petit.

– La politique, dit sera. C'est un peu la même chose, il me semble ?

Elle étudia Jument qui tendait le cou dans la stalle voisine.

– Regardez-la. Oh ! Elle veut venir ici.

– Quelqu'un devra passer la nuit près d'elle. Quand on ne sait rien, il convient de rester vigilant et de se tenir prêt à intervenir. Mais il est possible que Jument adopte le bébé, et c'est ce qui pourrait lui arriver de mieux.

Il était très tard, lorsqu'ils remontèrent vers la Maison. Florian ne regrettait pas d'être resté avec sera et Pouliche, mais ce fut en se sentant tout penaud qu'il traversa l'appartement obscur et silencieux puis poussa la porte de leur chambre.

– C'est moi.

– Hm ?

Allongée dans son lit, Catlin se redressa sur un coude.

– Des complications ?

– Non, aucune. Pouliche va très bien et je n'ai jamais vu sera aussi heureuse.

– Parfait, dit-elle, visiblement soulagée.

Et il sut qu'elle s'était inquiétée pendant toute leur absence.

– Je regrette.

– Il n'y a pas de quoi. Va te doucher, et ensuite je te résumerai ce que tu dois savoir.

Il demanda au concierge de faire la lumière dans la salle de bains et se dévêtit tout en gagnant cette pièce. Catlin regarda ailleurs. Il ne fit que se mouiller, enfila des sous-vêtements propres, ressortit et donna l'ordre d'éteindre. Ce fut dans les ténèbres qu'il s'assit sur son lit pendant que Catlin lui expliquait que leur tâche ne serait pas facile : ils devraient tromper la vigilance d'un concierge, délivrer un otage et le ramener vivant.

Il n'y aurait en principe que trois Ennemis, mais ils ne pouvaient avoir de certitudes.

Ils ignoraient ce que contrôlait le concierge en question et si la porte n'était pas dotée d'un circuit de détection rudimentaire : le genre de piège dans lequel on se précipitait tête la première lorsqu'on accordait trop d'importance à la technique.

Ils descendraient la colline à 4 heures du matin. Florian devrait assimiler tout ce qu'elle lui disait au cours de ce briefing, prévoir ce qui risquait de se produire, et dormir le plus longtemps possible sans pour autant arriver sur les lieux à bout de souffle, parce qu'ils ne savaient pas tout et qu'il leur faudrait peut-être repousser une attaque avant même d'être sur place.

Catlin ne s'appesantissait jamais sur les impondérables. Au cours des années qu'ils avaient passées ensemble, elle lui avait appris à concentrer son attention et à prendre rapidement des décisions, sans laisser ses pensées s'égailler. Il mettait à présent tout cela en pratique et mémorisait la disposition des lieux. Il étudiait les cartes en veillant à ne pas diriger le faisceau de sa lampe vers Catlin et enregistrait dans son esprit le nombre de marches des différents couloirs, leur longueur, les angles et lignes de tir à chaque point du parcours.

Il leur restait à espérer que les services de renseignements avaient fait du bon travail.

Délivrer l'otage leur rapporterait quatre-vingts points. C'était la seule information fournie. Le maximum était de cent et il en découlait que l'un d'eux ne devrait pas hésiter à se sacrifier en cas de besoin. Florian, bien sûr, car sa partenaire aurait plus de chances que lui de franchir la dernière porte. À condition qu'il l'eût ouverte au préalable. Mais il ne fallait rien entreprendre en envisageant la possibilité d'un échec. C'était l'Ennemi qui devait subir des pertes.

8

Catlin la demandait au téléphone. Catlin lui téléphonait! Ari se précipita hors de la salle de cours du Dr Edwards et courut jusqu'au bureau.

– Sera, il faut vous hâter, entendit-elle. Florian a été transporté à l'hôpital.

– Que s'est-il passé?

– Un mur s'est effondré. Les meds m'ont conseillé de vous avertir.

– Ô Seigneur! Bon sang, est-ce grave?

– Pas trop. Ne vous inquiétez pas, sera.

– Explique-moi tout, Catlin! Que s'est-il produit?

– L'autre équipe détenait un otage. Nous devions entrer en trompant la vigilance du concierge. Nous l'avons fait. Quand nous sommes arrivés au bout du parcours, le prisonnier a tenté une diversion pendant que les Ennemis piégeaient la porte. L'instructeur ne sait pas encore ce qu'ils ont fait, mais toujours est-il que leur bombe a explosé et que le pan de mur s'est effondré. Dans la réalité il aurait été soufflé vers l'extérieur, mais c'était un décor, pas un véritable immeuble, et il devait y avoir plusieurs charges.

– Vos adversaires ne le savent donc pas ?

– C'est que... ils sont tous morts.

– J'arrive. Je vais tout de suite à l'hôpital. Attends-moi à l'entrée.

Elle se tourna vers le Dr Edwards qui était venu la rejoindre. Elle lui fournit des explications en peu de mots et lui demanda d'avertir oncle Denys.

Avant de partir à toutes jambes.

– Il est persuadé que c'est sa faute, déclara Catlin dès qu'elle atteignit la porte de l'hôpital.

Elle haletait et avait mal au cœur.

– Florian ne m'a pas dit que vous deviez vous entraîner, aujourd'hui.

Cette pensée l'avait obsédée tout au long du chemin.

– Il ne m'a rien dit !

– Il n'a aucun reproche à se faire, il n'a commis aucune erreur. Ce sont les Ennemis qui n'auraient pas dû se trouver où ils étaient.

Elle désigna un homme en blanc qui discutait avec les meds, à l'autre bout du couloir.

– Voilà notre instructeur. Il interroge tout le monde. L'otage... il a treize ans, et c'est le seul survivant. Quel gâchis, quel gâchis ! Ils se demandent si quelqu'un n'a pas interverti les explosifs, à l'armurerie. On présume qu'ils ont posé leur sac contre la porte qu'ils devaient piéger, et qu'il leur restait deux charges en plus de celle qu'ils installaient. Tout le décor s'est effondré. Si Florian n'avait pas plongé en arrière, il aurait été tué lui aussi. Mais le battant a basculé sur lui et l'a protégé de la pluie de moellons.

Catlin sur les talons, Ari passa devant le service d'accueil et le groupe des meds et de l'instructeur, en direction de l'azi qui gisait sur une civière au milieu du couloir. Son aspect était effrayant : livide et contusionné, avec les épaules, les bras et les mains ensanglantés. On avait cependant nettoyé ses blessures, avant de les couvrir de gel cicatrisant.

– Pourquoi n'a-t-il pas une chambre ? demanda-t-elle à un des médecins.

– Nous allons lui passer une radio, sera. Nous pensons à des lésions internes.

– Je vais bien, murmura Florian, les yeux mi-clos. Je vais bien, sera.

– Pauvre...

Idiot, manqua-t-elle dire. Mais une super ne pouvait tenir de tels propos à un azi sous tranks. Elle se mordit la lèvre, au point d'en souffrir, et caressa la main du blessé.

– Pauvre Florian, ce n'est pas ta faute.

– Ni la vôtre, sera. Je voulais rester avec Pouliche. J'aurais dû vous le dire.

– Ce n'est pas ta faute, tu m'entends ? Il s'est produit une explosion.

Elle se dirigea vers les meds et l'instructeur.

– Il n'a pas fait d'erreur, n'est-ce pas ? demanda-t-elle d'une voix tremblante. Parce que j'en porterais alors l'entière responsabilité.

Le Dr Wojkowski se tourna pour la présenter à l'homme qui la toisait de haut en bas et semblait se demander qui était cette morveuse CIT arrogante.

– Sera Emory.

Son attitude changea du tout au tout.

– Sera, dit-il avec déférence, l'enquête ne fait que commencer. Nous devrons interroger sous tranks les deux survivants.

– Non.

– Sera...

– J'ai dit non. Laissez-les tranquilles.

– Sera Emory a raison.

Une voix dure. Celle d'un civil essoufflé qui venait d'apparaître de l'autre côté du groupe.

Seely. Elle n'aurait jamais cru être un jour heureuse de le voir.

Oncle Denys était poussif, mais Seely avait couru tout au long du chemin. Florian et Catlin avaient vu juste, il faisait partie de la sécurité. Elle en obtint la confirmation à l'instant où il s'adressa à l'instructeur.

Ses jours n'étaient pas en danger. Les meds avaient retiré un éclat de métal planté dans sa jambe et cela excepté il ne souffrait que de foulures et de contusions dues aux moellons tombés sur la porte qui le protégeait.

– Des imbéciles, grommela Seely quand Ari lui demanda ce qu'il avait déduit de ses entretiens avec Catlin, l'instructeur et l'otage qui venait de reprendre connaissance.

Elle le tira dans la chambre où Florian était également revenu à lui.

– Dis-le-lui, ordonna-t-elle à Seely pendant que Catlin les rejoignait et se plaçait derrière eux, les bras croisés.

– M'entends-tu ? demanda Seely à Florian.

– Oui.

– L'instructeur a reçu un blâme. La quantité d'explosifs dépassait la résistance du décor. L'otage a suivi les ordres reçus et tenté une manœuvre de diversion. Il ne sait pas ce qui s'est passé. Il a attaqué un Ennemi. Ceux chargés de piéger la porte avaient dû poser leur matériel à côté d'eux et, parce qu'ils ont été surpris ou que le troisième membre de leur groupe est tombé sur eux, ils ont lâché la charge sur les autres.

– Nous avions déjà franchi le concierge, quand ils ont commencé à mettre en place les explosifs, déclara Catlin en se rapprochant du lit. Ils devaient envisager une sortie qui leur aurait permis de marquer quelques points supplémentaires, parce qu'une autre équipe arrivait pour nous prendre à revers. On ne nous en avait pas parlé. Ce groupe devait nous surprendre, mais il respectait le minutage fourni par l'instructeur. Nous étions passés trop vite...

– Trop vite ? murmura Florian en cillant. C'est la meilleure. Il aurait peut-être fallu les attendre ?

– ... et nos adversaires ont dû improviser. Ils ont voulu piéger la porte en nous voyant arriver. Leur prisonnier a respecté ses ordres et a donné un coup de pied à son garde, qui a été projeté sur ses camarades. Ils ont lâché leur charge sur les autres. Ce n'est pas ta faute. Nous ne pouvions pas tirer, à cause de l'otage. Il était dans notre camp et devait faire une diversion. C'était un exercice de coordination avec une équipe double. C'est l'organisation, qui a laissé à désirer.

– Tu n'as pas piégé toi aussi cette porte ? demanda Seely à Florian.

– Je ne m'en rappelle plus. Non, certainement pas. Aucune raison. Ce n'était pas prévu.

– Tu ne l'as pas fait, confirma Catlin. Je couvrais tes arrières, dans l'éventualité où l'autre groupe d'Ennemis aurait été derrière nous. Tu allais ouvrir la porte et gazer la pièce, tu t'en souviens ?

Florian grimaça. Il semblait souffrir.

– Non, je... j'ai oublié. Tout s'est effacé. Je ne me rappelle même pas l'explosion.

– Ce sont des choses qui arrivent, commenta Seely.

Il croisait les bras, comme Catlin. Ari était assise sur une chaise et s'interrogeait sur l'azi de son oncle.

– Tu ne recouvreras peut-être jamais le souvenir de ce qui s'est produit au cours de ces quelques secondes. Le choc t'a traumatisé. Mais tu vas t'en remettre. Et tu n'as rien à te reprocher.

– On ne pose pas des explosifs au-dessous de l'endroit où on travaille, grommela Florian d'une voix pâteuse.

– Et on ne doit jamais disposer d'une puissance de destruction supérieure à la résistance des lieux, pas plus qu'on ne doit réunir plusieurs équipes dans une pièce qui n'a qu'une seule issue dès l'instant où les risques sont importants. Tu as dépassé toute attente et distancé tous les autres. Fin du rapport. Tu reprendras l'entraînement la semaine prochaine. Eux pas.

– Bien, ser, répondit Florian. Je regrette, pour eux.

– Il a besoin d'une bande, déclara Seely à Ari. Il ne devrait pas réagir ainsi. Il risque d'en garder des séquelles.

Elle sentit de la colère grandir en elle, sans raison. Seely s'efforçait de les aider.

112

– Je verrai, répondit-elle.

Pour le regretter aussitôt. Il risquait d'aller le répéter à son oncle.

L'azi hocha la tête, distant et poli.

– J'ai à faire, et je constate que vous n'avez pas besoin de moi, ici. Vous vous débrouillez très bien, sera.

– Merci, Seely. Merci beaucoup. Dis à oncle Denys que je pense rentrer pour le dîner.

– Bien, sera.

Il sortit.

Catlin vint s'asseoir sur la chaise, sans décroiser les bras.

– As-tu été blessée ? voulut savoir Ari.

– Des égratignures. Les dégâts ont été minimes, où je me trouvais.

Elle fléchit son bras gauche puis son poignet.

– Une simple entorse, quand j'ai dégagé les moellons. C'est tout.

– Je suis passé trop vite, murmura Florian, toujours sous l'effet des tranks. C'est ridicule. Ce concierge était une véritable antiquité.

– Ce sont eux qui ont commis une erreur, répéta Catlin sur un ton catégorique. Pas nous.

Ari mordilla sa lèvre. Florian avait accès à la bibliothèque de la Maison. Il pouvait consulter les manuels de nombreux systèmes de sécurité. Ses azis savaient bien plus de choses que les autres, car ils s'instruisaient sans cesse.

Elle sortit dans le couloir et demanda à téléphoner.

– Oncle Denys. Florian a effectué cet exercice trop vite. Ce sont leurs conclusions. Il a été blessé parce qu'il est le meilleur. C'est absurde. Il aurait pu être tué. Trois azis sont morts. Il n'y a donc pas d'instructeurs plus qualifiés ?

Il réfléchit un moment avant de répondre :

– Je viens de recevoir le rapport de Seely. Laisse-moi le temps d'en prendre connaissance. Comment va Florian ?

– Il a sacrément mal.

Elle avait oublié qu'elle ne devait pas dire sacrément quand elle s'adressait à son oncle.

Puis elle lui répéta les propos du Dr Wojkowski, de Seely et de Catlin.

– Je partage ton opinion, répondit Denys. Si cette version des faits est confirmée, nous devrons chercher une solution. Veux-tu passer la nuit là-bas? A-t-il besoin de ta présence?

– Je veux rester. Avec Catlin.

– Entendu. Mais n'oublie pas de te faire servir un repas, d'accord?

Il n'avait émis aucune objection. Il lui arrivait parfois de la surprendre. Elle regagna la chambre de Florian et elle avait l'impression d'avoir reçu elle aussi un choc très violent. Tout allait bien, puis mal. Et Seely et Denys devenaient raisonnables, à l'instant où elle s'y serait le moins attendue.

– Ils vont régler le problème, dit-elle à Catlin après avoir constaté que Florian s'était endormi. J'ai joint oncle Denys et je pense qu'il s'est produit un cafouillage à un échelon situé au-dessus de celui de l'instructeur. Vous savez trop de choses, par rapport aux autres.

– C'est sans doute exact, mais ça me rend folle. Ils passent leur temps à nous répéter que nous dépassons leurs espérances. Ces azis ont été sacrifiés. Ils avaient pourtant fait ce qu'on attendait d'eux. Ils n'étaient pas les meilleurs, mais devaient-ils en mourir? Leur chambre était située en face de la nôtre, de l'autre côté du couloir.

– Merde, grommela-t-elle.

Puis elle s'assit, avec les mains jointes entre ses genoux. Elle avait froid, et des nausées. Elle découvrait que Catlin avait eu raison de dire que ce n'était pas un jeu.

9

Florian boitillait mais était remis de ses blessures, lorsqu'il entra dans l'écurie avec Catlin, Amy et le reste du groupe. Ari l'étudiait à la dérobée, et elle remarqua le sourire qui fendit son visage lorsqu'il vit Jument et Pouliche... les deux pouliches, en fait. Une à la queue et à la crinière très claires (celle d'Ari) et l'autre à taches noires... la fille de Cheval.

– Regardez-la ! s'exclama Florian.

Et il cessa de claudiquer pour aller tapoter l'encolure de Jument. Ce qui impressionna les autres, à l'exception de Catlin qui savait depuis longtemps qu'il n'avait pas peur des chevaux.

Ari tenait Jument en haute estime. Elle s'occupait des deux pouliches, la sienne et sa génésœur ; un statut qu'elle ne pouvait connaître et encore moins comprendre. Mais elle était généreuse et veillait sur les deux.

– Elle est grosse, commenta Amy.

Les chevaux inspiraient de la peur aux enfants. C'était la première fois qu'ils voyaient des animaux de si près et ils craignaient un peu de se faire piétiner... une crainte fondée car ils avaient tendance à trop s'en approcher, à se bousculer et à rester sur leur passage quand ils étaient effarouchés. Même Catlin, qui recula et joignit les mains derrière son dos, très raide et azie, quand 'Stasi manqua la percuter. Maddy glapit et faillit être renversée par Jument. Ari cacha son visage derrière ses paumes puis releva les yeux sur les chevaux qui traversaient la grande piste centrale de l'écurie et ses camarades que la frayeur rendait ridicules.

– Ne courez pas, leur cria Andy. Ils ne veulent pas vous faire de mal. Ils sont juste intrigués par votre odeur.

Tous le fixèrent. Ils semblaient se demander si cet azi avait voulu plaisanter ou les insulter.

– Viens, dit Ari à Florian. On va essayer de l'attraper.

– Attendez, sera, je m'en charge, répondit-il avant d'aller la rejoindre.

Il lui paraissait étrange d'avoir pu sortir avec tous ses compagnons, qui feignaient d'avoir été invités par Amy. Si l'amélioration de ses rapports avec cette dernière n'était plus un secret, Amy courait moins de risques que les autres parce que sa maman était une amie de ses oncles. En outre, Ari ne pensait pas qu'il y aurait de nouvelles Disparitions. Mais les enfants le redoutaient et c'était pour cela qu'ils avaient mis au point cette co-médie.

Ils pouvaient ainsi aller visiter ensemble des lieux comme la pouponnière sans éveiller de soupçons. Quant à Andy et au palefrenier, ils n'appartenaient pas à la Maisonnée et n'en parleraient pas. Ils étaient en sé-curité, ici.

Florian attrapa Jument sans difficulté. Il la ramena, et les pouliches suivirent. Les enfants exprimèrent à nouveau l'admiration qu'il leur inspirait.

Leur attitude à l'égard de ses azis s'était modifiée, de-puis l'accident de Florian. Ari avait demandé à ces der-niers de tout leur raconter, après avoir précisé qu'ils pouvaient tout dire à des CIT membres de la Maison-née. Ce n'était pas le cas de Sam, mais elle lui accordait sa confiance. Florian avait dû interrompre sa narration, car il ne se souvenait pas de ce qui s'était passé une fois dans le couloir. Catlin avait donc terminé le récit à sa place, avant de parler de l'hôpital et du reste.

Elle n'était habituellement guère prolixe et c'était la première fois qu'elle leur disait plus d'une ou deux phrases d'affilée. Elle les surprit encore plus en enchaî-nant sur diverses anecdotes macabres, afin d'entretenir l'atmosphère. Tous avaient paru prendre conscience que Florian et Catlin étaient des êtres faits de chair et de sang, qu'ils avaient vu des cadavres, qu'ils pouvaient effectuer tout ce dont elle parlait.

Ils n'avaient jamais mis leur parole en doute mais s'étaient trouvés dans l'impossibilité de comprendre ce que signifiaient certaines choses : progresser sans bruit dans un couloir en direction d'Ennemis munis d'explo-sifs qui, grâce à Dieu, n'explosaient pas... ou tout sim-plement imaginer que des Ennemis pourraient un jour envahir Reseune, faire tout sauter et tirer sur la popula-tion.

Ils commençaient à se poser des questions. C'était cela qui avait changé. Ils désiraient savoir ce qui se pas-sait au Conseil, pourquoi on voulait la déposséder de ses biens... et ils finissaient par lui poser des questions auxquelles elle ne pouvait répondre.

– Je ne suis pas arrivée à l'apprendre, avait-elle même avoué. Je sais seulement que ces gens ne veulent pas qu'il y ait des azis et rêvent de faire fermer Reseune.

– Nous ne faisons pas que des azis, ici, avait rétorqué Sam.

– Et je suis sûre que Florian et Catlin regretteraient de ne pas être venus au monde, s'était permis de hasarder Amy.

– Ils seraient quand même nés, mais on les aurait ensuite élevés et éduqués comme des CIT, avait expliqué Ari. Je ne crois pas qu'ils auraient apprécié.

– C'est vrai ? s'était enquise Amy qui se sentait écartée du débat.

– Oui.

Une réponse posée de Florian et confirmée par le mouvement de tête de Catlin.

Ari savait. Florian était trop bien élevé pour répéter ce qu'il lui avait confié un jour. La plupart des CIT ne lui inspiraient que du mépris, tant ils manquaient d'efficacité. Pour un grand nombre d'entre eux, il était plus difficile de prendre une décision que de la mettre ensuite à exécution. Il lui était pénible d'avoir affaire à de tels individus. Quant à Catlin, elle estimait que les CIT avaient créé les azis afin qu'ils se chargent d'assurer leur sécurité, pour la simple raison qu'ils n'osaient pas confier des armes à leurs semblables.

Un jour, dans la pénombre d'un tunnel, 'Stasi leur avait demandé :

– Aimez-vous votre statut d'azis ?

Embarrassé, Florian s'était contenté de hocher la tête sans faire de commentaire.

Entre deux cours, quand ni Florian ni Catlin ne pouvaient l'entendre, Maddy avait déclaré sans la moindre gêne :

– Il est très séduisant et j'aimerais qu'il m'appartienne.

Une déclaration ponctuée par un petit rire.

Je suis heureuse qu'il ne soit pas à toi, s'était alors dit Ari.

Cela lui revint à l'esprit pendant que Florian ramenait les chevaux. Il était si beau et élégant dans son uniforme noir qu'il fallait comparer sa taille à celle de Jument pour savoir qu'il n'était qu'un enfant. Florian et Catlin... il suffisait de les voir pour être jaloux de ne pas avoir leur démarche et leur prestance, de ne pas être azi.

Parce que les CIT ne prenaient pas soin de leur corps, pensa-t-elle. Ils mangeaient trop et restaient assis à longueur de temps. De plus, la nature avait doté Amy d'yeux qui convergeaient, Tommy d'une physionomie quelconque, et Maddy d'une cervelle de moineau.

Alors que l'intelligence et la force de Florian et de Catlin leur avaient valu un transfert des Baraquements verts aux services de sécurité de la Maison. Ils étaient même supérieurs aux azis de la première Ari. Oncle Denys attribuait cela aux méthodes d'éducation mises au point après la Guerre, des techniques modernes qui permettaient de mieux exploiter leurs possibilités. Mais il y avait aussi une autre cause : ils découvraient dans les archives de la Maison des informations dont les instructeurs du Vert ignoraient tout. C'était pour cela qu'ils prenaient désormais les bandes des services de sécurité et ne participaient plus qu'à des exercices prévus pour des combattants de leur niveau.

Les gardes adultes, aux réactions si rapides et violentes qu'il était très dangereux de les surprendre, et en face desquels des adversaires pris de panique pouvaient tenter des actions désespérées pour lesquelles ils n'étaient pas suffisamment entraînés.

Ari se félicitait que Maddy ne fût pas la détentrice de leurs contrats, ce qui lui eût permis d'avoir avec Florian des relations à même de détruire leur équipe, une entente dont leurs vies dépendaient. Il lui avait suffi d'empêcher Florian de préparer un exercice avec Catlin pour qu'ils soient ensuite contraints d'aller au-delà de leurs possibilités, de peur d'échouer. Leur efficacité avait été telle que leurs adversaires affolés avaient commis une erreur fatale. Ari se jugeait indirectement responsable de la mort de ces trois azis. Nul n'aurait pu retenir cette faute contre elle, mais c'était un des maillons de la suite d'événements qui avaient conduit à ce drame, et elle devait l'accepter.

Elle se félicitait de n'avoir rien fait de plus avec Florian. S'il avait péri lui aussi, elle eût été la seule à blâmer.

Mais Maddy avait raison. Il possédait une beauté à couper le souffle et Ari partageait les désirs de son amie.

Maddy, qui ignorait pourquoi il ne fallait pas faire d'avances à Florian.

Elle regrettait qu'Ari senior ne pût converser avec elle, parce qu'elle lui eût alors demandé ce qu'elle pensait de cet accident, et s'il était dangereux de coucher avec son azi. Base un déclarait ne pas pouvoir répondre à de telles questions.

Son désespoir était tel qu'elle envisagea même de demander conseil à Seely. Mais en dépit de ses pulsions sexuelles elle ne pouvait se résoudre à s'adresser à cet azi.

Pas encore, tout au moins.

10

Pour son douzième anniversaire elle organisa une grande réception dans la salle de rec... un bal auquel étaient conviés tous les jeunes de Reseune entre neuf et vingt ans. Oncle Denys la pria de l'excuser en prétextant qu'il était débordé de travail, mais elle savait qu'il avait de telles distractions en horreur.

Il rata quelque chose, parce que Catlin apprit à danser. Elle comprit le principe de la musique :

– C'est une mnémonique, lui dit Ari lorsqu'elle parut déconcertée par les pas de danse. Des variations sur un thème.

Florian sut immédiatement comment procéder, mais il était trop timide pour se donner en spectacle. Et ce fut sa partenaire qui surprit tout le monde en décidant d'apprendre à Sam un pas qu'il ne réussissait pas à assimiler : une azie sur la piste avec un CIT. Tous les regardaient, moins choqués que sidérés. Catlin – en corsage de tulle noir transparent et pantalon de satin noir qui moulait ses hanches fuselées comme le reste de son corps – souriait, effectuait trois ou quatre pas rapides et réalisait une démonstration magistrale de ce qu'il était possible de réaliser lorsqu'on pouvait isoler les groupes musculaires et garder le rythme.

Ensuite, tous les garçons voulurent danser avec elle, et ce fut très drôle parce que les filles semblaient se demander si elles devaient être jalouses d'une azie.

Maddy Strassen s'empressa d'aller inviter Florian, et les autres l'imitèrent. Et les quelques CIT assez âgés pour avoir des azis leur apprirent à danser. Le lendemain matin, on parlait de ce bal dans toute la Maisonnée.

– Des azis auraient pu en être traumatisés, lui reprocha oncle Denys au cours du petit déjeuner. Tu devrais être plus prudente.

– Seely était présent, rétorqua-t-elle pour moucher son oncle. Il y avait aussi de nombreux gardes. Ils auraient pu intervenir à tout moment.

– La musique les a rendus sourds à ce que leur disait leur bon sens. Ils devaient assurer votre protection contre d'éventuels terroristes, mais cette précaution était superflue. Nul abolitionniste n'aurait pu survivre à un pareil vacarme.

– Aucun azi n'a été obligé de danser. Certains l'ont fait, d'autres pas. Tous étaient libres de leur choix. Selon Florian, Catlin a jugé ça très intéressant. Elle est censée me protéger, non? Elle n'est pas aussi socialisée que Florian, mais elle peut reproduire n'importe quel mouvement et faire comme tout le monde. Et elle a passé un très bon moment, là-bas. Elle psychait les gens et captait ce qu'ils ressentaient, mais ils ne se sont rendu compte de rien. Tu veux savoir ce qu'elle a dit?

– Oui?

– Qu'ils sont tous mous comme des chiques et qu'ils n'ont aucun sens de l'équilibre. Elle a ajouté qu'elle aurait pu éliminer n'importe lequel d'entre eux uniquement en levant le petit doigt.

Oncle Denys éternua dans son verre de jus d'orange.

De nouvelles injections, qui firent venir ses règles. Ari jura de se venger du Dr Ivanov. Un détour jusqu'à la porte de son appartement en pleine nuit et boum! un cadeau de Florian.

Ils lui avaient pris assez de sang pour pouvoir faire des transfusions à toute la population de Novgorod.

– Je veux changer de médecin, dit-elle à oncle Denys.

Il releva les yeux de ses rapports.

– Pourquoi?

Ils étaient à table, le seul endroit où il leur arrivait encore de se voir... pour le petit déjeuner et le dîner.

– Parce que j'en ai assez qu'on m'enfonce des aiguilles partout. Vous allez finir par me rendre anémique.

– Ils procèdent à une étude, ma chérie. Ces examens ont débuté à ta naissance et sont très importants. Ce n'est pas en changeant de médecin que tu pourras y échapper, et il serait cruel de blesser Petros dans son amour-propre. Il tient beaucoup à toi, tu sais?

– J'ai en effet remarqué qu'il m'adresse toujours un large sourire rayonnant avant de me prescrire un médicament qui me donnera envie de vomir.

– Surveille ta voix pendant tes règles, Ari. Tu ne tiens pas à ce que tout le monde puisse savoir ce qui t'arrive, n'est-ce pas?

– Pour quelle raison? Je me demande pourquoi ils ne l'annoncent pas aux informations! Tu devrais même remettre aux journalistes les vids prises dans ma chambre. Je suis certaine que j'obtiendrais un vif succès, si je m'en donnais la peine, et je parie que les techs de la sécurité en seraient ravis!

– Qui t'a dit que nous enregistrons ce que tu fais dans ta chambre? Il n'y a que le système de surveillance habituel.

– Tu oublies que Florian et Catlin font partie des services de sécurité de la Maison.

Oncle Denys posa les rapports, l'expression grave.

Ari était un peu ennuyée, car elle n'avait pas eu l'intention d'aborder ce sujet. Pas encore. Elle avait décidé d'attendre d'en savoir plus, mais il eût été dommage de laisser passer une pareille opportunité de l'Avoir.

Pour de bon.

– Entendu, ma chérie... c'est exact. La sécurité prend des bandes, mais elles sont aussitôt classées dans les archives. On ne peut les visionner. Ce sont des enregistrements à caractère historique.

– Sur le débarquement des machins d'Ari.

– Pas de vulgarités, Ari.

– C'est vulgaire ! Je dirais même que ce que vous me faites est dégueulasse ! Je veux que vous arrêtiez tout ça ! J'exige qu'on me fiche la paix et que ces cassettes soient détruites. Florian et Catlin démonteront tout le système à partir du pupitre de commande.

– Ils sont très observateurs.

– C'est exact, bordel !

– Ne jure pas, ma chérie. Tu n'es pas assez âgée pour pouvoir te le permettre.

– J'exige que le circuit soit débranché, l'installation enlevée et ces maudites bandes brûlées ! Je veux aller vivre dans mon appartement, après que mes azis l'auront fouillé de fond en comble et auront eu accès aux pupitres de contrôle de tous les postes de la sécurité !

– Calme-toi, Ari. Je vais donner l'ordre d'interrompre cette surveillance.

– Mon œil ! Tu te contenteras de faire installer la console ailleurs, là où Florian et Catlin ne pourront pas la découvrir.

– Ce qui te posera un problème, ne crois-tu pas ? Non, tu dois me faire confiance.

– Je saurai si les caméras sont branchées.

– Comment ?

– Je n'ai pas l'intention de te l'apprendre. Demande plutôt à Seely. Je suis certaine qu'il pourra t'expliquer.

– Tu es très irritable, aujourd'hui, et je refuse de discuter avec quelqu'un d'excité à ce point. J'ai pour toi beaucoup d'affection, Ari, et tu le sais. Mais je ne peux tolérer qu'une enfant de douze ans jure comme un vieux soudard et se permette de me traiter de menteur... comme tu l'as fait autrefois devant témoins. Alors, vas-tu baisser le volume de ta voix et discuter posément de tout ceci, ou dois-je te rétorquer que Florian n'est pas encore aussi fort que Seely et que rien ne m'empêchera de poursuivre cette surveillance même si cela te déplaît ? J'ai conscience que tu n'es plus une petite fille et que tu as des raisons de protester. Tu me l'as dit, et c'est suffisant. À quoi servirait d'étudier le comportement de quelqu'un qui joue la comédie à l'intention des caméras ? Je vais donner l'ordre de tout arrêter, pas par crainte que tes azis ne sabotent l'installation mais parce qu'elle a perdu toute utilité.

– J'exige que ces bandes soient brûlées !

– Désolé, mais c'est impossible. Nous n'y avons pas accès. Elles sont stockées dans la salle des archives creusée sous la montagne, et elles y resteront tant que tu seras fichée dans le système informatique central.

– Tu veux dire, tant que je le consulterai ?

– Non, tant que ton matricule CIT figurera dans la liste des membres actifs de Reseune. Autrement dit, aussi longtemps que tu vivras. Très très longtemps, ma chérie, et ensuite tu n'auras plus à être gênée s'il existe des vids d'une petite fille de douze ans en sous-vêtements.

– Tu les as visionnées !

– Non, mais je connais les enfants de ton âge. Je m'engage à interrompre la surveillance. Si tu y tiens, Florian pourra démonter la caméra. À condition qu'il soit soigneux et qu'il n'endommage pas le reste du système.

– Aujourd'hui.

– Aujourd'hui, accepta oncle Denys qui paraissait très ennuyé. Je suis désolé, Ari.

Il lui jouait une comédie. Il la Travaillait. Ils se Travaillaient l'un l'autre depuis le début.

Oncle Denys était assez rusé pour s'en rendre compte.

Et si Seely avait toujours l'avantage sur Florian, oncle Denys pouvait être plus fort qu'elle. Peut-être.

Elle décida d'utiliser son indignation contre lui. Elle l'alimenterait pour inciter son oncle à changer d'attitude, lui faire croire qu'il l'avait Eue.

Ensuite, elle se plierait à ses désirs et attendrait la suite des événements, sans avoir été manipulée pour autant.

– Je regrette, Ari.

Elle le foudroya du regard.

– Ari, le moment est très mal choisi. J'aurais préféré que tu viennes m'en parler plus tôt.

Bon sang, elle désirait l'interroger, le Travailler et découvrir ses projets. Mais il eût alors compris ses intentions. Peut-être l'avait-il déjà fait, car c'était un personnage insondable.

– Sais-tu que Reseune a déposé une demande afin que le statut de Spéciale de la première Ari te soit octroyé ?

– Oui.

– Notre requête sera acceptée. Les centristes n'ont pas les moyens de s'y opposer.

– Je devrais m'en réjouir, n'est-ce pas ?

– C'est le seul droit que la Cour Suprême ne t'a pas rendu en même temps que les autres. L'unique chose dont ils t'ont privée. Tu vas le recouvrer et ensuite tout sera à ta disposition. Tu sais que Reseune est fière de toi.

Flatteries, flatteries, oncle Denys.

– Tu seras bientôt livrée à toi-même. Tu quitteras alors cet appartement, pour t'installer dans le tien. Je redeviendrai un vieux célibataire obèse et nous ne nous verrons plus que dans les bureaux et lors des réunions de Famille.

Dire de vilaines choses sur soi-même : de l'ironie, pour l'inciter à croire qu'il lui manquerait.

Il y réussirait. C'était pour cela qu'il ne fallait jamais se laisser Accrocher, surtout par des manipulateurs tels que lui.

Elle le laissa poursuivre, sans faire de commentaire.

– Je m'inquiète, Ari. J'espère ne pas avoir manqué à tous mes devoirs envers toi.

Il tentait de l'effrayer. À l'entendre, la situation était sur le point de changer. Un autre événement du type « départ de maman ». Elle le maudit.

J'espère que c'est toi qui Disparaîtras, cette fois !

Elle n'était pas sincère, mais cette manœuvre pouvait être qualifiée d'abjecte. Elle refusait de laisser voir son indignation.

– Nous nous entendions bien, fit-elle.

– Je tiens beaucoup à toi.

Seigneur ! Il y met vraiment le paquet.

– Ari ? Es-tu en colère ?

– Ça se voit, non ?

– Je regrette, ma chérie. Un jour, je pourrai te dire pourquoi nous avons agi de la sorte. Pas maintenant.

Oh ! Il semble vouloir me tendre une perche.

– Tu sais que la mère d'Amy t'a invitée avec Florian et Catlin à passer la soirée chez eux.

– Je l'ignorais. Non, merci.

– C'est une délicate attention. Pourquoi refuses-tu ?

– Parce que je ne suis pas en forme et qu'Amy ne m'en a pas parlé.

– C'était une surprise.

Tu parles !

– Tu étudies trop, Ari, et cette sortie te ferait le plus grand bien.

– Je ne veux aller nulle part ! Je ne me sens pas bien ! Je désire me coucher !

– Tu as tort. Tu devrais faire un saut chez Amy.

– Non !

Oncle Denys n'était pas content du tout et s'apprêtait à se lever.

– Je vais contacter le Dr Ivanov. Peut-être es-tu allergique à un de ses médicaments. Il t'enverra quelque chose pour te remettre sur pied.

– Il le fera avec empressement ! Mais je ne veux plus de piqûres, je ne veux plus qu'on me prenne mon sang, je ne veux plus de caméras dans ma chambre, je ne veux plus que vous vous mêliez de mes affaires !

– D'accord, d'accord. Pas de médicaments. Rien. Je vais en parler à Petros.

Il se renfrogna.

– Tout cela m'ennuie, Ari.

– Je m'en fiche.

Elle se leva de table. La colère la faisait trembler, ce qui augmentait encore son exaspération.

– Je m'inquiète pour toi, Ari... Tu vas encore utiliser l'ordinateur, je présume ?

– Je ne vois pas le rapport ?

– Eh bien... n'oublie pas que je t'aime très fort, quand tu comprendras.

Elle fut frappée par ses paroles. Je t'aime très fort... de la part d'oncle Denys ? Une nouvelle ruse.

Mais elle en fut ébranlée, car c'était un coup bas.

– Tu peux y compter, répondit-elle d'une voix sèche. Je vais dans ma chambre.

– Les hormones... Ces foutues hormones. L'adolescence est une belle saloperie et je me sentirai bien mieux quand tu auras passé ce cap.

Elle quitta la pièce et ferma la porte qui séparait le séjour de ses appartements.

Florian et Catlin sortirent aussitôt de leur chambre.

Et elle lut sur leurs traits : Que s'est-il passé ?

– Tout va bien. J'ai eu une petite explication avec oncle Denys au sujet des enregistrements, c'est tout. Demain matin, Florian pourra démonter la caméra.

– Parfait, dit-il, hébété.

– Je n'ai rien. Ne vous inquiétez pas pour moi. Tout va bien.

Elle passa devant eux et alla s'enfermer dans sa chambre.

Et son regard se posa sur le terminal.

Ce qu'il avait espéré. Elle aurait dû lui donner une leçon, lui fournir des sujets d'inquiétude. Il suffirait pour cela de ne pas toucher à l'appareil pendant quelques jours.

Mais ce ne serait pas très malin. Il était préférable de découvrir ce qui se passait, puis d'agir en conséquence.

– Base un, fit-elle. Ai-je reçu un message ?

– *Aucun*, répondit le concierge.

Ce qui la surprit.

– Base un, fournis-moi les nouvelles données accessibles.

L'écran s'alluma. Elle s'en approcha. Il n'y avait qu'un seul fichier.

La mise à jour hebdomadaire habituelle. Deuxième semaine d'avril 2290.

Elle s'assit devant le moniteur. Ses mains tremblaient. Elle les serra, terrifiée sans raison. Elle savait qu'elle apprendrait un fait capital. Ce qui suscitait les craintes de Denys figurait dans les archives...

La deuxième semaine d'avril 2290.

Et la deuxième semaine d'avril, cinq ans plus tôt.

Elle avait joué dans le bac à sable de la garderie, puis était partie avec Nelly...

– Sélection un.

Le texte apparut et défila verticalement sur l'écran :

Olga Emory.

Décédée le 13 avril 2290.

Ari senior revenait de l'école, quand son oncle Gregory vint à sa rencontre pour lui annoncer la mauvaise nouvelle.

– Bordel ! hurla-t-elle.

Elle se leva, saisit la première chose qu'elle avait sous sa main et la lança. Les styles s'éparpillèrent sur le couvre-lit et le plumier percuta le mur. Elle s'empara d'un vase et le jeta contre le miroir. Les deux objets se brisèrent et volèrent en éclats.

À l'instant où Catlin et Florian entraient en courant.

Elle s'assit sur son lit et prit Poo-Poo. Elle le serra dans ses bras, caressa sa fourrure élimée, et crut qu'elle allait rendre.

– Sera ? demanda Florian.

Et ses azis vinrent s'agenouiller près d'elle, malgré sa rage qu'ils devaient attribuer à une crise de folie. Ils étaient effrayés, et les laisser approcher alors qu'elle se sentait prise au piège la terrorisait elle aussi. Ils étaient dangereux et elle ne pouvait plus leur accorder sa confiance.

– Sera ?

La voix de Catlin, qui se redressa et approcha encore pour caresser son épaule.

– Y a-t-il un Ennemi, sera?

Elle aurait pu repousser Catlin d'un coup de coude. Elle l'envisagea. Elle savait que l'azie s'y préparait. Florian prit sa main, au bord du lit.

– Sera, êtes-vous blessée? Que s'est-il passé?

Elle leva l'autre main pour la poser sur celle de Catlin qui serrait son épaule. Florian grimpa sur le lit, de l'autre côté. Elle retint sa respiration et tendit le bras derrière Catlin. Puis ils restèrent tous trois assis sans bouger, pendant un long moment. Poo-Poo bascula. Elle ne le retint pas.

– Ils ont fait Disparaître maman parce que la mère d'Ari était morte.

– Quoi? demanda Florian. Que voulez-vous dire, sera? Quand est-elle décédée?

– Ça s'est passé le même jour. Enfin... Ari et moi, nous avions exactement le même âge quand nos oncles sont venus nous annoncer la nouvelle.

Des larmes tombèrent sur ses cuisses, mais elle ne pleurait pas; tout au moins ne s'en rendait-elle pas compte.

– Je suis une réplique. Pas une simple DP. Je suis comme vous. Une *copie conforme*.

– Il n'y pas de quoi se mettre dans un état pareil, déclara Catlin.

– Ils ont chassé ma maman, ils l'ont exilée dans l'espace et elle est morte de chagrin... elle est morte parce qu'ils voulaient qu'elle meure!

Catlin lui donna une tape sur l'épaule et se pencha vers son oreille, pour murmurer:

– Ils vous écoutent.

Ce rappel à l'ordre l'ébranla jusqu'au plus profond de son être et elle cessa de respirer, le temps de réfléchir.

Sur l'écran, le texte ne défilait plus.

– *Ari, consulte Base un*, dit le concierge.

Elle prit une inspiration qui la fit hoqueter. Il lui semblait se noyer. Elle dut s'agripper à ses azis pour ne pas s'effondrer.

– *Ari, consulte Base un.*

Oncle Denys avait su quelle information elle apprendrait ce soir-là.

Il voulait l'empêcher d'utiliser le terminal. Va chez Amy, avait-il insisté.

Avant de l'inciter à le faire.

– *Ari, consulte Base un.*

– Base un, bordel !

Elle se leva du lit. Elle trouva étonnant qu'oncle Denys et Seely ne se soient pas précipités dans la chambre pour découvrir les causes du fracas, lorsqu'elle avait brisé le miroir. Puis il lui vint à l'esprit que ce n'était pas insolite du tout.

Pas dans une pièce placée sous étroite surveillance.

Elle s'assit devant le terminal.

Ari, lut-elle sur l'écran. *Ici, Ari senior. Cette mise à jour a dû te permettre de comprendre des choses qui te laissaient sans doute perplexe. Te sens-tu bouleversée ?*

– Bien sûr que non !

Elle sentit la présence de Florian à son côté. Elle saisit son bras et le serra, avec force.

– Continue, Ari.

Ton statut vient d'être modifié et les données te seront désormais fournies sans décalage temporel. Tu peux prendre connaissance de tout ce qui me concerne jusqu'au 13 avril 2295.

Elle posa la main sur l'épaule de Catlin.

– Continue, Ari.

L'année de mes douze ans. Je précise que les mises à jour resteront hebdomadaires.

Bonne nuit, Ari.

Elle serra les poings, si fort qu'elle en eut mal.

– Déconnexion, dit-elle.

Puis elle resta assise devant l'écran, à trembler.

Catlin tapota son omoplate et lui adressa les signes correspondant à : Demain. Dehors.

Un geste de Florian : Ce soir. Destruction du moniteur.

Elle secoua la tête. Le signe : Restez.

Et ils se prirent par la main.

Elle savait que cinq années de données supplémentaires lui étaient accessibles mais n'avait pas la moindre idée de ce qu'elle y découvrirait.

Ce qui l'attendait.

Merde ! merde ! merde !

Ils étaient toujours sous surveillance.

– Florian, Catlin, nous allons à la sécurité. Tout de suite.

L'azie lui fit un geste : Seely.

– Ils n'interviendront pas. Prenez votre matériel. On y va. Nous allons débrancher cette maudite installation. *Tu m'entends, oncle Denys ?*

Il ne lui répondit pas. Évidemment.

Elle se lava la figure pendant que Florian allait prendre sa petite trousse à outils et que Catlin réunissait ce dont elle pourrait avoir besoin. Ce qui devait inclure une longueur de câble très fin.

Ils sortirent dans le salon. Oncle Denys était assis à la table, au-delà de la voûte. Il lisait, comme presque chaque soir.

Il la regarda.

– Je te précise que nous descendons à la sécurité, au cas où tu aurais raté un passage, lança-t-elle.

– Je vais les avertir. Ne casse rien, Florian.

Seely n'était pas dans la pièce. C'était anormal. Peut-être les observait-il sur le moniteur du bureau.

Elle resta sur place et étudia son oncle.

– Comme ta maman, j'ai essayé de t'aider, dit-il.

– Mes azis pourraient te tuer.

– Oui. Je le sais. Tu le sais. Tu as la possibilité de me faire assassiner à tout moment. Je dois courir ce risque. Parce que je suis ton ami. Pas ton oncle. Pas vraiment. Je suis ton ami depuis longtemps.

– Quand ?

– Toujours. Tu es Ari. Et vice versa. C'est la vérité. Elle ne t'a pas trahie. C'est toi qui as voulu tout cela... Réfléchis-y.

– Tu es fou ! Tout le monde est fou, dans cette Maison !

– Non. Va voir la sécurité. Je les avertis. Ce soir, le

champ des informations auxquelles tu peux accéder a été considérablement élargi et te voilà investie d'une autorité véritable. Rien ne t'oblige à vivre ici. Tu es libre d'aller t'installer chez toi, si tu le souhaites. Ton appartement est trop vaste pour une jeune fille et deux azis, mais tu en as la clé. Si tu veux déménager, tu le peux. Florian aura accès au système de sécurité et pourra le débrancher. Et si ta nouvelle existence te déplaît tu n'auras qu'à revenir ici, ou aller chez Amy. Sa mère ne te posera aucune question.

– Tout le monde sait donc ce que je suis ?

– Tu en doutais ? Tous ont connu la première Ari, et tu as existé – tout au moins sur le papier – dès le lendemain de sa mort.

– Soyez maudits !

– Le même tempérament coléreux. Je précise qu'elle a appris à le contrôler. Et à l'utiliser pour ne pas devenir son esclave. Tu trouveras des passages importants de l'histoire de Cyteen, dans les fichiers qui te sont désormais accessibles. Des événements d'une importance capitale pour Reseune. De nombreux faits qui ont... été passés sous silence. Il était une fois un homme qui pouvait voir l'avenir. Fort de ce qu'il savait, il a voulu changer le cap de son existence. Mais c'était son avenir. Un jour, tu découvriras le tien... Réfléchis à cela.

– Je ne t'obéirai plus jamais.

– Demande-toi pourquoi cinq ans, plutôt que six, ou quatre. Interroge l'ordinateur pour savoir ce qui s'est passé le 13 avril 2295.

– Il serait plus simple que tu me le dises.

– Tu peux regarder. Ces données te sont accessibles.

– Je veux que toutes mes affaires soient transportées chez moi.

– Tu n'as qu'à le demander au service domestique. Ses employés s'en chargeront à l'aube. Je te conseille de te munir de certaines choses indispensables, ou de les acheter. *Nécessité* reste ouvert de jour comme de nuit. Et si tu as besoin de conseils – sur la façon de rédiger les formulaires, par exemple – contacte-moi. C'est avec plaisir que je te ferai profiter de mon expérience.

On pouvait faire confiance à Denys pour en revenir aux détails déprimants du train-train quotidien.

– Je me débrouillerai.

– Je n'en doute pas, ma chérie. Mais n'oublie pas que je serai toujours là pour t'aider. Si je peux faire quelque chose pour toi, je n'hésiterai pas. Florian, Catlin, veillez sur elle. Et pensez à prendre vos pyjamas.

– Bon sang, oncle Denys...

– Il faut bien que quelqu'un se préoccupe des détails matériels. C'est le rôle qui m'est dévolu. Ne préférais-tu pas rester ici... le temps d'apprendre à te débrouiller toute seule ?

– Non, non. J'y arriverai.

– Je t'enverrai le service domestique. Ils ne pourront pas entrer chez toi, mais je leur dirai de déposer un paquet devant la porte et de te livrer le reste demain. Des choses utiles, Ari. Je me charge de remplir les bons de commande et les relevés budgétaires dont tu auras besoin pour tenir ta comptabilité à jour. Je t'en transmettrai des copies afin que tu entres tout cela dans ta Base.

– Merci.

– C'est moi qui te remercie, Ari. Merci d'être raisonnable. Les choses ont été différentes, pour Ari senior. Elle avait quatorze ans, quand elle est allée s'installer dans cet appartement. Mais tu prends de l'avance sur elle... un peu. Je t'en prie. Sois prudente. Acceptes-tu de me donner un baiser ?

Elle restait là, figée. Sortir d'ici. Elle ravala des nausées.

– Pas tout de suite. Pas maintenant, oncle Denys.

Il hocha la tête.

– Une autre fois, alors.

Elle serra les dents et fit signe à Florian et Catlin que le moment était venu de partir.

Archives : projet Rubin
Confidentiel, classe AA

Copie soumise à autorisation 768

Contenu : transcription du fichier 5998

Bloc 1 – Denys Nye/Catlin II

Emory I/Emory II/Florian II

2418 : 14/04 : 0048

AE2 : Concierge, ici Ari Emory. Florian et Catlin sont avec moi. Communication de tout ce qui a été reçu pendant mon absence.

B/1 : Deux messages ont été enregistrés :

Bienvenue dans ton nouveau foyer. Si tu as peur et si tu veux m'appeler, ou contacter la sécurité, n'hésite surtout pas. Mais tu n'es pas plus en danger chez toi que chez moi. Tu peux faire confiance à Florian et Catlin. Tiens compte de leurs conseils, lorsqu'il est question de ta protection.

Passe me voir au bureau, si tu en as envie. Il y a tant de choses que tu dois savoir. J'ai avalisé ton départ parce que tu n'es plus une enfant et que je ne voudrais pas voir tes azis et le mien s'affronter. Je miserais sur Seely, mais je ne tiens pas à en obtenir la confirmation.

J'ajoute à ta liste destinée au service domestique les directives de sécurité standard et celles de Seely. Tes azis sauront en faire bon usage. C'est sans doute superflu, mais il ne faut rien négliger en ce domaine, même lorsqu'on a affaire à des gardes du corps expérimentés.

N'autorise pas les livreurs du service domestique à en-

trer chez toi si Florian ou Catlin ne sont pas présents pour les surveiller. Seely ne les lâche pas d'une semelle, si tu ne l'as pas remarqué.

Pense à mettre les œufs au frais et ne laisse pas traîner le jambon, une fois décongelé. Je n'avais pas l'intention de t'envoyer des denrées périssables, mais je ne voulais pas que tu te passes de petit déjeuner. Tu trouveras aussi une boîte de cacao.

Te voici la seule responsable de ton existence, mais si tu te sens débordée appelle-moi ou viens me voir.

Il te faudra un bureau dans la section un, ainsi qu'une secrétaire et un commis qui se chargeront d'assurer la gestion de ton budget. Tu devras les demander à Yanni Schwartz, l'administrateur de ton secteur. Fais-le, si tu ne veux pas devoir prendre sur ton temps d'études pour remplir des formulaires aussi inintéressants qu'indispensables. Je t'ai attribué un local au I-244. Au risque de me répéter, j'insiste pour que Florian prenne connaissance des directives de la sécurité.

J'augmente ton allocation mensuelle qui passe à 10 000 Crs. Si tu penses que c'est une fortune, sache qu'il te faudra verser un loyer de 1 200 Crs pour le bureau et régler 5 000 Crs de salaires à la secrétaire et au commis. Quant au solde, il fondra très vite et tu devras justifier tes dépenses. Il va de soi que je t'aiderai si tu dois faire face à des imprévus, mais il est indispensable que tu prennes de bonnes habitudes dès le début.

La secrétaire gérera tes comptes, mais tu devras limiter ses accès. Dis à Florian et Catlin de venir demander conseil à Seely.

Le système de protection élaboré par la première Ari est toujours chargé dans Base un et tu ne dois sous aucun prétexte l'effacer avant d'en avoir mis un autre au point. Florian ne manquera pas de te dire que des responsables, dont moi, peuvent accéder à quelques clés. Mais cela te protégera de la curiosité de tous ceux dont le statut est inférieur au tien. Tes employés, par exemple.

Lis les consignes de sécurité et grave dans ton esprit l'emplacement des issues de secours. Le secteur où tu ré-

sides bénéficie de protections renforcées, mais il est indis-
pensable de savoir certaines choses.

Consulte tous les documents que je te transmettrai et communique-les à Florian et Catlin s'ils se rapportent à ta sécurité ou à n'importe quel danger.

J'ai pour toi beaucoup d'affection. La situation est moins simple qu'elle ne peut le paraître, mais sache que je suis heureux de t'avoir reçue chez moi et que je le serais encore plus si tu décidais de revenir. J'ai souvent eu des accrochages avec Ari senior, mais j'étais son ami. Comme je suis et resterai le tien.

Rien n'a changé dans son appartement depuis le jour de sa mort. Il est probable que tu voudras te débarrasser de ses vêtements. La mode change. Mets de côté tout ce que tu ne veux pas et demande au service domestique de passer le chercher.

Sache que ta carte te permettra d'entrer chez moi jusqu'à tes 14 ans. Dans deux ans, bien que cela puisse sembler impossible.

Je te demande d'être sage et de te présenter aux examens de contrôle de ton médecin. Ils sont indispensables et rappelle-toi que ta maman le voulait elle aussi. Tu as les mêmes obligations que les autres résidents de Reseune et ton indépendance t'en donne de nouvelles. Te voici assujettie aux règles qui s'appliquent aux adultes, et tu dois savoir qu'un superviseur qui ne se présente pas à une convocation des services médicaux se voit retirer sa licence azie. Je mettrai encore l'accent sur l'obligation de respecter les horaires de tes cours. J'ai indiqué à Base un que tu es posée et responsable. Ne me fais pas passer pour un menteur.

Nous sommes nombreux à t'avoir aimée. Jane plus que les autres. Si elle ne t'a pas écrit, c'est pour ton bien... elle savait qu'il faudrait un jour couper le cordon ombilical et te laisser vivre ta vie. J'en ai moi aussi conscience. Je te souhaite bonne chance mais, comme tu n'as que douze ans, que cet appartement est immense et que Reseune est bien plus vaste encore, je continuerai de faire mon possible pour te faciliter l'existence et te protéger. Je sais que ton esprit n'est pas celui d'une enfant de ton âge et que Base un est là pour te conseiller. Tu as déjà eu l'occasion de passer des commandes au service domestique, aux fournisseurs des labos, et de gérer des comptes. Tu as rédigé des rapports et établi des emplois du temps, et tu connais les systèmes de sécurité et les règlements de la Maison. Tes deux compagnons sont eux aussi compétents. Je vous fais confiance pour surmonter toute crise importante mais je crains que vous n'oubliiez d'éteindre le four ou que vous ne laissiez le système d'arrosage inonder le jardin. Je sais que tu considères avec mépris de telles contingences et que tu me crois obsédé par les détails terre à terre, mais je te rappelle que pour avoir du linge propre il est indispensable de le donner préalablement à laver.

Si nous étions à Novgorod, je n'aurais pas avalisé ton déménagement, mais le service domestique peut faire face à de telles situations, au même titre que la sécurité. Tes erreurs me seront signalées. En fait, Reseune est ma Maison et tu n'as fait que t'installer dans une pièce différente.

Une dernière précision : j'ai encouragé ton départ en te montrant cet appartement et en te disant qu'il te reviendrait un jour.

Nous savons tous deux quelles sont les limites de ta frustration, mais Florian et Catlin l'ignorent... tout comme Seely, d'ailleurs. Je crois que tu possèdes une maturité suffisante pour te permettre de comprendre que les menaces dirigées contre toi sont réelles et que tu as le pouvoir de donner des ordres que tes compagnons exécuteront... qu'ils devront exécuter. Ils tueront, sans se demander si cette décision est ou non fondée sur des motifs valables.

Je t'ai fait visiter ces lieux parce que je savais que tu aurais un jour besoin de ce refuge, de cette soupape de sécurité dans une situation en évolution constante. Tes connaissances et tes capacités de réflexion sont plus grandes que celles de nombreux adultes, après avoir vécu au cœur d'un système de surveillance, d'intervention et de contrôle à même de faire sombrer le plus stable des azis dans la névrose. À cela s'ajoutent les troubles émotionnels de la puberté. Je redoutais ce qui devait se pro-

duire et je suis heureux de constater que tu as su canali-
ser ces réactions. Ce n'est pas fortuit. Je t'y ai préparée.
Tu en obtiendras un jour la confirmation.

En 2295, quand la première Ari avait ton âge, je n'étais
pas encore né et mon frère n'avait que 4 ans. Nous ne
gardons aucun souvenir de cette année, mais Giraud se
rappelle qu'un an plus tard elle a eu une violente alterca-
tion avec son tuteur, Geoffrey Carnath. Cela se passait en
public, à l'occasion du Nouvel An. Il a oublié la teneur de
leurs propos mais Jane Strassen croyait se souvenir que
Geoffrey avait reproché à Ari de s'être maquillée. Ce n'est
pas suffisant pour expliquer un tel esclandre. Il est men-
tionné dans les archives que la sécurité a dû intervenir
pour régler un litige important entre Ari et son oncle, ce
jour-là. Florian et Catlin sont restés aux arrêts pendant
trois jours et Ari a été placée sous sédatifs.

Geoffrey et la première Ari n'étaient pas sous sur-
veillance. Nous ne pouvons donc pas savoir ce qui s'est
réellement passé. Dans le compte rendu officiel de l'inci-
dent, nous apprenons qu'Ari a exigé l'installation d'un
verrou à sa chambre. Des années plus tard, elle m'a dé-
claré que Geoffrey s'était livré à des actes de pédophilie
sur Florian. Cherche la définition de ce mot, si tu en
ignores le sens. Il est probable qu'Ari a imaginé certaines
choses. Mais si ses rapports avec Geoffrey ont été au dé-
but amicaux, la tension n'a cessé de croître et leurs fré-
quentes altercations ont incité la Famille à se réunir.
C'est lors de ce conseil qu'on lui a octroyé une résidence
personnelle.

Cela vient de se répéter, pour d'autres raisons. Je n'ai
rien fait à tes azis, mais tu grandis et as besoin d'indé-
pendance. C'est sans doute préférable. Comme ta maman,
j'ai fait ce que je devais faire, du mieux que je le pouvais.
T'accorder ta liberté faisait partie de mes obligations. Ta
dignité a été offensée et j'espère que tu pourras un jour
nous pardonner nos actes.

Au fait, les lieux étaient bien plus modestes quand Ari
s'y est installée : tu lui dois leur splendeur actuelle. Tu ne
débutes pas comme elle dans l'existence, tu hérites de ce
qu'elle possédait après avoir atteint le sommet de sa puis-

sance et de ses capacités. Dans tous les domaines. Tu au-
ras l'occasion de méditer sur cette déclaration.

Sois sage. Sois raisonnable.

Fin du message. Sauvegarde ou effacement ?

AE2 : Copie dans fichier. Pose ça sur le divan, Florian. Est-il propre ?

Fl2 : Oui, sera.

AE2 : Nous allons recevoir des instructions et vous
devrez en prendre connaissance.

Fl2 : Bien, sera. Êtes-vous ennuyée, sera ?

AE2 : Ce n'est rien. Cesse de te tracasser à mon sujet.
Tu as du travail. Base un, reprise.

B/1 : Deuxième message.

Ari, ici Ari senior.

Je te souhaite la bienvenue dans ta demeure, avec deux
ans d'avance sur les prévisions.

Ce programme se modifie en conséquence.

Tu trouveras une cassette d'initiation à la gestion dans
le cabinet de travail. Tu en auras probablement besoin.

Tu n'as que 12 ans. Ce cas n'a pas été prévu. Tu seras
considérée comme si tu en avais 14.

Une liste d'accès et d'autorisations te sera fournie.

Avec une sélection de bandes conseillées.

La liaison entre le logement attribué à ton tuteur et
Base un a été coupée. La surveillance de la sécurité a été
dirigée vers Base un.

Les mesures de protection qui entraînent une élimina-
tion ont été suspendues, afin que tu ne coures aucun
risque. Il te sera possible de les réactiver à 16 ans.

Tu as désormais accès aux fichiers de n'importe quel
individu sous le code Sécurité 10. Il ne subsistera pas de
trace de ces consultations si l'intéressé a un statut infé-
rieur au tien.

Je te souhaite d'être heureuse, ici. Tu n'as peut-être pas
des goûts semblables aux miens, mais tout ce qui t'en-
toure est authentique ; des tables aux vases, en passant
par les tableaux. Ces toiles sont des originaux et ne m'ap-
partiennent pas, pas plus qu'à toi. Elles sont la propriété
de la population de l'Union et lui reviendront lorsque des
musées pourront les recevoir et assurer leur protection.

138

Elles ont été peintes sur Terre, à bord des premiers vaisseaux stellaires, ou encore sur Cyteen pendant sa colonisation. Veille sur elles, même si elles ne sont pas à ton goût. S'il t'arrivait de détruire une de ces œuvres, ce serait de la barbarie et cela indiquerait que mon généset s'est altéré. Tes autorisations et accès sont établis par rapport à ton sens des responsabilités, et c'est en fonction de ce critère que tu verras tes possibilités grandir ou décroître. Ce programme protège Reseune et se protège lui-même contre tout abus de pouvoir.

Tu ne me connais pas encore, au même titre que tu ignores de quoi tu es capable, en bien ou en mal.

J'ai décidé de vivre seule pour fuir une situation devenue intolérable. Comme j'étais déjà une Spéciale, le conseil de Famille m'a octroyé une partie des droits d'un individu majeur. Le conflit était dû aux agissements de mon tuteur, mais je n'ai pas cessé pour autant de lui adresser la parole. Je ne lui ai jamais pardonné, mais une fois ce problème réglé j'ai pu découvrir qu'il n'était qu'un homme, avec des faiblesses et quelques vertus. Il n'a cédé à ses pulsions que vers la fin de la période où nous vivions ensemble. Tout cela se rapporte au sexe et je ne désire pas t'en parler. Ton accès aux fichiers est étendu jusqu'en 2297 et tu y apprendras tout ce que tu veux savoir, plus de choses sans doute que tu ne le souhaiterais. Il ne me reste qu'à espérer que tu n'as pas vécu une expérience de ce genre.

Quoi qu'il ait pu se produire avec ton tuteur – que tu l'aies quitté en bon termes ou suite à un conflit – tu n'as que 14 ans et cela fait de toi une mineure. Je te conseille de ne pas t'opposer à l'administration tant que tu n'auras pas acquis l'habileté nécessaire pour lui tenir tête. Pour sortir de cette situation j'ai dû m'adresser à la sécurité et m'installer dans une résidence indépendante. Si ces services sont désormais corrompus, te voilà confrontée à un sérieux problème. Penses-tu que ce soit le cas ?

AE2 : Je ne sais pas.

B/1 : Une liste de précautions élémentaires va t'être fournie. Ce programme surveille les activités de tous les membres de la Maisonnée et il t'informera de toute initiative pouvant nuire à ta personne ou à tes droits. Cette op-

tion est disponible sous le code Sécurité 10, qui donne accès aux fichiers de la sécurité sans que cette activité soit décelable.

N'oublie pas que la réponse à une seule question n'a en soi aucune signification. Il convient d'interpréter et de recouper les informations. Souviens-toi que tous ceux qui ont un statut supérieur au tien peuvent laisser des mensonges à ton intention dans le système central.

Florian et Catlin sont ici avec toi. Je m'en félicite. Sont-ils aussi parfaits qu'on pourrait l'espérer ?

AE2 : Oui.

B/1 : Estimes-tu que leur loyauté envers toi est absolue ?

AE2 : Oui.

B/1 : Peux-tu imaginer des circonstances dans lesquelles ils te désobéiraient peut-être ?

AE2 : Non.

B/1 : Méfie-toi des réponses trop catégoriques. Souhaites-tu reconsidérer celle-ci ?

AE2 : Non.

B/1 : Elle est acceptée. Sécurité 10 peut réviser n'importe quelle estimation. Ne laisse personne passer une bande à Florian ou Catlin hors de ta présence. Ils ne doivent en aucune circonstance prendre un cataphorique si tu n'es pas à leur côté. Pour leur donner cet ordre, tu devras procéder toi-même à une intervention. Ta licence de superviseur t'habilite à te procurer des kats. Tu n'as jamais fait cela, et un mode d'emploi te sera fourni. Suis-le à la lettre. Lis les mises en garde et respecte les précautions d'emploi. Quand ils seront sous kats, le moindre bruit intempestif pourra avoir sur eux de graves conséquences.

Mais leur donner cette instruction est indispensable.

À présent, tu peux citer les noms des gens sur qui tu aimerais te renseigner. Je te conseille de commencer par tes amis et tes ennemis, puis d'ajouter tous ceux dont le comportement te paraît suspect. Tu pourras faire modifier cette liste par Sécurité 10. Leur statut te sera communiqué.

Leur nombre n'est pas limité.

AE2 : Florian et Catlin. Amy Carnath. Sam Whitely. Dr John Edwards. Denys Nye. Giraud Nye. Madelaine Strassen. Tommy Carnath-Nye. Julia Strassen. Dr Petros Ivanov. Dr Irina Wojkowski. Instructeur Kyle GK. Tech AG Andy GA. Mikhaïl Corain.

Dr Wendell Peterson. Victoria Strassen.

Justin Warrick. Grant, son compagnon. J'ignore quel est son suffixe.

B/1 : Drapeaux de sécurité sur Justin Warrick, Grant ALX, Julia Strassen. Tu n'es pas habilitée à accéder à leurs fichiers.

AE2 : Ari, pause. Définition de «drapeau de sécurité».

B/1 : Ce terme s'applique aux fichiers de type confidentiel.

AE2 : Ari, reprise.

B/1 : Individus sur lesquels ton statut actuel ne te permet pas de te renseigner : Denys Nye, Giraud Nye, Dr John Edwards, Dr Petros Ivanov, Dr Wendell Peterson, Dr Irina Wojkowski, Mikhaïl Corain.

Tu seras informée de tout changement respectif de statuts.

Avant de clore cette séance, je dois te parler d'une chose que je n'ai pu comprendre sur l'instant. Si mon tuteur s'est conduit de façon répréhensible, il n'avait pas l'intention de me nuire. Il connaissait ma valeur. Ceux à qui tu dois ton existence sont conscients de la tienne. Entre Geoffrey et moi les rapports ont été ensuite empreints de froideur, mais nous n'avons pas étalé nos différends. en public, car cela eût nui à l'image de Reseune.

Base un peut à présent se connecter à d'autres réseaux informatiques que celui de la Maison. Te crois-tu en danger ?

AE2 : Non. Je ne pense pas.

B/1 : Par l'entremise de Sécurité 10, Base un peut contacter la sécurité de la Maison ou les services d'intervention du bureau des Sciences. Les deux seront alertés si tu prononces le mot clé : mayday. *Les conséquences d'une fausse alerte seraient incalculables, y compris sur le plan politique où elles pourraient mettre ta vie en dan-*

ger ou compromettre ton statut. Tu ne devras donc avoir recours à cette possibilité qu'en cas de nécessité absolue.

S'il n'existe par exemple aucun autre moyen de joindre le bureau des Sciences pour réclamer ton émancipation. Mais un message adressé à la sécurité ou un appel téléphonique devraient suffire, et tu bénéficieras alors du soutien de Reseune. J'ai été émancipée à 16 ans, après avoir déposé une requête normale auprès du bureau des Sciences. Tu pourras le faire lorsque tu le jugeras utile, mais je te conseille d'attendre d'avoir cet âge, hormis si tu penses que ta vie ou ta santé mentale sont menacées. Tu dois savoir que l'on devient majeur à 18 ans.

Débarrasse-toi de tous tes liens affectifs avec Denys Nye.

Protège Reseune : un jour ces laboratoires t'appartiendront et te donneront le pouvoir de protéger tout le reste.

Tu as 14 ans. Le temps te débarrassera de tous les ennemis que je t'ai attirés... à condition que tu ne commettes pas d'erreurs et qu'ils ne t'éliminent pas au préalable.

Je suis ta meilleure conseillère. Tu es le successeur que j'ai désigné. Mon but est d'assurer ta sécurité tant physique que mentale face à des groupes d'intérêts qui ont pu acquérir de la puissance après ma mort et tous ceux qui souhaitent utiliser tes capacités à leur profit. Il ne serait pas raisonnable de penser que cela s'applique à tous les résidents de Reseune.

CHAPITRE X

1

Oncle Denys avait raison. Les lieux étaient immenses. Il y régnait un profond silence... et une multitude de bruits inquiétants : ronronnements des moteurs, craquements des conduites métalliques qui se dilataient, grincements qui faisaient penser à des pas et sifflements proches du souffle d'une respiration. Elle était angoissée et devait se répéter que le concierge eût donné l'alarme s'il avait détecté une présence étrangère.

S'il n'avait pas été trafiqué, si Base un était digne de confiance.

Ari visita la chambre de l'Ari précédente : une penderie pleine de robes ; une commode aux tiroirs bourrés d'autres effets, de sous-vêtements et de bijoux... authentiques, pensa-t-elle. Et l'odeur qui régnait ici était la sienne... son parfum. La senteur qui imprégnait une autre garde-robe... chez oncle Denys.

Ils allèrent ensuite voir la chambre du premier Florian, et celle de la première Catlin. Leurs uniformes étaient toujours suspendus dans les placards, marqués à leurs matricules. Il y avait aussi des tenues de soirée en satin et tulle noirs.

Et d'autres choses, dans les tiroirs des bureaux... armes, composants électroniques, fil électrique et objets personnels.

– Ils étaient des adultes, commenta l'azie.

– Oui, répondit Ari en sentant un frisson la parcourir et glacer ses os. Ils étaient.

Ils entendaient les sons, les murmures des pièces.

– Venez, décida-t-elle.

Et elle les fit sortir de cette chambre.

Elle tentait de se convaincre que le concierge signalerait la présence d'un intrus.

Mais... et s'il s'était dissimulé dans l'appartement avant leur arrivée ?

Et avait modifié les instructions du gardien ?

Elle regagna la chambre d'Ari, à l'autre bout du logement. Les azis s'étaient munis des armes trouvées dans les chambres de leurs prédécesseurs, malgré la méfiance que des munitions aussi vieilles inspiraient à Catlin. C'était mieux que rien.

– Restez avec moi, leur dit Ari.

Et elle s'assit sur le lit et tapota le matelas.

Ils se glissèrent tous les trois sous les couvertures, sans se dévêtir car la nuit semblait froide. Elle était au milieu du grand lit, le lit d'Ari, flanquée par ses azis qui se serraient contre elle en quête de chaleur, ou pour lui apporter la leur.

Elle frissonna, et Florian la prit par la taille pendant que Catlin se rapprochait de l'autre côté. Ari cessa de trembler.

Elle ne pouvait leur dire ce qu'ils auraient pourtant dû savoir ; qui était l'Ennemi, par exemple. Elle ne le savait plus. Elle pensait désormais à des spectres. Elle avait lu les vieux livres et redoutait des dangers inimaginables pour Florian et Catlin, et dont elle n'aurait pu leur parler sans se ridiculiser.

Nul n'avait dormi dans ce lit, entre ces draps, depuis la mort de la première Ari. Personne n'avait touché à ses affaires ou rabattu la couverture.

Il régnait dans cette chambre une odeur de parfum et de moisi.

Avoir peur était stupide. Elle savait qu'il convenait d'attribuer les craquements et les gémissements à la dilatation des conduites métalliques et des parquets. Et aux innombrables systèmes installés en ce lieu.

Elle avait lu Poe. Et Jerome. Elle n'ignorait pas qu'aucun fantôme ne pouvait hanter ce lieu. Les revenants erraient sur Vieille Terre, où l'on croyait qu'une fois la nuit tombée les esprits revenaient régler des affaires laissées en suspens.

Ils n'avaient pas leur place sur une planète colonisée depuis peu, si éloignée du monde ancestral où reposaient tant de cadavres. Sur Cyteen, ces histoires étaient de pures affabulations.

Hormis au sein des ténèbres dans lesquelles leur chambre était enchâssée, au cœur de cette multitude de bruits attribuables aux activités du concierge, mais inquiétants malgré tout.

Elle eût aimé demander à ses azis s'ils se sentaient eux aussi angoissés. Elle suspectait les CIT de percevoir la présence des spectres à cause d'une particularité de leur esprit... nuances de valeur, eût dit son professeur de psych. Pensées-flux.

Une activité cérébrale que Florian et Catlin ne commençaient qu'à découvrir.

Il en découlait qu'ils seraient perturbés, si elle leur racontait des histoires de fantômes. Catlin prenait tout à la lettre, elle croyait ce que lui disait Ari, et si cette dernière lui déclarait que l'autre Ari, la morte, rôdait toujours dans les parages...

Non. C'était vraiment une très mauvaise idée.

Elle remonta les draps sous son menton et ses azis se pelotonnèrent contre elle pour lui apporter leur chaleur, privés d'imagination. Elle en fut réconfortée, malgré l'arme glissée sous l'oreiller par Catlin et qui aurait dû la terrifier bien plus que les coups sourds audibles dans la nuit.

Tout cela paraissait irréel. Oncle Denys l'avait défiée de mettre ses menaces à exécution, avec le secret espoir qu'elle ne se sentirait pas à la hauteur et reviendrait auprès de lui.

Non, Base un avait modifié son programme. Elle lui répétait qu'elle avait quatorze ans et lui reprochait de ne pas obtenir de meilleurs résultats à ses tests. Bon sang, elle avait douze ans... douze! Et elle n'était pas décidée à se vieillir de deux ans.

Mais elle se retrouvait dans une situation embarrassante parce que Base un lui inspirait désormais de la méfiance et qu'elle ne savait pas quelle orientation on voulait donner à sa vie en lui accordant cette liberté. De la folie. Mais si elle était libre, rien ne l'obligeait à écouter Base un. Elle pouvait s'abstenir de lire les mises à jour, rester dans l'ignorance des faits et gestes d'Ari senior entre sept et quatorze ans... sept *années,* bon sang, qu'elle était censée franchir d'un bond.

Elle souhaitait rester une enfant. Elle voulait s'occuper de Pouliche, avoir des amis, s'amuser et être Ari Emory : cette Ari qui n'était personne... pas une morte, tout au moins.

Et ils – ces Ils tout-puissants de Reseune, comme oncle Denys, oncle Giraud et l'autre Ari – l'avaient manipulée pour qu'elle vînt vivre dans ce logement immense et glacial, sans maman, sans oncle Denys, sans Nelly ou même Seely, sans qui que ce soit pour la décharger des problèmes domestiques.

Un changement de cap de son existence qu'elle avait considéré tout d'abord comme une délivrance, puis une aventure, avant de conclure – à 3 heures du matin et blottie dans ce grand lit en compagnie de deux jeunes azis – que c'était en fait une épouvantable erreur.

Ne serait-il pas possible de faire revenir Base un en arrière, de la convaincre que je n'ai que douze ans?

À moins que je me sois fourrée dans une situation inextricable, que le décalage s'accentue jusqu'au moment où il sera bien trop important pour moi.

Et si je proteste, Base un bloquera mes accès et annulera ma licence de super... et on me prendra Florian et Catlin...

Non, ce serait impossible. Tout le monde me connaît, d'un bout à l'autre de l'Union, et je n'aurais en outre qu'à dire mayday!...

Ce qui ne me serait d'aucune utilité, si je n'ai plus accès à Sécurité 10. Base un y veillera.

J'ai peur de les perdre. Il ne me restera plus rien. Je cesserai d'être Ari. Je cesserai d'être...

... Ari.

Je dois redoubler de prudence, tenir bon. Je ne peux pas retourner chez oncle Denys. Tout serait détruit, je passerais pour une imbécile... et je sais que je vais commettre une erreur dès le premier jour...

J'aimerais...

J'aimerais savoir quels sentiments m'inspire Ari. Je me demande ce qui lui est arrivé.

Me réservent-ils le même sort que le sien, après avoir reproduit tout le reste ?

Mais Base un est censée me protéger. Si j'ai tort de le croire, rien n'est sûr et je suis en fâcheuse posture.

Je ne dois pas tout gâcher. Il ne faut pas qu'on puisse se rendre compte que j'ai mal dormi. Il est impératif que je m'en tire encore mieux que d'habitude. C'est oncle Denys qui en sera attrapé. Bon sang, dire qu'il m'a mise à la porte après avoir placé des caméras dans ma chambre... et que ces vids sont à présent sous la montagne. Je parie que je pourrai les récupérer. Je suis certaine que c'est possible, depuis sa Base.

Tous ces gens dont les noms figurent sur la liste... ils peuvent entrer des informations fantaisistes dans le système, me mentir.

Tant que je n'aurai pas un statut plus élevé que le leur... que je n'obtiendrai qu'après avoir convaincu Base un que j'en suis digne.

Autrement dit, si je fais tout ce qu'Ari a prévu à mon intention.

Pas ce que désire l'Ari-personne, l'Ari-je, l'Ari-moi. C'est différent. Si ce moi n'est pas une abstraction. Si j'ai jamais existé, je ne suis pas cette Ari. Ou elle n'est pas ce que je suis.

Si j'étais l'autre Ari, quel serait mon âge ? Cent cinquante plus douze : cent soixante-deux ans. Encore plus vieille que Jane. À moins que... non, elle est née... elle est morte à cent quarante-deux ans. Elle était une adolescente quand Ari était un bébé, et comme j'ai douze ans et que Jane est devenue ma maman à cent trente-quatre ans... et si oncle Denys a raison de dire que j'ai commencé d'exister sur le papier le lendemain de la mort d'Ari...

Le travail nécessaire pour la recréer a dû être bien plus important que pour Pouliche. Des montagnes de calculs. Je ne suis pas une azie, et comme je ne proviens pas d'un généset de série le processus est encore plus lent. Disons un an de préparatifs puis neuf, dix mois, et Ari avait cent... vingt et des poussières.

On peut vivre plus longtemps. Je me demande si je mourrai au même âge. De quoi est-elle décédée ?

Les effets de la réjuv durent jusqu'à cent quarante ans, quand on débute la cure assez tôt. Et elle était jolie, même les derniers temps. Elle a commencé très jeune, c'est sûr...

C'est déprimant. Ne pense pas à ces choses. Il est trop angoissant de savoir quand on va mourir.

Connaître ce que réserve le futur est épouvantable. Je ne veux pas consulter les fichiers. Je ne veux rien apprendre.

Mais rester dans l'ignorance serait stupide.

Il était une fois un homme qui pouvait voir l'avenir. Fort de ce qu'il savait, il a voulu changer le cap de son existence. Mais c'était son avenir.

C'était son avenir.

Changer ce qui est écrit... impossible. Si je le tentais, je m'écarterais de ce que Base un a prévu pour moi et je serais rejetée hors du système, auquel je ne pourrais plus jamais accéder.

Je dois me surveiller, faire tout ce qu'ils veulent. Et ensuite, une fois grande, je les Aurai pour de bon.

Zut ! C'est ce que m'a conseillé Ari.

Est-il possible de se soustraire à son emprise ?

Pourrais-je lui échapper et... rester moi-même ?

2

Dès que le concierge l'éveilla, son principal souci fut de ne pas prendre du retard. Après une douche rapide, elle mangea son petit déjeuner sur le pouce : un en-cas préparé par ses azis ; deux œufs pas assez cuits et un bol de cacao grumeleux. Mais c'était de la nourriture et elle l'ingurgita puis partit à ses cours. Florian et Catlin resteraient pour faire du nettoyage, réceptionner la commande passée au service domestique, pointer les articles et les ranger, puis rechercher micros et caméras à l'aide du matériel inclus dans cette livraison. Ils avaient une excellente raison de ne pas participer à leur entraînement, aujourd'hui. Mais Ari n'eut même pas le loisir de s'attarder à côté de l'étang aux poissons, ce matin-là : elle dut faire un détour par la pharmacie et franchit la porte de la classe du Dr Edwards juste dans les temps.

Son professeur fut soulagé de la voir. Il n'eut pas à dire un seul mot pour qu'elle pût le comprendre, et il fut ensuite moins tendu que de coutume. Elle le remarqua et lui adressa une œillade et le plus fripon de ses sourires.

– Je suppose qu'oncle Denys vous a informé de ce qui s'est passé hier soir.

Oh ! Il ne tenait pas à en parler.

– Sans entrer dans les détails. Vous savez qu'il s'inquiète.

– Vous lui préciserez que je suis arrivée à l'heure et que je n'ai rien laissé brûler dans la cuisine.

– Je n'y manquerai pas. Ne préféreriez-vous pas le lui dire vous-même ?

– Non, répondit-elle sur un ton joyeux avant de reporter son attention sur les œufs de grenouille.

Elle fit preuve de beaucoup d'application pendant le cours de conception, assimila deux leçons et y prit du plaisir. Elle se fit ensuite remettre par le Dr Dietrich le manuel d'un Delta affecté au service domestique afin d'avoir une vision globale du produit fini, parce qu'elle aimait apprendre de cette manière : se familiariser avec le résultat obtenu afin que chaque élément eût un sens.

Elle voulait un ensemble Alpha, mais le Dr Dietrich jugeait préférable qu'elle étudiât les cas généraux avant les cas particuliers : un point de vue plein de bon sens.

Il précisa en outre qu'il ne devait pas s'agir d'un azi qu'elle connaissait. Qu'elle n'y était pas prête.

Et elle fut heureuse de s'entendre dire qu'elle n'était pas prête à faire quelque chose. Ça lui donnait l'impression de bénéficier d'un répit. Elle avait appris un mot très intéressant, dans la classe du Dr Dietrich.

Flux. Il définissait de façon assez précise ce qui semblait l'emporter.

Elle suivait des leçons particulières et ne rejoindrait les autres enfants qu'un peu avant midi, pour le cours d'économie avec Amy et Maddy.

Ses amies n'étaient pas au courant, pour son déménagement, et elles crurent tout d'abord à une plaisanterie. Pour leur démontrer la véracité de ses dires, elle glissa sa carte dans le terminal le plus proche et entendit répéter un grand nombre de messages qu'elle ignorait avoir reçus : le service domestique demandait la confirmation d'une commande de batteries d'un modèle peu utilisé... elle savait qui les désirait et tapa oui ; Yanni Schwartz l'informait qu'un bureau avait été mis à sa disposition au I-244, qu'une secrétaire et un commis appelés Elly BE 979 et Winnie GW 88690 s'y installeraient le jour même, et que les salaires de ses employés seraient débités sur son compte en même temps que la facture mensuelle de location de deux terminaux supplémentaires et du temps d'accès au système central ; le Dr Ivanov lui signalait que ses médicaments l'attendaient à la pharmacie.

Amy et Maddy en furent impressionnées.

Elles semblaient se demander si Ari n'avait pas organisé toute cette mise en scène pour les Avoir et elle proposa de leur en fournir la preuve. Elle leur ferait visiter pas plus tard que le lendemain le logement où elle vivait... toute seule.

Et ses amies devinrent bizarres, comme si la nature de leurs rapports s'était brusquement modifiée. Ari ne l'avait pas prévu.

Elle y réfléchit en se dirigeant vers la pharmacie, puis ses pensées se reportèrent sur le paquet qu'on lui remit. De retour chez elle, elle utilisa sa carte et la porte s'ouvrit. Dès qu'elle fut entrée le concierge lui signala la présence de ses azis, qui apparurent au même instant et la suivirent vers la cuisine.

– Au fait, avez-vous réceptionné la livraison du service domestique ? demanda-t-elle.

– Oui, sera, répondit Florian. Nous avons tout rangé et passé les lieux au peigne fin.

Ses batteries lui avaient donc été livrées.

– Il ne manquait rien, intervint Catlin. Nous leur avons dit de mettre les cartons dans la cuisine, sans les trier, puis nous avons examiné chaque chose avant de lui trouver une place. Nous faisons réchauffer le déjeuner.

– Parfait. Rien à signaler, de mon côté. Aucun problème.

Elle emprunta le couloir pour aller poser son sac dans le bureau.

Son bureau, alors qu'elle était par réflexe partie en direction de sa chambre. Mais elle disposait à présent d'une pièce pour chaque activité. Elle y laissa le manuel et retourna vers sa chambre, avec le sac.

Poo-Poo trônait sur le lit, à sa place. Elle le prit et se dit qu'oncle Denys n'était pas pourri au point de le faire truffer de micros. Elle le remit contre les oreillers.

Puis elle s'assit, se déchaussa, et sortit les pilules de son sac. Les pharmaciens avaient fait tant d'histoires avant de lui remettre ces kats qu'elle avait failli arriver en retard à son cours, malgré ce qu'indiquait sa carte et que confirmait le système central.

– Du 75, lut Florian sur le flacon.

Ils avaient fini de déjeuner. Des croque-monsieur, à peine brûlés.

– C'est parfait. C'est parfait pour une dose profonde.

– Voulez-vous jeter un coup d'œil au texte que je dois vous lire ?

Elle avait posé sur ses genoux les feuilles sorties de l'imprimante.

– J'ai dit au concierge : pas d'appels, pas de bruits. Tout est là, mais je préférerais avoir votre avis.

Elle leur tendit le listing, qu'ils lurent tour à tour.

– Ça me paraît raisonnable, dit Catlin. Je n'ai pas la moindre inquiétude.

– Je ne vois aucun problème, approuva Florian. Ça ne prendra pas plus de trente secondes, dès l'instant où nous n'aurons pas de bande à recevoir.

Ari était angoissée. Ce qui l'attendait l'effrayait, bien plus que tout le reste.

Mais elle suivit les instructions à la lettre. Ils prirent leurs pilules, puis elle fit tout ce qui était écrit et les laissa ensuite dormir.

Elle regagna son bureau, ferma la porte et utilisa la console pour s'adresser à Base un, afin qu'il n'y eût aucun bruit dans l'appartement tant qu'ils resteraient plongés dans les profondeurs de leur être.

Elle signala à Base un qu'elle venait d'exécuter ses instructions et vit apparaître sur l'écran :

Cette Base accepte désormais leurs cartes.

Elle lut, très tard, parce qu'elle voulait attendre leur réveil avant de se coucher. Elle consulta les fichiers d'Ari senior, à la référence Geoffrey Carnath, et elle obtint la confirmation des soupçons qui lui étaient venus à l'esprit quand oncle Denys lui avait raconté l'incident à mots couverts. Elle lut tout, jusqu'au départ d'Ari, puis elle resta assise. Ce qu'elle ressentait était bizarre. Elle se disait que c'était mal, mais que nul n'avait perdu la vie. C'était encore plus grave, quand quelqu'un mourait.

Mais elle était en colère. Outrée par ce que le tuteur d'une autre Ari avait osé faire longtemps auparavant ; des choses qui n'étaient pas précisées dans son fichier mais dans les archives des services de sécurité qui étaient intervenus après qu'Ari eut réclamé leur aide et révélé que son oncle abusait de Florian.

C'était le terme qui figurait dans le rapport. Mais Ari savait ce qui s'était passé. Ou presque. Elle ne pouvait se représenter mentalement la scène mais n'avait aucun doute.

Et la première Ari ne s'était pas donné la peine de dissimuler les sentiments que lui inspirait son tuteur.

Je l'aurais tué. Comme j'aurais tué oncle Denys s'il s'en était pris à moi.

Parce qu'on ne joue pas avec la sécurité.

Mais qu'est-ce que ça m'aurait rapporté? Des tas d'ennuis.

Des tas d'ennuis.

Elle avait mal au cœur. Elle se savait prise au piège. Les azis de Geoffrey Carnath avaient eu le dessus sur ceux de l'Ari précédente. Ils devaient s'être battus. Il s'était produit un affrontement violent.

Ce qui expliquait la mise aux arrêts de Florian et Catlin, et l'admission d'Ari dans un service de soins.

Ari, hospitalisation, tapa-t-elle en indiquant la date.

Sédatifs, lut-elle. *Sur ordre de Geoffrey Carnath.*

Florian, sécurité.

Un médecin l'avait examiné. Il était blessé, comme Catlin. Ils avaient reçu des bandes.

Elle demanda leurs références.

Elle s'informa sur cette affaire pendant une heure puis s'intéressa à la réunion du conseil de Famille. Informés de ce qui venait de se produire, ses membres avaient attribué à Ari senior un logement bien à elle, avec une clé et aucune surveillance extérieure, parce qu'elle l'exigeait et menaçait de s'adresser aux médias. Et il eût été difficile de faire invalider la tutelle de Geoffrey Carnath, même si toute la Famille s'était liguée contre lui.

Vrai. Tout le confirmait, partout où elle étendait ses recherches. Il était arrivé de telles choses à la première Ari.

Oncle Denys et oncle Giraud l'avaient privée de sa maman, mais ils ne s'étaient jamais conduits aussi mal que Geoffrey Carnath.

Elle resta longtemps assise devant l'écran, puis elle se renseigna sur le sens de certains mots qui figuraient dans le rapport.

Ensuite, elle demeura comme paralysée. Elle avait des nausées.

Et elle éprouva un soulagement intense lorsqu'elle entendit Florian lui annoncer par l'entremise du concierge qu'il venait de se réveiller et se sentait bien, seulement un peu ensommeillé.

– Je suis là, dit à son tour Catlin.

Si sa voix était pâteuse, elle fut dans le couloir avant Ari.

– Il y a un problème ?

– Aucun, lui répondit Ari. Rien pour l'instant. Retourne te coucher. Tout va bien. Je préparerai le dîner. Je vous appellerai.

Catlin hocha la tête et regagna sa chambre.

Ils firent de nombreuses découvertes, lorsqu'ils procédèrent à l'inventaire de l'appartement : un monceau de vêtements très élégants, mais qu'elle n'aurait pu mettre. Ari senior avait eu... un buste plus plantureux, et été plus grande. Elle en avait froid dans le dos, quand elle se plaçait devant le miroir et s'imaginait quelle serait un jour sa silhouette.

Et il y avait les bijoux. Hors de prix. Un peu moins nombreux que ceux de maman : surtout de l'or et des pierres qui devaient être des rubis, en vrac dans le coffret posé sur le bureau... depuis si longtemps. Mais qui eût commis un vol, dans la Maison ?

Quant au placard à vins, il était si haut qu'Ari ne pouvait toucher les bouteilles rangées au sommet. Les bons crus se bonifiaient en prenant de l'âge, elle le savait, et sans doute étaient-ils devenus excellents. Quant au whisky et aux autres alcools du bar, ils n'avaient pas dû pâtir de ces années d'attente, eux non plus.

La vidéothèque était impressionnante. Elle contenait de nombreuses bandes sur la Terre et sur Pell. Beaucoup traitaient de sujets techniques. Les autres étaient ludiques et un grand nombre de ces dernières... eh bien, elles portaient l'autocollant « 20 et + » et leurs titres suffisaient à la faire rougir.

Du sexe. Un tas.

C'était comparable à fouiller dans les tiroirs de la chambre d'Ari senior, un viol de son intimité. Si elle avait été une adulte décédée, elle n'eût pas aimé qu'une morveuse de douze ans vînt fureter dans ses affaires

154

pour découvrir qu'elle avait des choses pareilles dans sa vidéothèque. Mais c'était fascinant, et effrayant. Selon la première Ari, il ne fallait pas craindre les pensées de ce genre mais son jeune âge, et le risque de se conduire avec stupidité.

Il en découlait qu'elle n'aurait aucune raison de se gêner dès qu'elle serait un peu plus vieille.

Elle se rappela les sensations ressenties pendant qu'elle visionnait la bandéduc traitant de ce sujet et se hâta de refermer la porte du placard, avant de s'interroger sur le contenu de ces cassettes. Procuraient-elles une excitation aussi intense? Ces bandes étaient ludiques, rien de comparable. Se les passer ne pouvait tirer à conséquence.

Et si elles lui appartenaient, au même titre que tout le reste, elle pourrait en disposer à son gré... une fois installée, bien sûr, lorsqu'elle se saurait en sécurité.

Les choses auraient été différentes si elle avait envisagé d'avoir des rapports sexuels avec des gens. C'était cela qui était dangereux.

Les enfants possédaient une curiosité insatiable. En outre, nul ne pourrait savoir si elle les utilisait. Il n'y avait ici que Catlin et Florian, qui ne furèteraient pas dans ses affaires. Elle avait désormais la possibilité de faire des choses en privé, vraiment en privé, et oncle Denys ne l'apprendrait jamais.

Lorsqu'ils seraient installés. On ne se passait pas des bandes ludiques aussi souvent qu'on le souhaitait, pas plus qu'on ne se gavait de gâteaux parce qu'on les aimait. Il fallait terminer son travail au préalable.

Même si elle pensait que ce serait passionnant et se demandait si cela lui ferait ressentir les mêmes choses que la bandéducative.

Ce placard resterait fermé, pour l'instant.

– C'est bon, on y va, dit-elle.

Amy et Maddy passèrent devant les gardes et prirent l'ascenseur avec elle.

Elle utilisa sa carte pour ouvrir la porte et les fit entrer. Le concierge annonça que Florian et Catlin étaient absents. L'emménagement leur avait fait prendre du retard sur leur programme d'entraînement et ils devaient se mettre à jour.

Ses amies regardaient de tous côtés, visiblement impressionnées.

Ari se disait qu'elle n'aurait dû laisser personne découvrir la totalité des lieux où elle vivait, connaître leur disposition. Elle savait que Catlin s'en serait inquiétée. Mais elle leur fit visiter la partie centrale, qui comprenait la vaste pièce principale, la cuisine et l'alcôve où ils prenaient leur petit déjeuner, avec le jardin clos par des parois de verre où rien ne poussait encore... puis elle regagna l'entrée monumentale et s'engagea dans l'autre aile, avec le salon en contrebas, le bar, son bureau, sa chambre et celles où avaient dormi (et dormaient à nouveau) Florian et Catlin.

Au début de la visite, Amy et Maddy avaient laissé échapper des oh! admiratifs à tout bout de champ; lorsqu'elle avait précisé qu'on trouvait encore des pièces au-delà de la cuisine et en découvrant le jardin-serre intérieur, par exemple. Mais quand elles atteignirent un autre séjour et apprirent qu'il y avait bien d'autres pièces plus loin, elles se contentèrent de regarder autour d'elles avec un air bizarre.

Ari en fut ennuyée. Elle analysait presque toujours les réactions de son entourage sans trop de difficultés, mais cette fois elle ignorait quelles étaient leurs pensées, hormis peut-être qu'elles avaient peur de cet appartement, d'elle, ou d'oncle Denys.

– Nous ne serons plus obligées d'aller dans les tunnels, leur expliqua-t-elle. Nous nous réunirons ici et ils ne pourront pas savoir ce qu'on fait, car Florian et Catlin ont passé les lieux au peigne fin et ils ne peuvent ni nous voir ni nous entendre. Pas même oncle Denys.

– Ils sauront qui nous sommes, rétorqua Amy. Je veux dire qu'ils me connaissent, avec Maddy et peut-être Sam. Mais ils ignorent qui sont les autres.

C'était donc cela. Elle s'était demandé ce qu'elle devait leur dire, surtout à Maddy. Un souci. Mais il exis-

156

tait certaines choses qu'elles devaient savoir pour ne pas sauter sur des conclusions erronées.

– C'est bon, dit-elle.

Puis elle prit une inspiration profonde et décida de révéler un secret important.

– J'ai pris certaines dispositions pour être immédiatement informée de toute action que la sécurité pourrait entreprendre contre vous ou vos familles.

– Comment? voulut savoir Maddy.

– J'ai accès au système central. Je dispose d'une Base prioritaire et d'autorisations qu'un enfant n'est pas censé avoir. Ces privilèges m'ont été légués avec le reste. Un tas d'avantages. Vous n'avez pas à vous inquiéter. Je vous protège. Si quoi que ce soit vous concernant est entré dans le système, je le saurai tout de suite.

– N'importe quelle information?

– Rien de personnel, mais tout ce qui intéresse la sécurité. Et je vais vous révéler un autre secret.

Elle inspira à nouveau, glissa ses pouces sous sa ceinture et réfléchit aux termes qu'elle devait employer et à l'importance de ses révélations. Mais Amy et Maddy étaient les membres les plus haut placés de sa bande.

– Si vous répétez ceci, je vous écorcherai vives. Mais sachez que vous n'avez plus rien à craindre. Tous mes autres amis non plus. J'ai découvert les raisons des Disparitions et il n'y en aura plus. Sauf si je le décidais, s'il y avait quelqu'un que je ne voulais plus jamais voir. Ce qui n'est pas votre cas, tant que vous serez mes amies.

– Pourquoi? s'enquit Amy.

– Parce que...

Parce que ce qui doit m'arriver est déjà écrit. Parce que ma vie sera calquée sur celle d'Ari senior. Non, il ne faut pas le leur révéler.

– Parce que je devais ignorer certaines choses et que mes oncles craignaient que les Disparus ne puissent m'en parler.

Elles restèrent silencieuses un très long moment, puis Amy déclara en pesant ses mots :

– Même ta maman?

Ari haussa les épaules.

– Maman, Valery, Julia Strassen.

Elle souhaitait changer de sujet.

– Je sais pourquoi ils ont fait cela, c'est tout.

Maman a accepté de partir, mais je ne peux pas le leur dire. Elles croiraient qu'elle ne m'aimait pas. Et c'est faux.

– Ce n'est pas tout ce que j'ai appris. Ils devront rester sur leurs gardes, car ils ne peuvent rien faire contre moi. Ils ont compris que je ne le leur pardonnerai rien et que je vengerai mes amis, s'ils s'en prennent à eux. Ils n'oseront pas aller trop loin, maintenant.

– De qui parles-tu ? voulut savoir Amy.

– De mes oncles, du Dr Ivanov. Ils sont nombreux. Parce que je suis la DP d'Ariane Emory. Elle vivait dans cet appartement. Il m'appartient parce que je suis sa réplique. J'ai hérité de tout ce qu'elle possédait. Elle avait aussi un Florian et une Catlin, et comme ils sont morts on les a dupliqués à mon intention.

Cela leur donna à réfléchir. Elles savaient qu'Ari était une réplique, et bien d'autres choses... l'histoire de Florian et Catlin, par exemple. Mais elles n'avaient pu assembler correctement les éléments du puzzle.

– Savez-vous pourquoi ils n'osent pas me mécontenter ? ajouta-t-elle pendant qu'elle les Tenait. Reseune a besoin de moi, parce que j'ai des droits sur des documents auxquels ils tiennent beaucoup et que les Ennemis de la première Ari ne peuvent rien tenter contre une mineure. Mes oncles auront un tas d'ennuis, s'ils ne font pas ce que veux. Je n'ai pas oublié, pour maman. Je me rappelle tout ce qu'ils ont fait. Ils n'embêteront pas mes amis. C'est évident.

Elles la regardaient sans rien dire, et comprenaient. Maddy manquait de bon sens mais pouvait malgré tout parvenir à la conclusion qui s'imposait. Quant à Amy, elle était la plus intelligente de toutes ses amies. Depuis toujours.

– Tu es sérieuse ? fit-elle.

– Bien sûr.

Amy grogna et s'assit sur le grand divan, mains jointes entre les genoux. Maddy l'imita.

– Ce n'est pas un jeu, commenta Amy en levant les yeux sur elle. On ne fait plus semblant, pas vrai ?

– Tout est très sérieux.

– Je ne sais pas. Je ne sais pas. Seigneur, Ari, on pourrait remiser des camions, ici... Il n'y a absolument personne, la nuit. Tu n'as pas peur ?

– Pourquoi ? Je commande ce dont j'ai besoin au service domestique, comme chez oncle Denys. La sécurité assure une protection constante. Nous faisons la cuisine, le ménage, toutes ces choses. Nous nous débrouillons seuls. Et s'il y avait le moindre danger, le concierge nous réveillerait aussitôt.

– Hm, je parie que des gens pourraient entrer pendant la nuit, dit Maddy.

– Personne. Le gardien n'est pas facile à tromper, et même les livreurs doivent rester à la porte quand nous ne sommes pas là pour les surveiller. Ce sont les règles de sécurité, ici. Parce que mes Ennemis sont bien réels. Tout individu qui pénétrerait ici sans que je le sache mourrait, et pour de bon.

Elle s'assit, dans l'autre partie du canapé d'angle.

– Tout ceci est à moi. Et il n'y a pas de micros. Florian et Catlin ont tout passé au crible. Nous pourrons nous réunir ici aussi souvent que nous le voudrons, sans avoir à surveiller nos paroles, et nous ferons des tas de choses amusantes. Les adultes ne risquent pas de nous surprendre.

– Nos mères l'apprendront. La sécurité le leur dira, fit remarquer Amy.

– Aucun danger.

– Elles n'apprécieront pas.

– Croyez-vous qu'elles aimeraient savoir... pour les tunnels ? Vous n'aviez pourtant pas peur.

– C'est différent. Elles sauront que nous venons te voir et craindront d'avoir des ennuis. Ma maman s'inquiète déjà. Elle pense que je passe trop de temps avec toi. Elle a si peur qu'elle ne voulait même pas que je me lance dans l'élevage des guppys, si tu ne l'as pas oublié.

– Elle a fini par donner son accord.

– Mais elle vit dans l'angoisse. Je crois qu'ils l'ont menacée.

– Elle te laissera faire. Elle ne dira rien.

– Ce que tu proposes est… différent, Ari. Elle va se convaincre que tu finiras par t'attirer des ennuis, ici, sans la surveillance d'un seul adulte. Et que nous en aurons encore plus que toi. Ils nous accuseront de t'avoir influencée et nous expédieront à Lointaine. Bang! Sans autre forme de procès.

Elle commençait à avoir une idée plus précise des craintes de ses amies, même si les détails lui échappaient.

– Nous n'aurons pas de problèmes. La situation aurait été plus délicate s'ils nous avaient surpris dans les tunnels, crois-moi. Je serai avertie, si la sécurité découvre quelque chose. Florian et Catlin en font partie. Ils peuvent apprendre ce qui n'est pas consigné dans le système.

– Ils sont encore des gosses, comme nous, fit remarquer Maddy.

– Ils appartiennent à la sécurité de la Maison depuis l'accident où les autres azis ont été tués. Ils suivent leur entraînement ici, et c'est écrit sur leurs cartes. Quand ils sont au centre, ils peuvent aller et venir à leur guise, ce qui leur permet de savoir un tas de choses.

Comme l'existence des vids prises dans ma chambre, chez oncle Denys. Une autre révélation qu'elle passerait sous silence.

– Nos mères ignoraient tout, pour les tunnels. Mais si nous nous réunissons chez toi elles en seront aussitôt informées, insista Amy.

– Pas si vous ne dites rien. La sécurité ne leur fera pas un rapport tout de suite. Ne sois pas stupide, Amy.

Elles ne paraissaient toujours pas convaincues.

– Êtes-vous mes amies, oui ou non?

– Évidemment.

Le silence revint. Un profond silence.

Et elle eut l'étrange impression qu'un changement venait de se produire. Comme si elle avait vieilli plus rapidement qu'Amy et les autres. En avance sur son âge, se

160

dit-elle en pensant à Florian qui avait suivi le parcours en bien moins de temps que prévu... trop vite pour ses adversaires.

Des azis qui n'avaient disposé que d'une fraction de seconde pour comprendre que ce n'était plus une simulation et qu'ils allaient mourir pour de bon.

Je dois les ménager, si je ne veux pas qu'elles cèdent à la panique. Il faut les rassurer.

Elle changea de sujet de conversation, leur offrit des boissons, leur montra le bar et la machine à glaçons.

Et tout ce qu'il y avait dans le placard à vins.

– Seigneur ! s'exclama Maddy. On devrait organiser une fête à tout casser.

– Certainement pas, rétorqua Ari sur un ton catégorique.

Car ces alcools étaient coûteux et Maddy ne pourrait pas régler sa quote-part sur son allocation mensuelle. En outre, Ari l'imaginait déjà en train de vociférer et de faire des pitreries à proximité de Base un. Sans parler des autres, comme les garçons qui lui tournaient autour.

Maddy fut déçue.

Mais Amy l'approuva et fit remarquer que leurs mamans sentiraient l'odeur de l'alcool et qu'elles auraient alors de sérieux ennuis. Et qu'Ari en aurait elle aussi, pour les avoir soûlées.

C'était toute la différence entre Maddy et Amy.

Ce soir-là oncle Denys adressa un message à Base un : *Comme tu devais t'en douter, je me suis tenu informé, Ari. Tu t'en es très bien tirée. Je n'en doutais d'ailleurs pas.*

Message à Denys Nye, répondit-elle. *Je savais que tu surveillerais mes faits et gestes. Je ne suis pas idiote. Merci de m'avoir envoyé mes affaires. Merci pour ton aide. Je finirai sans doute par te pardonner... la semaine prochaine, ou plus tard. Mais cette histoire de vids, c'est un truc dégueulasse.*

De quoi le Travailler un peu. Elle estimait que c'était son tour de se ronger les sangs.

Le testeur s'appelait Will, un Gamma qui travaillait en tant que chef magasinier lorsqu'il n'avait aucun programme à essayer et qui assimilait à une chose banale des processus internes dont la plupart des autres azis de son type n'avaient même pas conscience.

Flegmatique, s'il avait été un CIT : posé, expérimenté. Et obstiné.

Passez me voir, disait le message de Yanni. Et Justin avait réuni tout son courage, quitté son bureau avec ses notes et son scripteur, et écouté Will GW 79 leur répéter ce qu'il avait déjà dit au super de la section de test.

C'étaient d'excellentes nouvelles. D'excellentes nouvelles, quel que fût l'angle sous lequel il les analysait.

De retour auprès de Grant, Justin lui résuma cette entrevue.

— Will déclare qu'il l'a très bien supporté. Si Yanni m'a fait venir... c'est parce que cet azi a demandé à son super de garder mon programme. Il l'adore. L'examen médical ne révèle rien d'anormal. Pas de réactions exacerbées. Il est aussi détendu que s'il était en congé. Il souhaite conserver cet ajout et les membres du comité vont étudier sa demande.

Grant se leva et l'étreignit, avant de le repousser à longueur de bras et de déclarer :

— Je te l'avais dit.

— Rien ne prouve qu'ils donneront leur accord.

Il prenait soin d'entretenir le doute, de ne pas se laisser convaincre qu'il avait réussi. Discipline = équilibre. Rien n'était plus pénible que de voir s'effondrer ses espérances. Et il savait qu'il se produisait toujours des catastrophes, des imprévus, sans parler des caprices de l'administration. Ses mains se mettaient à trembler chaque fois qu'il se permettait d'entretenir de l'espoir. C'était dangereux.

– Merde... à présent, ça me terrifie.

– Je te l'ai dit. Ton programme ne m'inspire aucune crainte. Tu peux me faire confiance, CIT. Qu'en dit Yanni ?

– Il préférerait que le testeur soit un peu moins enthousiaste. Les drogués trouvent leur accoutumance agréable... au début.

– Oh, le salaud !

Grant leva les bras au ciel et se mit à tourner en rond dans l'espace d'un mètre dégagé au centre du bureau encombré.

– Quelle mouche le pique ?

– Yanni est Yanni. Et je ne peux lui donner tort. C'est une possibilité qu'il devait...

Son ami se tourna vers lui et fit reposer ses mains sur le dossier de son siège.

– Je suis sérieux, moi aussi. Je me sens frustré. Ils n'apprendront rien de plus. La sociologie a procédé à ses simulations et il faut à présent s'en remettre aux testeurs.

– Je partage ce point de vue, mais rien ne prouve que Yanni nous mettra des bâtons dans les roues. L'important, c'est que l'essai ait été concluant.

Grant le dévisagea, et la nervosité marquait ses traits. Mais il prit une inspiration profonde et ravala sa tension. Son expression traduisit une succession d'émotions que seul un acteur ou un azi auraient pu reproduire.

– Oui, c'est exact. Ils finiront par donner leur accord. Ils devront faire preuve de bon sens, tôt ou tard.

– Pas nécessairement. Ils l'ont démontré. J'ai malgré tout l'espoir...

– Foi en mes créateurs. Bon sang, il faut fêter ça.

Avec de la gaieté, et un large sourire.

– Je ne peux pas dire que ça me surprenne. Je le savais. Je te l'avais dit. Pas vrai ?

– Exact.

– Alors, sois joyeux. Tu l'as bien mérité.

Rien ne l'empêchait d'essayer. Un monceau de travail l'attendait et ce bureau n'était pas le cadre idéal pour de telles discussions. Mais, lorsqu'ils traversèrent la cour intérieure d'où ils pouvaient voir les signaux de tempête et des bancs de nuages menaçants au-delà des falaises et des bâtiments de la deuxième section :

– Tu étais sur le point d'apporter une précision au sujet de Yanni, cet après-midi, rappela Justin.

Il avait choisi de passer par l'extérieur malgré les risques d'orage. Il recherchait l'isolement.

– Je ne vois pas de quoi tu veux parler.

– Mon œil ! Tu as eu un accrochage avec lui ?

– C'est un conservateur bon teint, voilà tout. Il sait pourtant que le comité donnera son accord. Mais il ne peut s'empêcher de chercher les éléments négatifs.

– Ne me cache rien. Tu étais sur le point de me dire quelque chose. Les secrets ont tendance à me taper sur les nerfs.

– J'ignore de quoi tu parles. Je ne te dissimule rien.

– Allons ! Pourquoi as-tu brusquement changé d'attitude ? Que veux-tu me cacher ?

Quelques pas sans rien dire, puis :

– J'essaie de m'en souvenir.

Un mensonge.

– Tu m'as parlé de frustration.

– Oh, ça ? (Un rire, très bref.) Qu'ils soient incapables de voir plus loin que le bout de leur nez m'exaspère, c'est exact.

– Tu recommences. D'accord. Je continuerai de me faire du mauvais sang. Sans importance. Laisse tomber. Je ne suis pas indiscret.

– Va au diable.

– Je suis déjà en enfer. Qu'est-ce qui t'arrive ? Daigneras-tu me le dire ?

D'autres pas, en silence.

– Est-ce un ordre ?

– Où vas-tu chercher ça ? Je t'ai posé une simple question. Je ne peux plus te parler, à présent ?

Justin s'arrêta à l'intersection de cette allée et de celle du secteur deux. La soirée était fraîche et la foudre zébrait le lointain.

– Ça se rapporte à Yanni, ou à mes propos ?

– Je suis heureux que le test ait été concluant, sacrément content. Je ne me tracasse ni pour moi, ni pour toi, ni pour Will.

– L'accoutumance ?

– Nous en discuterons plus tard.

– Où ? À la maison ? N'est-ce pas dangereux ?

Grant libéra un soupir puis se tourna vers la section deux et le point d'origine des grondements et des éclairs. L'orage approchait. Seuls des imbéciles pouvaient s'attarder à l'extérieur, sur le passage des vents qui se déchaîneraient... sous peu.

– Je me sens frustré parce qu'ils refusent de croire Will, déclara-t-il enfin. Parce qu'ils se jugent plus qualifiés que lui pour en décider, à cause de leur statut de CIT.

– La prudence s'impose. Ne serait-ce que pour Will et les autres programmes qu'il teste...

– Les CIT sont un mal nécessaire, commenta Grant d'une voix posée pendant que le tonnerre grondait dans le lointain. Que ferions-nous sans eux, nous les azis ? Nous nous en passerions, voilà tout.

Il lui arrivait de lancer des reparties humoristiques, mais Justin percevait qu'il n'en avait pas eu l'intention.

– Tu es donc persuadé qu'ils ne tiendront pas compte de son avis ?

– J'ignore ce qu'ils décideront. Veux-tu savoir ce qui irrite le plus un azi, ô mon superviseur ? C'est de connaître ce qui est juste et bon et d'avoir la certitude que les CIT n'en feront qu'à leur tête.

– Ce n'est pas un problème exclusif aux azis.

– Il existe une différence. Il y a écouter et écouter. Ils me prêteront toujours une oreille attentive, mais ce que je dirai ressortira par l'autre. Ils n'accorderont pas à mes paroles le même poids qu'aux tiennes. Ce sera pareil, pour Will.

– Ils se préoccupent de sa sécurité. Leur façon de l'écouter n'entre pas en ligne de compte.

– Oh, si ! Ils ne se contenteront pas de son avis...

– Parce qu'il est partie prenante dans cette affaire.

– Parce qu'un azi l'est toujours et qu'il se trouve exclu du cercle de ceux qui prennent les décisions. Yanni est également un des principaux intéressés, et il est en outre bourré de préjugés et d'opinions préconçues propres aux CIT... Cela crée-t-il pour lui une obligation de réserve ? Non. C'est ce qui fait de lui un expert.

– Continue.

– Enfer ! tu ne me permettras jamais de tester ta routine.

– Pour ton bien.

Une maladresse.

– Désolé, mais je tiens à toi. Je ne te parle pas comme un CIT qui use des privilèges de son rang, mais comme un ami qui a besoin de ta stabilité. C'est mieux ?

– C'est sournois, en tout cas.

Il prit Grant par l'épaule.

– Attaque-moi dans un autre domaine, d'accord ? Ne te sers pas des travaux qui me permettent de tester ma propre santé mentale pour me dire que tu t'inquiètes des doutes qu'ils m'inspirent. Pour toi, je ferais n'importe quoi, je te laisserais...

– C'est bien le problème.

– Quoi ?

– N'insiste pas.

– *Amis*, Grant. Merde, tu es en pleine pensée-flux, pas vrai ?

– Ce qui devrait me qualifier pour un poste de responsabilité, ne crois-tu pas ? Dès que les azis auront démontré qu'ils sont aussi cinglés que les CIT, ils pourront à leur tour se permettre de ne pas tenir compte de l'avis des testeurs.

– Que t'arrive-t-il ? Que s'est-il passé ? Serais-tu révolté par ton statut ?

L'azi scruta les ténèbres, un long moment.

– Je me sens frustré, voilà tout. Ils... ils ne m'ont pas autorisé à aller à Planys.

– Oh, merde !

– Je ne suis pas son fils. Pas...

Grant prit des inspirations, avec lenteur.

– Pas qualifié comme toi. Bon sang, j'avais pourtant bien décidé de ne pas t'en parler. Pas ce soir.

– Seigneur !

Justin le prit par les épaules. Son ami devait lutter pour rester calme.

– Je suis tenté de te demander une bande, mais je préférerais mourir. Mourir. Ils se livrent toujours à leurs manœuvres politiques. Ils... ils ne peuvent pas se le permettre, voilà tout. Je devrai attendre, comme tu l'as fait. Mais ton projet est une réussite, bordel ! Allons fêter ça. Je veux me soûler. Une fois ivre, ça ira mieux. C'est le bon côté du flux, non ? Tout est relatif. Tu as tant travaillé, nous avons tous les deux tant travaillé. Je ne suis pas surpris par le résultat. Je savais que ça marcherait. Mais je suis heureux que tu aies pu le leur prouver.

– J'irai voir Denys. Il m'a dit...

Grant le repoussa, avec douceur.

– Il a dit peut-être. Un jour. Quand les esprits se seront apaisés. Ce qui n'est pas encore le cas.

– Maudite gosse !

Les ongles de Grant pénétrèrent dans la chair de ses bras.

– Ne dis jamais cela. Ne... t'avise même pas de le penser.

– Disons qu'elle choisit mal son moment. Bien mal. C'est ce qui les rend si nerveux...

– Eh ? Qu'est-ce que tu racontes ? Elle n'a rien décidé du tout.

Le tonnerre gronda. Des éclairs illuminèrent l'ouest, au-dessus des falaises. L'alarme périmétrique se déclencha : un gémissement plaintif dans la nuit. Elle signalait l'arrivée d'un vent assez puissant pour franchir toutes les protections.

Ils se prirent par le bras et se mirent à courir vers les feux jaunes clignotants qui signalaient l'entrée de l'abri.

– Un dessert ? demanda oncle Denys.

Ils déjeunaient au *Relais,* où Ari avait accepté de le rencontrer. Elle secoua la tête.

– Mais tu peux en commander un, si tu le désires.

– Je m'en passerai. Le café me suffit.

Il toussa et fit fondre un petit sucre dans la tasse.

– Je me surveille. Je prends du poids. Tu me donnais le bon exemple.

Cinquième et sixième essais pour gagner sa sympathie. Ari le fixait sans ciller.

Il sortit un papier de sa poche et le posa sur la table.

– C'est pour toi. La demande a été acceptée. Il était préférable que tu restes ici... cette année.

– Je suis une Spéciale ?

– Naturellement. Aurais-je dit le contraire ? C'est entre autres pour cela que je voulais te parler. Ce n'est qu'un fax. Il y a eu... des débats interminables. Tu dois le savoir. Catherine Lao est ton amie, mais elle ne peut museler la presse lorsqu'il est question d'octroyer un tel statut. L'argument décisif a été ton potentiel. Le fait que tu puisses avoir besoin d'une protection de ce genre avant ta majorité. Nous avons dû accorder de nombreuses faveurs en échange, cela va de soi. Nous n'avions pas le choix... et nous l'avons fait bien volontiers.

Et de sept.

Elle se pencha pour prendre le fax et le déplier. «Ariane Emory», lut-elle au sommet d'innombrables lignes minuscules qui s'achevaient sur les signatures de tous les membres du Conseil.

– Merci. Mais j'aurais aimé suivre les débats aux informations.

– Pas... possible.

– Tu mentais en disant que tu avais la vid en horreur.

Tu voulais m'empêcher de me tenir au courant de l'actualité. Et rien n'a changé.

– Tu as déposé une demande de raccord au réseau. Je l'ai appris. Ce branchement te sera refusé, et tu en connais la raison.

Il referma ses grosses mains sur la petite tasse.

– Pour ton bien. Pour ta tranquillité d'esprit. Il y a des choses que tu regretterais d'apprendre. Reste une enfant, malgré les circonstances.

Elle prit la feuille et la plia avec soin avant de la glisser dans son sac en pensant, avec l'intonation de maman : *Mais oui, oncle Denys.*

– Je voulais te remettre ceci. Je ne te retarderai pas. Merci d'avoir accepté de déjeuner avec moi.

– Et de huit.

– Huit quoi ?

– C'est le nombre de fois où tu as essayé de te rendre sympathique. Je te l'ai déjà dit. Tu m'as joué un sale tour.

Des brusques revirements d'attitude. Il fallait utiliser cette technique au moment opportun, pour Travailler quelqu'un.

– Les vids. Je sais. Je suis désolé. Que pourrais-je ajouter ? Que j'ai dû agir contre mon gré ? Ce serait un mensonge. Mais je suis heureux de constater que tu t'en tires. Je suis très fier de toi.

Elle lui adressa un sourire tors, qu'elle métamorphosa en moue boudeuse.

– Évidemment.

– Est-ce bien ce que tu penses au plus profond de ton être ?

Accompagné d'un rictus d'amusement.

– Tu sais à qui il convient d'attribuer tout ceci.

Elle se répéta sa réplique. Une des meilleures, avec un impact indéniable.

Merde. Peu de gens auraient été capables de l'Avoir comme ça.

– Je me demande si tu peux imaginer ce que ressent quelqu'un qui a connu l'autre Ari. Mes premiers souvenirs d'elle sont ceux d'une jeune femme très belle, d'une beauté à couper le souffle. Le fait de la voir réapparaître dans mon existence peu avant qu'elle ne s'achève... pendant ma vieillesse... c'est incroyable.

Il tentait de la Travailler.

– Je suis heureuse que ça te fasse plaisir.

– Et moi, je suis heureux que tu aies accepté mon invitation.

Il but une gorgée de café.

– Tu veux faire quelque chose pour que je sois pleinement satisfaite ?

– Quoi ?

– Dis à Ivanov de ne plus me convoquer pour ses foutus examens.

– Non. C'est impossible. Je peux te dire où tu en découvriras la raison. Dans les fichiers. Quand la première Ari avait quinze ans.

– Tu es très drôle, oncle Denys.

– Je n'en avais pas l'intention. C'est la stricte vérité. Ne brûle pas les étapes, Ari. Mais je vais faire quelque chose pour toi. Tu n'iras plus en cours.

– *Que veux-tu dire ? Qu'est-ce que ça signifie ?*

– Chut, Ari. Ta voix. Ta voix. Tu oublies que nous sommes dans un lieu public. C'est pour toi une perte de temps. Tu continueras à t'adresser au Dr Edwards, ou au Dr Dietrich, mais seulement quand tu en auras besoin. Ils t'accorderont autant d'entrevues que tu le désires, et tu auras accès à plus de bandes que tu ne pourras en passer. Il te faudra sélectionner les meilleures. Tu y découvriras qui tu es... bien mieux que dans les fichiers biographiques. À condition de faire le bon choix. À présent... tu es une Spéciale. Ce statut t'accorde des privilèges et s'accompagne de nouvelles responsabilités. Il en va toujours ainsi.

Il but deux gorgées de café et posa la tasse.

– Je ferai débiter tes frais d'accès à la bibliothèque sur mon compte. Il demeure plus important que le tien. Tu pourras voir tes amis aussi souvent que tu le voudras et les inviter par le système central. Ils recevront le message.

Oncle Denys se leva et s'éloigna. Elle resta assise, pour réfléchir et se remettre du choc.

Il lui serait toujours possible de suivre des cours. Elle n'aurait pour cela qu'à prendre rendez-vous avec ses professeurs.

Nouvelles analyses. Elle foudroya du regard le tech qui prélevait son sang. Le Dr Ivanov ne daignait même pas l'honorer de sa présence.

– Il faudra aller chercher les produits à la pharmacie, dit l'homme. Nous avons appris que vous alliez étudier à domicile. Soyez prudente. Respectez le mode d'emploi.

Le tech était un azi et elle ne pouvait s'emporter contre lui. Elle se sentit rougir, se leva, et fit un détour par la pharmacie de l'hôpital où on lui remit ces maudites boîtes.

Des kats. Au moins lui seraient-ils utiles.

Elle rentra très tôt chez elle : pas d'entretien avec le Dr Ivanov, pas d'attente. Elle jeta le sac dans la poubelle pour matières plastiques, jeta un coup d'œil au ticket, et découvrit que trente creds avaient été débités sur son compte. Pour ces pilules, et celles de Florian et Catlin.

– Bon sang ! Concierge, j'ai un message pour Denys Nye : « La pharmacie est sur ton budget. C'est à toi de régler la facture. Je n'ai rien commandé. »

Elle était furieuse.

L'injection, sans doute. Elles avaient toujours un tel effet sur elle. Ari inspira à pleins poumons une demi-douzaine de fois puis gagna le vidsalon et rangea les flacons de kats dans le placard, sous le lecteur.

Merde ! Ce n'était pas le moment de ses règles, mais elle ressentait la même chose. Elle était...

Surexcitée. Elle regrettait presque de ne pas avoir de devoirs à faire. Elle envisagea de descendre voir Pouliche. Elle consacrait trop de temps à ses études et pas assez au cheval, et c'était Florian qui devait s'en occuper. Mais elle n'avait pas envie d'aller à l'AG. Elle ne souhaitait voir personne, quand elle était irritée à ce point. Il lui serait déjà bien assez difficile de garder son calme avec ses azis, lorsqu'ils rentreraient, sans devoir en plus s'entretenir avec Andy qui ne méritait pas d'être importuné par une morveuse CIT à l'humeur exécrable.

Ce qui lui arrivait se rapportait à ses cycles menstruels. Ce maudit Dr Ivanov intervenait à nouveau, et elle jugeait cela embarrassant. Les adultes qu'elle rencontrerait devineraient certainement de quoi il retournait, ce qui serait encore plus gênant.

Les ordres devaient avoir été donnés par Denys. Elle l'eût parié. Elle cherchait un moyen de les contraindre à la laisser tranquille, mais si elle cessait de se présenter aux examens médicaux Ivanov ferait résilier sa licence de super...

Bon sang, il n'existait pourtant aucun rapport entre ces injections et le fait de s'occuper d'azis... et l'unique solution consistait à agir comme la première Ari : réclamer l'aide de la sécurité et obtenir la réunion d'un conseil de Famille.

Et se retrouver en face de tous ces adultes pour aborder des sujets aussi embarrassants ? Plutôt mourir.

Ari senior lui avait bien recommandé de ne pas s'opposer à l'administration.

Mais c'était autant à cette femme qu'à Denys qu'elle devait de se trouver dans cette situation.

Merde.

Merde, merde, merde.

Elle ouvrit la vidéothèque pour y chercher de quoi occuper son esprit et oublier sa colère. Une bande ludique. Dumas, peut-être ? Elle voulait la revoir. Elle savait que ce serait parfait.

Mais elle avait eu une arrière-pensée. Les bandes réservées aux adultes lui rappelaient celles d'éducation sexuelle reçues longtemps auparavant. Et c'était le genre de spectacle qu'elle se sentait d'humeur à regarder.

Elle en choisit une dont le titre ne la faisait pas rougir comme les autres : « Modèles » et l'emporta dans le vidsalon. Après avoir vérifié la durée de la bande, elle chargea le concierge d'informer Florian et Catlin – à leur retour – qu'elle sortirait de cette pièce un quart d'heure plus tard.

Puis elle verrouilla la porte, prit la dose de tranks prescrite pour les bandes ludiques, s'installa confortablement et mit l'appareil en marche.

Pour se dire presque aussitôt qu'elle aurait dû l'arrêter. C'était très différent de ce qu'elle avait supposé.

Mais les sensations s'avéraient intéressantes

Très.

Florian et Catlin étaient rentrés, quand la bande prit fin. Ari savait qu'elle aurait dû se reposer, mais une dose aussi légère ne pouvait être dangereuse. Elle avait l'impression d'avoir avalé des cachets de sédatifs : elle se sentait bizarre et avait chaud. Elle demanda au concierge si ses azis étaient seuls – une question stupide – puis déverrouilla la porte et sortit.

Ils préparaient le dîner, dans la cuisine. Du réchauffé, une fois de plus.

– Bonsoir, sera, lui dit Florian. Tout s'est bien passé, aujourd'hui ?

Le déjeuner avec Denys, se rappela-t-elle. Et elle sut qu'elle aurait été en colère, sans les tranks. C'était étrange... qu'une chose pût paraître très importante puis insignifiante, dans la même journée.

– Je n'irai plus à mes cours, leur apprit-elle. Mon oncle juge superflu que je me rende en classe, sauf quand j'ai besoin d'éclaircissements sur un point particulier. Il veut que je me passe des bandes.

Mais j'ignore par lesquelles commencer. C'est stupide. Comme si j'avais tout mon temps.

– Ça va, sera ? demanda Catlin, inquiète.

– Oui, ça va.

Elle s'écarta du chambranle et alla poser les serviettes près des assiettes. Le minuteur du four se déclencha, les voyants verts se mirent à clignoter.

– Je pense pouvoir y arriver. Il est même possible que ce soit une bonne décision. J'ai beaucoup de travail. Ce serait différent s'il avait interrompu mes études.

Elle se retint au dossier d'une chaise. Le minuteur se rappelait toujours à leur attention.

– Je vais regretter mes camarades.

– Les verrons-nous encore ? voulut savoir Florian.

– Oh, bien sûr ! Rien n'est changé, pour le reste.

Elle prit son assiette et la tendit à l'azi qui utilisait des pinces pour sortir le plat du four. Une fois servie elle alla s'asseoir. Florian et Catlin se partagèrent le reste puis vinrent la rejoindre.

Dîner. Avoir une brève conversation. Se retirer pour étudier. Elle vivait ainsi depuis toujours... hormis qu'elle disposait à présent d'un bureau et d'un terminal relié au système central par l'entremise du concierge.

Elle se rendit dans sa chambre, pour se changer. Elle s'assit sur le lit et regretta d'avoir ouvert la vidéothèque, consciente de n'avoir fait qu'allonger la liste de ses problèmes.

De sérieux problèmes. Car si elle ne cédait jamais à ses désirs quand elle avait de bonnes raisons de s'en abstenir... les raisons en question devenaient de plus en plus difficiles à trouver.

Elle consulta Base un... et lut des rapports interminables sur la façon d'organiser son existence – ce qu'ils découvraient par eux-mêmes – et fit défiler le texte de plus en plus vite. Était-il bien utile de savoir qu'Ari senior s'était fait livrer des tomates un 28 septembre ?

Elle pensa à la vidéothèque et envisagea de se passer une des bandes conseillées pour débuter ce nouveau cycle d'études. Elle finit par se dire que c'était la meilleure solution.

– Sera.

La voix de Florian, relayée par le concierge.

– Excusez-moi, mais je dresse la liste des achats. Souhaitez-vous commander quelque chose au service domestique ?

Enfer et damnation !

– Non, tu peux l'expédier.

Une pensée dangereuse et tentatrice lui traversa l'esprit et elle ajouta, consciente de faire une bêtise :

– Viens ici une minute. À mon bureau.

– Bien, sera.

Stupide. Et cruel. C'est abject, bordel. Trouve une échappatoire. Charge-le d'un travail.

Seigneur...

Elle pensa à Ollie, ce qu'elle n'avait cessé de faire tout l'après-midi. Ollie avec maman. Tous les deux, quand ils étaient jeunes. Maman, qui n'avait jamais souffert de la solitude... parce qu'elle avait eu Ollie. Et cela n'avait pas troublé l'azi le moins du monde.

– Sera ? demanda Florian depuis le seuil de la pièce.

Une voix réelle.

– Déconnexion, dit-elle à Base un avant de faire pivoter son siège et de se lever. Entre, Florian. Que fait Catlin ?

– Elle étudie. Nous avons un manuel à apprendre. Une bande superficielle. Ce n'est... pas quelque chose que vous devez superviser, n'est-ce pas ? Voulez-vous que j'aille lui dire d'arrêter ?

– Non. C'est parfait. Est-ce urgent ?

– Non.

– Et si tu prenais du retard ? Si tu n'en prenais pas connaissance ?

– Aucune importance, sera. Ils ont dit... quand nous en aurions le temps. Rien ne presse. Que désirez-vous que je fasse ?

– Que tu me consacres un instant.

Elle le prit par la main et le guida dans le couloir, jusqu'à sa chambre.

Puis elle referma la porte derrière eux et la verrouilla.

Il étudia le battant, puis Ari, visiblement inquiet.

– Des ennuis, sera ?

– Je ne sais pas encore.

Elle posa ses mains sur ses épaules, avec beaucoup de douceur. Il tressaillit et ses poings se serrèrent : une réaction de défense, bien qu'il s'y fût attendu. Le moindre contact faisait naître en lui un malaise... ce qui s'était passé avec Maddy, autrefois.

– Est-ce que ça va ? Ça ne t'ennuie pas ?

– Non, sera.

Mais il était troublé. Sa respiration devenait plus rapide et profonde, alors qu'elle caressait ses flancs puis passait derrière lui. Sans doute devait-il assimiler cela à une sorte de mise à l'épreuve. Peut-être devinait-il ses intentions. Il sursauta encore quand elle toucha sa poitrine.

Elle savait, pourtant. C'était une abomination. Elle s'inspirait du dégoût. Elle avait peur, pour lui et pour Catlin, mais ses craintes passaient au second plan.

Elle posa la main sur son épaule et la serra, d'une façon amicale.

– Florian. Sais-tu ce qu'est l'acte sexuel ?

Il hocha la tête.

– Crois-tu que Catlin serait peinée, si tu couchais avec moi ?

Il secoua la tête, respira à fond.

– Pas si vous lui dites que c'est bien.

– Et toi, serais-tu ennuyé de le faire ?

– Non, sera.

– En es-tu certain ?

– Oui, sera. Mais je voudrais aller le dire à Catlin.

– Maintenant ?

– Elle va s'inquiéter, si nous en avons pour longtemps. Il serait préférable de l'avertir.

C'était la moindre des choses. Rien ne pouvait décidément se passer comme prévu.

– Va, lui dit-elle. Mais reviens tout de suite.

5

Il laissa sera dormir. Il avait sommeillé mais sera bougeait sans cesse. Elle venait de déclarer qu'elle se sentait un peu à l'étroit dans son lit et qu'il pouvait regagner sa chambre.

Il enfila son pantalon et prit ses autres vêtements dans ses bras, étant donné qu'il se recoucherait tout de suite. Il sortit sans faire de bruit et referma la porte derrière lui.

Mais il y avait de la lumière, dans la chambre de Catlin.

Elle apparut devant lui et il se figea, regrettant de ne pas avoir pris la peine de finir de s'habiller.

Elle restait elle aussi immobile, sans rien dire. Il alla vers elle.

– Ça s'est bien passé ? s'enquit-elle.

– Je présume.

Sera avait un peu souffert, mais c'était incontournable : elle était faite ainsi. Elle lui avait ordonné de continuer et s'était ensuite déclarée satisfaite dans l'ensemble. Il espérait qu'elle n'avait pas dit cela pour ménager son amour-propre.

– Sera a déclaré qu'elle souhaitait dormir et que je devais aller me coucher. Je lirai ce manuel demain.

Catlin se contentait de le regarder, ce qu'elle faisait chaque fois qu'elle était désorientée. Il se demandait quoi lui dire. Il ignorait ce qu'elle attendait.

– C'est comment ?

– Agréable.

Sa respiration était irrégulière.

Il savait à présent de quoi il parlait et devinait quelles pensées Catlin avait eues, et avait encore. Ils étaient partenaires, depuis de nombreuses années. Catlin possédait de la curiosité. Elle avait peu de sujets d'intérêt mais voulait aller au fond des choses, comme elle eût démonté un mécanisme qui l'intriguait pour en comprendre le fonctionnement.

Elle dit finalement... ce qu'il avait su qu'elle dirait :

– Voudrais-tu me montrer ? Tu ne crois pas que sera en serait mécontente ?

Pour quelle raison ? se demanda-t-il. Il eût reçu une secousse-bande, si cela avait été mal. Il se sentait les mais ne pouvait refuser de rendre service à sa coéquipière.

– D'accord, dit-il.

Et il prit sur lui pour se réveiller et retrouver son énergie, avant d'entrer dans la chambre avec elle.

Il se dévêtit. Elle l'imita... et c'était étrange car ils avaient toujours fait preuve de modestie, même pendant les manœuvres. Dans la mesure du possible, ils regardaient ailleurs quand rien ne leur permettait de se dissimuler.

Cependant, il avait été le plus gêné des deux, car il avait depuis longtemps des pulsions sexuelles, même s'il n'en prenait conscience qu'à présent... alors que Catlin restait imperméable à tout ce qui relevait de ce que sera appelait les valeurs-flux, tout en étant bien plus mûre que lui dans de nombreux domaines.

– Le lit, dit-il.

Il rabattit la couverture et se glissa entre les draps, parce qu'il faisait frais, qu'un lit était confortable, et que Catlin se sentirait ainsi moins gênée de coller son corps contre le sien.

Elle alla le rejoindre et s'allongea sur le côté, en face de lui, avant de se rapprocher lorsqu'il lui fournit des explications. Il lui dit aussi de se détendre, et elle ne se crispa pas quand il posa sa main sur sa hanche et glissa son genou entre ses jambes.

– Laisse-moi faire, lui dit-il.

Il précisa que ce serait un peu douloureux, mais qu'il se chargerait de tout et qu'elle devrait se contenter de ne pas réagir. Il eût été dangereux de la surprendre.

– Entendu, fit-elle.

Mais elle réagit quand même. Il put s'en rendre compte.

Il s'interrompit.

– Tu veux qu'on continue ? Est-ce que ça te plaît ?

Elle s'accorda un temps de réflexion, le souffle court.

– Assez, oui, décida-t-elle.

– Tu attends que ça recommence, puis tu fais la même chose que moi. C'est une sorte de danse. Des variations sur un thème. D'accord ?

Elle suivit son conseil jusqu'au moment où il sentit qu'il ne pouvait plus se contrôler.

– Pas si vite... Arrête.

Il s'en tirait très bien et trouvait cela plus facile avec Catlin qu'avec sera... ce qui n'était pas surprenant. Catlin tenait compte de ce qu'il lui disait, même lorsqu'il était difficile de se concentrer. Et il avait à présent une idée plus précise de ce qu'on attendait de lui.

178

Il l'avertissait à l'avance de ses intentions, et elle manifestait tout autant de prudence afin de ne pas déclencher une réaction de surprise. Il avait en outre plus confiance en elle qu'en sera, en ce domaine.

Elle ne le griffa pas, ce qui n'avait pas été le cas de sera.

Lorsqu'il eut terminé, il déclara en haletant :

– C'est tout ce que je peux faire, Catlin. Désolé, mais c'est mon deuxième round. Je suis éreinté.

Elle resta silencieuse une minute, elle aussi à bout de souffle.

– C'était très bien.

Pensive, comme toujours lorsqu'elle approuvait quelque chose.

Ce qu'il éprouva alors l'incita à l'étreindre. Elle ne pouvait pas toujours comprendre ses réactions, et sans doute ne devina-t-elle pas qu'il obéissait à un simple réflexe, une des choses qui allaient de pair avec l'acte sexuel. Mais lorsqu'il l'embrassa sur le front et déclara qu'il ferait mieux de regagner son propre lit, elle lui proposa :

– Tu peux rester, si tu veux.

Puis elle imbriqua son corps dans le sien comme s'ils étaient deux éléments d'un puzzle et lui laissa assez de place pour qu'il fût à son aise et ne pût regretter son lit.

Ils devraient se lever avant sera, de toute façon.

6

Sitôt après avoir été réveillée par le concierge, Ari se rappela ce qui s'était passé le soir précédent et resta allongée pendant une minute, pour y réfléchir.

Un peu effrayée. Un peu endolorie. Ce n'était pas tout à fait comme dans les bandes... mais comme dans la réalité, empreint de maladresse. Elle avait entendu dire – dans la bandéduc, sans doute – que même pour cela un minimum d'expérience était nécessaire.

Ils n'avaient en outre que douze ans, même s'ils approchaient de treize. C'était encore très jeune. Son corps n'avait pas terminé de se développer, et celui de Florian non plus. Elle savait que ça faisait une différence.

C'était précisé dans la bande.

– Ari m'a-t-elle laissé des conseils sur la façon de procéder à l'acte sexuel ? demanda-t-elle à Base un.

Ce fut le texte qu'elle avait lu tant de fois – au point de le connaître par cœur – qui apparut sur l'écran.

Elle avait été irresponsable, la veille au soir. C'était cela qui la torturait. Elle craignait de les avoir blessés, ou de le faire à présent. Elle se sentait plus calme et apaisée, mais c'était exactement ce qu'avait dit Ari : sitôt terminé il ne subsistait rien de ce qu'on avait ressenti, c'était un marché de dupes. Il ne restait ensuite que de la curiosité, des miettes qu'on continuait de piqueter comme un imbécile l'eût fait de la croûte d'une blessure afin de découvrir si c'était douloureux.

Il était difficile de tenir compte du reste, quand ça vous prenait.

Les responsabilités. Les personnes auxquelles on tenait.

Qui on était.

Ari senior avait raison. Le sexe embrouillait les pensées. Il prenait le dessus sur toutes les autres considérations. Sans peine.

Rien ne rend plus vulnérable que les pulsions sexuelles. Rien ne rend plus fort que l'esprit.

Maudites piqûres ! Ils me Travaillent, voilà ce qui se passe. Ils me Travaillent et je ne peux pas les en empêcher. Le Dr Ivanov me retirera ma licence, si je refuse ces injections. Et je sais ce qu'ils me font, bordel !

Ce machin est toujours dans mon sang. Je le sens. Des hormones devenues folles.

Et je voudrais recommencer, comme une pauvre idiote.

Tu es idiote, idiote, idiote, Ari Emory !

– Est-ce que ça va ? demanda-t-elle à Florian.

Elle l'avait pris à part dans le couloir, avant le petit déjeuner. Sans le brusquer, consciente de ses responsabilités, ce qui constituait l'unique antidote.

– Oui, sera, répondit-il.

Mais il paraissait inquiet.

Peut-être parce qu'elle l'avait attiré hors de la cuisine et poussé contre le mur. Il pouvait croire qu'elle voulait recommencer.

Calme-toi. Ne l'effraie pas. Tu as déjà fait bien assez de dégâts, pauvre imbécile.

– Tu en es certain ? Tu ne dois pas me ménager, Florian. Si je t'ai fait du mal, dis-le-moi.

– Je n'ai rien. (Une inspiration profonde.) Mais, sera... Catlin et moi... elle... je... Sera, j'ai passé la nuit avec elle. J'ai... j'ai fait la même chose... avec Catlin. Ça nous a paru... normal. C'était normal... n'est-ce pas ?

Un afflux d'hormones. Colère. Panique. Difficultés respiratoires. Elle se détourna et fixa les dalles du sol de pierre jusqu'à ce qu'elle se fût ressaisie.

Imbécile. Tu es la reine des idiotes. Vois ce que tu as fait.

Catlin est sa coéquipière, de quoi suis-je jalouse ? Ce que je lui ai fait est abject, et il n'en a même pas conscience.

Oh, merde ! Merde !

Flux. Voilà ce que libère le sexe. Un chaos d'états-flux. Les hormones. C'est ce qui se passe à l'intérieur de mon être.

Je devrais peut-être écrire un article sur ce thème pour le Dr Dietrich.

Elle se tourna vers Florian :

– Mais comment va-t-elle, ce matin ?

Un Florian soumis à une véritable torture.

– Elle va bien, n'est-ce pas ? Je veux dire... Tu ne penses pas que cela ait pu nuire à vos rapports ? Voilà ce qui m'inquiète.

Son visage s'illumina, un nuage se dissipa.

– Oh, non ! Non, sera. Seulement... Catlin était intriguée. Vous la connaissez. Elle est curieuse et quand c'est quelque chose qui me concerne elle... elle tient à le partager.

Ses sourcils se froncèrent.

– Tout ce je que fais... elle doit le faire aussi. C'est une nécessité.

La main d'Ari se referma sur la sienne et la serra, avec force.

– Mais bien sûr. C'est parfait. Parfait, Florian. Je n'aurais été ennuyée que si vous l'aviez été. Je ne vous adresse aucun reproche. Ce que vous avez fait est sans importance. Je craignais de vous avoir blessés.

– Ce n'est pas le cas, sera.

Il la croyait. Il semblait soulagé. Elle le prit par le bras pour regagner la cuisine. Des bruits de vaisselle et des claquements de portes indiquaient que Catlin s'y affairait.

– Mais Catlin n'est pas aussi socialisée que toi. Et la découverte de l'acte sexuel s'accompagne d'une sacrée secousse, Florian. C'est également un lourd fardeau à porter au niveau hormonal.

Mais ce sont surtout les valeurs-flux qui sombrent dans la folie. Flux et boucle de rétroaction, interdépendance du cerveau et des hormones. Voilà ce qui m'arrive. Un processus CIT. Une fluctuation de toutes les valeurs. Même Florian ne peut avoir des pensées-flux si pesantes.

– Ça ne l'a pas trop tracassée ?

– Je ne pense pas. Elle a dit que... c'était un bon début.

Ari laissa échapper un petit rire. La surprise qui venait de se superposer à son irritation la rassura et l'inquiéta à la fois.

– Oh, bon sang ! Je ne sais pas tout ce que je devrais savoir. Il m'arrive de regretter de ne pas être une azie. Surveille Catlin. Si ses réactions – ou les tiennes – sont anormales, je veux le savoir. Tu devras m'en informer tout de suite... contacte-moi, même s'il te faut pour cela interrompre un exercice. C'est compris ?

– Oui, sera.

– Je m'inquiète... je m'inquiète à cause de mes responsabilités. Progresser à tâtons me rend nerveuse et je ne peux demander conseil à qui que ce soit. Je suis condamnée à procéder par essais successifs et il est indispensable que vous me disiez si ce que je vous fais est mal. Vous devez protester, tu m'entends ? Reprenez-moi quand je n'agis pas comme je le devrais.

– Oui, sera.

Une réponse automatique.

Ils atteignirent la cuisine. Catlin mettait le couvert. Elle leva les yeux sur eux, et une interrogation se lisait dans le pli visible entre ses sourcils.

– Aucun problème, en ce qui me concerne, lui dit Ari. Florian m'a tout raconté. C'est parfait.

La tension se dissipa et l'azie arbora un de ses rares sourires authentiques.

– Il était très content, commenta-t-elle avec une franchise désarmante.

À juste titre, se dit Ari. Sa super couchait avec lui et le félicitait de sa prestation, puis elle le renvoyait dans un état-flux profond retrouver Catlin, elle-même au paroxysme de ce qu'elle pouvait connaître en ce domaine... parce que sa super s'était enfermée dans sa chambre avec son partenaire pour se livrer à des activités mystérieuses.

Et ils s'étaient éveillés en proie au doute.

Imbécile, tu les as agressés à deux reprises sans aucune raison valable. Tu ne peux donc rien faire correctement ?

Ils prirent leur petit déjeuner. Passer le sel. Encore un peu de café, sera ?... L'estomac brassé, pendant qu'elle tentait de réfléchir et de paraître joyeuse.

Puis :

– Florian, Catlin.

Deux visages aux expressions attentives pivotèrent vers elle, ouverts comme des fleurs face aux rayons du soleil.

– Au sujet de la nuit dernière... Nous sommes encore très jeunes. Il est peut-être utile de nous entraîner entre nous, afin de ne pas être en état de flux trop important quand nous ferons cela avec d'autres partenaires, parce que c'est un moyen de Travailler les gens. Mais nous devrons veiller à ne pas nous Travailler les uns les autres, même si c'est pour s'amuser. Car cela peut abattre nos défenses. Les miennes, en tout cas.

Elle adressait ce discours à Catlin, qui lui répondit :

– C'est exact. On peut l'utiliser.

Des propos qu'elle accompagna de son rire étrange, aussi rare que son véritable sourire.

– Certainement, approuva Ari, un peu moins tendue.

Le flux s'atténuait, depuis qu'elle avait découvert sa voie.

– Mais c'est difficile à réaliser, pour une CIT. J'ai des problèmes de flux... rien qui me dépasse, notez bien. Vous devrez vous habituer à me voir surexcitée. C'est momentané et indolore, un élément de ma vie sexuelle. Je sais que je ne devrais pas vous parler de ces histoires de CIT... mais j'ai surmonté la crise et retrouvé mon équilibre. C'est normal. Vous savez certaines choses sur le sujet. Je pourrais vous en apprendre. Il le faudrait peut-être... Prenons mon cas, par exemple. Vous n'êtes pas habitués au flux...

Elle regardait Catlin droit dans les yeux.

– Ou très peu. Tu as été parfaite, quand Florian a été blessé, mais c'était pour toi un domaine familier. L'acte sexuel semble à première vue agréable, mais c'est réservé aux adultes... au même titre que les alcools. Si cela te met mal à l'aise, dis-le... à Florian ou à moi, d'accord ?

– D'accord, fit l'azie avec sérieux. Mais Florian a reçu une bande explicative et si je ne lui oppose pas de refus c'est parce qu'il est un spécialiste. Mais je pourrai apprendre, moi aussi.

Ari n'en doutait pas. Elle reporta son attention sur ses œufs, car Catlin savait interpréter les expressions et elle craignait d'éclater de rire.

Les hormones se déchaînaient toujours mais le cerveau commençait à riposter.

Et l'esprit doit remporter le combat, lui avait dit Ari senior. Une petite glande située à la base du cerveau est à l'origine d'innombrables problèmes. Ce n'est pas un hasard si les deux adversaires sont si proches l'un de l'autre : Dieu a le sens de l'humour.

7

– Nous autorisons Will à assimiler la routine, déclara Yanni. J'estime – et le comité également – que le processus a déjà débuté depuis qu'il l'a reçue à l'essai. Compte tenu de l'interaction avec les valeurs profondes, ce n'est guère surprenant... et je partage l'opinion de mes collègues, c'est une cause d'inquiétude.

Justin baissa les yeux vers le bureau de son interlocuteur, sans le voir.

– Je suis du même avis.

– Qu'en pensez-vous?

Il sortit de ses ombres mentales et dévisagea l'autre homme... en évitant ses yeux.

– Je crains que le comité n'ait raison. Je n'avais pas considéré la question sous cette perspective.

– Je veux dire... quel est votre point de vue?

– Je n'en ai pas.

– Secouez-vous un peu, bon Dieu! Vous ne pensez pas, vous ne savez pas. Qu'est-ce qui vous arrive, bordel?

Il secoua la tête.

– Je suis las, Yanni. Fatigué.

Il attendit l'explosion. L'homme se pencha en avant et soupira.

– Grant?

Justin fixa le mur.

– Je suis désolé. Mais c'est momentané, mon garçon. Vous voulez que nous décidions d'une date? Il obtiendra son laissez-passer.

– Je n'en doute pas. Tout vient à point à qui sait attendre. Je connais les règles de votre maudit jeu. J'y ai participé... trop longtemps. J'en ai assez. Je suis crevé. Grant aussi. Je sais que Jordan n'en peut plus, lui non plus.

Il était au bord des larmes. Il se tut et se contenta de

regarder sans la voir l'encoignure de la pièce, et ses étagères. Un bâton-esprit downer dans un écrin. Yanni
possédait un certain sens artistique. À moins que ce ne
fût un cadeau. Cet objet avait déjà attiré son attention.
Il lui enviait cette pièce de collection.

– Mon garçon.

– Ne m'appelez pas comme ça !

Il leva les yeux sur Yanni. Il lui semblait étouffer.

– Ne... m'appelez plus ainsi. Je ne veux plus entendre
ces mots.

Yanni l'étudia. Cet homme le connaissait assez pour
pouvoir le disséquer et il lui avait remis les clés de son
esprit, au fil des années. Sa réaction venait de lui en offrir une supplémentaire.

Mais c'était secondaire.

– Morley fait l'éloge de vos travaux sur le jeune Benjamin. Il affirme que... vos arguments sont très convaincants et il compte les présenter au comité.

Le bébé Rubin. Qui n'était plus un bébé. Un garçon
de six ans... doux et émacié, avec de grands yeux, une
santé fragile et une profonde affection pour la jeune
Ally Morley. Son patient, dans une certaine mesure.

Yanni visait des points sensibles et Justin ne sortirait
pas indemne de ce bureau. Il l'avait compris en en-
trant.

Il reporta son attention sur l'objet posé dans l'écrin.

D'origine extraterrestre. Un doux peuple que les humains qualifiaient de primitif sans la moindre raison et
qu'ils avaient évidemment placé sous leur protectorat.

– Mon garçon... Justin. C'est un simple contretemps.
Je l'ai dit à Grant. Six mois, peut-être. Pas plus longtemps...

– Si je...

Il s'était suffisamment calmé pour pouvoir dire d'une
voix presque posée :

– Si je me constituais prisonnier... si je donnais mon
accord pour un sondage profond au sujet de tout ce qui
s'est passé entre moi et mon père... est-ce que ce ne serait pas suffisant pour que Grant obtienne cette autorisation ?

Un long silence.

– Sachez que je ne leur transmettrai pas votre offre, répondit Yanni. Il ne faut pas y compter, bordel !

Justin le regarda.

– Je n'ai rien à cacher. Rien, pas une seule mauvaise pensée... à l'exception du désir bien naturel de voir tous les administrateurs de Reseune griller en enfer. Mais je ne lèverais pas le petit doigt pour les y envoyer. J'ai tout à perdre... comme bien trop de personnes, hélas.

– Dont moi. Je risque de perdre un jeune homme qui n'est pas un Spécial parce que Reseune n'ose pas lui faire octroyer ce statut... par peur de l'immunité qui en découle.

– Des conneries.

– Je vous ai accordé une chance. J'ai pris des risques, pour vous. Je n'ai pas exprimé mes craintes, au sujet de Will. Ce que je vous dis, c'est que l'expérimentation de vos routines peut... créer une accoutumance chez les cobayes. Seul un effacement mental permettra ensuite de les en débarrasser. Mais ça ne veut pas dire pour autant que ce n'est pas valable.

Bureau de la Défense.

Programmes d'essais avec lavage de cerveau entre chaque séance...

– Justin ?

– Seigneur. Je voulais améliorer l'existence des azis... et j'ai enfanté un monstre dont pourront se servir les militaires. Mon Dieu...

– On se calme. On se calme, Justin. L'armée n'est pas en cause.

– Elle le sera, si elle a vent de tout cela...

– Nous n'en sommes pas encore au stade des applications. Calmez-vous.

C'est mon œuvre. Sans moi... ils ne pourraient rien. S'il m'arrivait quelque chose... ils seraient dans une impasse... mais pas pour longtemps.

Oh, merde ! Tous les papiers, toutes mes notes...

Grant...

– Nos laboratoires gardent leurs secrets. Le problème n'est pas là.

– Reseune flirte avec la Défense depuis que Giraud a obtenu un siège au Conseil.

Depuis la mort d'Ari. Depuis que ses successeurs ont bradé... tout ce qu'elle tentait de défendre.

J'aimerais tant... qu'elle soit toujours parmi nous.

La gosse... Elle n'a pas une seule chance.

– Mon garçon... pardonnez-moi, Justin. L'habitude. Je comprends votre point de vue. Je sais quelles sont vos craintes, et je les partage.

– Sommes-nous enregistrés ?

Yanni mordilla sa lèvre inférieure et effleura un bouton, sur le plateau du bureau.

– Plus maintenant.

– Où est la bande ?

– Je la récupérerai.

– Où est-elle, Yanni ?

– Calmez-vous et écoutez-moi. Je désire faciliter vos recherches, travailler avec vous. J'ai carte blanche sur le plan budgétaire. Mais je souhaite vous poser une question. Selon votre profil psych vous n'auriez pas de tendances suicidaires. Mais répondez-moi avec franchise : avez-vous déjà songé à vous donner la mort ?

– Non.

Son cœur s'emballait, car il mentait. Oui et non. Il avait envisagé cette solution mais n'avait pu passer à l'acte. Faute de motivation suffisante, sans doute. *Dieu, que me faut-il ? Est-ce seulement quand des enfants seront victimes de ce que j'ai fait que je me sentirai coupable ? Il sera alors trop tard. Je suis un monstre.*

– Je vous rappelle que... Grant en mourrait. Votre père aussi. Ou pire... qu'ils vivraient avec ce fardeau.

– Allez au diable, Yanni.

– Croyez-vous que les autres chercheurs n'ont pas les mêmes scrupules ?

– Carnath et Emory auraient-ils pu bâtir Reseune s'ils s'étaient préoccupés de l'éthique ?

– Vous pensez qu'Ari n'avait aucun principe ?

– L'affaire de Géhenne en est la preuve.

– Les CIT sont morts, mais pas les azis. Ils ont survécu, grâce à elle.

– Pour mener une existence misérable, dans des conditions de vie abominables... tels des primitifs...

– Ils ont surmonté les difficultés, les catastrophes qui les ont privés de tout ce qu'ils avaient apporté sur ce monde. Ils ont fondé là-bas une civilisation azie. Ils sont uniques. Vous ne tenez pas compte des possibilités de l'esprit humain, vous oubliez l'ingéniosité de notre espèce, sa volonté de vivre. On peut ordonner à un soldat azi de traverser un mur de flammes... mais il voudra savoir quelle est l'utilité d'un tel ordre. Et son supérieur aura intérêt à lui fournir une réponse convaincante, croyez-moi. Vous devriez vous intéresser aux militaires, Justin. Je sais ce qu'ils vous inspirent et je vous demande de me pardonner ce psych, mais ils sont soumis à un stress extrême. Leurs ensembles les conditionnent à accepter de marcher dans le feu, mais ceux qui s'empresseraient d'exécuter un tel ordre représenteraient un danger, et s'ils prenaient plaisir à tuer ce serait encore pire. Regardez la réalité en face, avant de céder à la panique. Prenons nos soldats. Ils sont expérimentés et compétents. Ils ne peuvent supporter les cafouillages et n'obéissent qu'à ceux qui leur paraissent qualifiés pour leur donner des instructions. Mais ils se détendent sitôt en permission, ce qui n'est pas le cas de bien des CIT. Étudiez la réalité, avant de vous ronger les sangs. Jetez un coup d'œil aux modèles spécialisés.

– Il est encore possible de les considérer comme des rescapés, car ils n'ont pas été balayés par la guerre.

– Leur taux de survie est supérieur de quinze et quelques pour cent à celui des CIT. Ils ne m'inspirent aucun sentiment de culpabilité. Ils se sentent bien dans leur peau. Vos recherches devraient permettre d'effectuer de réels progrès dans le traitement des troubles du comportement des CIT. Les applications seront nombreuses, si cette expérience aboutit. C'est l'éternel problème de l'homme et de l'outil. Le laser permet de sauver des vies, ou de les détruire. Est-ce une raison pour nous en passer, en même temps que des couteaux et des marteaux ? Je me félicite de cette découverte, car sans elle je serais borgne. Saisissez-vous le fond de ma pensée ?

– C'est un discours vieux comme la planète-mère.
– Assimilez-vous ce que je veux dire ?
– Oui.

C'était exact. Il se raccrochait à ces justifications éculées comme un bébé à sa couverture, sans plus de maturité qu'un tel nourrisson, avec une capacité comparable à différencier vérités et arguments fallacieux. Malédiction. Il saisissait la moindre excuse pour apaiser ses angoisses, même quand l'échappatoire lui était offerte par un manipulateur psych.

– Vous avez des principes. Le propre de l'être humain est d'apprendre, sans se laisser rebuter par les dangers. Si vous avez vu juste, vous n'êtes qu'un précurseur. Dans quelques décennies un autre chercheur fera les mêmes découvertes, et rien ne prouve qu'il aura vos scrupules... et vos possibilités de contrôler l'utilisation de tels travaux.

– Mes possibilités ! Je ne peux même pas obtenir que mon frère soit autorisé à aller voir notre père !

– Vous pourrez exiger bien des choses, si vous savez vous y prendre.

– Oh, bordel ! Serait-ce la saison des soldes ? Serions-nous à court de moralité ?

– Votre frère, avez-vous dit ? Vous avez pour Grant une profonde affection, n'est-ce pas ?

– Allez au diable !

– Il n'a aucun lien de parenté avec vous. Je ne fais que mettre l'accent sur un double ensemble de valeurs plein d'intérêt. Vos idées sont confuses dans de nombreux domaines... ce qui vous pousse à douter de vos réussites, à vous définir par rapport à votre entourage... le fils de Jordan, le frère de Grant, l'otage de l'administration. Vous vous considérez moins comme un être humain que comme l'objet de toutes leurs attentions. Mais vous êtes important par vous-même, Justin. Vous avez trente... trente et un ans, et peut-être serait-il temps de vous demander qui vous êtes.

– Nous voici en plein psych.

– Profitez-en, car aujourd'hui mes consultations sont gratuites. Vous ne devez pas vous reprocher tout ce qui va mal dans l'univers, ce que vous ne pouvez pas contrôler. Mais vous portez la responsabilité de chercher ce que vous pourriez modifier, si vous le vouliez, si vous cessiez de vous pencher sur les problèmes des autres et dressiez un inventaire de vos capacités... qui, comme j'ai déjà eu l'occasion de le dire, sont probablement celles d'un Spécial. Et cela nous permet de définir la cause de vos problèmes : l'absence de limites. Leur absence, mon garçon. C'est le propre de tous les Spéciaux. Comment pourrait-on comprendre l'humanité lorsqu'on attribue à ses composants la complexité de ses pensées ? Vous êtes entouré d'esprits très brillants... et vous finissez par croire que c'est naturel. Je me réfère surtout à Jordan, que vous divinisez parce qu'il est votre aîné. Vous y pensez, quand vous vous penchez sur le cas de Rubin junior. Servez-vous-en pour défricher votre propre jardin mental. Faites-nous une faveur.

– Ne serait-il pas plus simple de me dire où vous voulez en venir ? Je suis las, Yanni. Je m'avoue vaincu. Ordonnez, et j'obéirai.

– Raccrochez-vous à la vie.

Il cilla, se mordit la lèvre.

– Seriez-vous sur le point de craquer ?

Le brouillard se dissipait, les larmes se tarissaient. Il ne subsistait que de l'embarras, et une colère qui lui donnait envie de tordre le cou à cet homme.

Qui souriait, bouffi d'orgueil.

– Je pourrais vous tuer.

– Non, j'en doute. Ce ne serait pas dans votre nature. Vous intériorisez tout ce qui vous arrive. Vous ne réussirez jamais à vous débarrasser de cette tendance. C'est ce qui fait de vous un clinicien médiocre et un excellent concepteur. Grant surmontera sa déception... si votre comportement le permet. Vous m'entendez ?

– Oui.

– Alors, ménagez-le. Retournez à votre bureau et annoncez-lui que je vais déposer une autre demande.

– Non. Cela l'affecte trop. Il en souffre.

– Entendu. Ne lui dites rien. Êtes-vous conscient des

raisons de ce refus ? L'administration craint que les militaires ne mettent le grappin sur lui.

– Pourquoi, grand Dieu ?

– Pour avoir un nouveau moyen de pression. Vous pourrez lui répéter mes propos. Je ne suis pas censé vous le dire et j'enfreins les consignes de sécurité, mais il se produit une scission au cœur même de la Défense. Une faction réclame la nationalisation de Reseune. C'est la nouvelle menace. La santé de Lu décline. Une baisse d'efficacité de la cure de réjuv. Il lui reste dans le meilleur des cas deux années à vivre. Gorodin est isolé du secrétariat de la Défense. Il risque de voir son siège remis en question. Ce qui ne s'est pas produit depuis la guerre. Une élection chez les militaires. Leur responsable de la recherche apporte son soutien au chef des services de renseignements : Khalid, Vladislaw Khalid. Si vous devez redouter quelqu'un, Justin... c'est cet homme. Ses partisans saisiront le moindre incident comme prétexte. Gorodin également. Un coup monté servirait tout autant leurs intérêts. Vous êtes en danger et Grant l'est encore plus que vous. Ils n'auraient qu'à l'arrêter à l'aéroport, déclarer qu'il transportait des documents compromettants... Dieu sait quoi. Si Denys apprend que je vous l'ai dit, il réclamera ma tête. Je ne voulais pas vous parler de cette affaire, vous distraire de vos recherches avec ces soucis supplémentaires... mais vous devez savoir pourquoi Grant n'obtiendra pas de sauf-conduit pour l'instant. Et vous non plus. Dites-le à votre azi... si ça peut le soulager. Mais – pour l'amour de Dieu ! – ne lui faites pas cette confidence dans un lieu où la sécurité pourrait vous entendre.

– Dois-je en déduire que nous sommes sur écoutes ?

– Je ne pourrais répondre en ce qui concerne votre appartement, mais je sais... pour ce bureau. Ce n'est pas le cas, pour l'instant.

– Vous dites que...

– Je dis surtout que si Gorodin n'est pas renversé lors de ce scrutin que nous savons inévitable... eh bien, vous bénéficierez d'un répit. Dans le cas contraire... toutes les hypothèses peuvent être envisagées. Nous perdrons notre majorité au Conseil et ensuite... je ne miserai pas un cred sur quoi que ce soit. Si Reseune perd son statut de TA ce sera aussi le cas de Planys. Vous me suivez ?

– Parfaitement.

Il ressentait à nouveau de l'angoisse. La partie reprenait. Il avait des nausées.

– Si ce que vous dites est vrai...

– Vous avez intérêt à vous secouer un peu et à vous méfier. Notre vie risque de devenir sous peu un enfer, mon garçon. Un véritable enfer. Lu va mourir. Son poste est attribué par nomination et il pourrait démissionner et désigner son successeur, mais ce serait sans objet. Le nouveau conseiller de la Défense n'aura qu'à engager un autre secrétaire. Lu finit de se détruire, en conservant sa place pour essayer de contrôler cette guerre intestine. Gorodin passe trop de temps dans l'espace. Il s'est isolé de son état-major. Lu essaie de l'aider... mais plus la situation se dégrade plus il lui est difficile de soudoyer les politiciens. Il doit se contenter de maintenir un équilibre précaire entre les diverses tendances de sa faction. Question : combien de temps pourra-t-il survivre... au propre comme au figuré ?

8

Pouliche fit un autre tour de piste, les naseaux dilatés. Ari admirait la monture et son cavalier : Florian, si sûr de lui et si gracieux.

Près d'elle, il y avait Catlin... avec Andy et de nombreux techs de l'AG. Ils venaient souvent assister au dressage, mais cette fois les circonstances étaient exceptionnelles. L'AG et l'administration avaient autorisé Ari à faire un essai. Oncle Denys était présent, lui aussi. Giraud se trouvait quant à lui à Novgorod, où il passait désormais la majeure partie de son temps : c'était une période d'élections... un certain Khalid se présentait contre Gorodin et tous s'inquiétaient. Elle

193

aussi, car cet homme lui ferait un nouveau procès s'il était élu. Mais, comme pour tous les scrutins, il faudrait attendre de nombreux mois avant que les résultats des secteurs les plus éloignés de l'espace ne soient connus et oncle Denys avait accepté de modifier son emploi du temps pour descendre à l'écurie : il souhaitait pouvoir appeler une ambulance si elle se brisait quelque chose. Il y avait aussi Amy Carnath, Sam, et même 'Stasi, Maddy et Tommy. Leur présence rendait Ari nerveuse. Elle n'avait pas souhaité que cette tentative devînt un tel événement, et qu'il y eût tant de spectateurs.

Florian dressait Pouliche depuis des mois et avait même enregistré une bande. Il s'était couvert le corps de biosondes et avait chevauché en gardant une cam de poche braquée entre les oreilles de sa monture... pour apprendre à Ari comment conserver une bonne assiette et contrer les velléités d'indépendance de l'animal. C'était sa seule expérience de l'équitation et elle avait trouvé cela merveilleux.

Oncle Giraud, qui ne changerait jamais, affirmait que cette bande devrait remporter un vif succès commercial.

Florian fit revenir Pouliche avec maestria sous les oh ! et les applaudissements des enfants... ce qui effaroucha le cheval. Il rejeta la tête en arrière mais se calma presque aussitôt et son cavalier mit pied à terre puis tendit les rênes à Ari.

– Sera ?

Elle s'avança vers lui et la pouliche.

Elle leur avait bien recommandé de ne pas crier, ni parler, et il régnait à présent un profond silence. Tous la regardaient et elle ne tenait pas à se placer dans une situation embarrassante, ou à effrayer les spectateurs.

– Pied gauche, lui murmura Florian. (Au cas où elle eût oublié.) Je la tiendrai tant que vous ne vous sentirez pas à votre aise, sera.

Elle dut étirer sa jambe pour atteindre l'étrier. Son pied y prit appui et elle agrippa la selle, pour se hisser avec une grâce acceptable. Pouliche se déplaça, guidée par Florian, et Ari ressentit ce qu'elle avait déjà eu l'occasion d'éprouver grâce à la bande. Elle percevait les mouvements des muscles et des os là où elle savait qu'ils devaient se produire.

Elle eut alors envie de pleurer et dut serrer la mâchoire, convaincue de courir à l'échec. Elle savait en outre qu'elle se ridiculiserait si Florian tenait plus longtemps sa monture.

– C'est bon, lui dit-elle. Tu peux la lâcher.

Il arrêta Pouliche et lui tendit les rênes par-dessus l'encolure du cheval. Il paraissait inquiet.

– Je vous en prie, sera, ne la laissez pas s'emballer. Tous ces gens la rendent nerveuse.

– Je l'ai prise en main. Tout ira bien.

Et elle fit preuve de prudence en faisant partir Pouliche au pas, afin de lui laisser le temps de s'accoutumer au changement de cavalier. Ari s'était jusqu'alors contentée de rester assise sur la clôture, pour voir Florian dresser l'animal... et tomber avant de découvrir des techniques oubliées si loin de Vieille Terre. Un jour, Pouliche avait fait une chute et désarçonné Florian, qui était resté inconscient plusieurs secondes avant de se relever – en affirmant que Pouliche n'était pas fautive, qu'elle avait fait un faux pas – et de s'avancer en titubant pour la prendre par l'encolure puis l'enfourcher à nouveau et revenir sur son dos vers Ari et Catlin qui attendaient en gardant les mains jointes.

Elle écarta Pouliche de l'azi, pour les véritables débuts en public du cheval. Elle savait que Florian était angoissé... conscient qu'elle risquait de faire des erreurs. Comme sa partenaire, qui n'ignorait pas qu'en cas d'accident lui seul pourrait intervenir.

C'était le jour de ses quatorze ans et elle ne voulait pas se ridiculiser devant de si nombreux spectateurs. Tous ses sens étaient en éveil et elle maintenait Pouliche au pas, attentive au moindre indice pouvant révéler une velléité de partir au trot... Non, lui avait dit Florian. Si elle veut changer d'allure sans en avoir reçu l'ordre, il faut l'en empêcher. Elle ne doit pas le faire, et elle essaie souvent.

Il lui avait appris à interpréter tous les mouvements, à savoir quand elle risquait de trébucher ou allait s'emballer.

Dès que Pouliche avait de telles intentions, Ari intervenait : Doucement, non. Le cheval tournait le cou pour étirer la rêne puis filait sur quelques pas comme sous un demi-g. Ari se félicitait de ne pas l'avoir laissé lui imposer ses volontés, mais il était en fait assez obéissant.

Elle eût certes préféré donner un spectacle différent : revenir au triple galop et faire une belle frayeur à tout le monde. Mais de telles démonstrations étaient réservées à Florian. Elle devait démontrer qu'elle avait du bon sens.

Elle passa devant les spectateurs, exaspérée de devoir être si prudente... elle n'aimait pas faire preuve de tant de sagesse. Oncle Denys était toujours aussi angoissé. Elle fit demi-tour pour revenir vers Florian, qui l'attendait à côté de la clôture, et arrêta Pouliche en voyant qu'il s'avançait pour lui parler.

– Je suis comment ? voulut-elle savoir.

– Parfaite. Donnez-lui un petit coup avec les talons, quand elle est au pas. Doucement. Et tenez bien les rênes. Elle partira au trot. Ne lui permettez pas d'aller plus vite. Il ne faut jamais la laisser faire ce qu'elle veut.

– Bien.

Et elle fit avancer Pouliche : un coup des talons, un autre.

Sa monture en parut ravie. Ses oreilles se dressèrent, et elle partit d'un pas rapide. Ses mouvements étaient plus difficiles à suivre, mais Ari prit le rythme. Son corps retrouva les réflexes conditionnés par la bande, rétablit son assiette, mit à profit tout ce que Florian lui avait appris.

Elle eût aimé lui laisser la bride sur le cou et essayer tout le reste ; un désir que semblait partager Pouliche. Mais elle conserva cette allure et sa monture finit par s'y résigner. Elle exécuta un arrêt spectaculaire juste devant Andy et Catlin. Sa monture était en sueur... de plaisir. Et elle se mit à piaffer et à tirer sur les rênes que Florian avait prises pendant qu'Ari mettait pied à terre.

Tous étaient impressionnés. Bien que livide, oncle Denys paraissait soulagé.

Amy et les autres souhaitaient essayer, mais Andy déclara que Pouliche ne devait pas porter plusieurs cavaliers débutants à la suite, que cela pourrait l'irriter. Florian leur proposa de revenir séparément faire un essai, les jours où il entraînait le cheval.

Il ajouta que le meilleur moyen d'apprendre l'équitation consistait à s'occuper de sa monture. Jument mettrait à nouveau bas sous peu et deux génotypes différents étaient en gestation dans les cuves ; ce qui ferait en tout sept chevaux... qui avaient perdu leur statut d'animaux expérimentaux pour celui de bêtes de travail.

Pouliche était la première. Ari la caressa et s'imprégna encore plus de son odeur puissante. Mais elle l'aimait. Elle était si heureuse qu'elle alla même étreindre oncle Denys.

– Tu as été très stoïque, le félicita-t-elle.

Puis elle céda à une impulsion et déposa un baiser sur sa joue, en lui communiquant l'odeur de l'animal. Elle lui adressa un sourire tors.

– Ton cobaye préféré ne s'est pas rompu le cou.

Oncle Denys paraissait dérouté.

– Même les inflexions de la voix, dit-il, la laissant à son tour interdite. Seigneur ! Il m'arrive parfois de t'assimiler à un revenant, jeune fille.

9

– Ça y est, dit Justin lorsque les résultats des élections apparurent sur l'écran.

– C'est Khalid, ajouta-t-il avant de s'adresser au concierge : Coupe la vid.

Grant secoua la tête et resta un long moment silencieux. Puis :

– Voilà un drôle de moyen de réaliser des affaires.

– Des fournisseurs de la Défense au Commerce et aux Finances.

– Reseune y a aussi ses entrées.

– La suite sera intéressante.

Grant inclina la tête et se massa la nuque. Sans doute se disait-il qu'ils devraient attendre longtemps, très longtemps, avant d'être autorisés à voyager.

Mais peut-être avait-il des pensées plus sombres encore, sur la sécurité de Jordan.

– La situation serait différente s'ils pouvaient faire passer leurs propositions par la force et imposer cette nationalisation, commenta Justin. Mais les autres Territoires viendront à la rescousse de Reseune. Et admire la volte-face de Giraud. C'est un expert. Je ne lui avais jusqu'à présent pas trouvé la moindre utilité, mais je pourrais changer d'opinion.

10

C'était une de leurs soirées privées très privées : fin de semaine, pas de cours ni de devoirs, avec pour Règle ni punch ni gâteau dans les pièces moquettées, pas d'ébats sexuels en dehors des chambres d'ami et du sauna, et douche froide obligatoire pour tous ceux qui buvaient un peu trop.

Compte tenu de son effet dissuasif, ils n'avaient pas encore eu l'occasion d'appliquer cette dernière mesure.

Étaient présents : Maddy, 'Stasi, Amy, Tommy, Sam et des nouveaux : Dan et Mischa Peterson, deux cousins de 'Stasi bien que Dan fût un Peterson-Nye et Mischa un Peterson tout court (des frères que leur mère eût tués s'ils étaient rentrés chez eux en sentant l'alcool, ce qui expliquait leur sobriété). Ils avaient donc deux groupes de cousins : Amy et Tommy Carnath d'une part ; 'Stasi, Dan et Mischa de l'autre. Dan et Mischa avaient quatorze et quinze ans, mais ils s'entendaient bien avec tout le monde et ne faisaient jamais bande à part, hormis lorsqu'il était question d'alcool.

Les garçons et les filles étaient en nombre égal. Amy et Sam formaient un couple, 'Stasi et Tommy Carnath aussi, et Dan et Mischa avaient tous les deux une touche avec Maddy.

Ces soirées étaient en fait très sages, paisibles. Ils se contentaient de boire un peu, de se passer des bandes ludiques qu'ils n'auraient pu regarder chez eux sans se faire arracher les yeux par leurs mères et, une fois un peu éméchés, de s'asseoir dans la semi-pénombre pour effectuer ce qui leur venait à l'esprit tant qu'ils n'avaient pas à choisir entre respecter la Règle ou rester jusqu'à la fin de la bande.

– Oh, bon sang ! répondit Ari à Maddy. Allez faire ça sur le palier.

Elle était elle-même un peu ivre et trankée. Son corsage était ouvert et elle sentait un courant d'air sur sa peau. Elle venait de s'installer contre Florian quand Sam et Amy revinrent, guindés et sérieux, et ouvrirent de grands yeux en découvrant ce qui se passait près du bar. Pendant que 'Stasi et Tommy s'attardaient dans le sauna.

Ari se contentait d'un rôle de simple spectatrice. Elle ne s'intéressait qu'à la vid et aux activités des autres gosses, ce qui lui permettait de maintenir ses azis à l'écart des ébats.

– *Un message*, annonça le concierge dont la voix se superposa à la bande-son et à la musique.

– Oh, merde !

Elle se leva, remonta son corsage d'un haussement d'épaules et gravit les marches les pieds nus, avant de fouler le tapis du couloir et de gagner son cabinet de travail d'un pas qu'elle tentait de rendre le moins titubant possible.

– Base un, dit-elle après avoir refermé la porte et insonorisé la pièce. Vas-y.

– *Message de Denys Nye : Khalid a remporté les élections. Passe à mon bureau à la première heure.*

Oh, merde !

Elle prit appui sur le dossier du fauteuil.

– Réponse à Denys Nye : J'y serai.

Le concierge l'enregistra.

– Déconnexion.

Elle retourna rejoindre les autres.

– Qu'est-ce que c'était ? lui demanda Catlin.

– Je te le dirai plus tard, répondit-elle avant de se rallonger sur les cuisses de Florian.

Elle se présenta au bureau de Denys à 9 heures tapantes et, sans faire de manières ni d'enfantillages, elle accepta une tasse de café qu'elle prit avec de la crème mais sans sucre et écouta son oncle lui raconter ce qu'elle avait déjà déduit toute seule, pendant que l'audiobrouilleur agaçait les racines de ses dents.

– Khalid prendra ses fonctions cet après-midi. Comme il vit à Cyteen nous ne pouvons bénéficier d'un sursis. Il s'installe déjà avec tous ses bagages. Et ses fichiers secrets.

Il lui avait expliqué qui était Khalid et comment la situation risquait d'évoluer.

– Ne serait-il pas préférable de m'accorder un accès aux réseaux vid ? Tu juges qu'il est trop tôt pour que j'apprenne certaines choses, mais mon ignorance risque de constituer un handicap. Ai-je tort ?

Il laissa son menton reposer sur ses poings et la dévisagea, comme s'il pesait le pour et le contre.

– Un jour. Un jour, ce sera inévitable. Pour l'instant, tu recevras un condensé quotidien des principaux événements, au même titre que moi. Tu devras te tenir au courant de l'actualité. Ils vont probablement révéler des choses sur la première Ari... ce qu'ils pourront trouver de plus destructeur. Ce ne sera pas très joli, Ari. Répugnant, même. Tu dois commencer à te pencher sur certains sujets. En outre... il faut être plus prudente. Je sais que tu organises quelques... (une quinte de toux)... petites sauteries avec des camarades tous âgés de moins de seize ans, et à des heures pouvant laisser supposer que vous ne jouez pas à la Poursuite Stellaire. Selon le service domestique mes soupçons seraient... (un raclement de gorge)... fondés.

– Seigneur. Tu es tombé bien bas, oncle Denys.

– Aucune source de renseignements n'est à négliger. Et mon statut est toujours supérieur au tien. Mais ne chicanons pas. Ce n'est pas à cela que je voulais en venir. Ce que je souhaite te faire remarquer, c'est que... les autres gosses de quatorze et quinze ans ans n'ont pas ton... indépendance, ta maturité, ou ton budget. Je crains que ceux de Novgorod ne soient choqués par tes... mmm, soirées et ton langage. Pour résumer, nous sommes circonspects. Connais-tu ce mot ?

– Je le connais, oncle Denys, de même que périlleux. Je n'ai aucun souci à me faire. Leurs mères ne feront pas d'histoires. Elles souhaitent voir leurs rejetons obtenir de bons postes à Reseune, quand je serai à la tête des labos. Et un grand nombre rêvent de me voir inviter leur fils dans mon appartement. Et dans mon lit.

– Seigneur ! Ne t'avise pas de dire une chose pareille à Novgorod.

– J'y vais ?

– Pas tout de suite. Pas de sitôt. Khalid ne fait que s'installer. Laissons-le prendre l'initiative.

– Oh, quelle merveilleuse idée !

– Ne fais pas ta maligne, sera. C'est à lui d'abattre son jeu, et tu profiteras de cette attente pour te mettre à jour dans tes études... et apprendre quel est le comportement d'une fille de quatorze ans que l'on pourrait qualifier de normale.

– Je le sais. Je le sais parfaitement. Même s'il est probable que je le saurais mieux si tous mes amis n'avaient pas été exilés à Lointaine, non ?

– Ne fais pas un numéro de ce genre devant les caméras. Tu prends tout ceci pour un jeu. Je t'ai pourtant dit que tu risquais de tout perdre. Je t'ai expliqué ce qu'est une nationalisation...

– Je m'en tire très bien avec les grands mots.

– Alors voyons comment tu te débrouilles avec les autres. Tu n'es plus la douce fillette qui a séduit les médias. Tu rappelles de plus en plus une autre Ari que les journalistes n'ont pas oubliée... et je parie qu'ils cesseront bientôt de te ménager comme ils l'ont fait jusqu'à présent. Tu ignores quels terrains sont minés, jeune sera. Nous retarderons cet affrontement le plus longtemps possible, et si nous réussissons à t'accorder une année de répit il est probable que tu devras ensuite demander ton émancipation. C'est alors que nos adversaires voudront empêcher le bureau des Sciences de te l'accorder, et tu te retrouveras devant un tribunal... avec d'ailleurs de fortes chances d'obtenir gain de cause étant donné que l'Ari précédente a changé de statut à seize ans. Mais le problème ne sera pas résolu pour autant, cela ne fera que montrer l'opposition sous un mauvais jour, pour avoir mené la vie dure à une adolescente qui devrait se conduire avec un peu plus de bon sens qu'elle ne le fait.

– J'apprendrai.

– Je l'espère. Notre principal ennemi est le temps. L'amie de la première Ari, Catherine Lao, dont l'aide t'a été bien plus précieuse que tu ne peux t'en douter, a cent trente-huit ans. Giraud approche de cent trente. Ta présence – ta ressemblance avec l'autre Ari – sera l'équivalent d'une injection d'adrénaline pour certains conseillers, mais ça ne suffira pas. À la moindre erreur... les labos seront nationalisés par le gouvernement et peu après la Défense fera du Territoire administratif une zone militaire. L'armée invoquera un prétexte avant que l'encre n'ait eu le temps de sécher sur le décret, et tu passeras le restant de tes jours à travailler sur les projets qu'ils t'imposeront, si tu ne te retrouves pas dans une petite enclave d'où tu ne pourras contacter ni Novgorod, ni le Conseil, ni le bureau des Sciences.

Elle regarda Denys droit dans les yeux et pensa : *Je te trouve bien mal placé pour me faire un sermon, si j'en juge par la situation dans laquelle tu nous as mis.*

Mais elle se contenta de dire :

– Base un ne m'autorise pas à aller plus vite, oncle Denys.

– Je vais essayer sur toi un autre grand mot, dit-il. Psychogenèse.

Une nouveauté.

– Engendré par l'esprit ? hasarda-t-elle d'après les racines grecques du mot.

– Formation, clonage de l'esprit. Me comprends-tu, à présent ?

Elle eut froid dans tout son être.

– Quel est le rapport ?

– Ta ressemblance avec la première Ari. Voici d'autres mots que tu pourras essayer : Bok. Endocrinologie. Géhenne. Et ver.

– Mais... de quoi parles-tu ? Que veux-tu dire en employant le terme de ressemblance ?

L'audiobrouilleur soumettait ses dents à une véritable torture.

– Inutile de crier. Je ne suis pas sourd. Je parle de ce que je n'ai jamais cessé de te répéter. Tu es Ari. Je vais te fournir une dernière précision. Elle n'est pas décédée de mort naturelle. Elle a été assassinée.

Une inspiration profonde.

– Par qui ?

– Son meurtrier, ma chérie.

– Bordel, oncle Denys...

– Surveille ton langage. Tu aurais intérêt à bannir certains mots de ton vocabulaire. Elle a été tuée par quelqu'un qui ne vit plus à Reseune.

– Est-elle donc morte ici ?

– Je ne suis pas disposé à t'en dire plus. Le reste est ton problème.

Archives : projet Rubin
Confidentiel, classe AA

Copie formellement interdite
Contenu : transcription du fichier 8001
Bloc 1 – Archives personnelles
Emory I/Emory II

2420 : 03/10 : 2348

AE2 : Concierge, ici Ari Emory. Je suis seule. Fournis-moi tout ce qui se rapporte à la psychogenèse.
B/1 : Patiente. Récupération.
Ari, ici Ari senior.
Tu as 14 ans et un statut d'accès de 16. Tes résultats sont inférieurs de 10 points à ceux que j'obtenais à cet âge.
5 points de moins en psych.
Aucun test de Rezner depuis l'âge de 10 ans.
Il te manque 5 points pour pouvoir accéder à ces informations.
AE2 : Base un, est-ce que je suis autorisée à consulter les données sur Bok ? Mot clé : clone.
B/1 : Patiente. Récupération.
Statut insuffisant.
AE2 : Essaie endocrinologie, mot clé : psychogenèse. Géhenne, mot clé : projet. Ver, mot clé : psych.
B/1 : Statut insuffisant.

2420 : 01/11 : 1876 : 02

AE2 : Concierge, ici Ari Emory. Je suis seule. Référence : psychogenèse.

B/1 : Patiente. Récupération.

Ari, ici Ari senior.

Tu as 14 ans et un statut d'accès de 16. Tes résultats sont inférieurs de 7 points à ceux que j'obtenais à cet âge.

1 point de plus en psych.

Aucun test de Rezner depuis l'âge de 10 ans.

Tu es qualifiée pour l'accès à ces fichiers. Patiente.

Ari, ici Ari senior. On ne peut consulter ces informations que depuis le terminal principal de Base un. Tous les fichiers concernés seront stockés dans tes archives sous verrouillage vocal.

Tu as utilisé un mot clé et tu peux désormais prendre connaissance de mes notes de travail. Elles sont sommaires, et je te prie de m'en excuser. Elles étaient pertinentes lorsque je les ai écrites, mais n'accorde pas trop d'importance à ce qui date d'avant 2312, hormis si tu souhaites reconstituer l'évolution de ma pensée. J'ai commencé à étudier la psychogenèse dès 2304, mais j'avais de sérieuses lacunes en endocrinologie. Tu pourras consulter tout ce qui date de cette période, mais je n'ai trouvé la bonne voie qu'en 2312 et obtenu les fonds nécessaires à l'approfondissement de ces travaux qu'en 2331. J'ai bénéficié au cours de cette décennie des recherches de Poley. Nos désaccords étaient académiques et non personnels. Nous avons échangé une correspondance abondante qui figure dans les archives. En 2354 mes notes avaient perdu de la cohérence et acquis de l'intérêt.

Que tu puisses y accéder signifie que ce projet a réussi. Tu possèdes mes capacités. J'espère que ce n'est pas au détriment d'un certain sens moral.

Ta Base a désormais accès à tous mes comptes rendus de recherche. Bonne chance.

AE2 : Base un, puis-je consulter les données sur Bok ? Mot clé : clonage.

B/1 : Patiente. Récupération.

AE2 : Essaie endocrinologie, mot clé : psychogenèse. Géhenne, mot clé : projet. Ver, mot clé : psych.

B/1 : Patiente. Récupération.

B/1 : L'expérience de clonage de Bok se solda par un échec. Tous croyaient que la génétique combinée à une éducation appropriée permettrait de créer un génie. Plus qu'une impasse scientifique, ce fut une tragédie sur le plan humain. Ta Base peut te communiquer toutes les informations disponibles sur ce projet.

B/1 : Les fichiers sur l'endocrinologie sont nombreux. Ils te sont tous accessibles.

B/1 : Géhenne est une étoile de type G5. J'ai travaillé sur un projet de colonisation d'une des planètes de son système pour le compte de la Défense. Base un consulte les archives pour apprendre ce qui en a résulté.
On trouve des hommes, sur ce monde.
Ils ont survécu soixante-cinq ans.
On peut en déduire que cette colonie est viable.
J'ai accepté d'effectuer ces recherches pour des raisons que mes notes te permettront de comprendre. Tout en respectant les impératifs fixés par les militaires, j'en ai profité pour procéder à une expérience à leur insu.
J'ai écrit des instructions dont le thème était : Vous avez été envoyés sur ce monde pour le défricher, découvrir ses règles, vivre le plus longtemps possible et enseigner à vos enfants tout ce qui vous semble important.
Les colons n'ont ensuite plus reçu de bande. À dessein.
Intégrer un représentant de cette population dans les cultures du courant principal serait dangereux. Étudie le milieu autant que le programme. C'est un aspect de la question sur lequel je n'ai pu me pencher. Analyse ce que j'ai fait et assimile-le, avant de tenter la moindre intervention.
La quarantaine devra être prolongée tant que les résultats n'auront pas été simulés sur trente générations.
Ta Base a accès à tous les fichiers correspondants.

B/1 : Un ver est un programme lié aux ensembles-profonds. Il a la particularité de se manifester après plusieurs générations sans avoir perdu ses caractéristiques.

CHAPITRE XI

1

Les caméras se rapprochaient : une phalange d'objectifs surmontés de micros directionnels qui ressemblaient aux lances des guerriers de l'Antiquité. Elle voyait au-delà la cohorte des journalistes munis de scripteurs et de coms.

Florian et Catlin se tenaient derrière elle, avec les assistants d'oncle Giraud ; parmi lesquels huit membres de la sécurité de Reseune, armés et en civil.

Elle avait jeté son dévolu sur un ensemble bleu, afin de leur remettre en mémoire une petite fille au bras en écharpe qui venait de perdre sa mère et dont le chagrin avait ému toute la population de l'Union. Elle avait envisagé de se faire un chignon, comme Ari senior, mais s'était contentée de diviser ses cheveux par le milieu, de les remonter sur les côtés et de les laisser retomber sur sa nuque, retenus par des peignes constellés de petites fleurs pailletées de quartz blanc. Un soupçon de maquillage... le strict nécessaire pour les caméras : son visage s'était allongé, ce qui mettait en relief ses pommettes et une maturité qu'elle s'efforçait d'atténuer en adressant des sourires à ses journalistes préférés... pour leur indiquer qu'elle les reconnaissait et qu'elle les trouvait sympathiques.

Ce qui les dissuaderait peut-être de poser des questions embarrassantes. Les gens aimaient se sentir importants, et les bénéficiaires de telles attentions avaient tendance à la ménager ; comme le vieux Yevi Hart, par exemple. Cet homme à la réputation de dur à cuire était devenu presque gentil avec elle, après la mort de sa mère. Elle le Travaillait depuis des années : un regard, un air blessé quand il posait des questions brutales. Elle lui adressa un clin d'œil de connivence, car elle savait qu'il l'interrogerait le premier. D'accord, Yevi, allez-y. C'est votre travail, et je vous aime bien.

Il la dévisagea et parut avoir oublié sa question pendant une fraction de seconde. Son expression sévère fut adoucie par du regret, puis il roula sa fiche et la fourra dans la poche de sa veste.

– Jeune sera...

– Je m'appelle toujours Ari, Yevi.

La tête inclinée de côté, un sourire empreint de tristesse.

– Désolée. Continuez.

– Ari, vous sollicitez votre émancipation. Les centristes attaquent le bureau des Sciences pour empêcher que ce statut ne vous soit accordé. Que comptez-vous répondre à ceux qui accusent les responsables de Reseune de vous avoir passé une bande-profonde et conditionnée à jouer une comédie ? En d'autres termes, que les laboratoires et vos parents vous auraient créée pour pouvoir conserver les biens d'Emory ?

Elle rit. C'était amusant.

– Tout d'abord, je n'ai jamais reçu de bande-profonde et j'ai dû apprendre ce que je sais de la même manière que tous les autres CIT. Ensuite, si...

– Un complément d'information.

– Laissez-moi terminer, Yevi, et ensuite nous entrerons dans les détails. D'accord ?

Un hochement de tête.

Elle leva la main pour compter sur ses doigts.

– Deuxièmement, ils ne peuvent accuser Reseune de m'avoir appris quelles réponses il convenait de fournir à tout ce que vous pourriez me demander, car si les labos avaient mis au point une pareille méthode éducative ce serait merveilleux ; nous l'aurions commerciali-

208

sée dans toute l'Union et nous serions très riches. Mais même les centristes doivent savoir que c'est irréalisable. J'en déduis qu'ils pensent qu'on m'a bourré le crâne avec les réponses aux questions que vous me poseriez, et donc que vous nous les avez communiquées voilà déjà quelques jours. Est-ce le cas ?

– Certainement pas, répondit Yevi qui paraissait pris au piège. Mais si...

– Troisièmement...

Un autre doigt, et un chœur de journalistes.

– Accordez-moi quelques instants. Je n'ai pas l'intention d'éluder vos questions. Selon ser Corain je ne serais qu'une marionnette créée afin que mes proches puissent s'approprier les biens de l'Ari précédente. Il déclare qu'il ne faut pas m'émanciper parce que cette mesure permettrait d'empêcher la divulgation du rôle tenu par ma génémère dans le cadre du projet Géhenne. Ce sont deux arguments qu'il convient de traiter séparément. A, si je suis émancipée le patrimoine d'Emory me reviendra et ma Famille perdra tout droit de regard sur lui. Mes proches continueront de me prodiguer leurs conseils, mais tous ceux qui ont de lourdes responsabilités doivent s'informer auprès des spécialistes dès qu'il est question d'investissements et de recherche. Peut-on dire pour autant qu'ils sont les jouets de leurs conseillers ? En outre, il n'y a pas que mes parents : je dois tenir compte de l'avis de milliers et de milliers de personnes, comme le faisait l'Ari précédente lorsqu'elle occupait le siège du bureau des Sciences. B...

– Ari...

– Permettez-moi de terminer. Je répondrai ensuite à vos demandes. Je ne veux rien omettre. B, il est faux de prétendre que mon émancipation servira à couvrir les agissements d'Emory. J'ai accès à ses notes et je prends l'engagement d'en parler au Conseil dès que je serai légalement habilitée à témoigner sous serment, ce que m'interdit mon statut actuel de mineure. Il me semble au contraire que les centristes nous font ce procès d'intention afin que certaines choses restent dans l'ombre, car s'ils voulaient apprendre ce que je sais ils ne tenteraient pas de me réduire au silence. Les fichiers en question sont protégés par un verrou vocal et nul programmeur ne pourrait y accéder sans les altérer, voire en effacer certains passages. Même mes parents ne peuvent les consulter. Je suis la seule détentrice de ces informations et ser Corain m'attaque en justice pour m'empêcher de révéler ce que je sais.

Tous les journalistes se mirent à hurler. Elle désigna Yevi.

– C'est toujours à vous.

– Pour quelle raison ?

Ce n'était pas la question prévue et ses collègues protestèrent.

– J'aimerais pouvoir le demander à ser Corain. Il y a peut-être autre chose, là-dessous.

– Complément d'information.

– Désolée, Yevi, mais cette m'sera demande la parole.

– Qu'est-ce qui empêche vos oncles de lire ces fichiers ?

Aïe. Bonne question.

– Moi. On y accède par un programme spécial écrit par la première Ari. Ma voix est proche de la sienne et mon généset est le sien. Dès que j'ai été assez âgée pour pouvoir être identifiée par l'ordinateur, il m'a ouvert ces archives. Mais elles sont protégées par de nombreux blocages de sécurité et je ne peux les consulter en compagnie d'un tiers.

– Complément d'information ! hurla la femme pour se faire entendre malgré le brouhaha. Ne pourriez-vous pas les enregistrer ?

Une autre bonne question. Il lui faudrait graver les traits de cette journaliste dans sa mémoire, et s'en méfier à l'avenir.

– Cela va de soi. Mais l'Ari précédente s'est penchée sur les problèmes de sécurité et m'a exhortée à la prudence, même dans mes rapports avec les personnes auxquelles j'accorde ma confiance. Je ne comprends pas toujours le fondement de ses instructions mais je les respecte, et je dois préciser que nul n'a fait pression sur moi pour tenter d'apprendre ce que contenaient ces fichiers. À la lumière de ce que j'ai découvert, j'estime que c'est au Conseil de décider à qui ces révélations peuvent être divulguées, pas à une enfant de quinze ans ou au représentant d'un seul électorat, parce que trop d'intérêts sont en jeu et que je ne saurais à qui m'adresser. C'est aux gouvernants de l'Union qu'échoit de prendre les décisions importantes. C'est ainsi que je comprends leur rôle... Ser Ibañez.

– Pouvez-vous nous dire si on trouve dans ces fichiers des informations à même de nuire à la réputation de l'Ari précédente ?

– Je vais vous répondre ceci, car il est indispensable que tous le sachent : Géhenne doit rester en quarantaine. Emory a exécuté les ordres du bureau de la Défense, mais les conséquences l'effrayaient. C'est pour cela qu'elle m'a laissé ces instructions... Ser Hannah.

Et ce fut le chaos. Tous hurlaient.

– Si cette affaire est aussi grave que vous le laissez entendre... n'a-t-elle pas agi avec légèreté ? Pourquoi a-t-elle gardé le silence ?

– Le projet était couvert par le secret militaire et ce monde devait rester isolé. Elle en a parlé à quelques proches, mais la plupart sont décédés, et les autres n'ont pas dû comprendre l'importance de ses révélations. Je n'ai pas encore tout assimilé, et c'est le fond du problème. Il est indispensable de posséder un esprit tel que le sien pour se pencher sur la question. Elle est morte et nul ne pourrait à présent parvenir aux mêmes conclusions qu'elle. C'est pour cela qu'on m'a créée. Ma situation n'est pas celle du clone de Bok. Je suis une Spéciale et je saurai un jour ce qui s'est passé. Pour l'instant, nul n'en serait capable. Mais elle m'a laissé des informations dont je ne parlerai que devant le Conseil, pour ne pas embrouiller une situation déjà confuse sans pouvoir par ailleurs engager ma parole à l'appui de mes dires. J'attendrai mon émancipation. Si j'agissais autrement, des gens malintentionnés mettraient mes déclarations en doute, et tous se demanderaient si j'ai conscience de l'importance de mes actes.

Ils hurlèrent, se poussèrent, se bousculèrent. Florian et Catlin vinrent l'encadrer, inquiets.

Mais elle les avait Eus. Ils venaient de lui offrir l'opportunité de tenir le discours qu'elle leur avait préparé.

2

– Diffusez cette putain d'émission ! hurla Corain.

Il s'adressait par sécuriphone au responsable de l'équipe de Khalid, qui affirmait ne pas pouvoir joindre ce dernier.

– Seigneur ! Peu m'importe où il est. Trouvez-le et obtenez cette autorisation, pauvre imbécile. Je peux suivre la conférence de presse en direct depuis mon bureau et trente-cinq journalistes sont en liaison directe avec leur rédaction... alors, à quoi rime cette histoire de différé ?

– Ici Khalid, entendit-il enfin. Conseiller Corain, en raison de la teneur des propos de l'enfant nous avons jugé nécessaire d'imposer un décalage de sécurité d'une demi-heure, pour assurer sa protection. Nous sommes confrontés à un problème.

– Vous pouvez le dire. Plus l'attente sera importante, plus les médias en parleront et plus le public s'interrogera sur les raisons d'un tel ordre. Il est impossible de censurer cette émission.

– C'est certain, et je vous avais mis en garde contre les dangers. Cette mineure irresponsable lance des accusations dans des domaines qui relèvent de la défense nationale et tout cela aura des répercussions interplanétaires. Je suggère de lui opposer un démenti catégorique.

– Interdire cette réunion eût été téméraire. Il serait impossible de tenir en permanence les journalistes à l'écart de la gosse, et vous pouvez constater comme moi quels doutes elle peut semer dans les esprits avec de simples insinuations.

– Elle a bien appris sa leçon.

– Sa leçon, bordel! Diffusez immédiatement cette émission, Khalid!

Il y eut un long silence.

– Le délai va expirer dans un quart d'heure. Je vous suggère de mettre ce répit à profit pour rédiger une déclaration officielle.

– Sur quelles bases? Nous ne sommes pas concernés par ces accusations.

Une nouvelle pause.

– Nous non plus, conseiller. Je compte réclamer une enquête.

Ils utilisaient un sécuriphone, mais toutes les communications pouvaient être enregistrées; il suffisait d'avoir accès à l'installation, ou de se trouver à l'autre bout du fil.

– Je ne puis qu'approuver une telle décision, amiral. Notre parti se réunira dans une heure. Je compte sur vous pour nous préciser quelle position compte adopter votre bureau.

– De telles allégations sont sans le moindre fondement, déclara Khalid aux caméras.

Le menton posé sur son poing, Corain quitta l'écran des yeux pour regarder la dépêche qu'un assistant venait de poser sur son bureau. *NP : Le porte-parole du bureau de la Défense s'abstient de tout commentaire et CP : Khalid parle d'accusations sans fondement.*

– ... rien dans ces fichiers à même de justifier le maintien des mesures de quarantaine. Je n'hésite donc pas à affirmer que ce sont de pures affabulations de Giraud Nye, qui a employé une bande pour fourrer de telles idées dans le crâne d'une mineure incapable de comprendre quelles peuvent être les répercussions de ses propos sur le plan international. Reseune se livre à une manœuvre abjecte afin d'utiliser la presse libre à son avantage... un coup monté de toutes pièces. Croyez-vous que cette enfant nous fournira un jour des preuves de ses déclarations mensongères? Des fichiers qu'elle prétend être la seule à avoir vus et qu'elle ne peut – je dis bien, ne peut – produire... des informations qui lui auraient été transmises par la femme qu'elle a été autrefois ? Non, seri, j'ai l'intime conviction que ces fichiers inaccessibles n'ont pas été ouverts par Ariane Emory, que le programme dont elle nous parle n'a pas été écrit par l'ex-conseillère pour guider à titre posthume les pas de celle qui devait la remplacer. Il est évident que tout cela est attribuable à un individu qui se trouve toujours parmi nous, et que l'enfant elle-même a été programmée – je dis bien programmée – à l'aide de méthodes dont ces laboratoires ont acquis la maîtrise et dont le conseiller Nye est lui-même un expert incontesté... un Spécial qui doit son statut à ses connaissances dans ce domaine. Emory II n'est qu'un leurre créé par Reseune pour entraver la justice et empêcher l'Union de protéger ses intérêts vitaux ; un fantoche utilisé et manipulé afin de protéger les privilèges de quelques nantis dont les manigances machiavéliques mettent la paix en péril...

Les journalistes les attendaient à l'hôtel.

– Avez-vous pris connaissance des accusations lancées par Khalid, conseiller Nye ? cria l'un d'eux.

– Nous les avons entendues en chemin, répondit oncle Giraud.

Pendant que la sécurité leur dégageait un passage dans le hall et que les cameramen se bousculaient.

– Je souhaite y répondre, dit Ari.

Elle repoussa le bras de Florian qui tentait avec les autres gardes de leur faire franchir les portes.

– Y a-t-il une salle de conférences où nous pourrions nous installer ?

– ... merci, dit-elle.

D'un geste juvénile elle ramena ses cheveux derrière ses épaules puis grimaça et abrita ses yeux face à un projecteur qui l'éblouissait.

– Ow. Pourriez-vous l'incliner, s'il vous plaît ?

Elle se pencha et fit reposer ses avant-bras sur la table. Elle ressemblait tant à l'Ari précédente que Corain sentit son estomac se nouer.

– Posez-moi vos questions.

– Que pensez-vous des déclarations de Khalid ? cria un des journalistes.

Au milieu du chaos. Un chaos absolu. Le faisceau lumineux revint sur son visage et la fit tressaillir.

– Arrête ce machin ! hurla quelqu'un. Ça ne sert à rien.

– Merci, murmura-t-elle quand le projecteur s'éteignit. Vous désirez connaître mon point de vue sur les propos de l'amiral ? Eh bien... j'estime qu'il aurait mieux fait de se taire. Il était à l'époque le chef des services de renseignements. Oui, il a fait une erreur. Dire que je suis programmée n'est pas non plus très malin. Il tente de psycher tout le monde, et je peux même vous dire sur quels points. Voulez-vous que je vous les énumère ?

– Allez-y ! crièrent des voix.

Elle leva le pouce.

– Un : comment peut-il affirmer que rien ne justifie une poursuite de la quarantaine s'il ignore quelles informations contiennent ces fichiers ? C'est pourtant son principal sujet de récrimination, il me semble ? Voilà qui est pour le moins contradictoire et on peut en déduire qu'il veut manipuler l'opinion publique ou encore qu'il connaît la teneur de ce que m'a transmis l'Ari précédente.

» Deux : selon lui, mon oncle m'aurait conditionnée en utilisant des bandes. Même si c'était vrai, ce qui n'est pas le cas, comment pourrait-il le savoir ?

» Trois : il prétend que je n'ai pas conscience des conséquences de mes divulgations. Hormis s'il sait quel est le contenu de ces fichiers, il ne peut juger du bien-fondé d'une telle décision.

» Quatre : il trouve amusant que l'Ari précédente ait écrit un logiciel à mon intention. C'est du psych pur et simple. S'il tient de tels propos, c'est pour détourner votre attention de sa déclaration et éviter que vous n'en assimiliez le sens. Il souhaite faire croire qu'une telle chose est impossible, alors que rien n'est plus facile. Il s'agit d'un programme qui se ramifie et se protège à l'aide d'un analyseur vocal et d'autres dispositifs de sécurité sur lesquels il serait superflu de s'étendre. Je pourrais en écrire un comparable, à l'exception des instructions de brouillage. Et ces dernières n'ont aucun secret pour mes gardes du corps... eux-mêmes âgés de quinze ans. Et comme le conseiller Khalid a appartenu aux services de renseignements, il est probable qu'il les connaît lui aussi. C'est donc du psych et rien d'autre.

» Cinq : il avance que mon oncle a écrit tout cela. C'est une autre manipulation psych, car il n'est pas nécessaire d'apporter la preuve de telles accusations pour semer le doute dans les esprits. Je pourrais en faire autant et déclarer qu'il a obtenu le siège de la Défense en répandant une rumeur selon laquelle Gorodin ne soutiendrait pas les mesures en faveur des militaires retraités. Les nouvelles se propagent si lentement dans l'espace que les résultats du scrutin sont parvenus à Cyteen avant que le démenti de Gorodin ne soit arrivé aux avant-postes les plus éloignés. J'ai entendu dire cela aux informations, mais on a tôt fait d'oublier qui est l'auteur de certaines contre-vérités.

– Mon Dieu... murmura Corain.

Il laissa son menton redescendre sur ses poings.

– La question est réglée, commenta Dellarosa. Je vous conseille de réunir les centristes à l'exception de la Défense et de prendre au plus tôt position.

Corain leva la main pour réordonner sa chevelure.

– Merde, nous ne pouvons même pas l'attaquer pour diffamation. C'est une mineure. Et l'interview est diffusée en direct.

– Les militaires avaient d'excellentes raisons de préférer Khalid à Gorodin et ils l'auraient élu même sans ces rumeurs. Mais notre ami vient de subir un revers. Les dégâts seront irrémédiables. Je ne serais pas surpris que Gorodin lui lance un défi. Nous devons prendre nos distances et nous prononcer sur ces fichiers soi-disant confidentiels pendant qu'ils s'affrontent.

– Ce qu'il faut faire c'est... court-circuiter Giraud Nye et réclamer la réunion d'une commission d'enquête du bureau des Sciences chargée d'étudier l'affaire et de déterminer les capacités de cette fille. Mais vous avez assisté à son petit numéro. Elle vient de détruire Khalid. Il a joué ce sale tour à Gorodin en croyant qu'on ne réussirait jamais à le lui attribuer... mais dans un tel contexte, nul n'oubliera ce qui vient d'être dit.

– Nye l'a mise au courant.

– Ne commettez pas la même erreur que Khalid. Il en est mort. Sur le plan politique, s'entend. Il ne réussira pas à contrer cette attaque.

– Rien ne l'empêcherait de tous nous accuser de figurer dans ces maudits fichiers.

– Elle s'en est abstenue, pour Khalid. Ce qui signifie qu'ils existent et qu'elle compte les divulguer, ou encore qu'elle garde cet atout dans sa manche... qu'elle attend sa comparution devant le Conseil. Je vais vous dire quel est l'autre problème, mon ami. Khalid est devenu pour nous un sérieux handicap.

– Il doit démissionner.

– Il ne le fera pas. Pas lui. Il luttera jusqu'au bout.

– Alors, je vous suggère de commencer à chercher qui pourrait servir nos intérêts, en écartant Gorodin que la loi rend inéligible pour deux ans. Combien de temps avons-nous devant nous ? Un détritus remonte à la surface... et quelques individus font des confidences aux médias. Un autre... et tous se ruent vers les caméras.

– Damnation.

C'était lui qui avait insisté auprès de Khalid pour faire lever la mesure de différé.

Ils ne pourraient rien répondre aux accusations, seulement tenter d'obtenir le report des auditions à une date ultérieure... pendant que Nye ferait tout son possible pour contrer cette mesure et que la fille aurait droit à l'attention des journalistes.

Irréalisable. Renoncer à faire opposition ?

Elle aurait alors le Conseil pour auditoire.

Et les révélations qu'elle ferait sur Géhenne parviendraient aux oreilles des ambassadeurs de l'Alliance et de la Terre.

Elle ne bluffait pas.

– Une chose, ajouta-t-il comme Dellarosa sortait. Il existe un domaine où elle bat Khalid à plate couture. Je vous mets au défi de trouver à la Défense quelqu'un qui sache rédiger des discours que tous peuvent comprendre, bon Dieu !

3

Justin regardait la vid. Retenu au labo de sociologie, il n'avait pu suivre les retransmissions de l'après-midi en direct et se passait la cassette. La fonction « mots clés » du magnétoscope avait commandé l'enregistrement de tout ce qui se rapportait à l'audition, à Ari, et aux principaux intéressés.

Il secoua la tête, le menton posé sur les mains et les coudes sur les genoux.

– Une mémoire sans faille, commenta Grant qui était assis près de lui sur le divan. Pour une CIT, tout au moins. Elle marque des points aussi souvent qu'elle le désire et sème la confusion dans les esprits pour tout le reste.

Puis il y eut Khalid qui affirmait que Giraud Nye avait soufflé cette accusation à Ari et utilisait l'adolescente comme porte-parole, afin de ne pas être poursuivi en justice pour diffamation.

– Il peut lui avoir suggéré cette attaque, mais cela n'enlève rien au sens de l'à-propos de cette gosse.

– Khalid s'est trompé d'adversaire, déclara l'azi. Il fait une fixation sur Giraud.

– Arrêt vid.

Et il n'y eut plus que le silence.

Grant se pencha pour secouer son genou.

– Penses-tu que Khalid... pourrait lui faire du mal ?

– Je le crois capable de tout. Je ne sais pas. Mais il ne l'attaquera pas... pas elle. Elle constitue une cible trop délicate. Je vais appeler Denys.

– Pourquoi ?

– La folie CIT. La politique. Ari ne risque rien, mais Jordan travaille pour la Défense.

Les traits de Grant cessèrent d'être expressifs, puis ils traduisirent le choc éprouvé.

– Je te déconseille de demander au concierge d'établir cette communication. Il serait préférable que tu passes le voir.

– Tu crois qu'il m'accordera une entrevue à une heure pareille ? Il refusera de m'ouvrir sa porte.

– Les services de sécurité, suggéra Grant après un instant de réflexion. Demandons-lui de nous retrouver au centre.

– J'apprécie votre intérêt, déclara Denys.

Ils étaient assis en face de cet homme, séparés par le bureau. Seely restait debout, adossé au mur de la salle d'interrogatoire.

Une pièce dont Justin se souvenait... trop bien.

– Ser, je... je ne qualifierais pas cette peur d'irrationnelle. Vous devez lui interdire de se présenter à toute convocation des militaires.

– Un tel ordre ne pourrait être officiel. Cela risquerait... d'attirer l'attention sur votre père. Peut-être êtes-vous alarmiste...

– Khalid a d'excellentes raisons de provoquer un incident, ser. Et mon père est là-bas, sans protection. Ils pourront lui raconter n'importe quoi. Est-ce faux ?

Denys se renfrogna. Ses doigts boudinés tambourinèrent le plateau du meuble, puis :

– Seely. Tout de suite.

– Bien, répondit l'azi qui sortit aussitôt.

Grant se leva de son siège et suivit Seely du regard. Puis Justin eut la même pensée que lui et se redressa à son tour, pour se retrouver confronté à deux gardes armés de faction sur le seuil.

– Que va-t-il faire ? demanda-t-il à Denys. Vous ne lui avez pas fourni d'instructions. Que va-t-il faire ?

– Du calme, mon garçon. Asseyez-vous. Tous les deux. Nous avons prévu des mesures d'urgence. Vous n'êtes pas les premiers à envisager cette possibilité. Seely a compris ma pensée.

– Quelles mesures d'urgence ?

– Il n'est pas dans nos intentions de nuire à votre père. Asseyez-vous, s'il vous plaît. Votre imagination est fertile, ce soir.

– Où est-il allé ?

– Aux transmissions, pour communiquer un code que vous n'avez pas besoin de connaître. Planys va passer en alerte rouge. Les services de sécurité de nos installations n'accepteront des ordres que de leurs collègues de Reseune et ne laisseront personne y pénétrer ou en sortir. Nous prétexterons un incident dans le laboratoire. D'une simplicité extrême. Étant donné que Jordan est le personnage le plus surveillé, là-bas... vous pouvez être tranquilles. Il ne recevra aucun appel, les nôtres exceptés. Asseyez-vous.

Justin obtempéra et Grant l'imita.

– Merci. Je comprends votre paranoïa et sachez que je ne sous-estime jamais la valeur d'un bon paquet de nerfs. C'est le sens qui permet de prévoir la tempête. Seely... il n'a pas besoin de consulter les bulletins météorologiques. Ne trouvez-vous pas cela étrange... chez un individu par ailleurs si rationnel ? Et elle, qu'en pensez-vous ?

Par le travers et par surprise. Justin cilla, aussitôt sur la défensive... une réaction involontaire.

– Vous parlez d'Ari ? Je l'ai trouvée très brillante. Pourrait-il en être autrement ?

– Elle m'inspire de la fierté. Ses résultats en psych ont grimpé de six points en moins d'un mois... dès qu'elle a jugé en avoir besoin. J'ai tenu les mêmes propos devant le comité, mais ils ont refusé de croire qu'elle avait auparavant faussé les résultats. Excusez-moi. Il est probable que je ne pourrai me détendre qu'après son retour à Reseune, quand elle sera à nouveau en sécurité dans nos installations.

– Moi aussi.

– Je vous crois. Je dois préciser que... nos inquiétudes au sujet de votre père ont d'autres raisons. Je m'étais engagé à vous informer quand... quand Ari apprendrait dans quelles conditions l'Ari précédente est décédée.

– Vous lui avez tout dit ?

Denys mordilla sa lèvre et étudia ses mains.

– Pas tout... pas encore.

Il releva les yeux.

– Mais... je n'ai pu tenir en place, pendant la première interview. Quand un journaliste lui a demandé pourquoi l'autre Ari n'avait pas pris d'autres dispositions pour léguer toutes ces informations... j'ai cru qu'elle répondrait que son assassinat ne lui en avait pas laissé le temps. Et son interlocuteur aurait alors eu l'opportunité de rechercher des rapports entre le meurtre et ces fichiers... sans qu'ils existent, naturellement. J'ai redouté cette possibilité pendant une fraction de seconde, mais Ari a changé de cap, grâce à Dieu. Je ne tenais pas à ce qu'elle entende parler de « l'affaire Warrick » devant les caméras. Ou lors des auditions. Elle va rentrer ce soir, un départ qui n'a pas été annoncé. Le bureau des Sciences assurera une couverture radar totale de l'espace aérien. Vous pouvez constater que vous n'êtes pas le seul paranoïaque, ici. Giraud devrait lui dire le reste pendant le vol. Je vous aurai averti.

4

– Ari.

C'était Giraud, qui s'installait en face d'elle dans le siège que Florian venait de libérer.

RESEUNE UN volait dans la nuit et seules des étoiles apparaissaient au-delà des hublots... des étoiles et les feux des chasseurs de leur escorte.

Parce qu'ils devaient s'inquiéter des interférences électroniques et de nombreuses autres menaces, assez sérieuses pour inciter ses azis à froncer les sourcils. Ils avaient lancé un défi à un homme dangereux, désespéré et puissant, et des fanatiques n'hésiteraient pas à tenter de les éliminer pour en faire porter la responsabilité aux services de la Défense.

Ari se sentirait plus détendue après leur atterrissage à Reseune. Elle n'accordait guère de pensées à ses Ennemis, hormis à ceux capables d'envoyer un autre avion les attaquer ou d'affoler leurs instruments de navigation : des militaires désireux de faire accuser les extrémistes ou des extrémistes désireux de faire accuser les militaires.

– Tout va bien, ajouta Giraud. Le radar nous signale un ciel dégagé et nous avons une escorte suffisante pour intimider n'importe quel adversaire. J'imagine que tu es impatiente de retrouver ton lit.

Oh, bon sang ! Il faudra inspecter le concierge, et Florian et Catlin sont aussi las que moi. Je voudrais pouvoir me coucher. Et je ne peux dormir.

– J'avoue avoir eu quelques inquiétudes, aujourd'hui, déclara Giraud. Au sujet d'une information qu'ils auraient pu t'apprendre et que... nous avons jusqu'à présent jugé préférable de te taire. Mais je pense – comme Denys, d'ailleurs... je l'ai contacté – qu'il est temps que tu saches.

Accouche, bon Dieu !

– Tu sais que l'autre Ari a été assassinée. Par quelqu'un de Reseune.

– Qui ?

– Un certain Jordan Warrick.

Elle cilla. L'épuisement rendait ses yeux larmoyants. Elle ne connaissait qu'un seul Warrick, à Reseune.

– Qui est-ce ?

– Un Spécial. Le plus grand des experts en conception éducative. Le père de Justin Warrick.

Elle se frotta les paupières et se redressa dans le siège, pour fixer Giraud.

– Je ne désirais pas que tu l'apprennes par les journalistes et le Conseil risque d'aborder ce sujet, la semaine prochaine. Il existait entre Jordan et Ari un contentieux, d'ordre personnel et politique. Il a accusé Ari de s'approprier ses travaux. Ils se sont querellés... Veux-tu des détails ?

Elle hocha la tête.

– Je crois qu'il a dit la vérité, en affirmant que ce crime n'avait pas été prémédité. Ils ont eu un affrontement violent – physique – et Ari est tombée. Son crâne a percuté quelque chose. Jordan a cédé à la panique et voulu faire croire à un accident. La scène se déroulait dans la chambre froide du labo du sous-sol de la section un. Le bâtiment est très vieux, les conduites cryogéniques passent à découvert. Il a endommagé une canalisation, provoqué la rupture du circuit et fermé la porte... le battant se rabat très souvent à cause de l'affaissement de l'immeuble. C'est irréparable, mais nous avons depuis condamné le verrou. En bref, Ari a été gelée par l'azote liquide qui s'est échappé. Elle n'a pas souffert, le coup l'avait rendue inconsciente. En raison de son statut, Jordan a été jugé par le Conseil. Un cas sans précédent... nul Spécial n'avait commis un meurtre, auparavant. Et la loi protège l'esprit de ces derniers... quels que soient leurs crimes. Il a accepté d'être exilé hors de Reseune. Il vit à Planys. Son fils va parfois lui rendre visite.

– Le savait-il ?

– Justin ignorait ce qui allait se passer. Il n'était âgé que de dix-sept ans et avait un peu plus tôt organisé la fuite de Grant vers Novgorod... grâce à la complicité d'amis de son père. Jordan voulait obtenir la direction de RESEUNESPACE et l'azi était un Expérimental, ce qui l'eût empêché de partir avec eux. Mais la situation a dégénéré. Les gens que Justin a contactés étaient proches des abolitionnistes, qui ont procédé à une intervention sur Grant. À mon avis, c'est une des raisons de l'altercation entre Jordan et Ari, qui avait dû envoyer un commando délivrer l'azi. Lorsque le meurtre a été commis, Grant se trouvait à l'hôpital... et Justin lui rendait visite. Il est donc au-dessus de tout soupçon. Il ignorait que son père comptait avoir une explication avec Ari et devait tout ignorer de ses intentions.

Elle avait mal au cœur.

– Il est mon ami.

– Il n'était âgé que de dix-sept ans, à l'époque. Il

n'est responsable de rien. Il vit à Reseune et son père est exilé à Planys. Tu dois comprendre pourquoi nous étions inquiets, quand tu passais le voir. Mais il n'a jamais créé le moindre incident. Il a respecté les clauses qui lui permettaient de rester parmi nous et de terminer ses études. Il est chez lui, ici, et comme il ne cause de tort à personne il serait injuste de lui tenir rigueur des actes de son père et de l'envoyer là où il ne pourrait poursuivre ses recherches. Car c'est un scientifique valable. Il a de sérieux problèmes, mais j'espère qu'il les surmontera. Nous avions surtout peur qu'il dise ou fasse quelque chose à même de te blesser... mais il s'est toujours bien conduit avec toi, n'est-ce pas ?

– Oui.

Tiens toujours compte des sources d'une information, eût dit – avait dit – Ari senior dans le cadre de ses conseils. N'oublie pas ses origines.

– Pourquoi ne l'avez-vous pas envoyé à Lointaine, comme Valery ? Il n'était âgé que de quatre ans et n'avait jamais rien fait de mal.

– Nous voulions surveiller ses moindres faits et gestes, répondit Giraud qui éludait ainsi le cas de Valery. Et il ne fallait pas qu'il puisse contacter des spatiaux, ou qu'il ait à sa disposition des moyens de communication. Les amis de son père... ce sont Rocher et toute la clique des abolitionnistes, les gens à cause desquels nous devons nous faire accompagner d'une escorte.

– Je comprends.

Elle devrait y réfléchir et ne souhaitait pas approfondir la question avec son oncle. Pas pour l'instant.

– Nous savions que cette révélation t'affecterait, ajouta Giraud pour susciter une réaction.

Elle le regarda et s'imprégna de la réalité du moment : la nuit, les chasseurs de l'escorte, la déclaration au sujet de Justin. Et Giraud qui refusait de se justifier, pour Valery. Ils étaient en danger. Tous semblaient devenus fous. Mais elle connaissait les risques, lorsqu'elle avait informé ses oncles de son intention de parler de

Géhenne. Ils ne lui avaient pas dissimulé leurs inquiétudes. Mais elle devait reconnaître une chose, au sujet
de Giraud... il savait garder la tête froide et prendre les
décisions qui s'imposaient, au bon moment : si elle
avait pu choisir qui l'accompagnerait à Novgorod, elle
eût jeté son dévolu sur lui. Et sans doute disait-il la vérité. Il ne pouvait se permettre de mentir, quand il était
si facile de s'assurer de la véracité de ses dires. Elle soupira.

– Il est exact que j'ai reçu un choc, oncle Giraud,
mais je préfère savoir. Je dois réfléchir à tout cela.

Il l'observa un instant puis fouilla dans sa poche et en
sortit un petit paquet qu'il posa sur la table pliante.

– Qu'est-ce que c'est ?

Un haussement d'épaules.

– Je n'ai pas eu le temps d'aller faire des emplettes,
cette fois. Mais j'avais remarqué cet objet dans une boutique, et j'ai chargé la sécurité de passer le prendre. Il
n'avait pas été vendu.

Elle en resta abasourdie. Elle prit le cadeau, déplia le
papier et ouvrit la boîte : une broche avec des topazes
de toutes les nuances serties dans une monture en or.

– Oh ! Oh !

– L'héritage d'Ari incluait un grand nombre de bijoux, mais j'ai pensé que tu devais en posséder un qui
n'aurait appartenu qu'à toi.

Sur ces mots, il se leva pour regagner son siège, à
l'arrière de l'appareil.

– Merci, oncle Giraud, lui dit-elle après quelques secondes.

Toujours sous le coup de la surprise.

Qui s'accentua encore lorsqu'elle leva les yeux.
L'éclairage vertical des plafonniers apportait à l'épiderme de Giraud l'aspect des anciens parchemins. Il revint sur ses pas et lui toucha le bras. Sur sa main, la
peau était striée de rides profondes. Âgé. Évidemment,
il l'était.

Qui n'aurait appartenu qu'à toi. Ces mots s'entrecho-
quaient dans sa tête et elle les retourna autant de fois
que la broche, qu'elle orientait pour que toutes les fa-

cettes des pierres reflètent tour à tour la lumière. Elle se demandait si Giraud voulait la Travailler, s'il avait un faible pour les jeunes filles ou... un peu de tendresse pour elle, un sentiment qui s'était développé en même temps qu'elle et qui l'incitait à avoir de telles attentions... après s'être permis de lui jouer tant de sales tours.

Une chose était en tout cas certaine : il l'avait Eue, et pour de bon.

Un bijou rien qu'à elle. Peu de choses correspondaient à cette définition.

– Qu'est-ce, sera ? demanda Florian. C'est très beau.

– Joli, fit Catlin.

Elle vint s'asseoir près d'Ari et tendit la main, pour toucher la broche.

Ces azis lui appartenaient. Ari I et Ari II fusionnaient, se scindaient, redevenaient un seul être, et cela ne s'accompagnait plus d'une sensation de malaise. Ari senior s'était attiré de sérieux ennuis au cours de son existence mais elle l'acceptait, elle n'aimait pas non plus ses Ennemis. Ils l'avaient assassinée et sa copie conforme devait être accompagnée par des gardes du corps et se faire escorter par des avions de chasse pour être certaine de rentrer chez elle et de retrouver le lit d'Ari, le confort d'Ari, la Reseune d'Ari...

Le fait de n'être qu'une reproduction ne l'irritait pas. Ce n'était pas déplaisant, seulement étrange. Et si ce statut la condamnait à la solitude, c'était secondaire. Son entourage était assez important pour que l'isolement ne fût pas trop profond. Il lui restait beaucoup de choses à apprendre, mais elle ne trouvait jamais cela ennuyeux. Elle n'eût pas souhaité être Maddy, 'Stasi, ou même Amy. Amy était sa meilleure amie, mais elle préférait être Ari, pouvoir aller à Novgorod et garder Florian et Catlin avec elle... sans oublier qu'Amy ne vivait qu'avec sa maman et les proches de cette femme, qui ne devaient pas être très amusants.

Elle eût préféré être Jane. Elle pensa à Ollie, et fut triste qu'il ne lui eût pas écrit. Il ne le ferait pas.

Peut-être était-il décédé, lui aussi ? Des gens mouraient, à Lointaine, et on ne l'apprenait que six mois plus tard.

Elle remit la broche dans son écrin.

– Range-la dans mon sac de voyage, d'accord ? dit-elle à Florian. Je ne voudrais pas la perdre.

Elle la porterait chaque fois que Giraud pourrait la voir. Pour lui faire plaisir.

– Êtes-vous lasse, sera ? s'enquit Catlin. Voulez-vous que j'éteigne les lumières ?

– Non, ça va.

Mais elle se sentait somnolente, les ronronnements des moteurs la berçaient.

Elle aurait pu écrire à Ollie, mais ce n'était pas conseillé pour l'instant. Cette initiative eût accru la nervosité de ses Ennemis et mis ses proches en danger ; comme si elle avait suspendu à leur cou la pancarte : « Voici un de mes amis. »

Des amis que la sécurité de Reseune ne pouvait protéger hors du Territoire administratif et de ses enclaves. Elle devrait en tenir compte, à l'avenir.

5

Ari, ici Ari senior.

Tu as obtenu ton émancipation. Tu as 15 ans mais un statut de 17. Tes droits d'accès ont été élargis.

Tu peux désormais consulter toutes les notes que j'ai prises jusqu'à ma mort et l'histoire de ma vie jusqu'en 2362, année où j'ai démissionné de l'administration de Reseune pour siéger au Conseil.

Quand j'ai eu 17 ans, en 2300, l'Union a proclamé son indépendance et les Guerres de Compagnies ont débuté.

À 35 ans, en 2318, j'ai occupé le poste de conseillère des Sciences en tant que procuratrice de Lila Goldstein, de Station Cyteen, atteinte d'une maladie dont elle est décédée par la suite.

À 37 ans, en 2320, j'ai cédé ce siège à Jurgen Fielding,

de Cyteen. Le statut de Spéciale m'a été accordé et j'ai fait partie d'une élite de cinq privilégiés.

À 48 ans, en 2331, à la mort d'Amélie Strassen, j'ai remplacé cette femme au poste de directrice de la section un de Reseune ; c'est cette année-là que j'ai été placée sous réjuv.

À 65 ans, en 2345, à la mort de mon oncle Geoffrey Carnath, je suis devenue l'administratrice des laboratoires. La flotte de la Compagnie Terre avait établi le blocus de toutes les stations en direction du système de Sol et de Mariner, pour empêcher les échanges commerciaux avec Cyteen et Lointaine. Ses vaisseaux détruisaient tous les cargos à destination de notre monde. Nous subissions de lourdes pertes en matériel et en hommes, et c'est un besoin pressant d'ouvriers et de soldats qualifiés qui a été à l'origine de la participation de Reseune à l'effort de guerre : de 2340 à 2354, l'importance des laboratoires a été multipliée par quatre.

Au cours de cette période, j'ai pris de nombreuses initiatives : franchisage des complexes de production ; automatisation de nombreux procédés ; construction de moulins pour réduire notre dépendance ; expansion de l'agriculture ; création du port fluvial de Moreyville ; fondation de la RESEUNAIR en tant que compagnie de transport commerciale pour la région de la Volga ; reconnaissance des droits de Reseune sur les centres franchisés et de sa tutelle sur tous les azis, quel que soit leur lieu de naissance ; exclusivité des laboratoires pour la fabrication de toute bande non ludique ou d'acquisition de capacités instinctives.

Ces dernières mesures – qui permettent à Reseune de superviser et de protéger tous les azis de l'Union – sont à mes yeux mes réalisations les plus importantes, car elles nous donnent une possibilité de contrôle sur les azis et garantissent leur bien-être. Il y a encore deux autres raisons, à première vue moins évidentes... 1. Cela nous permettra d'interrompre un jour la production d'azis et d'empêcher ainsi leur asservissement permanent. 2. Interroge l'ordinateur à la référence : sociogenèse.

228

En 2352, l'Union a lancé la plus grande offensive de la guerre et m'a confié l'élaboration du projet Géhenne.

Consulte le fichier au mot géhenne, clé : informations confidentielles.

J'avais 71 ans, quand le Traité de Pell a mis fin en 2354 aux Guerres de Compagnies.

En 2355, un an plus tard, l'amiral Azov alors conseiller de la Défense a lancé l'expédition Géhenne malgré mes mises en garde.

À 77 ans, en 2360, je me suis présentée contre Jurgen Fielding au poste de représentante des Sciences.

À 79 ans, en 2362, après le dépouillement du scrutin, j'ai obtenu ce siège que j'occupe toujours alors que je dicte ces notes.

Ma jeune Ari, étudier le psych des gens âgés est une chose, comprendre la psychologie de la vieillesse en est une autre... parce que la sénescence est un phénomène interne même quand il est possible de l'interrompre avec plus ou moins d'efficacité sur le plan physique.

La réjuv a modifié le psych humain. Songe que sans elle le corps commence à s'altérer dès 50 ans. La dégénérescence s'accroît au cours des vingt ou trente années suivantes pour déboucher sur l'invalidité. C'est le processus de vieillissement naturel, qui conduit à la mort entre 60 et 110 ans, selon les caprices de la génétique et de l'environnement.

Chez les individus privés de réjuv, la période de déclin puis celle de sénilité provoquent un traumatisme considérable. À l'époque où la réjuv n'existait pas, ou sur des mondes tels que Géhenne où ces techniques sont ignorées, la société doit prendre des dispositions pour la tranche de la population victime de cette lente diminution des capacités physiques et parfois mentales. Je parle des institutions et des coutumes qui permettent d'assurer les besoins des vieillards, même si l'Histoire nous démontre que cela n'a jamais été satisfaisant pour les individus confrontés à la certitude que le processus final a débuté. La réjuv repousse la mort naturelle à un âge qui varie de 100 à 140 ans, selon les statistiques... et il convient de garder à l'esprit que le procédé est récent et que ces limites pourront être repoussées. La réjuv a été découverte sur Cyteen et expérimentée sur la génération de ma mère. L'adaptation sociologique a été très rapide pendant mon enfance. Références : vieillissement et Olga Emory, mot clé : thèse.

À l'époque où je dicte ceci, on peut constater que le principal changement n'est pas la prolongation de la durée de la vie. Cela a eu un profond impact sur les structures familiales et la législation, car la plupart des gens passent près d'un siècle et parfois plus de temps auprès de leurs parents et il en résulte presque toujours une participation de tous à la gestion du patrimoine. La transmission de biens par héritage, comme dans notre cas, est devenue très rare : de nos jours, les capitaux passent progressivement d'un individu à l'autre, et non en bloc.

Le fait le plus marquant a été l'amélioration de la santé et de la vitalité. La période de déclin est brève, moins de deux ans dans la plupart des cas. La mort est un phénomène brutal. Celui qui atteint 140 ans sait qu'il va mourir mais peut affronter ce fait en pleine possession de ses moyens, sans souffrir de l'abattement qui découle de la sénescence. Il sait qu'il arrive à l'expiration d'un temps limite, ce qu'il aborde comme une catastrophe ou avec une insouciance autrefois propre à la jeunesse.

Cette digression a un but. J'ignore quelle sera l'acception du terme vieillesse, à ton époque, mais je sais que la prise de conscience de nos limitations s'est rapidement imposée à Reseune ; en raison de la lenteur de nos travaux qui durent toute une vie. Septuagénaire, j'ai assisté au début d'une expérience dont je ne verrai pas la fin. Peut-être ne pourras-tu pas en connaître toi non plus les résultats. Mais tu ne sais pas encore de quoi je parle, à ton âge.

Rappelle-toi malgré tout ceci, quand tu seras informée des événements qui se sont déroulés après 2345.

Des changements se produisent. J'ai ralenti ta rapidité d'accès aux informations qui se rapportent à certains mots clés et datent de la période postérieure à 2362. Le rythme sera calculé en fonction d'études effectuées par ce programme. J'ai des craintes pour ta santé mentale, si tu tentes de forcer ces limitations. Quelle que soit ta capacité à analyser les tests et à déduire quelles réponses ouvrent l'accès au niveau supérieur, tu dois t'en remettre au jugement d'une femme plus mûre. Garde à l'esprit que j'ai écrit ce logiciel en te connaissant mieux que quiconque. Même si tu sais comment tromper le programme, réponds-lui avec sincérité. En cas d'urgence, s'il te faut obtenir de telles informations, tu pourras passer outre mes conseils, mais n'oublie pas ceci : premièrement, je t'ai déjà dit que ce logiciel protège Reseune et qu'un certain type de comportement déclenche des représailles. Tu risques aussi de le tromper dans l'autre sens, mais cela ne correspond pas à ton profil psych car en ce cas tu ne prendrais pas connaissance de tout ceci. Deuxièmement, cette mesure ne s'applique qu'à des faits d'ordre personnel et pas à mes notes de travail qui te seront communiquées en totalité.

Pour terminer, je te rappellerai ceci : je suis morte et rien ne peut m'atteindre. J'ai fait en sorte que ce programme établisse une différence bien marquée entre ce qui est le fruit de ton imagination et tes actions telles qu'elles sont enregistrées dans les archives. Sois d'une honnêteté absolue. En fonction de ton comportement et de ton âge, des questions te seront posées. Ne mens jamais, même si tu redoutes ce qui peut en résulter. J'ai inclus des instructions qui permettent de détecter les mensonges, les semi-vérités, les échappatoires et le reste. Je savais que tu serais très habile... et que tu aurais les mêmes pulsions que moi, si je ne me trompe pas.

J'avoue avoir blessé et tué. Je confesse même posséder des tendances sadiques que je m'efforce de dominer. L'introspection est un piège, et pour écrire ce programme j'ai dû m'y livrer plus que je ne l'aurais souhaité. Je te dirai encore que je n'ai jamais trouvé mes rapports sexuels avec des CIT satisfaisants, qu'il en a résulté des rivalités professionnelles, et que cela a sonné le glas de quelques amitiés sincères. Ce que j'ai vécu dans mon enfance a surtout développé mon désir d'indépendance et mon sens des responsabilités. La cruauté de mon oncle, qui s'est manifestée tant envers moi qu'envers les membres de ma Maisonnée, m'a enseigné la compassion.

Mais cette dernière m'a rendue vulnérable face aux CIT qui ne pouvaient accepter ma soif de liberté et mon intelligence supérieure, à cause de leur ego. J'en ai beaucoup souffert. Pour employer des termes banals, je suis tombée amoureuse comme mes semblables. J'ai donné tout ce que je pouvais offrir et n'ai obtenu en retour que du ressentiment. De la haine. Dieu m'est témoin que j'ai tenté de ménager les membres de mon entourage, mais ma simple présence représentait un défi. Je n'agissais jamais comme il le fallait, tous mes actes blessaient leur fierté. Mes azis me supportaient, comme les tiens te supportent, mais j'étais coupée des CIT et il me semblait qu'une tranche d'humanité m'était inaccessible et incompréhensible... malgré mon intellect et mes connaissances. Une telle prise de conscience est pénible, à 19 ans.

La souffrance a engendré une colère qui m'a aidée à survivre et à développer ma créativité. Elle m'a incitée à me retrancher dans une facette différente de mon être, mes études de la pensée et des émotions... ce qui exigeait la contribution de toutes mes capacités, avec une rétroaction dans le domaine du sexe et de mes rapports avec mes futurs amants. Je pense que ces cycles de rage et d'énergie sexuelles font à tel point partie de ma nature que leur contrôle ne serait rendu possible que par une abstinence totale, ce qui – comme tu as déjà dû t'en rendre compte – relève d'une impossibilité.

Je ne sais même pas si je dois te mettre en garde contre cela, car cette frustration a eu un effet positif sur mon travail. Dès 70 ans j'ai surpassé tout mon entourage. Jane Strassen, Yanni Schwartz, les frères Nye, Florian et Catlin avaient pu jusqu'alors me défier. Mais je les ai dépassés. J'ai dû pour cela exploiter pleinement les possibilités de mon esprit, ce qui m'a valu de devenir de plus en plus isolée. Mes réussites professionnelles m'ont procuré une intense satisfaction et il m'a été possible de ramener le sexe à une simple fonction physique, que j'assouvissais à ma guise. Conjugué à l'intérêt porté à mes recherches et à la présence de quelques amis fidèles, c'était suffisant pour me combler. J'ai été à la fois solitaire et heureuse.

Mais me voici plus que centenaire et j'ai entrepris des

projets que je ne pourrai mener à terme. Ils sauveront l'humanité ou la conduiront à sa perte, et je ne saurai jamais laquelle de ces deux possibilités se réalisera.

Je suis avant tout poussée par la colère et l'impatience que font naître l'approche de la mort, le temps et les limites qu'il nous impose. Je n'ai plus la moindre opportunité de m'arrêter pour me détendre ou prendre du repos. Je ne peux plus voyager pour mon plaisir, piloter, me permettre de rêver que je verrai un jour l'espace ; à cause des règles de sécurité et de la nécessité de terminer ce travail indispensable. L'acte sexuel me permettait de soulager mes tensions, mais à présent tout s'entrelace parce que la violence est liée à mes besoins et à tout ce que je fais.

Le plus terrible... j'ai blessé Florian. Pour la première fois. Chose plus grave encore... j'en ai éprouvé du plaisir. Une enfant est-elle capable de comprendre à quel point on peut en souffrir ? Chose plus grave encore... il y est parvenu et m'a pardonné. Quoi que tu fasses, jeune Ari, utilise ta rage et ne lui permets jamais de se servir de toi.

Car la colère naîtra, au même titre que la douleur, parce que tu es différente des autres au même titre que moi.

Tu n'es pas l'œuvre de ma vie. J'espère que ta vanité n'en souffrira pas et que tu comprendras pourquoi j'ai repris mes études sur la psychogenèse et consacré tant de temps à te créer. En fait, je m'intéresse moins à ce domaine qu'à la sociogenèse, et tu es la seule à entendre ce mot dans un contexte sérieux.

Mes actes ont détourné le cours de l'histoire de l'humanité. En tant que réplique psychogénétique tu peux imaginer ce qui se passerait dans l'Union si on apprenait la nature de mes travaux. Mais je devais faire certaines choses, à cause des perspectives qu'il m'était possible d'entrevoir.

J'ai dû poursuivre mes recherches dans un isolement de plus en plus complet, sans contrôle et sans conseils, car nul n'aurait pu voir ce qui m'apparaissait.

Je peux te le dire sous forme condensée, jeune Ari, comme je l'ai fait devant les médias et le Conseil : mais rares sont ceux qui peuvent assimiler mes idées car elles vont à l'encontre de nos intérêts immédiats et de notre conception du bien-être. Je n'ai pu établir un modèle assez simple des équations avec lesquelles il faut jongler, et je redoute les démagogues. Je crains plus que tout les gens qui ne font des prévisions qu'à court terme.

La diaspora, l'essaimage de notre espèce... c'est le problème, mais le centrisme ne fournit pas de solution. Le taux de croissance indispensable à la technologie qui assure le maintien de toute civilisation a désormais dépassé celui de l'adaptation culturelle, et l'éloignement des noyaux d'humanité rend nos moyens de communication inadaptés. La fin ressemble de plus en plus au commencement : des tribus disséminées dans une plaine infinie et qui se livrent à des affrontements sans objet – ou qui sombrent dans la stagnation due à l'isolement – à moins qu'il ne soit possible de condenser l'expérience, l'encapsuler, la dupliquer dans les ensembles profonds des CIT... à moins que la psychogenèse ne puisse être appliquée à une échelle globale, qu'elle ne devienne la sociogenèse et n'aille au-delà d'elle-même comme j'espère que tu me surpasseras. En tant que réaction d'adaptation, la technologie a dépassé le stade de la simple manipulation de l'environnement, du soi matériel, de l'esprit et des pensées. Après nous avoir permis de quitter le berceau de notre espèce, elle doit à présent modifier radicalement notre attitude face à l'univers. Le flot de données est devenu trop important pour que des individus puissent encore l'assimiler ou le manipuler, et son débit ne cesse d'augmenter. Le moment est venu d'entamer la phase de compression, de condenser l'expérience comme nous résumons l'histoire en paragraphes de plus en plus abrégés... pour que les événements qui conditionnent notre présent n'occupent plus qu'une seule ligne.

La morale importe plus que la fable, mais encore convient-il de l'assimiler. Et de l'assimiler parfaitement.

Il faut en outre en assurer la transmission, car l'apprentissage par l'expérience est à la fois brutal et approximatif.

Or l'humanité ne nous restera encore accessible que pendant un laps de temps très bref.

234

Tu verras plus de choses que moi, jeune Ari. Peut-être seras-tu la seule à pouvoir te pencher sur ce problème et j'espère que tu auras hérité de tout ce qui faisait mon pouvoir. Mais c'est secondaire, car si je t'ai préparée à le conserver je t'ai également rendue apte à te l'approprier. S'il te faut imposer tes volontés, c'est avant tout à toi-même. Si tu disposes d'autant de possibilités que moi, tu devras progresser le long de l'étroite frontière qui sépare la mégalomanie de la divinité. Si tu n'y réussis pas, ta colère s'abattra sur l'humanité ou la lâcheté te poussera à abdiquer.

Si je ne suis pas arrivée à mes fins en ce qui te concerne, mon échec est total. La situation ne sera peut-être pas pire que l'actuelle, à moins que je n'aie condamné notre espèce à subir la guerre ou à porter le lourd carcan de la tyrannie.

Si j'ai réussi, il reste beaucoup à faire pour garder la situation sous contrôle, car tout ne cesse d'évoluer.

Et s'il ne résulte rien de mes efforts, je crains que les hommes ne puissent survivre à un autre conflit. La plupart d'entre nous sont regroupés sur deux planètes et dépendent de centres de production trop peu nombreux. Nous sommes des nouveaux venus dans l'espace et les bases sur lesquelles repose notre existence sont trop fragiles. On retrouve dans tous nos systèmes de valeurs des éléments empruntés aux principes en vigueur à l'époque de la hache de pierre et de l'épieu.

Cette conviction est la seule que j'aurai jamais.

Étudie les Guerres de Compagnies et l'histoire de la Terre. Découvre de quoi les hommes sont capables.

Informe-toi sur Géhenne. Des données trouvées dans la mémoire du système central indiquent qu'un contact a été rétabli. Les survivants sont nombreux. La durée de vie de ce peuple est plus brève que la nôtre. Cette planète peut être assimilée à un système d'alarme.

Ton nouveau statut a été notifié au bureau des Sciences en ces termes : superviseur de section, Reseune, Territoire administratif.

Tu trouveras des explications complémentaires dans les fichiers de la sécurité dont l'accès est Sécurité 10, mot clé : habilitation.

– Non, ser, répondit Ari.

Elle gardait les mains croisées sur la table et le système de sonorisation qui amplifiait ses paroles rendait sa voix assourdissante et méconnaissable. Elle avait en face d'elle les Neuf : oncle Giraud, Catherine Lao, Nasir Harad, Nguyen Tien, Ludmilla deFranco, Jenner Harogo, Mikhaïl Corain, Mahmud Chavez et Vladislaw Khalid... qui la foudroyait du regard sans dissimuler son hostilité. Corain venait de l'interroger.

– Non, ser, je ne fournirai aucune transcription et j'ai déjà expliqué pourquoi. Il m'est impossible de tout communiquer et des informations incomplètes ne feraient que semer la confusion dans les esprits. Je vais vous résumer le plus important de vive voix. L'amiral Azov a donné le feu vert à la mission malgré l'opposition d'Ari qui jugeait cette expérience trop dangereuse. Il n'a pas tenu compte de ses mises en garde.

Corain alla pour l'interrompre.

– Laissez-moi ajouter ceci... S'il vous plaît.

– Vous le ferez de toute façon, dit Corain d'une voix sèche.

Harad abattit son maillet.

– Continuez, jeune sera.

– C'est important. Le plus important, sans doute. L'amiral Azov voulait envoyer une mission parce que ce monde était de type terrestre et situé à proximité de Pell. La Défense désirait qu'à l'arrivée des explorateurs de l'Alliance, cinquante ans ou un siècle plus tard, cette planète soit peuplée de ressortissants de l'Union ou ait été rendue impropre à l'implantation d'une colonie par des maladies transmissibles aux humains...

Les membres du Conseil en furent choqués. Ils se penchèrent l'un vers l'autre pour faire des commentaires, et le maillet s'abattit à nouveau.

– Laissez-la terminer.

– C'est précisé dans les notes. Les militaires ont chargé Reseune de ces recherches et ont demandé à Ari de concevoir une bande pour que ces azis et leur descendance restent à jamais fidèles à nos idéaux, sèment des troubles et sapent l'Alliance de l'intérieur en cas d'intégration au sein de sa communauté. Ari a tenté de leur faire comprendre que c'était une folie, mais ils ont refusé de l'écouter.

» Elle a pris note de leurs désirs et commandé du matériel immunologique. J'ignore quoi, mais mon oncle pourra vous le dire. Des virus ont été utilisés comme vecteurs de transfert, une technique assez proche de celle employée pour les traitements génétiques, et ils ont sélectionné ce qui renforcerait les défenses immunitaires des colons. Mais la Défense avait également passé un accord avec un autre laboratoire et Ari n'a pu savoir ce qu'ils comptaient répandre sur Géhenne.

– Savez-vous qui étaient les bénéficiaires de ce contrat? demanda Corain.

– Les Labos Fletcher. En mai 2352. C'est tout ce qu'elle a pu me dire.

La nervosité des conseillers grandit encore. Un assistant vint murmurer quelques paroles à l'oreille de Khalid, et les autres en profitèrent pour l'imiter.

– Elle était pourtant chargée de l'organisation de cette colonie, fit remarquer Corain quand le silence revint. Qu'a-t-elle fait?

– Son rôle consistait à sélectionner les azis, assurer leur formation et préparer la bande-maîtresse qui contiendrait leurs instructions. Les militaires voulaient qu'elle procède aux manipulations délicates, comme par exemple la mise en place de ces directives dans leur subconscient. Mais elle a préparé une bande-profonde qui contenait des consignes d'ordre général et a modifié les contrats de ces azis afin qu'ils ne soient liés qu'à la planète elle-même s'ils ne pouvaient acquérir un statut de CIT.

– Elle n'a donc pas suivi les instructions du bureau de la Défense. Ai-je bien interprété vos propos?

– Si elle les avait respectées, tous ces colons auraient été décimés par les maladies. Et les survivants seraient devenus très dangereux dès la troisième ou la quatrième génération... à cause de l'interaction entre leur conditionnement psych et l'environnement. L'armée avait refusé de tenir compte de ses arguments.

– Le temps qui vous a été imparti est écoulé, intervint le président Harad. Conseiller Chavez, des Finances.

– Vous estimez-vous qualifiée pour vous prononcer sur ce point ? demanda ce dernier.

– C'est élémentaire, ser.

– Peu m'importe que ce soit ou non élémentaire. Vous parlez sans cesse des motivations de gens que vous ne connaissez même pas, sans faire de distinction entre les déclarations d'Emory et vos opinions personnelles. Je me réfère à votre prédécesseur, la femme dont vous êtes censée nous communiquer les notes.

Ari prit une inspiration et relégua sa colère derrière un masque atone.

– Bien, ser. À l'avenir, je m'abstiendrai d'entrer dans les détails.

– Je dois vous demander de manifester un peu plus de respect pour les membres de ce Conseil, jeune sera. Vous avez été émancipée la semaine dernière et vous devez avoir un comportement d'adulte.

Elle regarda le conseiller Chavez, croisa les mains et resta assise.

– Poursuivez, jeune sera, dit Harad.

– Merci, ser président. Je vous prie de m'excuser. Je ne fournirai d'explications que si vous me le demandez. Ari n'est pas entrée dans les détails. Elle a dit, je la cite : « Les militaires ont insisté. J'ai exposé les risques d'interaction avec le milieu. Leurs psychologues ont soutenu mon point de vue, mais les amiraux avaient déjà pris une décision : les méthodes sur lesquelles repose l'avancement au sein de l'armée empêchent les subalternes de s'opposer aux prises de position de leurs supérieurs, même si... »

– Jeune sera, l'interrompit Chavez. Le temps du

Conseil est limité. Ne pourriez-vous pas nous épargner les réflexions terre à terre de l'ex-conseillère ?

– Si, ser.

– Poursuivez.

– Je n'ai rien à ajouter.

– Vous n'avez pas répondu à la question. Je vais la poser de façon différente. Quel argument a-t-elle opposé à la Défense ?

– Il me serait difficile de l'expliquer sans faire de commentaires.

– Qu'a-t-elle dit ?

– Que l'environnement affecterait le conditionnement psych et que les bandes ne pourraient être réajustées. Les militaires n'avaient pas d'informations à lui fournir sur le milieu. C'est surtout pour cette raison qu'elle les traitait de fous.

– Elle le savait, lorsqu'elle a accepté de travailler pour eux. Pourquoi n'a-t-elle pas refusé ?

– C'était la guerre. Si les hommes finissaient par s'exterminer, tant dans l'espace que sur les planètes habitées, il subsisterait un noyau d'humanité sur Géhenne. Les dangers étaient grands, mais était-ce important s'il ne restait plus que ce monde ?

– Quels dangers ?

– Je crains que ce ne soit difficile à expliquer.

– Répondez.

– Ceux inhérents au fait de laisser un psychset évoluer dans un milieu inconnu. Souhaitez-vous des précisions d'ordre technique ?

Les expansionnistes rirent sous cape. Tien les imita, bien qu'il fût un centriste.

– Oui, répondit Chavez avec une patience qui la surprit.

Elle le trouvait tout compte fait presque sympathique. Il n'était pas stupide et savait reculer lorsqu'il se sentait pris au piège.

– Une bande-profonde doit être à la fois simple et générique. C'est indispensable. Si elle induit de l'agressivité et que l'individu concerné se retrouve dans un milieu hostile, cette tendance s'étendra à tous les domaines et remontera à la surface de sa personnalité. À l'inverse, tout blocage destiné à inhiber la violence se développera de la même manière et l'empêchera d'assurer sa protection. L'effet d'une bande-profonde ne peut être limité. Les instructions qu'elle contient finissent par atteindre les fondations des structures logiques, alors qu'elles sont par nature illogiques car le bon sens voudrait que l'on s'abstienne d'agir avant d'avoir analysé la situation. On pourrait comparer les ensembles-profonds à des raccourcis qui conduisent au combat ou à la fuite. Et le bureau de la Défense n'a pu fournir à Ari senior suffisamment d'informations sur Géhenne pour lui permettre de concevoir des ensembles-profonds dignes de ce nom. Ils lui ont demandé de programmer chez des militaires azis adultes des directives qui correspondaient aux nécessités d'une expédition coloniale. Ils ne lui accordaient en outre qu'un an de délai. Elle a rétorqué que c'était irréalisable et a réussi à les convaincre de joindre des fermiers à ces soldats, puis elle a composé un pool génétique dans lequel on trouvait les capacités et le conditionnement-profond qui lui semblaient convenir à un tel milieu, quelle que soit sa nature véritable.

– En d'autres termes, elle a menti.

– Elle le devait. Dans le cas contraire les militaires auraient envoyé leurs propres azis sur ce monde. Ils avaient déjà donné l'ordre à leur section psych d'expérimenter des interventions sur les ensembles-profonds, bien que de telles pratiques soient illégales. Les psychs de l'armée jugeaient cela irresponsable et certains envisageaient même d'en informer le Conseil, mais l'amiral Azov a menacé l'un d'eux de l'expédier sur Géhenne. Cet homme a eu l'occasion d'en parler à Ari. Elle aurait elle-même averti le gouvernement, si elle n'avait craint que notre espèce ne soit annihilée. C'est alors qu'elle a décidé d'accepter et de prendre des mesures pour réduire les risques.

» Elle ne pouvait procéder à un effacement mental sur tous ces azis, comme le suggéraient les militaires. Reseune n'avait pas des installations suffisantes pour le permettre. En outre, il eût été criminel de larguer sur un monde inconnu et sans assistance psych des azis dont l'esprit venait d'être vidé. Faute de pouvoir modifier leur conditionnement profond, elle l'a étudié et a opté pour une solution très simple. Elle s'est contentée d'implanter dans l'esprit de ces azis que Géhenne était leur planète et qu'ils devaient la protéger, survivre, et enseigner à leurs enfants ce qui leur semblait être le plus important. C'est tout. Des instructions positives. Parce qu'elle ignorait pendant combien de temps Géhenne resterait coupée du reste de l'univers et quels changements s'y produiraient.

» Et c'est cela, le danger. Leur existence est brève. Leur société s'est modifiée à chaque génération. D'après ce que j'ai cru comprendre, l'Alliance craint que Géhenne n'abrite une sorte de base secrète. Je n'ai rien trouvé dans ses notes qui le laisse supposer. Non, il n'y a là-bas que les descendants de ces azis et une culture devenue très différente de celle des CIT. Nous pouvons en conclure qu'ils ont assimilé le programme.

» Ils sont trop nombreux pour qu'un effacement soit envisageable... on dénombre des milliers et des milliers de colons. Je me réfère à une réinitialisation totale, un travail considérable même si l'Alliance disposait de labos comparables aux nôtres. Le conseiller Nye est plus qualifié que moi pour vous en parler.

– Ils devraient se doter d'installations aussi importantes que celles de Reseune, intervint Giraud. Et une telle opération durerait dans le meilleur des cas une dizaine d'années. En outre, l'assimilation de cette foule d'individus à l'esprit effacé au sein de la société désorganiserait toutes les structures en place. Ils doivent être trente mille, ou plus. Nous ne disposons pour l'instant que de simples estimations. Où que nous puissions les disperser, ils formeraient toujours un noyau, une communauté avec une identité culturelle. La population de l'Alliance n'est pas assez nombreuse pour permettre leur intégration. Celle de l'Union non plus. Et il serait hors de question de les envoyer sur Terre.

» Il serait quoi qu'il en soit impossible de tous les récupérer. Des mesures de déportation ne peuvent être envisagées. Ils constituent une société humaine différente, et un problème. Nous sommes en présence d'une civilisation azie. Ces gens ne sont pas semblables à des CIT et leur comportement ne correspondrait pas à nos normes. Ils ont été conditionnés à assumer l'éducation de leurs enfants et les insérer dans notre société créerait une situation en conflit avec les instructions fournies par leur programme. Selon Emory, une telle assimilation aurait été réalisable à la deuxième génération, mais nous sommes en présence de la quatrième. À partir de ce stade, toujours selon Ari, les divergences sont radicales. Faute de disposer de la réjuv, les plus âgés meurent avant même d'être devenus centenaires. J'ai entendu dire que leur espérance de vie était de quarante à cinquante ans, ce qui ne leur laisse pas le temps de côtoyer leurs enfants et de les éduquer. Ils sont déjà plus éloignés de nous que nous ne le sommes des Terriens.

– Je n'ai pas d'autres questions à vous poser, dit Chavez.

– Nous allons nous retirer pour déjeuner, déclara Harad. Ensuite, ce sera au tour de Tien de vous interroger... si vous n'êtes pas trop lasse, jeune sera ?

– Je vais très bien. Après le déjeuner, donc. Merci, ser.

– Je suis ennuyé, sera, déclara Tien du haut de l'estrade. J'avoue que le statut d'habilitation au secret que vous a accordé le bureau des Sciences me préoccupe... Je ne doute pas que vous soyez une jeune femme consciente de ses responsabilités, comprenez-moi bien, mais les informations dont vous êtes la dépositaire sont de nature à provoquer une guerre. Vous arrive-t-il d'en parler à vos amis ?

– Non, ser, jamais.

Cette demande était loyale. Tien ne s'abaissait pas à porter des coups bas.

– Avez-vous bien compris pourquoi il est impératif de taire tout cela aux journalistes ?

– Oui, ser. Je n'ai abordé ces questions que devant

Denys Nye, Giraud Nye, et ce Conseil. Et mes azis, mais ils ne sont pas présents lorsque j'accède à ces données et ils ne savent pas tout. Ils n'en parleront pas. Ils font partie de la sécurité de Reseune et leur conditionnement psych leur interdit de commettre la moindre indiscrétion, même sur des sujets à première vue insignifiants.

– C'est parfait. Pouvez-vous nous dire si ce que vous nous cachez est important ?

Oh ! Une très bonne question.

– L'Ari précédente a élaboré des théories sur ce qui pourrait se produire sur Géhenne.

Il lui fallait répondre sans répondre.

– Mais elles sont très compliquées et il me serait impossible de vous les exposer car elle les a exprimées sous formes de blocs de structures conceptuelles. Effectuer un simple tri me prendrait des heures. Le bureau des Sciences s'est engagé à nous retransmettre les informations sur Géhenne au fur et à mesure qu'elles lui parviendront...

– À vous ?

– À l'ensemble des personnes concernées, ser, ce qui m'inclut étant donné que j'ai accès aux fichiers de l'autre Ari.

– Le temps qui vous a été imparti est écoulé, déclara Harad. Amiral Khalid.

– Restons-en à ces notes, commença le militaire. Pourquoi, si elles existent, n'ont-elles pas été mises à la disposition d'un chercheur compétent ?

– Ari est superviseur de section, intervint Giraud. Et ses capacités professionnelles ne peuvent être contestées.

– Elle n'a pas à conserver de telles informations pour son seul usage, rétorqua Khalid. À moins qu'il ne faille en déduire que vos laboratoires sont dirigés par une adolescente et une défunte ? Si c'est le cas, c'est votre compétence qui est en cause, et non la sienne. Je ne porte pas d'accusations contre cette enfant mais contre l'administration de Reseune. Voilà la preuve d'une mauvaise gestion inqualifiable. Je dis bien inqualifiable.

Nous disposons d'éléments suffisants pour réclamer une enquête sur les responsabilités de votre centre de recherche.

– Faites, mais ce n'est pas ce qui vous permettra de vous approprier ces documents, rétorqua Giraud.

Le maillet s'abattit, à plusieurs reprises.

– Jeune sera, lança Khalid, nous pourrions vous faire arrêter pour refus d'obéissance au Conseil, de même que votre administrateur et les autres individus qui vous manipulent.

Ari but une gorgée d'eau et attendit que le silence fût revenu pour répondre :

– Vous avez la possibilité d'employer la force, mais ce que vous voulez savoir relève du domaine scientifique et vous devrez vous adresser à des spécialistes pour trouver un sens à ces notes. Or on ne trouve aux Bucherlabs aucun chercheur capable de les lire. À la Défense non plus. Je peux vous résumer leur contenu, mais est-ce utile si vous mettez d'ores et déjà ma parole en doute ?

Le maillet claqua à nouveau.

– Conseiller, sera... Un peu de retenue, je vous en prie. Conseiller Khalid.

– Nous sommes en présence d'une enfant immature manipulée de façon abjecte par l'administration de Reseune. Je le répète, il faut procéder à des investigations sur les véritables responsables de cette situation. Cette affaire se rapporte à la sécurité nationale. Le décret du secret Défense...,

– Le conseiller s'écarte du sujet, intervint Giraud.

– ... stipule qu'une enquête doit être faite sur toute fuite d'informations confidentielles. Les décisions peu judicieuses qui ont permis à une enfant de quinze ans de communiquer aux médias un fait qui n'aurait jamais dû être rendu public...

Nouveau coup de maillet.

– Conseiller, il existe des règles que nous devons respecter. Dois-je vous le rappeler ? Vous ne participez pas à un débat.

– Une crise diplomatique risque d'éclater. Nos adversaires ont désormais un excellent prétexte pour enfreindre tous les accords, y compris le traité de désarmement... ce qui ne serait pas à notre avantage. Ils parlent de complots, seri. Ils ignorent ce que sont les azis et de quoi ils sont capables. Tel est le résultat, lorsqu'on pratique la diplomatie par médias interposés.

– Le conseiller s'écarte du sujet, répéta Giraud.

– Amiral, fit Harad, le temps qui vous a été imparti s'écoule. Avez-vous une autre question ?

– Oui. Vous déposez sous serment et savez que la loi punit le parjure, jeune sera. Alors, dites-nous comment vous avez eu connaissance de l'existence de ces fichiers.

– Ceux qui concernent Géhenne ? Je n'ai eu qu'à utiliser les mots clés.

– Quand ?

– Le lendemain de votre élection au Conseil.

– Où avez-vous trouvé ces mots clés ?

– Oncle Denys me les a suggérés, mais...

Il n'était pas bon de devoir l'admettre.

– Ce qui laisse supposer qu'ils n'existaient pas auparavant. Merci, jeune sera. Voilà qui lève le voile sur bien des mystères.

– C'est du psych, ser. Ça ne prouve rien. Mon statut...

– Merci, vous nous avez appris tout ce que nous désirions savoir.

– C'est vous qui le dites !

– Le Conseil ne tolérera pas de telles manifestations d'irrespect, sera.

– Excusez-moi, ser. Mais je ne puis accepter qu'on me traite de menteuse. Conseiller, vous nous avez menacés. J'ai demandé mon émancipation et cela a déclenché...

– Je n'ai jamais mis votre bonne foi en cause, mon enfant. Je crois qu'on s'est joué de vous, comme du Conseil. Votre oncle a créé ces fichiers. Il n'y a pas d'archives secrètes... seulement des enregistrements que Reseune ne souhaite pas nous communiquer pour des raisons évidentes. Et ces laboratoires vous ont créée en tant qu'obstacle placé entre le Conseil et les preuves de l'incurie de leurs responsables.

– Non, ser. Vous semblez oublier que je dépose sous

serment, ce qui n'est pas votre cas. Mon émancipation m'a permis d'accéder à ces notes. C'est la stricte vérité.

Il y eut des mouvements dans les rangs des conseillers. Un reniflement de Catherine Lao.

– Votre oncle est l'auteur de ces fichiers et vous a manipulée.

Le maillet claqua.

– Ça suffit ! Question suivante.

– Tout indique que cette crise diplomatique est due aux machinations de Denys Nye. Reseune se livre une fois de plus à de basses manœuvres politiques. Ce Territoire administratif détient trop de puissance, depuis bien trop longtemps.

– Souhaitez-vous que nous parlions des pouvoirs de la Défense ? intervint Giraud.

– Vous ne pensez qu'à protéger vos intérêts alors que les ambassadeurs de Pell et de la Terre nous somment de répondre à des questions dont nous ignorons les réponses.

– À propos d'intérêts, ceux des militaires sont évidents, répliqua Giraud. C'est votre bureau qui a lancé cette opération désastreuse malgré l'opposition des Sciences. Ce fait est confirmé par la déposition du témoin.

– Le temps qui vous a été imparti est écoulé, dit Harad en abaissant son maillet.

– Je réclame un droit de réponse, lança Khalid.

– Vous avez épuisé votre temps de parole.

– Dois-je en déduire que le président de ce Conseil n'est pas au-dessus des intrigues partisanes ?

Bang !

– Je dois vous rappeler à l'ordre, conseiller !

Ari but une gorgée d'eau et attendit, pendant qu'Harad se lançait dans une longue tirade et que Corain prenait des notes, imité par Lao et de nombreux assistants. Corain avait pu inciter l'amiral à tenir le rôle du méchant étant donné que son image était déjà compromise. Son siège faisait l'objet de convoitises... de la part d'un certain Simon Jacques, un homme moins excessif. Reseune eût préféré Lu, mais son âge constituait un handicap et des tractations s'étaient déroulées dans le plus grand secret entre Corain et Giraud. Jacques représentait un compromis que les deux bords pouvaient accepter, en échange de la disparition de Khalid de la scène politique. Mais cela ne signifiait pas que Corain s'abstiendrait d'inciter ce dernier à attaquer Reseune, seulement qu'il ne souhaitait pas que les laboratoires tombent sous la coupe des militaires.

En représailles, Khalid avait interrompu la négociation d'un important contrat entre l'armée et Reseune. La menace était grave mais vaine, car la Défense n'aurait pu s'adresser ailleurs.

La loi de protection des azis servait les intérêts des laboratoires en garantissant l'exclusivité de la production des bandes à l'organisme tuteur de tous les azis. En théorie, Reseune aurait même pu résilier tous les contrats azis de la Défense... une autre menace impossible à mettre en pratique. Comme le disait Giraud, les militaires voulaient depuis des années pouvoir former eux-mêmes leurs hommes et les laboratoires ne leur accorderaient jamais ce privilège. C'était pour cela que Khalid souhaitait leur nationalisation. Lorsqu'il parlait de mauvaise gestion à la RESEUNESPACE, il pensait à Jenna Schwartz mais veillait à laisser croire que ses accusations étaient dirigées contre la direction actuelle, autrement dit Ollie. Ari ne pouvait tolérer de telles manœuvres. La Défense se déclarait en outre préoccupée par la présence d'éventuelles instructions enfouies dans les bandes d'entraînement et menaçait de déposer une proposition de loi réclamant l'abrogation du monopole de Reseune tant sur les bandes que la délivrance des licences de superviseur...

Giraud ne s'en inquiétait guère : Khalid ne disposait pas des voix nécessaires pour passer aux actes et se rendait impopulaire même au sein de son propre parti... qui ne voulait pas de labos azis supplémentaires mais au contraire leur réduction. L'affaire Géhenne constituait un levier sur lequel pesaient divers groupes d'intérêts. Corain eût aimé accentuer la pression, mais Khalid l'inquiétait.

Tous s'affolaient. Les cours de la Bourse grimpaient en flèche puis s'effondraient, sur de simples rumeurs. Chavez s'emportait et expédiait des ordres de fermeture dans le sillage de ces bruits, et nul vaisseau ne recevait alors l'autorisation d'appareiller pour éviter que l'annonce de la chute des marchés ne pût traverser l'Union plus vite que la lumière et parvenir jusqu'à Pell et la Terre. Des mesures étaient prises pour stabiliser les cours avant le départ de chaque appareil, ce qui désorganisait les échanges commerciaux et incitait l'Information à parler de censure. En bref, il régnait une belle pagaille et tous étaient inquiets.

Giraud avait déclaré que le Conseil ne pourrait tolérer cet état de choses, avant d'ajouter avec gravité : Ça devient sérieux, Ari. Très sérieux.

La faction dure de l'armée se renforçait sans cesse... les membres de la vieille garde reprochaient à Gorodin et à Lu d'avoir attribué un budget trop important au projet Lointaine, au détriment d'objectifs qu'ils jugeaient prioritaires. Les faucons avaient apporté leur soutien à Khalid afin d'obtenir des vaisseaux et des systèmes de défense du côté du Soleil, mais un tel renforcement du dispositif militaire aurait lieu le long des couloirs de l'Alliance et les centristes se faisaient tirer l'oreille.

Pendant que tous voyaient en Jacques l'homme de paille de Gorodin. Il était à prévoir que s'il obtenait ce siège il démissionnerait et nommerait l'amiral remplaçant, ce que les proches de Lu assimilaient à une ignoble trahison.

Un vent de folie.

– Cette crise découle de l'immunité de Reseune, qui peut se permettre de lancer des accusations sur la foi de documents dont seul le représentant du bureau des Sciences se porte garant, rétorquait Khalid à Harad. Un individu inféodé à ces laboratoires !

Giraud disait vrai. Khalid était pitoyable face aux médias mais il se relevait aussitôt et savait riposter. Il ne fallait pas sous-estimer cet adversaire.

Harad abattit son maillet.

– Conseillère Lao.

C'était grâce à Dieu au tour de la vieille amie d'Ari senior. En tant que représentant d'une des parties en litige, oncle Giraud n'avait pas voix au chapitre. Harad non plus, puisqu'il présidait le Conseil.

– Ma question sera très simple. Pourquoi réclamez-vous cette quarantaine ?

– Parce qu'il est impossible de prévoir ce qui nous attend sur Géhenne, conseillère. C'est le fond du problème. Quand nous travaillons sur le conditionnement psych, nous chargeons d'énormes ordinateurs d'effectuer des simulations sociologiques. Nous essayons d'équilibrer les populations afin que le pool génétique soit assez vaste et nous étudions les psychsets utilisés pour nous assurer qu'il n'en résultera rien de fâcheux lorsque tous les azis seront devenus des CIT. Cette planète était vierge et nous ne savons rien sur elle, hormis qu'elle ne peut être comparée à la Terre. Nous ignorons tout à son sujet, et c'est ce qui suscitait les craintes d'Ari. Les ensembles de ces azis ont pu faire l'objet de Dieu sait combien d'interventions, à l'époque où les colons disposaient de kats et découvraient les périls auxquels ils étaient confrontés. Comment connaître les instructions que leurs superviseurs ont jugé utile de leur fournir, ou même savoir s'ils avaient encore des superviseurs à la deuxième génération...

Leur tenir des propos de ce genre, leur faire oublier la question sur les prévisions sociologiques.

– Ramenez ces gens au sein de l'Alliance ou de l'Union et ils y constitueront un groupe différent. Ari ne s'y est pas opposée. Elle a simplement conseillé de s'abstenir de toute intervention et de laisser cette société se développer sur Géhenne, afin de pouvoir déterminer quel serait son impact sur notre culture. La coexistence pourrait s'avérer impossible, ou avoir des conséquences bénéfiques. À ce stade, il serait prématuré de faire une hypothèse.

– Comment le saurez-vous ? N'a-t-elle pas effectué des contrôles ?

– L'évolution est importante, d'une génération à

l'autre. C'est relatif à tous ces psychsets, au mélange global. Nos logiciels sociologiques s'améliorent sans cesse. Ari a procédé à une simulation décennale, jusqu'à sa mort. Mais elle ne disposait que des données initiales, qu'elle devait se contenter de tester sur de nouveaux programmes. Il faut reprendre ces travaux, soumettre aux machines les informations les plus récentes puis les intégrer... Reseune reçoit déjà des données, mais les traiter représente une somme de travail considérable, un temps d'ordinateur pour l'instant impossible à calculer. Nous avons en outre besoin de statistiques réactualisées. Nous apprendrons de nombreuses choses au Conseil, mais pas en l'espace d'une nuit. D'autre part, seuls des spécialistes pourront utiliser cette masse de renseignements et les uniques systèmes informatiques à même de les traiter sont les nôtres. C'est pourquoi il est préférable de respecter les désirs de l'Alliance et de laisser ce monde tel qu'il est... de réduire autant que possible les contacts pendant la période de collecte des données. Sinon, on pourrait comparer cela à vouloir procéder à des enregistrements précis en secouant les appareils de mesure. Nous devons tenir compte de toutes les influences... car le simple atterrissage de l'équipe d'exploration modifiera le contexte.

— Géhenne n'est pas un terrain de jeu pour scientifiques, lança Khalid.

— Pas plus que pour militaires, ser, lui rétorqua Lao d'une voix sèche.

Le maillet claqua.

Elle resta allongée sur le lit de la chambre d'hôtel, privée d'énergie, pendant que ses azis massaient ses membres douloureux. Elle s'endormit ainsi : vidée, épuisée, l'esprit ailleurs.

Elle s'éveilla sous les couvertures. Ses azis avaient réglé le variateur de lumière sur la position la plus basse. Catlin était sur l'autre lit, Florian assis dans le fauteuil d'angle.

— Seigneur! fit-elle.

Et Catlin ouvrit aussitôt les yeux.

– Va te coucher, Florian. Une véritable armée surveille le couloir, non ?

– Si, sera, répondit-il.

– Vingt-sept gardes, précisa Catlin.

– Alors, au lit.

Ce qui représentait un ordre brutal, pour des azis qui l'aimaient au point d'être restés à la veiller après une journée pareille. Mais sa lassitude était trop grande et elle se contenta de refermer les bras autour de l'oreiller et d'y enfouir son visage, en quête d'obscurité.

Florian éteignit la pièce, puis elle l'entendit marcher jusqu'à l'autre lit, s'y asseoir et entreprendre de se dévêtir.

Ses pensées partirent à la dérive. Giraud ferait sa déposition le lendemain matin, puis il y aurait les secrétaires des Sciences et de la Défense : Lynch et Vinelli, et l'amiral Khalid. Khalid – Ô Dieu ! Khalid – et à nouveau elle, sitôt qu'ils auraient terminé. Elle espéra que Lynch et son oncle s'en tireraient bien. Et quand ce serait au tour de Vinelli, puis de Khalid, Giraud aurait l'opportunité de poser des questions contradictoires.

Ce qui ne signifiait pas que Khalid s'abstiendrait de les attaquer comme il l'avait fait avec elle.

Ce serait une interminable semaine.

Ou quinzaine.

Nous finirons par obtenir gain de cause pour la quarantaine, avait prédit Giraud à la fin de la première journée. Seuls des appareils militaires peuvent se rendre jusqu'à Géhenne, et l'Union ne tient pas à déclarer une guerre pour avoir accès à ce monde. La seule chose qui est en jeu, c'est notre souveraineté sur les colons. Soit nous les considérons comme nos ressortissants et utilisons cet argument pour faire pression contre l'Alliance, soit les deux blocs établissent un protectorat conjoint et c'est pour les faucons un enjeu important. Khalid joue son va-tout...

Les coalitions centriste et expansionniste n'étaient que cela : des coalitions. Chez les militaires, la faction dure voulait constituer un courant différent, composé de membres des deux tendances principales. C'était la leçon politique qu'on pouvait tirer de l'ascension de Khalid. Les faucons occupaient des postes trop élevés au sein du gouvernement pour qu'il fût possible de les qualifier de marginaux. Et leur puissance était indiscutable. Toutes les menaces redoutées par Ari senior devenaient réelles, la vieille aberration nationaliste terrestre venait de trouver une cause et un moment opportuns pour renaître...

Et Ari ne pouvait avancer les principaux arguments de sa génémère... Tu sais ce qui en résulterait, s'ils apprenaient ce que j'ai fait, lui avait-elle dit. Elle se trouvait dans l'impossibilité de révéler des faits sociologiques auxquels même les spécialistes ignoraient avoir contribué pour le compte de l'Ari précédente. Il lui était interdit d'expliquer au Conseil la nature de ses interventions ou de préciser qu'elle avait étudié – et mis en place – des consignes désormais présentes dans les ensembles-profonds de nombreux ouvriers, militaires et autres... dont les colons de Géhenne.

Le processus avait débuté. Trente pour cent des azis conçus par Ari senior et livrés hors de Reseune ainsi que trente pour cent de tous les azis de l'univers qui utilisaient des bandes provenant des laboratoires auraient des enfants et leur prodigueraient leur enseignement, d'un bout à l'autre de l'Union. Certains étaient devenus des CIT dès 2384, à Lointaine puis ailleurs. Un bon nombre appartenaient aux Sciences et à la Défense : les militaires ne pouvaient obtenir un statut de citoyens avant d'être à la retraite... mais ils étaient ensuite autorisés à avoir des enfants ou à élever ceux des cuves. La plupart le feraient, cette instruction se trouvait dans leurs ensembles-profonds. Les autres se dispersaient au sein des divers électorats, plus nombreux dans ceux de l'Industrie et des Citoyens où le courant centriste était prédominant... un psychset altéré pour pencher en faveur des concepts défendus par Ari senior.

Même des psychs n'auraient pu découvrir ses manipulations sans savoir ce qu'ils devaient chercher, ou être aussi forts que cette femme. Elle avait conçu un programme parfaitement adapté, un psychset azi de base. Sa réplique venait d'en fournir la preuve aux membres du Conseil, de leur en parler ; mais ils n'avaient pu comprendre ce qui en résulterait parce que les relations étaient trop abstraites... hormis après intégration dans un esprit azi qui les insérait dans la matrice sociale.

Telle était la frayeur de l'Ari précédente.

Ils étaient à présent des milliers et des milliers. Ils ne constituaient pas un bloc proportionnel à l'ensemble de l'Union, pas encore, mais le programme était en cours d'exécution et les bandes continuaient de produire de tels azis. Même à Bucherlabs et à Ferme de vie, parmi les modèles les plus simples, on retrouvait des attitudes conçues pour fusionner dans les psychets des azis de Reseune de façon très spéciale.

Renseigne-toi sur le sens du mot pogrom, lui avait dit Ari dans les notes laissées à son intention. *Et tu comprendras mes craintes pour les azis, si l'on découvre trop tôt ce que j'ai fait.*

Ou trop tard.

En fait, j'ignore ce qui en résultera. Les ordinateurs de la sociologie ne peuvent procéder à des simulations sur plus de vingt de nos générations. Moi si. J'ai mis au point des systèmes logarithmiques... qui ne m'inspirent d'ailleurs qu'une confiance limitée. Les lacunes de ma pensée pourraient être dues à celles du modèle. Un champ d'application trop vaste, voilà la réponse que j'obtiens.

Je sens mon émotivité croître, lorsque j'emploie ces mots.

Si d'autres que toi tentent d'accéder à ces fichiers... j'ai prévu une instruction qui les transférera à des adresses différentes. Les informations sur leur taille et leur nature seront alors si fantaisistes que les reconstituer deviendra pour le moins problématique.

Mais, pour l'amour du Ciel, n'utilise cette possibilité qu'en cas d'absolue nécessité. Des risques existent. Il a des protections.

Je vais te fournir la clé qui le permet.

Elle se compose de trois éléments.

Première clé : l'année de ta naissance.

Deuxième clé : l'année de ma naissance.

Troisième clé : le mot destruction.

Le programme te demandera ensuite de lui fournir un code pour tout reconstituer. Choisis-le à l'avance et ne cède pas à la panique.

Il était réconfortant de savoir que cette possibilité lui était offerte, qu'elle pourrait le cas échéant tout faire disparaître.

Mais elle ne se serait pas contentée d'une seule protection pour des informations aussi importantes.

Elle doutait qu'Ari l'eût fait.

Elle se tourna de l'autre côté et enfouit son visage dans l'oreiller.

Avant de se décider à appeler :

– Florian...

7

Ari descendit de l'appareil et emprunta le tunnel de sécurité pour gagner le terminal et récupérer ses bagages : une mallette et un sac de voyage que prendraient Florian et Catlin.

Un autre vol de nuit, sous escorte : un scoop pour les médias et une simple « précaution » pour Giraud.

Quant au public, il apprit seulement que les mesures de quarantaine étaient « justifiées ».

Des cameramen attendaient... les Informations de Reseune assuraient la couverture de son retour pour Station Cyteen qui retransmettait le reportage sur tout le continent. Des vaisseaux approchaient, le commerce reprenait, tous pouvaient à nouveau respirer.

La population ne savait rien mais se rendait compte que la situation redevenait plus stable. Elle ne se trompait pas. Les cours de la Bourse remontaient dans le cadre d'une chasse aux bonnes affaires et le climat était dans l'ensemble plus sain, parce que la peur croissante d'un conflit venait d'éclater comme une bulle de savon.

Les actions des fournisseurs de la Défense dégringo-laient mais les autres se maintenaient et celles des com-pagnies de transport grimpaient en flèche, alors que les marchés à terme fluctuaient ; on croyait à nouveau à la paix après un moment de panique et les sondages révé-laient l'existence d'un fort courant antimilitariste qui encourageait les timorés à faire entendre leur voix et ra-menait les indécis dans le camp des pacifistes.

Après trois semaines d'inquiétude, il redevenait pos-sible de déclarer qu'on souhaitait voir s'établir une paix durable avec l'Alliance sans passer pour un inconscient ; un de ces cinglés d'universalistes qui rêvaient de voir tous les gouvernements humains bâtir une capitale commune dans un des systèmes stellaires de l'Espace profond... en oubliant qu'on avait dénombré au dernier recensement plus de cinq mille États uniquement sur la Terre ; ou encore un de ces agitateurs paxistes qui avaient fait exploser une bombe dans le métro de Nov-gorod à une heure de grande affluence et provoqué la mort de trente-deux personnes une semaine plus tôt.

La police suspectait les abolitionnistes de Rocher de s'être associés aux paxistes. Les terroristes pouvaient s'être procuré les explosifs en pillant un camp de mi-neurs ou les avoir fabriqués eux-mêmes. On soupçon-nait la pègre d'y être mêlée, tout ce qui allait de la vente de bandes illicites à la prostitution, en passant par les drogues prohibées. Mais ceux que les policiers pour-raient arrêter étaient des cas-z, de simples épaves que les véritables criminels employaient pour effectuer la sale besogne et recevoir les coups.

Le trajet familier de l'avion aux portes du tunnel, le tapis de coco beige qui assourdissait les pas, les gardes de Reseune qui ne se parlaient plus par monosyllabes et se déplaçaient sans s'apprêter à bondir sur tout individu suspect, tout cela semblait indiquer qu'une simple liaison entre deux synapses ne déclencherait pas une fusillade et qu'elle n'était plus en danger... qu'elle pouvait s'allonger par terre et s'endormir ici même.

Mais des caméras avaient été installées à l'entrée du terminal. La sécurité réagit, les rares journalistes munis de laissez-passer brandirent leurs micros et lui demandèrent pourquoi Giraud était resté à Novgorod...

– Il avait du travail à terminer, dit-elle. De la paperasserie.

Des pourparlers secrets, entre les équipes de Lynch et de Chavez, mandatées par Corain ; un détail qu'ignoraient Dieu merci les médias.

– Faites-vous confiance au Conseil ?

– Je pense que ses membres prendront les mesures nécessaires. Je crois qu'ils ont compris... et nous n'avons rien à redouter, si les colons sont traités comme il convient...

– Vous parlez des Géhenniens ?

– Oui, les Géhénniens. Les Sciences vont informer l'ambassadeur de l'Alliance que le maintien d'un étroit contact est nécessaire... comme c'est d'ailleurs le cas actuellement. Mais c'est l'affaire du bureau et de son secrétaire, ainsi que des services du conseiller Harad. Je pense que tout se passera très bien.

Il était temps, grand temps, de calmer les esprits : c'était sa tâche, et celle de Giraud et d'Harad.

– Les rumeurs selon lesquelles il existerait une base secrète sur Géhenne sont donc infondées ?

Elle prit soin d'avoir une réaction de surprise.

– Bien sûr. Ce n'est pas cela du tout. Je peux vous annoncer que le Conseil fera une déclaration officielle, demain matin. L'Union a procédé à des expériences bactériologiques illégales, là-bas. Nous sommes fautifs. Cela n'aurait pas dû se produire et nous devons faire le nécessaire pour que de telles choses ne puissent avoir lieu à nouveau.

L'intérêt des journalistes en fut stimulé. Comme prévu. Et c'était en outre la stricte vérité : une des mises en garde qu'ils pouvaient rendre publique, et une des plus pressantes.

– Quel genre d'expériences ?

– Des virus créés pour ne pas être fatals aux humains. Les Géhenniens semblent les avoir bien tolérés. Mais les interrogations sont nombreuses. Au cours de cette guerre, nous avons fait des choses répréhensibles. Je ne puis en dire plus. Le conseiller Harad m'a autorisée à vous révéler cela et il tiendra une conférence de presse demain matin. Désolée... je suis morte de fatigue et on me fait signe d'avancer...

– Une dernière question ! Est-il vrai que le conseiller va proposer d'engager des pourparlers avec l'Alliance ?

– Je ne suis pas habilitée pour répondre.

Catlin la saisit par le bras et Florian s'interposa entre elle et les journalistes, pendant que des gardes et l'équipe d'oncle Denys arrivaient. Seely, en civil comme à son habitude, accompagné d'Amy, de Maddy et de Sam qui venaient la tirer d'affaire en jouant le petit numéro de l'Accueil Familial...

Ils l'encadrèrent jusqu'au car, où elle pourrait étreindre ses amis pour une raison différente, pour de bon, parce que Giraud l'avait mise dans la confidence. Envoyer une délégation de la Famille la chercher à l'aéroport représentait le moyen le plus efficace pour la débarrasser des médias tout en offrant aux cameramen la possibilité de réaliser un cadrage final émouvant qui laisserait les spectateurs sur une excellente impression.

Oncle Denys avait décidé d'envoyer les plus jeunes : aucune cérémonie, pas d'indications sur la réaction officielle de Reseune. Il n'y avait pas non plus de responsables qui auraient subi à leur tour un feu de questions... que des adolescents joyeux, une véritable affaire de Famille.

Bon sang, ils s'en tiraient aussi bien que des adultes !

Et ils laissèrent les journalistes s'interroger sur leurs identités, après leur avoir offert un spectacle émouvant, la preuve qu'on ne vivait pas à Reseune dans la tristesse et l'angoisse ; après trop d'images de gardes du corps et de questions sur la présence de l'escorte aérienne.

Fondu au noir sur des enfants joyeux.

Le public était sensible aux effets de ce genre.

– Je veux dormir, déclara-t-elle.

– Mauvaise nouvelle, lui dit Amy. Ils t'attendent dans le hall d'entrée.

Elle tapota son épaule.

– Tout le monde veut te voir. Pour te souhaiter la bienvenue. Tu as été formidable, Ari. Vraiment formidable.

– Ô bon Dieu ! marmonna-t-elle.

Puis elle ferma les yeux. Elle était si lasse qu'elle tremblait. Ses genoux la faisaient souffrir.

– Qu'ont-ils dit, pendant les auditions ? voulut savoir Maddy.

– Je ne peux rien répéter. Impossible. Mais ça s'est bien passé.

Même sa bouche refusait de coopérer. Le car vira et gravit la colline. Elle rouvrit les yeux et se rappela que sa chevelure était coincée contre le dossier. Elle se redressa, eut l'impression d'être ébouriffée et se coiffa avec les doigts.

– Où est mon peigne ?

Parce qu'elle ne voulait pas avoir les cheveux en bataille.

Même si elle s'effondrait tête la première juste après avoir réussi son entrée.

Oncle Denys l'attendait sur le seuil. Elle l'étreignit et l'embrassa sur les joues, avant de lui murmurer à l'oreille :

– Je suis morte de fatigue. Ramène-moi à la Maison.

Mais Florian devrait au préalable aller vérifier le concierge et s'assurer que tout était sûr, surtout à présent.

Elle traversa la salle, entourée par les membres de la Famille et du personnel ; et elle eut droit à des accolades et à des fleurs. Elle déposa un baiser sur la joue du Dr Edwards, du Dr Dietrich et même du Dr Peterson et du Dr Ivanov – parce que c'était grâce à lui qu'elle avait pu rester debout. Elle s'était souvent emportée contre cet homme mais savait ce qu'elle lui devait...

– Vous et vos maudites piqûres, lui dit-elle à l'oreille. J'ai tenu le coup, là-bas.

Il la serra, au point de faire craquer des os, puis il lui caressa l'épaule et se déclara ravi.

Elle attendit encore un peu, puis :

– Je dois me reposer, dit-elle finalement à sera Carnath, la mère d'Amy.

Et la femme foudroya leur entourage du regard et ordonna de la laisser passer.

Tous obéirent et elle alla prendre l'ascenseur, se dirigea vers son couloir, son appartement et son lit, sur lequel elle s'allongea sans retirer ses vêtements.

Elle s'éveilla quand on la dévêtit : Florian et Catlin. C'était parfait.

– Dormez près de moi, murmura-t-elle.

Et ils se couchèrent de chaque côté, serrés l'un contre l'autre pour se réchauffer tels des petits enfants au milieu de ce lit immense.

8

Pouliche aimait le grand air. Ils disposaient d'un pâturage dénudé où les chevaux avaient la place de galoper, avec un bon sol bien ferme et sans danger, dès l'instant où on veillait à les empêcher de manger ce qui y poussait. Parfois, les azis chargés de les faire travailler lorsque Florian était trop occupé utilisaient Pouliche et la fille de Jument pour entraîner cette dernière, mais quand Ari ou Florian montaient Pouliche elle était ravie et dressait les oreilles. Tout en elle n'attendait qu'une opportunité de partir au galop, l'allure qu'elle aimait le plus.

Oncle Denys était hypertendu, quand il recevait le compte rendu de ses chevauchées à l'air libre.

Aujourd'hui Florian était près d'elle, sur Pouliche II. Leurs montures rongeaient leurs mors.

– On fait la course, lança-t-elle.

Elle dirigea Pouliche vers l'autre extrémité du champ, où elle effectua un arrêt comparable à celui qui lui avait autrefois valu d'être projetée en avant, de n'éviter une chute qu'en se raccrochant à l'encolure, et de faire serment de tuer Andy et Florian s'ils se permettaient d'en parler. Heureusement qu'il n'y avait pas eu quelqu'un avec une caméra dans les parages.

Les chevaux galopaient côte à côte. Une photographie eût été nécessaire pour les départager. Florian était diplomate, mais pas sa monture.

– Moins vite pour le retour, conseilla-t-il.

Les chevaux soufflaient, piaffaient, se sentaient bien. Mais Florian s'inquiétait toujours.

– Enfer, dit-elle.

Pendant un instant elle avait été libre comme le vent et rien n'aurait pu l'atteindre.

Mais ils n'étaient pas descendus jusqu'à l'AG pour profiter des joies de l'équitation. Catlin avait reçu des ordres, là-haut dans la Maison.

Catlin, qui sortait à présent de la remise... un point noir dans le lointain, avec de la compagnie.

– Viens, dit-elle à Florian.

Et elle laissa Pouliche choisir son allure, un trot rapide, les oreilles tout d'abord dressées puis rabattues en arrière comme elle voyait à son tour les intrus et s'interrogeait sur les raisons de leur présence.

9

Justin se dressait à côté de la silhouette noire et élancée de Catlin. Il attendait que les chevaux reviennent avec Ari et Florian. Ces énormes bêtes approchaient très vite, mais s'ils avaient été en danger Catlin ne serait pas restée les bras croisés, et il pensa – il eut la certitude – qu'Ari voulait l'effrayer... dans la mesure du possible.

Il maîtrisa l'impérieux besoin de s'écarter du chemin des pouliches qui arrivaient droit sur eux. Elles s'arrêtèrent à temps, et leurs cavaliers mirent pied à terre.

Ari confia sa monture à l'azi, qui se chargerait de la ramener à l'écurie. Elle portait un corsage blanc et ses cheveux étaient remontés et retenus par une épingle, comme ceux d'Emory ; mais ils tombaient autour de son visage. L'odeur de l'AG, des animaux, du cuir et de la terre... tout cela lui rappelait son enfance. Il revivait l'époque où lui et Grant avaient été libres de descendre en ce lieu...

Longtemps auparavant.

– Justin, lui dit Ari, je voulais vous parler.

– Je m'en doutais.

Elle était essoufflée, ce qui n'avait rien d'étonnant après une telle arrivée.

Catlin lui avait téléphoné au bureau, pour lui annoncer qu'elle l'attendait aux portes de la Maison. Grant s'était laissé fléchir et était resté travailler. Attends-moi ici, lui avait dit Justin avant de prendre sa veste et de descendre, certain de rencontrer Ari.

Catlin l'avait conduit ici, et nul n'était intervenu. Mais la sécurité n'eût sans doute pas osé s'opposer à Ari, à présent.

– Allons nous asseoir, si ça ne vous ennuie pas.

– Entendu.

Et il la suivit vers l'angle formé par la clôture et l'écurie. Les aides azis rentrèrent les chevaux et Ari s'assit sur la traverse inférieure de la barrière métallique. Justin avait à sa disposition des bidons en plastique empilés en cet endroit, et Catlin et Florian allèrent se tenir derrière lui, hors de son champ de vision. À dessein, sans doute ; une menace discrète mais impossible à oublier.

– Je ne vous reproche rien, lui dit-elle.

Elle avait coincé ses mains entre ses genoux et le regardait sans froideur ni ressentiment.

– Ce que j'éprouve est bizarre... il me semble que j'aurais dû comprendre, deviner que votre passé comportait un lourd secret. Mais je me suis dit... j'ai pensé que vous aviez déplu à l'administration et étiez devenu le mouton noir de la famille, un truc de ce genre. Je sais que vous n'êtes responsable de rien. J'ai souhaité vous rencontrer ici pour... vous demander quelle opinion vous vous faites de moi.

C'était une question pleine de bon sens et posée avec

politesse. Ses pires craintes se matérialisaient sous la forme d'une belle jeune fille, sous un ciel radieux. Ses mains auraient tremblé, s'il n'avait pas eu les bras croisés.

– Ce que je pense de votre compagnie ? Eh bien, je me rappelle une charmante enfant rencontrée un soir de Nouvel An, des guppys, quelqu'un de très gentil. C'est tout. J'ai fait de nombreux cauchemars où vous appreniez la vérité. Je n'y tenais pas, et je ne voulais pas non plus vivre pendant quinze ans dans le mensonge. Ils ne pouvaient rien vous dire et avaient peur que je m'en charge. Ils craignaient aussi que vous ne m'inspiriez du... ressentiment. Ce n'est pas le cas.

Elle ressemblait tant à l'autre Ari. Les caractéristiques de son visage commençaient à apparaître. Mais ses yeux étaient toujours ceux d'une enfant et il y lisait de l'inquiétude... ce qu'il avait découvert pour la première fois dans son bureau, au-dessus d'un bocal de bébés guppys asphyxiés. *Je suppose qu'ils y sont restés trop longtemps.*

– Votre père est à Planys, dit-elle. On m'a précisé que vous lui rendiez des visites.

Il hocha la tête. Sa gorge se serra. Non ! Il ne craquerait pas. Il ne pleurnicherait pas en présence d'une gosse de quinze ans.

– Il vous manque.

Deuxième mouvement de tête. Elle était capable de déclencher en lui n'importe quelle réaction. Elle était Emory. Elle l'avait démontré pendant son séjour à Novgorod, en faisant trembler le gouvernement de l'Union.

– M'en voulez-vous ? s'enquit-elle.

Il secoua la tête.

– Auriez-vous fait vœu de ne pas m'adresser la parole ?

Merde. Reprends-toi, imbécile !

– Êtes-vous en colère contre mes oncles ?

Une autre négation silencieuse. *Tout* ce qu'il dirait pourrait se retourner contre lui. *Tout* ce qu'il ferait serait dangereux. C'était elle qui avait besoin de savoir, pas lui. Et s'il existait une solution pour Jordan elle passerait par cette fille... un jour. À condition qu'il fût encore raisonnable d'entretenir de l'espoir.

Elle ne dit plus rien. Elle attendait. Sans doute savait-elle qu'il se fragmentait. Un homme âgé de trente-quatre ans qui avait des nausées.

Il se pencha et fit reposer ses coudes sur ses genoux, afin d'étudier le sol entre ses pieds. Il releva les yeux et la fixa.

Elle ignorait ce que la première Ari s'était permis de lui faire subir. Denys le lui avait affirmé, avant de préciser quel sort il lui réserverait s'il osait aborder ce sujet.

Je ne lui dirai rien. Vous croyez peut-être que je souhaite l'inciter à visionner cette bande ?

Elle ne l'a pas, et il n'est pas dans mes intentions de la lui remettre.

Sait-on jamais ? avait-il pensé.

Mais il ne lisait que de la tristesse, dans les yeux d'Ari.

– Vivre n'est pas aisé, pour celui qui éveille sans cesse la méfiance de son entourage. Telle est mon existence, Ari. Et je n'ai rien fait. J'avais dix-sept ans, à l'époque.

– Je le sais. J'en parlerai à mon oncle. J'obtiendrai que vous puissiez aller voir votre père aussi souvent que vous le voulez.

Il n'aurait pu espérer plus.

– La situation est trop confuse. Novgorod est en pleine effervescence. C'est pour cela qu'ils vous attribuent une escorte aérienne. Il y a une base militaire, à Planys. L'aéroport est situé entre les installations de la Défense et les nôtres. Denys craint que l'armée ne s'empare de mon père, ou de moi. Je resterai cloué au sol tant que le calme ne sera pas revenu. Je ne peux même plus lui téléphoner et Grant n'a jamais été autorisé à aller là-bas. Grant... qui était comme son deuxième fils.

– Bon sang, fit-elle. Je suis désolée. Mais vous le verrez. Et Grant aussi. Je ferai tout mon possible.

– Je vous en remercie.

– Justin, est-ce que j'inspire de la haine à votre père ?

– Non. Absolument pas.

– Que dit-il, sur mon compte ?

– Nous prenons soin de ne pas parler de vous. Pendant toutes nos conversations téléphoniques, tous les instants que je passe près de lui… quelqu'un nous écoute. Si je mentionnais votre nom… eh bien, je me retrouverais aussitôt dans une cellule.

Elle le dévisagea un long moment. Elle ne paraissait pas choquée, mais ses oncles n'avaient pas dû l'informer de ces détails. Il ne réussissait pas à trier les expressions qu'il lisait sur ses traits.

– Votre père est un Spécial, et Yanni estime que vous devriez avoir le même statut.

– C'est son opinion. Je doute qu'elle soit fondée. Et nul ne tranchera jamais la question. La loi les empêche de s'en prendre à mon père et ils n'ont aucun désir de me rendre à mon tour intouchable. Vous comprenez ?

Une autre réponse qui l'ébranla, un nouveau silence.

– Un jour, ajouta-t-il. Quand tout sera plus calme, quand vous dirigerez Reseune… j'espère que vous vous pencherez sur le cas de mon père. Vous pourrez l'aider… si vous lui posez les mêmes questions qu'à moi.

Mais… il y a la vérité… au sujet de cette maudite vid, d'Ari ; le choc… sans savoir quelle sera sur elle la violence de l'impact.

Elle n'est pas comme l'autre. C'est une brave gosse.

Cette bande… ce sera autant une agression pour elle qu'elle l'a été pour moi.

Quand entrera-t-elle en possession de cette cassette ? Dans deux ans ?

À dix-sept ans ?

– Je le ferai peut-être, Justin. Mais pourquoi l'a-t-il tuée ?

Il secoua la tête avec énergie.

– Nul ne pourrait vous le dire. Un coup de colère, sans doute. Dieu sait qu'ils ne s'entendaient pas.

– Vous êtes son double.

Respirer lui posait des problèmes. Elle le regarda droit dans les yeux.

– Vous ne me paraissez pas violent.

– Mon cas est différent du vôtre. Je ne suis que son

jumeau génétique. La ressemblance est physique, c'est tout.

– Lui arrivait-il souvent de s'emporter ?

Il chercha une réponse, et trouva :

– Non. Mais lui et Ari avaient de nombreux désaccords sur le plan professionnel, pour des choses auxquelles ils accordaient trop d'importance. On pourrait parler de caractères incompatibles.

– Yanni dit que vous êtes un expert.

Ce brusque changement de terrain le fit vaciller. Il sut qu'elle percevait son soulagement.

– Il est trop aimable.

– C'est une ordure.

Elle se mit à rire.

– Mais je l'aime bien. Il m'a appris que vous travailliez sur les ensembles-profonds.

Un hochement de tête.

– Expérimental.

Il était heureux d'entamer une autre conversation.

– Selon lui, vos concepts sont valables mais les ords répondent que le champ d'application est trop vaste.

– Ils ont procédé à d'autres tests.

– J'aimerais devenir votre élève.

– C'est flatteur, Ari, mais vos oncles ne l'apprécieraient guère. Ils ont toujours voulu m'éloigner de vous, et je doute qu'ils puissent un jour changer d'avis.

– Parlez-moi de ce que vous faites.

Il ne trouva rien à dire. Elle attendit, sans ajouter quoi que ce soit.

– Ce sont mes recherches, Ari. Nous avons tous un peu de vanité...

Il était ébranlé, pris au piège. Mais il la croyait toujours innocente.

– Ari, je n'ai presque rien accompli, tout au long de mon existence. J'aimerais qu'on me permette de rédiger le premier compte rendu d'expérience avant que mes travaux ne soient repris par d'autres. Si cela peut avoir la moindre importance. Vous savez que la jalousie professionnelle existe. Et vous aurez l'opportunité de faire beaucoup de choses... alors, laissez-moi le peu que je possède.

Elle en parut déconcertée et un pli se creusa entre ses sourcils.

– Il n'était pas dans mes intentions de m'approprier vos découvertes.

Il eut un petit rire, sinistre.

– Savez-vous ce qui se passe ? Nous nous querellons, pour les mêmes raisons que votre génémère et mon père. Même si je sais que vous essayez d'être gentille avec moi.

– Je n'essaie pas d'être gentille. Je vous demande quelque chose.

– Écoutez-moi, Ari...

– Je ne vous volerai pas vos idées et je me fiche de savoir qui signera le compte rendu. Mais je veux que vous me montriez ce que vous faites, et comment vous procédez.

Il recula. Elle le mettait au pied du mur : une enfant gâtée et susceptible qui avait jusqu'alors obtenu tout ce qu'elle désirait.

– Ari...

– J'en ai besoin, bon sang !

– Vous ne pourrez pas toujours avoir tout ce qui vous intéresse.

– Vous m'accusez de vouloir vous voler vos idées !

– Certainement pas. Je précise que j'ai des droits, d'autant plus précieux qu'ils sont rares... ici. Il est possible que mon plus cher désir soit de voir mon nom associé à ces travaux. Avec celui de mon père... étant donné que c'est le même.

Elle en resta interdite et y réfléchit, sans le quitter des yeux.

– Je vois. Je peux arranger ça. Je vous en fais la promesse. Je ne vous prendrai rien. Je suis sincère, Justin. Je ne mens pas. Pas à mes amis. Pas pour des choses importantes. Je veux apprendre. Je veux étudier avec vous. Dans la Maison, nul ne peut m'empêcher de choisir mon professeur. Et c'est vous.

– Si vous m'attirez des ennuis... vous devinez ce qui en résultera.

– Vous n'aurez aucun problème. Je suis censée superviser une section qui n'existe pas. Mais rien ne m'empêche de la créer, il me semble ? Avec vous et Grant.

Les battements de son cœur ralentirent, devinrent douloureux.

– Je ne désire pas être transféré.

Elle secoua la tête.

– Aucun déplacement. Mais j'ai un bureau dans la section un, pour la paperasserie. Mon équipe pourra se charger de rédiger vos formulaires... Pardonnez-moi...

Et, comme il ne disait rien pendant sa pause :

–... mais c'est chose faite.

– Bon sang...

– Sur le plan administratif. Je ne voudrais pas voir traîner dans votre bureau des projets sur lesquels je travaille... Mais je peux annuler tout ça, si vous le désirez.

– Je le préférerais.

Il fit reposer ses avant-bras sur ses genoux, pour la regarder droit dans les yeux.

– Ari... je vous l'ai dit. J'ai bénéficié de bien peu d'avantages, au cours de ma vie. J'aimerais conserver mon indépendance, si ça ne vous ennuie pas.

– Votre appartement est sur écoutes, vous savez ?

– Je m'en doutais.

– Si vous appartenez à ma section je pourrai détourner vers mon bureau tout ce qui se rapporte aux questions de sécurité, comme oncle Denys.

– Je n'y tiens pas, Ari.

Elle lui adressa un regard plein de tristesse. Elle paraissait blessée.

– Acceptez-vous d'être mon professeur ?

– Oui, fit-il.

Faute d'avoir le choix.

– Ça ne paraît pas susciter votre enthousiasme.

– Je ne sais pas, Ari.

Elle se pencha pour lui serrer la main.

– Amis, d'accord ? Amis.

Il l'imita, et tenta de croire en sa sincérité.

– Il est probable que la sécurité m'arrêtera dès que je franchirai le seuil de la Maison.

– Non, affirma-t-elle en retirant sa main. Venez. Nous allons y retourner ensemble. Je dois rentrer prendre une douche, quoi qu'il en soit. Et vous en profiterez pour m'expliquer sur quoi vous travaillez.

10

Ils se séparèrent dans la cour intérieure. Justin s'éloigna vers les portes de la section un et sentit son cœur s'emballer. Le garde de faction utilisait son com de poche, pour prendre des ordres ou signaler son approche et demander des instructions.

Il n'avait que trop vu les salles d'interrogatoire de la sécurité.

Il franchit le seuil et fixa l'azi droit dans les yeux... pour essayer de lui faire comprendre qu'il ne serait pas utile d'employer la force contre lui, qu'il n'opposerait aucune résistance. Il n'avait également été que trop souvent poussé sans ménagement contre des murs.

– Bonjour, ser, lui dit l'homme.

Son cœur rata un battement.

– Bonne journée, répondit-il.

Et il traversa le petit vestibule pour emprunter le couloir en direction des ascenseurs. Il s'apprêtait à entendre crier un ordre derrière lui, même lorsqu'il fut dans le passage du niveau supérieur. Mais il atteignit sans encombre son bureau. Grant l'attendait, à bout de nerfs mais libre.

– Tout va bien, dit-il aussitôt pour dissiper les craintes de son ami. Notre entrevue s'est bien passée. Bien mieux que je ne le craignais.

Il s'assit, et inhala à pleins poumons.

– Elle m'a demandé de devenir son professeur.

Grant réagit à peine. Un peu plus tard, il haussa les épaules.

– Denys va donner le coup de grâce à ce projet.

– Non. Je ne sais pas de quoi il retourne, mais elle nous a fait transférer.

Son ami parut s'alarmer.

– J'ai obtenu notre retour auprès de Yanni. Mais en attendant qu'elle annule cet ordre et règle la question avec la sécurité, nous ne faisons plus partie de la section un. C'est sérieux, si elle a dit vrai. Et je n'ai aucune raison d'en douter. Elle *veut* que je travaille avec elle. Elle a parlé de mes recherches avec Yanni, et ce salopard lui a appris que je suis sur une piste importante. La jeune sera *exige* de savoir ce que je sais et que je le lui enseigne.

Grant soupira.

Justin fit pivoter son siège et prit sa tasse pour aller se servir du café.

– Eh bien... voilà toute l'histoire. Si la sécurité ne fait pas une descente dans ce bureau... Tu en veux ?

– Merci. Assieds-toi, je m'en charge.

– C'est fait.

Il prit l'autre tasse et y versa le fond de la cafetière puis compléta le niveau avec une partie du contenu de la sienne.

– Tiens, fit-il en tendant le café à Grant. En tout cas, elle a été très raisonnable. Elle est...

Plus tout à fait une petite fille.

Mais il ne le dit pas.

– ... pleine de bon sens.

Puis un souvenir refit surface, accompagné par une onde de panique : *Nous sommes déjà affectés à ses services, et si la sécurité nous surveille, Denys n'est pas le seul à entendre nos propos. Mon Dieu, qu'avons-nous dit ?*

– Et nous dépendrons de ses services, pour un certain temps.

Il compléta ces mots par le geste qui signifiait : « N'oublie pas qu'on nous écoute. » Les yeux de Grant suivirent le mouvement.

Sans doute essayait-il lui aussi de se rappeler ce qu'il avait dit, et de tenter de déduire quelles conclusions une CIT très jeune et dangereuse pourrait en tirer.

Archives : projet Rubin
Confidentiel, classe AA

Copie formellement interdite
Contenu : transcription du fichier 19031
Bloc 9 – Archives personnelles
Emory II

2421 : 04/03 : 1945

AE2 : Base un, destination : Archives personnelles.

J'estime devoir prendre à mon tour des notes, même si ça me paraît un peu étrange. Ari senior n'a pas abordé ce sujet, mais tous mes actes ont été enregistrés jusqu'à une période récente. Je pense que tout ce qui passe par Base un est archivé, et tout ceci peut avoir un jour de l'importance. Car je me crois importante.

Tenir de tels propos risque de me faire paraître imbue de moi-même, mais qu'importe. On m'a façonnée ainsi.

Je suis Ari Emory... pas la première Ari, mais pas non plus son double. Nous avons tant de choses en commun. Mes oncles m'inspirent parfois de la haine, à cause de ce qu'ils ont fait... à ma maman, surtout. Mais auraient-ils pu se comporter autrement ? Je ne voudrais pas être différente, je n'aimerais pas être quelqu'un d'autre. Surtout pas certaines personnes que je pourrais citer. Je suppose que la première Ari en aurait dit autant.

Je le sais. Je le sais, bien qu'elle n'ait jamais abordé ce sujet.

C'est étrange.

Elle qualifierait la situation actuelle de dangereuse.

Et je sais quel serait le fond de sa pensée, ce qu'elle en-

tendrait par là et pourquoi elle s'inquiéterait pour moi... mais je connais des choses qu'elle ignorait : ce que je ressens, si nos différences me mettent en péril. Je suis presque certaine d'avoir raison, mais j'ignore si je suis aussi maligne qu'elle l'était et si je pourrai sauvegarder tout ce qu'elle m'a légué. Je ne deviendrai son égale qu'après avoir développé en moi la force de caractère qui me permettra d'analyser ce qu'ils m'ont fait et de dire... ils le devaient. Ou pas.

Je dépasse ses résultats en psych de quinze à vingt points... au même âge. Et j'ai deux points d'avance sur les scores obtenus quand elle avait deux ans de plus que moi. C'est pareil dans la plupart des matières. Mais toute comparaison est impossible, car je sais ce qu'elle a fait, et comment. C'est bizarre et... normal à la fois. La qualité des bandes s'est accrue, et ils en ont adapté un grand nombre à mon intention en tenant compte de ses points forts et de ses faiblesses. Il n'est donc pas étonnant que je progresse plus vite. Je n'ai aucune raison d'en tirer fierté, parce que rien ne prouve que je resterai en tête.

Il est étrange de savoir qu'on est un sujet d'expérience. Au même titre que ce petit garçon de Lointaine. Un jour, je lui écrirai pour lui dire : Bonjour, Ben, c'est Ari. J'espère que tu vas bien.

Selon Justin, leurs normes sont moins draconiennes pour lui que pour moi. Il estime qu'ils n'auraient peut-être pas dû être aussi inflexibles avec moi, mais il ajoute qu'ils ne pouvaient courir de risques et que ce sera à moi de déterminer ce qui n'était pas indispensable, lorsque je serai devenue une adulte.

Je lui ai rétorqué que cela comporterait des dangers. L'introspection est dangereuse pour ceux qui ont reçu une formation de psych. J'ai toujours un peu peur lorsque je cherche à m'analyser, car c'est une intervention pour celui qui connaît les techniques de psych sans les avoir maîtrisées. C'est comparable à... vouloir garder son esprit concentré sur un sujet : les pensées tentent de s'échapper sur les côtés, en dedans et de toutes parts...

J'en ai parlé à Justin. Il affirme comprendre. Il dit qu'il est indispensable de réfléchir à ces choses quand on est jeune, parce que c'est au cours de cette période de l'existence que se créent les ensembles de valeurs et qu'on voit s'afficher à tout bout de champ « données insuffisantes » et apparaître des trous dans les programmes. On essaie de raccommoder les ensembles et plus le potentiel mental est important, plus la concentration est intense, plus les dommages que l'on risque de s'infliger sont graves. Selon Justin, c'est pour cela que les Alpha ont des problèmes, que certains sombrent dans la folie et que la plupart sont un peu excentriques. Mais il ajoute que les gens à l'intellect trop développé pour leur propre bien devraient faire ce qu'effectuent les testeurs azis, autrement dit savoir à quelle adresse est stockée une idée, laisser des jalons et établir comment les idées s'enchaînent et s'imbriquent avec le conditionnement profond et les ensembles de valeurs, afin qu'à quarante, cinquante ou cent quarante ans il soit possible de récupérer les fils et de les tirer si l'efficacité laisse à désirer.

Mais ce n'est pas facile, quand on ignore le contenu de son esprit, ce qui est le cas de la majeure partie des CIT. Les hommes-nés ont un problème parce qu'ils ne veulent pas savoir ces choses et que certains sont de vrais cinglés, à en juger par la façon dont ils établissent des rapports entre eux. Surtout dans le domaine du sexe et celui de l'ego.

Toujours selon Justin, l'inflexibilité est un piège et la plupart des Alpha sont introvertis parce qu'ils traitent les données avec une rapidité telle qu'ils se perdent dans leurs pensées avant qu'un Gamma n'ait eu le temps de dire ouf. Ils finissent par se convaincre qu'ils tiennent compte de toutes les informations mais oublient que tout repose sur leur fiabilité. Les idées originales se développent à partir d'éléments qui proviennent de l'extérieur et dont l'exactitude laisse parfois à désirer. Les sens peuvent mentir. Selon lui, tout peut être fonction de la qualité du hardware ou du logiciel, mais lorsqu'un Alpha croit en une contre-vérité son problème est alors d'ordre personnel.

J'aime beaucoup. Je regrette de ne pas y avoir pensé avant lui.

Et dès que les Alpha cessent d'analyser les données qu'ils reçoivent et se contentent d'en émettre, ils sombrent dans la folie. Ce serait pour cela que le champ d'application de l'enseignement par bandes est limité dans leur cas : ils n'apprennent pas à corriger le niveau du flux. Et lorsqu'ils se socialisent trop tard, leur introversion s'accentue car tout leur semble trop rapide et aléatoire ; le contraire du problème qui se pose aux Alpha socialisés... qui traitent les données à une vitesse folle et y cherchent plus d'informations qu'elles n'en contiennent, parce qu'ils refusent d'admettre qu'il peut dans certains cas n'exister aucun système – ou tout au moins aucun microsystème – et qu'ils veulent à tout prix en découvrir un dans un flux qu'ils ne peuvent assimiler.

C'est pourquoi certains Alpha deviennent dangereux et qu'il est délicat de les placer sous bandes d'assistance : ils ont des pensées-flux pour chaque chose ou sombrent dans la schizophrénie. Ils déstructurent leurs ensembles-profonds et les reconstituent en se basant sur tout ce qui ressort intact du flux. Et ensuite il devient impossible de les définir. Ils sont semblables à des CIT, avec en eux d'étranges zones logiques.

C'est pourquoi il est si difficile de les aider. Yanni a sans doute vu juste, pour Justin. Je le crois très intelligent. J'ai interrogé mon oncle à son sujet et je lui ai demandé si c'est pour des raisons politiques qu'ils ne font pas de lui un Spécial. Denys déclare ignorer si Justin a les qualifications requises mais qu'il est exact que les considérations sont avant tout d'ordre politique.

Je sais que tu le trouves sympathique, m'a-t-il dit. Alors, ne parle pas de lui... et, surtout, ne mentionne jamais son nom quand tu es à Novgorod.

J'ai déclaré que c'était une autre de leurs sales manœuvres, qu'ils se comportaient ainsi avec lui à cause de ce qu'avait fait son père et qu'il n'était pas plus responsable que moi des agissements de nos originaux.

Et oncle Denys m'a fait une réponse effrayante : Si je te dis cela, c'est pour son bien. Penses-y, Ari. Il est très brillant et il possède sans doute toutes les qualités que tu lui prêtes. Accorde-lui l'immunité et il obtiendra de la puissance, qu'il devra utiliser. Réfléchis à cela. Tu connais Novgorod. Tu es au courant de la situation. Tu sais que Justin est honnête. Songe à ce que ce pouvoir ferait de lui.

Et j'ai eu une pensée comparable à un éclair, la foudre qui déchire la nuit et révèle ce qui est dissimulé par les ténèbres, des bâtiments familiers mais oubliés – des détails perdus dans la noirceur jusqu'au moment où le feu céleste les illumine – quand tout devient gris et plus lumineux qu'en plein soleil, bien que les couleurs soient absentes comme si cette clarté était insuffisante. Et l'on voit tout d'une façon différente.

C'est ce qui se passe quand quelqu'un présente sous un autre jour une chose dont on connaît pourtant tous les composants.

Son père est à Planys.

C'est le premier élément du puzzle.

Puis il y a tout le reste... le fait qu'il est mon professeur et que nous sommes supérieurs aux autres. Mais c'est comme pour Amy. Amy est ma meilleure amie, avec Florian et Catlin. Mais nous n'avons pas pu nous entendre jusqu'au jour où je lui ai démontré que j'étais plus forte qu'elle. Comme si elle avait été condamnée à se dresser constamment contre moi avant de comprendre qu'elle ne pourrait jamais me battre. Ensuite, notre entente a été parfaite.

Une histoire de pouvoir. Ari avait une fois de plus raison, lorsqu'elle disait que nous défendions notre territoire au-delà du bon sens, si ce n'est que le terme de territoire ne convient pas. Il n'est qu'une métaphore, la représentation de nos racines ancestrales qui remonte à l'époque où les hommes vivaient en étroit contact avec la nature.

C'est ce qu'Ari appelait les problèmes sémantiques de la science. Car le concept de territorialité ne permet pas d'assimiler la véritable cause de nos inquiétudes. Nous ne sommes pas des poissons.

Les anciens Grecs parlaient de moira. Moira signifie part. Comme une portion de gâteau. S'approprier celle d'autrui serait du vol ; renoncer à la sienne serait de la couardise. Mais établir sa nature s'avérerait ardu si les

274

réactions des hommes et des animaux n'aidaient pas à en définir les limites. Quand nul message ne doit être transmis, l'anxiété induit un besoin de combattre ou de fuir en fonction du conditionnement psych, selon que l'on est un humain ou un poisson. Cela m'a été enseigné par Sophocle, Aristote, Amy Carnath et ses bettas, parce qu'elle est ma première amie CIT et qu'elle élève des poissons combattants.

Ce n'est pas une question de territoire mais d'équilibre. Un ensemble de forces qui se compensent comme celles des poutres et des fermes d'une charpente.

Les systèmes trop rigides sont vulnérables, a dit Ari. Ceux qui possèdent une certaine souplesse ploient mais ne se brisent pas.

Les Grecs de l'Antiquité mettaient ce principe en application dans leurs constructions. Ils y plaçaient des joints flottants pour les protéger des secousses sismiques.

Je me rapproche de quelque chose.

Je pense qu'il existe un rapport entre Justin et moi.

Ce qui est excessif m'inspire de la méfiance. Trop de souplesse et le mur bascule, trop peu et il se rompt.

Je dis cela pour la postérité. Si je m'adressais à Justin, Yanni ou oncle Denys, je déclarerais :

Les chemins qui ne dessinent pas une boucle ne doivent pas nécessairement être macro-assemblés sur le plan individuel.

Cependant...

... il convient alors de macro-assembler la matrice sociale. C'est réalisable...

... mais les variables sont un vrai casse-tête... Justin l'a démontré.

Être son propre interlocuteur a d'indéniables avantages.

Voilà ce qu'Ari entendait par macrovaleurs. C'est de cela qu'elle parlait. Elles lui permettaient de ne pas s'inquiéter des données aléatoires reçues par ses azis. Ils s'alimentent dans une valeur unique ; le flux a pour fonction de réinitialiser les ensembles de base. C'est ce que Justin a tenté de m'expliquer : le flux réinitialise les fonctions.

Les Géhenniens s'identifient à leur monde. C'est le principe fondamental. Aucune pensée-flux ne permet d'obtenir un tel résultat.

Mais où cela peut-il mener ?

Merde ! J'aimerais pouvoir en parler à Justin...

Une nouvelle Terre. Terre... Ver. Une entité unique, à condition de pouvoir diriger la mutation sémantique.

Dommage qu'il faille utiliser des mots et non des nombres. Dans un système fluxé par les hormones.

Justin dit...

Il affirme que la sémantique est la clé du problème. Plus les ensembles sont liés à une valeur concrète, moins un ordinateur peut les manipuler... mais ce n'est pas tout. Le point de liaison ne doit pas être soumis au flux... Il précise...

Non ! C'est faux. Ce n'est pas un non-flux mais un flux ralenti. Un flux relatif ou proportionnel au reste... tel un joint flottant : tout se déplace sans qu'il se produise une modification de la stucture, seul change l'éloignement des entraxes...

Non. Ce n'est pas non plus cela. En cas de décalage temporel du macro-ensemble, un flux adaptable s'accentuerait dans les micro-ensembles de tout système. S'il était possible de calculer le coefficient dans une matrice symbolique... on obtiendrait en retour une valeur analogique.

Non ?

N'est-ce pas en rapport avec la grandeur du champ d'application ? Ne serait-ce pas l'équivalent d'un étalonnage, s'il était possible de régler la rapidité d'évolution interne des ensembles puis de...

Non, bon sang, un tel monde serait parfait jusqu'à l'arrivée des immigrants. Les premières données aléatoires entraîneraient l'apparition d'un individu qui ne partagerait pas les mêmes valeurs...

Immigration... sur Géhenne...

Voilà qui modifierait l'acception du mot terre... non ?

Merde, j'aimerais pouvoir interroger Justin. J'ai peut-être trouvé quelque chose. Même à seize ans. Je ne peux dire ce que je sais, surtout pas à Justin. Ce serait dangereux.

Mais Géhenne est en quarantaine. Il n'y a aucun risque... pour l'instant, tout au moins. J'ai du temps devant moi. Non ?

Justin m'en veut toujours de l'avoir pris pour professeur. Il est souvent bougon. Grant paraît ennuyé par cette situation. Il est en colère, lui aussi, même s'ils s'efforcent d'être aimables. Il n'y a pas que de l'amabilité, ils sont bons. Tous les deux. C'est ma présence qui les bouleverse. La sécurité a arrêté Justin chaque fois que je me suis attiré des ennuis. Ce n'était pas juste. Je connais leurs raisons, mais mes oncles ne l'ont jamais traité avec impartialité.

Je ne peux lui reprocher sa mauvaise humeur. Et il me la dissimule, ce qui force le respect. J'ai moi aussi un désir de vengeance, et je ne l'oublierai pas. Pas vraiment. Il sait que je ne suis pas responsable, pour son père. Il ne met pas ma sincérité en doute lorsque je lui dis que je l'aiderai dans la mesure de mes possibilités et qu'ils pourront tous les deux aller voir Jordan dès que ce bourbier politique se sera décanté.

Il souffre toujours de cette séparation. Maman est partie pour Lointaine et je n'ai jamais reçu de ses nouvelles, mais je la savais inaccessible. Je me suis résignée et notre séparation est devenue moins pénible. Son père est sur Cyteen, et ils peuvent se téléphoner. C'est encore pire, car cela lui rappelle qu'il est très proche. Et désormais ils ne sont même plus autorisés à se joindre ainsi. Il s'inquiète pour Jordan.

Et c'est le moment que je choisis pour le convoquer et lui ordonner de me communiquer des travaux effectués en collaboration avec son père ; des travaux grâce auxquels il espère pouvoir un jour le réhabiliter. J'ai fait cela. Tous se sont acharnés contre lui et il a dû mener un âpre combat pour obtenir le peu qu'il possède, et voilà qu'une gosse – celle qui lui a valu tous ses ennuis – exige de se voir communiquer tout ce qu'il a réalisé. C'est ma faute, je le sais, mais je dois disposer de ses découvertes. Leur importance est capitale, et je ne peux ni lui en expliquer les raisons ni lui préciser ce que je veux. Alors il se comporte en azi avec moi. C'est le seul terme qui me vient à l'esprit... distant et poli.

Nous nous réunissons dans son bureau, car il ne veut pas rester avec moi sans témoins. Il déclare que les Warrick ont déjà eu bien assez d'ennuis.

Il me charge d'effectuer des travaux véritables. Il me juge capable d'en préparer les structures. Il m'arrive d'ailleurs de le surprendre, car je prends cela à cœur. Quand j'obtiens des résultats, il oublie son ressentiment et se détend, et c'est comme si la flamme de l'espoir renaissait en lui. Voilà une description très scientifique, n'est-ce pas ? Mais il s'intéresse à ce que nous faisons et la glace semble fondre. Il est... normal. Cela dure deux ou trois minutes, puis il se rappelle que je m'approprie tout ce qu'il m'enseigne. Je le soupçonne de penser que je veux le dépouiller de tout. J'aimerais pouvoir lui faire comprendre que je souhaite l'aider.

C'est la vérité. Je souffre de sa froideur. C'est si agréable, quand il est heureux.

Il n'est pas dans mes intentions de lui donner ce qui m'appartient, mais pas non plus de lui prendre quoi que ce soit. Il me ressemble tant, tous ont voulu façonner son existence.

Si je dénichais une découverte d'Ari senior pouvant lui être utile, cela rétablirait peut-être l'équilibre. Mais, bien qu'étendu, mon savoir n'est pas suffisant pour me permettre de l'aider. Il est encore possible que je dispose d'un élément que je juge insignifiant mais qui aurait pour lui une valeur inestimable.

Parce qu'il... est très intelligent. Cela m'est révélé par ses difficultés à m'expliquer ce qu'il fait, pour la simple raison que c'est pour lui évident. Il lui arrive de dire que je l'oblige à structurer ses concepts, et il s'en félicite. Nous pouvons parler et Grant intervient parfois. Un jour, et c'est sans doute le souvenir le plus agréable de notre collaboration, nous sommes allés déjeuner ensemble et avons parlé des CIT et de la logique azie. La discussion était si passionnante que le soir venu je n'ai pu trouver le sommeil, tant j'avais de pensées qui tourbillonnaient dans mon crâne. Ils étaient joyeux, et moi aussi. Mais cela a été éphémère. Tout est redevenu normal, des obstacles se sont placés en travers de notre che-

min et Justin a sombré dans la morosité. C'était fini. Sans explication.

Mais je l'Aurai, un de ces jours. Je les Aurai tous les deux. Et j'en ai peut-être trouvé le moyen.

Je devrais revoir tout ce que je sais sur ce modèle, car s'il était valable quelqu'un y aurait sans doute pensé avant moi...

Non, bon sang. Justin dit... qu'il ne faut jamais raisonner de cette manière.

On ne doit rejeter aucune idée avant d'avoir découvert à quoi elle peut conduire.

Si je réalisais quelque chose de concret... quelle serait sa réaction ? Ne serait-il pas irrité parce que je me rapproche du but qu'il cherche à atteindre ?

S'emporterait-il contre moi parce qu'il veut que ce soit son œuvre ?

Peut-être.

Mais il pourrait aussi cesser de garder ses distances, rester à longueur de temps tel qu'il est parfois. Voilà ce que je désire. Il s'est passé trop de choses regrettables et je veux que ça change.

CHAPITRE XII

1

Ils disposaient de nouvelles bandes. Maddy les avait apportées. Elle se chargeait de se procurer les choses de ce genre, parce que sa mère s'en fichait et qu'oncle Denys disait qu'il en résulterait un véritable scandale si de tels achats étaient débités sur son compte. Maddy devait en être consciente. Elle était moins stupide qu'elle ne le paraissait mais adorait se trouver impliquée dans des intrigues ; le seul domaine où elle excellait.

Elle marquait des points. Ces services rendus pourraient être utilisés comme moyen de pression, pensait Ari, même si elle n'en tirerait aucun profit. Et si Maddy envisageait de s'en servir un jour à Novgorod, grand bien lui fasse. Ari serait alors adulte et les gens ne verraient plus en elle une jeune fille de seize ans mais une femme semblable à l'Ari précédente... dont les goûts pour de telles distractions étaient connus de tous. Elle était d'ailleurs surprise que les gens ne puissent être choqués de façon rétrospective : d'anciennes nouvelles, comme on disait.

Et Maddy n'avait aucune entrave sur le plan sexuel, pour la simple raison que les Strassen n'étaient pas assez puissants pour effrayer qui que ce soit... hors de Reseune.

C'était une soirée paisible. Les jeunes. Point. Elle désirait avant tout se détendre et ils regardaient une des bandes. Tous étaient très trankés – Florian et Catlin exceptés – et ils avaient un peu bu... toujours à l'exception de ses azis. Sam renversa son verre... et rougit d'embarras. Mais Catlin l'aida à essuyer l'alcool puis l'emmena dans sa chambre et lui apporta une autre forme d'assistance. Sam et Amy avaient des problèmes de couple.

Seigneur, que la vie était donc compliquée ! Amy venait de s'enticher de Stef Dietrich et c'était sans espoir. Sam avait un faible pour... eh bien, pour elle, estimait Ari. Une affaire délicate, qu'Amy fût seconde dans de nombreux domaines. Amy s'intéressait à des choses qui laissaient Sam indifférent, et vice versa. Ari eût aimé que Sam trouvât une autre fille. N'importe qui.

Mais il ne se liait à personne. C'était surtout à cause de lui qu'Ari n'emmenait pas Tommy, Stef ou les autres dans sa chambre ; mais ce n'était pas l'unique raison. Il y avait la cause principale, celle pour laquelle Ari restait la meilleure amie d'Amy, de Sam et de Maddy et gardait ses distances avec les nouveaux venus... Sam était toujours présent et en eût souffert, et il était impossible de l'exclure car cela n'eût pas été juste, alors que...

De tous les garçons, lui seul n'aimait qu'elle, depuis une époque où elle n'était pas encore devenue quelqu'un.

Cela la rendait parfois mélancolique, car tous les autres pensaient d'abord à leurs intérêts et à tout ce que cela représenterait pour eux. Ils se disaient qu'elle était une Spéciale, qu'elle possédait des biens considérables, qu'elle deviendrait un jour l'administratrice de Reseune et qu'entrer dans ses bonnes grâces assurerait leur avenir...

Ce n'était pas le cas de Sam. Il semblait lui porter un amour sincère. Et elle l'aimait, à sa manière... quand elle ne se sentait pas frustrée parce qu'il tenait à elle de cette façon et qu'il focalisait ainsi toutes ses autres insatisfactions sans jamais le mériter...

Parce que c'était pour lui qu'elle ne couchait pas avec Stef Dietrich.

Et aussi pour Amy. Son amie pouvait supporter d'être supplantée par Yvguenia, mais pas par elle. Cette fille dégingandée et gauche qui négligeait son aspect avait changé du tout au tout depuis qu'elle s'était amourachée de Stef et son cas devenait pathétique. Amy, avec du fard à paupières. Amy, qui réordonnait sans cesse sa chevelure qu'elle ne tressait plus pour la laisser tomber sur ses épaules. Pour plaire à Stef qui était séduisant et en avait conscience.

Pendant que Sam devenait nerveux et se sentait moins trahi que désemparé. Et si Stef possédait un minimum de bon sens, il savait qu'il ne devait pas faire d'écarts entre Yvguenia et Amy.

Ce qui condamna Ari à se contenter de regarder les bandes et ensuite, après que Florian et Catlin eurent mis tout le monde à la porte, à s'allonger sur le divan pour contempler le plafond dans un état de mélancolie profonde que même ses azis ne purent dissiper.

– Venez vous coucher, sera, dit Florian.

Inquiet à son sujet.

Inquiet et dévoué.

Sa vision se troubla et elle sut que les larmes seraient libérées si elle cillait, et qu'ils les verraient.

Mais les pleurs coulaient quand même, au coin de l'œil. Elle ferma les paupières, ce qui n'y changea rien.

– Sera ?

Elle décelait du respect, dans la voix de Florian. Il essuya sa joue, une caresse légère comme une plume. Il devait souffrir.

Maudit. Qu'il soit maudit. Maudit pour cette réaction.

Je suis plus intelligente qu'Ari senior. Au moins, je n'ai pas tout gâché entre Sam et Amy. Ils ont détruit leur couple sans moi.

Je ne comprends pas les CIT. Leur comportement me dépasse.

Les azis sont bien plus bienveillants.

À leur corps défendant.

– Sera ? Qui vous a fait de la peine ?

Florian caressait sa joue, l'autre main posée sur son épaule.

Devons-nous tuer ce misérable ? crut-elle qu'il allait

282

ajouter. Pour une raison qui lui parut très drôle elle éclata de rire, et dut remonter ses jambes pour ne pas avoir mal au ventre. Les larmes coulaient toujours. Florian tenait ses mains et Catlin enjamba le dossier du divan pour venir s'agenouiller près d'elle et l'étreindre.

Ce qu'elle jugea encore plus risible.

– Je... je suis désolée, balbutia-t-elle lorsqu'elle eut repris haleine.

Elle avait mal à l'estomac. Ses azis étaient désorientés.

– Oh ! Je regrette.

Elle se pencha pour tapoter l'épaule de Florian, la jambe de Catlin.

– Excusez-moi. Je suis lasse, voilà tout. Ce maudit rapport...

– Le rapport, sera ? demanda Florian.

Elle retint son haleine puis libéra un long soupir.

– J'ai trop travaillé. Il faut me pardonner. Les CIT sont coutumiers du fait. Ô Seigneur ! Le concierge. J'espère que vous n'avez pas réactivé le système...

– Non, sera, pas encore.

– Ouf ! Merde. J'ai un point de côté. Cette chose – appeler le bureau – c'est le bouquet, non ? Refuser la tâche qui nous a été assignée, passer à côté de ce qui est important. Amy se ridiculise et Sam en souffre... les CIT sont une sale engeance, vous savez ? De sacrés emmerdeurs.

– Sam m'a paru satisfait, dit Catlin.

– J'en suis heureuse.

Pour une raison inconnue elle sentit un pincement dans sa poitrine. Elle soupira encore puis ajouta :

– Je parie que les larmes ont emporté mon maquillage. Je dois être affreuse.

– Vous êtes toujours très belle, sera.

Il essuya sa pommette, sous l'œil gauche. Puis il sécha son doigt sur sa manche avant de recommencer l'opération de l'autre côté.

– Voilà.

Elle sourit et rit en silence, sans plus en souffrir, lorsqu'elle remarqua leurs expressions inquiètes : deux azis qui auraient éliminé quiconque sans la moindre hésitation et sans se soucier de leur propre existence, si elle le leur avait ordonné.

– Nous devrions nous coucher, déclara-t-elle. Demain, j'écrirai ce compte rendu. Je le dois. Organiser cette soirée a été une erreur. Et je n'ai même plus le courage de me lever.

– Nous allons vous porter.

– Seigneur ! s'exclama-t-elle lorsqu'elle sentit les mains de Florian glisser sous elle. Tu vas me lâcher... Florian !

Il se figea.

– Je suis encore capable de marcher.

Elle se leva et s'éloigna vers sa chambre en les tenant par la taille. Elle n'avait pas besoin d'eux...

Seulement de leur présence.

Ari se mordit la lèvre et s'abstint de tout commentaire alors que Justin lisait son compte rendu. Elle était assise, les coudes sur les genoux et les mains jointes, pendant qu'il feuilletait le listing.

Il releva les yeux.

– Qu'est-ce que c'est ? demanda-t-il avec gravité. Ari, où avez-vous trouvé tout ça ?

– C'est un monde que j'ai imaginé. Comme Géhenne. On commence avec ces instructions. On leur dit qu'ils devront défendre la base et passer la consigne à leurs enfants. Ils reçoivent la bande et on obtient ces paramètres entre A et Y dans la matrice, cet ensemble de B à Y, et ainsi de suite. La relation est directe entre le changement en A et les autres... j'ai donc établi un modèle mécanique très strict, comme si nous étions en présence d'une structure qui fluctue à plusieurs niveaux...

– Je peux le voir, dit-il.

Il se renfrogna, puis s'enquit avec appréhension :

– Ce n'est pas Géhenne ?

Elle secoua la tête.

– Non. Tout ce qui s'y rapporte est confidentiel. C'est mon problème. J'ai inséré une imperfection, à dessein.

Je souhaite observer son évolution au fil des générations. Je me demande si tous les ensembles se modifie-
ront au même rythme.

– Vous fournissez les données à la totalité de la colonie, sans y inclure d'éléments étrangers.

– Ils pourront arriver à la quatrième génération.
Comme pour Géhenne. Page 330.

Il feuilleta et lut.

– Je voulais vous en parler, ajouta-t-elle. Je me demande si certaines divergences par rapport aux modèles sociologiques ne sont pas dues au fait qu'on tente
d'obtenir un résultat positif. C'est pourquoi j'ai glissé
des imperfections dans le système, afin de voir ce qui
en résultera. J'ai modifié tous les paramètres et vous
n'avez pas à craindre d'apprendre des choses que vous
ne devriez pas savoir. J'ai simplement pensé à Géhenne
et aux systèmes en vase clos, pour réaliser ce modèle.
Tout est précisé dans l'appendice. On trouve une sorte
de ver, là-dedans. Je ne vous dirai pas lequel, mais je
pense que vous le découvrirez... sinon, c'est que je me
suis trompée.

Elle se mordit la lèvre.

– Page 330, un des paragraphes est d'Ari. Celui sur les
valeurs et les flux. Vous m'apprenez beaucoup de
choses. J'ai cherché dans les notes d'Ari ce qui pourrait
vous être utile. Ce passage et celui sur les ensembles de
groupes lui sont attribuables. Des travaux originaux qui
proviennent des archives. J'ai pensé que vous en feriez
bon usage. Un échange de bons procédés, en quelque
sorte.

Elle s'aventurait en terrain dangereux. Ces informations faisaient un peu trop penser à celles dont nul ne
devait prendre connaissance et qui risquaient de provoquer une panique générale, et bien pire.

Mais à Reseune tous s'interrogeaient sur le contenu
des bandes de Géhenne. Et les membres du personnel
ne faisaient pas de confidences aux gens de l'extérieur,
qui n'auraient pu quoi qu'il en soit comprendre. Elle
restait assise, les mains jointes, l'estomac noué, harce-
lée par des arrière-pensées. Elle craignait qu'il ne pût

voir trop de choses... compte tenu de son intelligence. Mais il travaillait sur les microsystèmes et Ari sur les macro... dans le sens le plus large du terme.

Il ne dit rien, pendant un long moment.

– Ce sont des données que vous n'étiez pas censée me communiquer, murmura-t-il enfin, comme s'ils étaient sur écoutes. Bon sang, Ari, vous le savez... Quel est votre but ?

– Que voulez-vous que je puisse apprendre, autrement ? siffla-t-elle d'une voix aussi basse que la sienne. Vous excepté, à qui pourrais-je m'adresser ?

Il feuilleta les pages, les regarda, puis releva les yeux.

– Tout ceci représente un travail considérable.

Elle hocha la tête. C'était pour le mener à bien qu'elle avait refusé le dernier en date des travaux confiés à sa section. Mais le mentionner eût laissé supposer qu'elle cherchait à s'attirer sa sympathie. Elle s'en abstint et attendit un commentaire.

Et constata qu'il déduisait trop de choses. Son expression le révélait. Il n'essayait pas de dissimuler ce qu'il ressentait.

– Sommes-nous sur écoutes ?

– Mes oncles, sans doute, dit-elle sans préciser qu'elle aurait pu elle aussi tout enregistrer. À destination des archives. J'imagine qu'ils ne ratent aucune opportunité d'en apprendre plus long sur moi, depuis le jour lointain où j'ai viré la sécurité de ma chambre. Ne vous tracassez pas pour ça. C'est sans importance. Ils ne peuvent s'y opposer ou vous faire des ennuis, car c'est ce que je dois apprendre.

– Pour une jeune fille qui a su convaincre les membres du Conseil de Novgorod, vous êtes bien naïve.

– Ils ne feront rien.

– Pourquoi ? Parce que vous ne le désirez pas ? Ce sont vos oncles qui dirigent Reseune, pas vous. Et ils conserveront leur poste pendant encore des années. Ari... mon Dieu, Ari...

Il repoussa sa chaise en arrière, se leva et sortit.

Elle demeura assise en face de Grant qui se trouvait de l'autre côté de la petite pièce. Il la dévisageait, pas comme un azi. Sa froideur et sa méfiance laissaient supposer qu'il la jugeait coupable de quelque chose.

– Il ne se passera rien ! lui affirma-t-elle.

Il se leva pour venir prendre le rapport sur le bureau.

– Il lui est destiné, fit-elle.

Elle couvrit le dossier avec sa main.

– Il est à vous, jeune sera. Soit vous le remportez, soit je le range dans le coffre. Je doute que Justin souhaite vous donner un cours, aujourd'hui. Je présume qu'il lira ceci avec attention, si vous le lui laissez, mais vous venez de le clouer au sol... et moi aussi par la même occasion. La sécurité refusera d'admettre que j'ai été tenu à l'écart de cette affaire.

– Vous voulez parler de son père ?

Elle leva les yeux sur Grant, placée en position désavantageuse par rapport à l'azi qui surplombait son fauteuil.

– Ça ne changera rien. Khalid ne conservera pas son siège. Dans six mois, tous les problèmes seront réglés. La Défense redeviendra raisonnable.

Il se contenta de la fixer un long moment, puis :

– Pourquoi ne rendez-vous pas sa liberté à Jordan, jeune sera ? Parce que cela n'entre pas dans le cadre de vos pouvoirs ? Partez, je vous en prie. Je rangerai ces documents.

Elle resta encore assise un instant, pendant que l'azi prenait le dossier, le rangeait dans le coffre mural puis sortait à son tour.

Il l'avait laissée... sans autre forme de procès.

Elle se leva et s'éloigna dans le couloir, la gorge serrée.

Il se sentait mieux, dans leur appartement, et après avoir bu un verre, avec sur ses cuisses le rapport récupéré dans le coffre. Quand Grant avait jugé dangereux de transporter de tels documents, Justin s'était exclamé : Quelle importance ? Qu'ils m'arrêtent, si ça leur chante. J'en ai l'habitude.

Il buvait un scotch coupé d'eau et relisait les paragraphes de la page 330.

– Seigneur, fit-il après la seconde lecture.

Il avait passé au crible les mots, au choix forcément limité pour un contenu aussi précieux.

C'était important – comme si la lumière venait d'être faite dans une petite pièce de son esprit – mais rien n'était secondaire ou insignifiant au point de fusion des idées.

– Elle parle de l'interaction entre l'ego et les ensembles de valeurs dans le psych azi, et des modes d'intégration... pourquoi certains sont supérieurs à d'autres. C'est ce dont j'avais besoin... depuis le début. J'ai dû tout reconstituer seul. Merde, Grant, que me faudra-t-il encore trouver et qui figure déjà dans les archives ? C'est déprimant, non ?

– C'est faux. Dans le cas contraire, Ari aurait fait tes recherches.

– Je crois connaître les raisons de l'intérêt qu'elle me portait. En partie, tout au moins.

Il prit un autre verre et feuilleta le rapport.

– Je me demande de quoi notre Ari est l'auteur, dans tout cela. Si Ari senior lui a suggéré d'écrire cette étude en lui fournissant des lignes directrices ou si elle s'est contentée de réunir ses notes. C'est du niveau d'une maîtrise. Une thèse. Et je peux à présent imaginer ce qu'a dû éprouver sa génémère en lisant mon essai... J'avais dix-sept ans et une naïveté sans bornes, en matière de conception. Mais on trouve ici bien plus de substance. Le modèle est admirable.

– Elle dispose d'une base de données très importante dans le système central, et elle peut y accéder pendant aussi longtemps qu'elle le souhaite alors que tu ignorais jusqu'à l'existence d'une telle source d'informations, à son âge...

– Et sur des installations dont je n'avais jamais entendu parler. Je ne connaissais rien du monde. En maints domaines, j'étais plus jeune qu'elle ne l'est à présent. Mais il faut admettre qu'elle a réalisé un sacré travail. Sans nous en dire un mot. Je crois que c'est elle qui l'a écrit. Le modèle est naïf et elle a installé dans l'ensemble central deux bombes à retardement qui dépasseront ses espérances si elle a voulu provoquer des problèmes... mais il est probable qu'elle effectuera des tests à des degrés croissants d'élimination des défauts. Peut-être veut-elle comparer les diverses tendances.

Un nouveau verre. Sa tête dodelinait.

– Sais-tu de quoi il s'agit ? D'un pot-de-vin. Deux petites lucarnes ouvertes sur ces notes archivées, sur des études qui n'ont jamais été publiées... Et je reste là à me demander ce qu'il peut y avoir d'autre, si cela ne risque pas de rendre mes travaux caducs avant même que je ne les aie terminés... ou encore d'être la clé de ce qu'il me serait possible de réaliser, ce que j'aurais sans doute pu faire si Ari n'avait pas été assassinée. Je place cela dans un plateau de la balance et dans l'autre ces années de séparation, le risque que nous ne puissions jamais...

Il perdit sa voix, but, se plongea dans la contemplation du mur opposé.

– Parce qu'il n'existe aucun choix, conclut-il quand plusieurs gorgées de whisky l'eurent engourdi. Je ne sais même pas ce qui a de la valeur, ce qui décrit la situation sur Géhenne.

Il regarda Grant et s'adressa des reproches, parce que son ami venait de voir ses espoirs s'envoler en fumée au même titre que lui. Grant, qui avait dû rester ici et l'attendre lors de chacun de ses voyages à Planys... à cause de la loi et des coutumes, de sa vulnérabilité azie à la manipulation, et de ses capacités de mémorisation et de concentration.

Et leurs geôliers disposaient à présent de l'excuse suprême, s'ils en avaient jamais eu besoin.

– Je ne savais pas, dit-il à Grant. J'ignorais la nature de ses travaux et sur quoi ils pouvaient déboucher.

– Ari est moins naïve qu'elle ne le paraît. Si elle fait une étude sur Géhenne et désire ta collaboration, elle sait que ce sera mal vu dans certains milieux, et que tu comprendras ses concepts et iras au-delà. Ari est habituée à agir à sa guise. Plus que cela, elle est convaincue de son importance. Méfie-toi d'elle. Redouble de prudence.

– Elle connaît un secret, une information qui se rapporte à Géhenne et n'a pas été rendue publique.

Grant l'étudia un long moment.

– Sois prudent, répéta-t-il. Justin, sois prudent, pour l'amour de Dieu !

– Merde, je...

Il perçut de la frustration dans la voix de son ami. Il posa le verre et fit reposer ses coudes sur ses genoux, ses mains sur sa nuque.

– Ô Seigneur !

Les larmes envahissaient ses yeux, pour la première fois depuis des années. Il ferma les paupières pour tenter de les endiguer, conscient du lourd silence qui régnait dans la pièce.

Un peu plus tard il se leva pour remettre de l'alcool dans la glace fondue et resta debout à fixer l'angle de deux parois jusqu'au moment où il entendit Grant se lever à son tour et venir le rejoindre près du bar. Il regarda son ami et prit son verre, pour le resservir.

– Un jour, la situation sera différente, dit l'azi.

Ils trinquèrent : le léger tintement du cristal.

– Conserve ton équilibre. C'est la seule chose utile. Le résultat des élections sera connu à l'automne. Tout finira par changer... pas en une nuit, mais c'est inéluctable.

– Khalid risque de conserver son siège.

– Une météorite pourrait nous tomber sur la tête, et cela t'empêche-t-il de dormir ? Termine ton whisky et viens te coucher. D'accord ?

Il frissonna, but le fond d'alcool et trembla à nouveau. Il lui était impossible de s'enivrer, ce soir.

Il posa le verre sur le comptoir d'un geste brusque puis suivit la suggestion de Grant.

2

– *Ari*, avait dit le concierge avec la voix de Justin, *passez à mon bureau dans la matinée.*

Elle arriva la première et dut attendre. Il vint seul, pour la première fois, et lui dit en ouvrant la porte :

– Ari, je dois vous présenter des excuses. Pour hier.

Il s'était muni du rapport, qu'il posa sur le plan de travail puis feuilleta.

– Vous avez fait tout ceci par vous-même. C'est votre idée.

– Oui, lui confirma-t-elle, impatiente d'entendre la suite.

– C'est remarquable. Je ne dis pas que tout est exact, comprenez-moi bien, mais il me faudra du temps pour tout étudier... et le nombre de pages n'est pas seul en cause. Avez-vous montré ceci à Denys ?

Elle secoua la tête. Fournir des explications cohérentes était trop difficile. Elle n'avait guère dormi.

– Non, je l'ai préparé pour vous.

– J'ai manqué de courtoisie. Pardonnez-moi. J'ai vécu cela avec Yanni et il n'était pas dans mes intentions de me conduire un jour comme lui.

– J'en comprends les raisons.

Grant arriverait d'un instant à l'autre et elle tenait à régler la question avant son entrée.

– Justin, Grant m'a adressé des reproches. Ses arguments étaient fondés, mais pas plus que les miens. Dès que Reseune ne sera plus menacée, vous pourrez voyager. Si la situation ne s'améliore pas, vos conditions d'existence ne s'en trouveront pas aggravées... vous n'en serez au contraire que plus en sécurité, car ils ne peuvent désormais s'en prendre à vous ou à votre père sans que je sois moi aussi concernée. Jordan participe à vos recherches et vous, vous travaillez avec moi. S'il veut bénéficier de mon soutien, il lui suffit de... de ne pas se dresser contre moi. Peu m'importent les sentiments que je lui inspire, mon seul désir est que la situation s'améliore. M'associer à vous comporte des dangers, j'y ai beaucoup réfléchi... mais vous êtes le professeur dont j'ai besoin parce que vous faites des études à long terme sur les ensembles de valeurs, et c'est ce qui m'intéresse. Je ne suis pas une petite idiote, Justin. Je sais quels domaines je dois approfondir et Yanni ne peut plus m'être utile. Nul autre que vous ne le pourrait. J'en ai informé oncle Denys. Il m'a dit... d'être prudente. Mais il a

ajouté que vous étiez honnête. Moi aussi... Non !
(Comme il ouvrait la bouche :) Laissez-moi terminer. Je
ne vous volerai aucune de vos découvertes, si c'est ce
que vous redoutez. Que diriez-vous de publier un
compte rendu signé par vous, moi et votre père ? Ne
croyez-vous pas que ça leur donnerait à réfléchir, là-bas
au bureau ?

Il s'assit.

– Ce papier devrait recevoir l'aval de Denys, et je
doute qu'il le donne. Je suis même certain du contraire.

– Savez-vous ce que je rappellerai à mes oncles ?
Qu'un jour je dirigerai Reseune. Je souhaite calmer le
jeu. Je ne veux pas que tout redevienne comme avant.
Je peux faire cet essai en bénéficiant de vos conseils, ou
en m'en passant.

Elle fut terrifiée par son expression et son teint livide.
Puis Grant apparut sur le seuil et Justin reprit son
souffle et reporta son attention sur l'azi.

– Bonjour. Je n'ai pas fait de café. Pas encore.

– J'ai compris, répondit Grant.

Il grimaça et prit la cafetière, pour aller y verser de
l'eau.

– Ari, dit alors Justin, je vous souhaite d'avoir plus de
chance que je n'en ai eu, avec vos oncles. C'est tout. Si
vous manquez de prudence, vous découvrirez un jour
que j'ai disparu. Et je serai en bas, au centre de détention. Je devrais d'ailleurs m'y préparer dès aujourd'hui.
Je doute que vous puissiez vous opposer à mon arrestation, quel que soit votre pouvoir. J'espère me tromper,
et je travaillerai avec vous. Je ferai tout mon possible.
J'aurais quelques questions à vous poser. Pourquoi
avez-vous utilisé deux variables ?

Elle ouvrit la bouche. Elle souhaitait terminer cette
mise au point, mais ce n'était pas le cas de Justin qui
venait de se replier sur lui-même après l'avoir interro-
gée sur un point important. Grant revint. Ils la Travaillaient, ils avaient tout minuté. Et Justin venait de lui
dire tout ce qu'il désirait qu'elle sût.

– Pour qu'il y ait un verbe d'action et une subordon-
née. Défendre va partir à la dérive, de même que le

terme de base. Il n'y aura rien d'étranger, une seule possibilité si l'instruction est retransmise. Et on ne trouve des bandes que les toutes premières années, comme sur Géhenne.

Justin hocha la tête.

– Vous devez savoir que mon père est un spécialiste des ensembles éducatifs et que l'affaire de Géhenne a de graves répercussions politiques. Vous avez parlé de ma coopération avec lui. Vous savez que ce vous faites en me communiquant toutes ces informations et quel prix je devrai peut-être les payer. Et lui aussi. Si quoi que ce soit va de travers... tout retombera sur nous. En avez-vous conscience ?

– Impossible.

– Impossible ! Vous péchez par excès de confiance, jeune sera. Ouvrez les yeux, bon sang ! Je ne vous demande pas d'être plus intelligente, mais plus sage. Vous m'écoutez ?

Seigneur, que de complications ! Avec la Défense, le monde politique, Justin, tout.

– Vous savez, à présent. Je voulais que ce soit bien clair. Bon, votre idée d'une dérive sémantique est valable... mais un peu simpliste. Les occupations seront diversifiées, ce qui aura une influence sur le vocabulaire...

Un autre changement de cap, bien marqué et définitif.

– Ils en resteront au stade de la société agricole.

Il hocha la tête.

– Nous allons étudier cela pas à pas. J'exprimerai mes objections, vous les noterez et y répondrez...

Elle se concentra, comme Florian et Catlin lui avaient appris à le faire, pour ne penser qu'à son travail. Elle essaya, mais cela s'avérait difficile car elle n'était pas une azie et tout se compliquait toujours, avec lui. Il parlait d'une voix très douce, à l'opposé de Yanni, mais cela lui permettait de lancer une attaque par le flanc qui la prenait par surprise, un fait dont peu de gens auraient pu se flatter.

Il passait de la colère à l'amabilité... si vite ; et ces deux attitudes étaient tangibles, réelles.

Ari percevait la désapprobation de Grant qui prenait soin de rester de l'autre côté de la pièce. Elle n'avait rien à espérer, avec lui. Elle devrait gagner Justin à sa cause, pour que son ami se laissât fléchir. C'était aussi simple que cela. Et elle avait réalisé des progrès, avec Justin : elle dressa un bilan et estima que malgré son esprit pour le moins compliqué cet homme lui avait beaucoup apporté.

3

– Il a été très gentil, dit-elle à ses azis au cours du dîner. Je ne crois pas qu'il m'ait joué la comédie.

– Nous le surveillerons de près, répondit Florian.

Ils n'allaient plus que rarement aux Baraquements verts. Ils n'y suivaient que quelques cours, sans jamais y passer la nuit. Ce jour-là, Catlin était revenue avec une estafilade sur la main et une ecchymose au menton mais s'estimait satisfaite des résultats obtenus.

Ils étudiaient surtout avec des bandes. Les situations qui leur étaient soumises relevaient pour la plupart de cas réels et ils épluchaient des rapports concernant les activités du bureau de la Défense et les allées et venues dans les installations proches du Territoire administratif.

Les manœuvres déloyales foisonnaient : des tentatives pour impliquer Reseune dans des scandales, inciter des membres du personnel des laboratoires à faire des déclarations devant les médias. Khalid était plus doué pour tirer les ficelles en coulisses que face aux caméras, et il regagnait du terrain pendant que Giraud déclarait à Ari qu'un débat public ne servirait pas leurs intérêts. Leur adversaire pourrait porter des accusations. Tant qu'elles n'auraient pas été réfutées, elles feraient l'objet de l'attention des médias puis tout recommencerait.

Mais elle eût malgré tout aimé passer en direct à la vid pour jeter quelques pavés dans la mare de Khalid.

Il y avait eu une alerte, la semaine précédente. Un

bateau en panne de moteurs s'était échoué près de précip 10. Ses passagers avaient été outrés par les mesures prises à leur encontre et ne s'étaient pas privés d'exprimer leur indignation. Un sénateur centriste de Svetlansk s'était fait leur avocat et avait exigé une enquête sur les méthodes brutales des services de sécurité de Reseune.

Sans préciser que le CIT concerné avait tenté de récupérer de force un sac de voyage bourré de stupéfiants. Il les prétendait prescrits par son médecin traitant et précisait que le stress avait aggravé ses troubles respiratoires. Il réclamait des dommages et intérêts.

Une note de service adressée aux gardes réaffirmait le soutien sans réserve que leur apportait l'administration, mais Florian s'inquiétait malgré tout et il fit partager ses craintes à Catlin en déclarant que c'était peut-être un coup monté et que même dans le cas contraire quelqu'un ne tarderait guère à envisager de provoquer un incident en présence des médias. Khalid le premier.

– Vous ne devez pas vous en faire, leur dit-elle lorsqu'ils abordèrent ce sujet. Si c'était voulu, voilà une retombée qui profiterait à nos adversaires. Ne mettez pas en doute ce que vous enseignent vos bandes. Réagissez, à tous les niveaux. Tant que je vivrai, je me fais fort de régler de tels problèmes... En douteriez-vous ?

– Non, répondirent-ils avec gravité.

Elle fit claquer sa main sur la table et ils sursautèrent, comme si une bombe venait d'exploser. La frayeur les rendait livides.

– Je vous ai bien Eus. Vous êtes rapides.

– Vous ne devriez pas nous faire de telles peurs, sera, lui reprocha Florian.

Elle éclata de rire, puis caressa les mains de ses azis. Catlin était redevenue calme et attentive, ce qui indiquait qu'elle restait sur le qui-vive.

– Vous formez mon équipe. Obéissez à mes ordres, pas à ceux de Denys ou de vos instructeurs.

Quand Florian avait dit : *Nous le surveillerons de près*, l'intonation de sa voix avait été lourde de menaces.

– Justin est mon ami, jugea-t-elle utile de leur rappeler.

– Oui, sera, répondit Catlin. Mais nous ne considérons jamais rien comme un fait acquis.

– Il est plus facile de se protéger des Ennemis que des amis, surenchérit Florian. Ils ne peuvent pénétrer jusqu'ici.

C'était plein de bon sens : une des choses qu'elle avait sues autrefois, pendant l'enfance, dans l'appartement d'oncle Denys.

– Les hormones sont une belle saloperie, déclarat-elle. Elles sèment une confusion impensable dans les pensées. Vous avez raison. Faites le nécessaire.

– Les hormones, sera ? répéta Florian.

Elle haussa les épaules, mal à l'aise. Mais les paroles de l'azi n'étaient pas dues à la jalousie.

– Il est beau garçon, et ça entre en ligne de compte. Mais je ne suis pas folle.

Ce qu'elle ressentit ensuite était étrange. De la frayeur. Et elle pensa à l'époque où le flux avait été bien moins puissant.

Elle se rappela Nelly et eut envie de la revoir. Elle la rencontra le lendemain matin : une Nelly un peu empâtée et affairée à s'occuper des bébés de la pouponnière.

L'azie évitait de la regarder, comme s'il y avait eu trop de changements, ou trop de temps écoulé.

– Jeune sera ? dit-elle en cillant. Jeune sera ?

– J'ai pensé à toi. Comment vas-tu ? Es-tu heureuse ?

– Oh, oui ! Très, jeune sera.

Un nourrisson se mit à pleurer et l'azie lança un coup d'œil par-desssus son épaule. Une autre nourrice alla s'occuper du nouveau-né.

– Vous avez tant grandi.

– J'ai seize ans, Nelly.

– Il y a donc si longtemps ?

Elle cilla encore et secoua la tête.

– Vous avez été mon premier enfant.

– Ton plus vieux bébé peut-il t'inviter à déjeuner, Nelly ? Enfile ta veste et viens avec moi.

– C'est que...

296

L'azie regarda derrière elle les berceaux alignés.

– J'en ai parlé à ta super. Tout est réglé. Viens.

Elle trouvait cela étrange. D'une certaine manière Nelly n'était toujours que Nelly, bien trop préoccupée par son apparence... et la sienne. Elle se pencha pour redresser le col d'Ari, qui sourit malgré un réflexe d'autodéfense, parce que cette azie était bien la seule de tout l'univers à pouvoir la toucher.

Mais avant même le milieu du repas elle renonça à réaliser la pensée qui lui était venue à l'esprit, le désir empreint de nostalgie d'inviter Nelly à aller habiter avec elle.

Cette pauvre femme n'eût jamais compris quelles agressions psychiques elle subissait... et – Seigneur ! – elle eût été outrée par le contenu de sa vidéothèque.

Mais Nelly paraissait ravie de revoir Ari, qui décida de dire à la super de la pouponnière que l'azie méritait une bande de récompense : elle n'aurait pu faire plus plaisir à cette femme qu'en lui démontrant que son premier bambin se portait bien.

Que son plus ancien nourrisson était devenu... ce qu'elle était. Nelly pouvait à peine comprendre.

L'azie redressa à nouveau son col, juste avant leur séparation. Ari sentit sa gorge se serrer mais eut chaud dans tout son être en suivant le couloir.

Elle alla jusqu'au cimetière et s'assit devant une petite stèle sur laquelle on pouvait lire : «Jane Strassen, 2272-2414». Elle resta en ce lieu un long moment.

– Je sais pour quelle raison tu ne m'as jamais écrit, dit-elle au bloc de pierre.

Parce que maman avait brûlé dans un soleil, comme Ariane Emory.

– Je sais que tu m'aimais. Je voudrais qu'Ollie m'écrive, mais je devine pourquoi il s'en abstient... et je n'ose pas lui envoyer des lettres parce que Khalid ne sait déjà que trop à qui je tiens.

» Je suis passée voir Nelly, aujourd'hui. Elle est heureuse. Elle s'occupe de nombreux bébés mais ne s'intéresse pas à ce qu'ils deviendront plus tard. Ce sont des nourrissons, et cela lui suffit. Elle est très gentille... ce qui est rare.

» Je sais pourquoi tu as voulu me tenir éloignée de Justin. Mais nous sommes devenus amis. Je n'ai pas oublié notre première rencontre. C'est mon plus ancien souvenir... nous suivions le couloir, Ollie me portait. Je revois le récipient plein de punch, avec Justin et Grant à l'autre bout de la salle. Je m'en souviens. Je me rappelle aussi la fête qui a eu lieu chez Valery.

» Je vais bien, maman. Je suis tout ce que tu voulais que je devienne. Je regrette que tu ne m'aies pas laissé des instructions comme l'a fait Ari senior. Tu aurais pu m'apprendre tant de choses.

» Dans l'ensemble, je ne m'en tire pas trop mal. J'ai pensé que tu aimerais le savoir.

C'était ridicule. Maman ne pouvait l'entendre. Cette visite au cimetière lui donnait envie de pleurer et la poussait à se remémorer des épisodes de sa vie passée : le bras dans le plâtre, tante Victoria, Novgorod, Giraud et tout le reste.

Elle souffrait de la solitude. Tel était son problème. Ses azis n'étaient pas aussi sensibles qu'elle au flux et quand cela grandissait et devenait trop pénible elle eût aimé avoir près d'elle une maman qui lui eût demandé : Bon sang, Ari, qu'est-ce qui t'arrive ?

– Je souffre de mon isolement, maman. Florian est très gentil, mais pas comme Ollie. Il appartient bien plus à Catlin qu'à moi, et je ne peux rien y changer.

» Je regrette qu'ils ne m'aient pas donné un Ollie. Je pourrais en commander un, mais Florian en souffrirait parce que cet azi serait plus proche de moi. Je ne parle pas de la jalousie qu'éprouverait un CIT.

» Je ne suis pas identique à Ari senior. J'ai été plus maligne qu'elle, pour tout ce qui se rapporte au sexe. Je n'ai pas tout gâché avec mes amis. S'ils se sont brouillés, ce n'est pas ma faute. 'Stasi n'adresse plus la parole à Amy, à cause de Stef Dietrich. Sam en souffre. Maddy est dégoûtée. Cela m'horripile.

» Et le flux est si puissant que j'ai l'impression d'en mourir. Je désire Florian et le bon sens veut que je n'aie que lui. Mais je souffre de la solitude... à longueur de temps.

» Je me sens mal, dès que j'y pense, mais la présence de Florian n'estompe pas cette sensation d'isolement. Et même quand nous le faisons, tu sais de quoi je parle, il m'arrive de me sentir encore plus seule. Il ne connaît pas tous mes problèmes, mais il tente de me soulager et il ne me dira jamais non. C'est moi qui dois me raisonner. Il faut que je sois très prudente. C'est ça, le plus pénible.

» J'ai l'impression de flotter dans le vide de l'espace. Il n'y a rien autour de moi, à des années de lumière de distance. Parfois je préfère Florian à tous les autres, parce que nul ne me comprend aussi bien que lui dans les moments de dépression, ou de peur. Mais il existe au fond de mon être une facette qui ne peut recevoir son aide, voilà l'ennui. Et je pense qu'il le sait.

» C'est le plus pénible. Il s'inquiète pour moi. Comme si c'était sa faute. Et j'ignore pourquoi je me conduis ainsi avec lui. Mon attitude m'exaspère. Ari dit qu'elle a blessé Florian... le sien. Et cela me terrifie, maman. Je ne veux pas être comme elle, mais c'est ce qui se passe quand je l'incite par mon comportement à se croire responsable de mes problèmes.

» Cela t'est-il arrivé avec Ollie ?

» Je devrais peut-être descendre en Ville et faire un essai avec les azis spécialisés dans ces activités. Un Mu, qui sait ? Un adulte. Quelqu'un que je ne risque pas de blesser.

» Mais ça m'embarrasse. Oncle Denys en aurait une attaque. Il dirait... Oh non, il me serait impossible d'en discuter avec lui. Et Florian en souffrirait. Si je couchais avec Stef, il en éprouverait du dégoût mais n'en serait pas blessé.

» Alors qu'avec un azi de la Ville... Non, je ne pourrais pas lui faire une chose pareille. Je ne crois pas qu'Ari senior ait eu recours à de telles solutions. Je n'ai rien lu de tel dans les archives, en tout cas, et Dieu sait que j'ai cherché.

» Je me trouve stupide. J'aime Florian. Si j'ai des problèmes, ce sont les miens et non les siens. Je devrais être deux fois plus gentille avec lui et cesser de me montrer aussi égoïste. La solitude, c'est dans la tête, non ?

Surtout. Surtout.

– Bon sang, je regrette tant que tu ne m'aies pas envoyé une lettre, maman. Je voudrais qu'Ollie le fasse.

» Il est un CIT, désormais. Oliver AOX Strassen. Peut-être croit-il que ce serait présomptueux ; de m'écrire comme si j'étais sa fille.

» Il a peut-être tiré un trait sur tout cela. Il restera toujours un azi, dans ses ensembles-profonds.

» J'ai envisagé d'en commander un aux labos.

» Mais il te doit sa personnalité. Je ne suis pas toi et il me serait impossible de recréer un Ollie. D'autre part, Florian et Catlin seraient fous de jalousie, comme Nelly l'était d'eux. Non, je ne pourrais pas leur faire une chose pareille.

» J'aimerais que tu sois toujours là. Bon sang, tu as parfois dû désirer m'étrangler. Mais tu as fait du bon travail, maman. Je vais bien.

» Dans l'ensemble.

4

– Ça ne marchera pas, déclara Justin. Regardez. Le flux va augmenter dans les micro-ensembles. Je peux vous dire ce qui en résultera.

– Le phénomène pourrait être proportionnel. Voilà la question que je me pose. Ce ne serait pas parfait, en ce cas ?

Il hocha la tête.

– Je vois ce que vous voulez dire. Mais ce n'est pas aussi simple. Vous avez prévu une éducation matrili-néaire. Ce qui signifie que le groupe AJ va aller avec le PA... voilà le problème ; vous avez de nombreux Alpha, plus sans doute que nécessaire. Dieu sait ce qu'ils feront de ces instructions.

– J'ai demandé à mes azis comment ils interpréteraient cette instruction de défense de la base. Florian considère qu'il suffirait d'établir des protections sur tout le périmètre puis d'attendre. Catlin juge que ce serait parfait, mais qu'on conditionnerait la génération suivante. Florian partage ce point de vue mais fait remarquer qu'ils n'auront pas besoin que de spécialistes et qu'il sera nécessaire de pourvoir aux autres postes, alors que ces psychsets ne sont pas inclus dans le groupe. Demandez à Grant.

– Grant ?

L'azi fit tourner son siège vers eux et s'appuya contre le dossier.

– J'aurais tendance à dire la même chose, mais je ferai remarquer qu'ils devront recevoir un minimum de formation, faute de quoi la directive principale ne sera pas suivie et certains individus ne la respecteront pas... si ce n'est comme une abstraction. Et l'apparition de cette dernière – la conviction que planter des pommes de terre est un excellent moyen de protection, par exemple – marquera le début d'une dérive incontrôlable. Tout est en corrélation et la définition du terme base se modifiera à son tour. Je m'en inquiéterais, si j'étais concerné.

Une excellente réponse. Elle y réfléchit.

Et elle pensa : *Bon sang, il est très fort, sociable, et il a la trentaine. C'est peut-être ça le problème, entre Florian et moi. Mes azis en sont toujours au stade de l'apprentissage. Moi aussi. Mais Grant...*

Il est un concepteur. La différence est importante.

– J'ai étudié l'abstraction pour qu'un tel changement se produise, répondit-elle. Parce qu'ils ne sont pas stressés et qu'ils n'ont au début aucun Ennemi. Mais c'est exact, ces deux variables finiront par créer des trous de toutes parts.

– Conserver est un terme qui se prêterait mieux aux déformations, intervint Justin. Mais par ailleurs défendre a d'autres connotations pour les membres socialisés de ce groupe. Vous dites qu'on en dénombre trois. Le AJ, le BY et un des IU. Il en découle que ces individus interpréteront la pensée-flux initiale et créeront de nouveaux ensembles de valeurs. La cohésion devrait être acceptable, car ce sont trois militaires. Et il est probable qu'ils comprendront que «défendre la base» est une instruction qu'il convient de transmettre à la génération suivante. Mais l'Alpha est inférieur à la Bêta sur le plan de la communication, et elle devrait devenir leur chef. Je parle de la Bêta.

– Hon, hon. Mais cela n'empêchera pas l'Alpha de faire entendre son point de vue.

– En tant que conseiller. Plus cet Alpha sera intelligent, moins ses instructions auront de sens à court terme. Il restera le maître de la situation tant qu'il aura affaire à des psychsets azis, mais il perdra toute autorité face à la génération suivante. Je me trompe? Sauf s'il est plus socialisé que la Bêta.

– Ils n'ont pas la réjuv. Les conditions d'existence sont rudes. Ils meurent entre cinquante et soixante ans. Leurs enfants se retrouveront seuls vers vingt ans et devront se débrouiller avec ce qu'ils auront appris entretemps.

– Les instructions fournies par la Bêta se rapporteront à leur vie quotidienne. Elles seront moins abstraites, plus compréhensibles.

– Mais l'Alpha établit les bases d'une religion.

– Alors, il faut que sa socialisation ait été très poussée. Et qu'il soit machiavélique. De plus, ce n'est pas conforme à la mentalité azie.

– Seulement pratique.

– En admettant qu'il le fasse, les jeunes comprendront-ils le sens de la consigne? Ne risquent-ils pas de ne conserver que la forme et d'oublier le fond? De tous les moyens de transmission du savoir, le rituel est le moins efficace et il engendre ses propres problèmes. Il serait préférable de coucher tout cela par écrit, en formules et ensembles, afin de disposer de bases solides avant de poursuivre nos spéculations. Je doute que l'Alpha puisse prendre le dessus sur la Bêta, dans tous les sens du terme. Il est probable que son enseignement sera vite oublié et que la culture deviendra matrilinéaire... avec un directoire très réduit s'il est basé sur la parenté. Le tout est de savoir si les liens en question seront établis sur des bases instinctives ou intellectuelles. Mais je triche, car j'ai lu les rapports sur Géhenne. Il serait cependant impossible de se prononcer, car il y avait des CIT parmi les colons.

Elle déjeuna avec Maddy, qui l'informa du dernier rebondissement dans le conflit Amy-'Stasi. Ari était hors d'elle.

– Je voudrais tuer Stef Dietrich, déclara Maddy.

– Ne te donne pas cette peine, Yvguenia a déjà dû y penser.

Elle réfléchissait à la question de Géhenne en marge de l'affaire Amy-'Stasi. Et elle se dit : *Merde, dès qu'il n'y a plus que des CIT, tout bascule dans la folie.*

À son retour, le bureau était fermé et elle dut attendre. Justin arriva, hors d'haleine.

– Désolé, fit-il.

Et il déverrouilla la porte. (Elle aurait pu demander à Base un de le faire mais la mesure eût été disproportionnée aux besoins, la sécurité eût enregistré l'incident et elle se serait vue contrainte de remplir de nombreux formulaires. Elle s'en était donc abstenue.)

– Grant a dû faire un saut à la sociologie, dit-il. Il prépare une étude pour mon compte. J'ai d'autres travaux en cours...

Il semblait d'excellente humeur. Elle en fut heureuse. Elle prit la tasse de café qu'il lui tendait et s'assit. Ils se remirent au travail.

– Supposons que vos azis socialisés reproduisent la culture parentale, dit-il.

– C'est probable.

– Dans ses moindres détails, car ils lui ajoutent une valeur abstraite, comme celle de l'origine des instructions.

Elle n'avait jamais remarqué qu'il mordillait sa lèvre, lorsqu'il réfléchissait. C'était une habitude enfantine, alors qu'il paraissait posséder une telle maturité. Et il sentait bon. Comme Ollie.

Elle y pensait sans cesse.

Lui et Grant étaient amants. Les ragots allaient bon

train, dans la Maison. Elle ne pouvait cependant l'imaginer.

Hormis la nuit, allongée dans le noir avec le regard rivé sur le plafond, lorsqu'elle se demandait pourquoi ils étaient devenus ainsi et si...

... si Justin n'éprouvait aucun sentiment pour elle, si seule sa peur maladive des services de sécurité l'incitait à rester à longueur de temps en compagnie de Grant. Comme s'il avait besoin de sa protection.

Elle aimait être en sa présence. Depuis toujours.

Et elle pensait savoir de quoi il retournait. Le flux était puissant et sa gorge se serrait. Elle n'entendit pas sa question suivante.

– Je... Je regrette.

– La transmission à la deuxième génération. Vous la supposez matrilinéaire.

Elle hocha la tête. Il prit une note, tapota le papier. Elle se leva pour regarder et se pencha sur l'accoudoir du fauteuil de Justin.

– Parmi les bandes que vous avez consultées, vous auriez dû en demander qui se rapportent aux cellules familiales. Vous en voulez une ?

– Je...

Il l'étudia, par-dessus son épaule.

– Ari ?

– Désolée, j'ai perdu le fil pendant une minute.

Il se renfrogna.

– Des ennuis ?

– Je... j'ai deux amies qui se sont brouillées, voilà tout. Je suis un peu distraite.

Elle regarda le listing et remarqua que ses tempes étaient moites de sueur.

– Justin... n'avez-vous... Votre intelligence ne vous a jamais joué de mauvais tours ?

– Si, sans doute.

Un pli se creusa entre ses sourcils et il fit pivoter son siège, posa les bras sur le bureau et leva les yeux sur elle.

– Je n'y pensais pas en ces termes, mais c'est sans doute une des causes de mes ennuis.

– Avez-vous...

Ô Dieu ! c'était terrifiant. La situation risquait de tourner à la catastrophe. Mais il était trop tard. Elle se penchait sur le fauteuil, contre lui.

– N'avez-vous jamais eu de problèmes parce que vous vous sentiez plus mûr que votre entourage ?

Elle prit une inspiration et posa la main sur son épaule, avant de s'asseoir sur l'accoudoir du siège.

Mais il se leva, si vite qu'elle dut l'imiter pour ne pas basculer avec le fauteuil.

– Vous devriez en parler à votre oncle, fit-il.

Tendu. Très nerveux. Denys avait dû lui adresser des mises en garde, ce qui l'irrita.

– Il n'a pas son mot à dire dans ma vie privée.

Elle se rapprocha et le prit par les bras.

– Justin... je ne m'intéresse pas aux jeunes gens de mon âge. Aucun. Ce que je fais avec eux est sans conséquence. Ce que je veux dire, c'est que je couche avec qui me plaît.

– C'est parfait.

Il se dégagea et alla ramasser des papiers sur son bureau. Ses mains tremblaient.

– Retournez auprès de vos amis. J'ai accepté de devenir votre professeur, pas... autre chose.

Elle respirait avec difficulté. La réaction de Justin était pour le moins bizarre. Qu'un homme pût se conduire ainsi parce qu'elle lui faisait des avances l'effrayait. Il prit ses affaires et se dirigea vers la porte.

Elle s'ouvrit sur Grant, qui enregistra la scène sans même bouger les yeux.

– Je rentre, lui expliqua Justin. On ferme de bonne heure, aujourd'hui. Comment ça s'est passé ?

– Très bien, répondit l'azi.

Il vint poser les documents sur le plan de travail, sans faire cas de la présence d'Ari.

– Merde ! laissa-t-elle échapper. Je veux vous parler, Justin.

– Une autre fois.

– Que faites-vous ? Vous me mettez à la porte ?

– Je ne me le permettrais pas. Je rentre chez moi. Il est préférable de nous accorder le temps de nous calmer, ne pensez-vous pas ? Nous nous verrons demain matin.

Son visage était en feu. Elle tremblait.

– J'ignore de quoi a pu vous menacer mon oncle, mais ça ne se passera pas comme ça ! Sors d'ici, Grant ! Cette affaire ne te concerne pas !

L'azi se dirigea vers la porte. Il saisit le bras de Justin et l'entraîna vers le couloir.

– Ne reste pas ici, lui dit-il.

Et, lorsqu'il protesta :

– J'ai dit dehors ! Rentre à la maison. Tout de suite.

Ils lui barraient le passage. Elle eut peur... plus encore quand Justin accepta de sortir et qu'elle se retrouva seule dans la pièce.

L'azi revint un instant plus tard et referma la porte derrière lui.

– Je peux appeler la sécurité, dit-elle. Pose la main sur moi et je dirai que c'est Justin !

– N'ayez crainte, répondit Grant. Non, jeune sera. Je ne veux pas vous faire de mal, seulement savoir ce qui s'est passé.

– Je croyais qu'il te disait tout.

– Qu'avez-vous fait ?

Elle se pencha en arrière contre le siège.

– Je lui ai dit que les garçons de mon âge m'ennuyaient et que je souhaitais découvrir si c'était différent avec un homme. Il a pu me brutaliser, me frapper. Qui sait ? Dis-lui d'aller au diable.

– A-t-il été violent ?

– Il a tout gâché. J'ai besoin de lui comme professeur, et je n'ai fait que lui demander de coucher avec moi. Ce n'est pas insultant, que je sache ?

Malédiction, elle souffrait. Sa vision se troublait.

– Dis-lui qu'il a intérêt à ne pas interrompre les cours qu'il me donne. Répète-le-lui. Ce qu'il m'apprend m'est indispensable, bordel.

Grant devint alors azi, et elle se souvint qu'il en était un. On pouvait l'oublier. Elle se plaçait dans son tort, en s'emportant contre lui et non contre Justin. Sa licence de superviseur s'accompagnait de responsabilités et elle éprouvait le désir de le frapper.

– Je l'en informerai, jeune sera. Ne vous sentez pas offensée, je vous en prie. Je suis certain que tout finira par s'arranger.

– « Tout finira par s'arranger. » Enfer !

Elle s'imagina en train de travailler avec lui, jour après jour, et perdit son calme.

– Bordel !

Des larmes emplirent ses yeux. Elle s'écarta de la chaise et se dirigea vers la porte, mais Grant vint se placer sur son passage.

– Hors de mon chemin !

– Jeune sera, je vous en prie. Ne vous adressez pas à la sécurité.

– Je ne méritais pas qu'il me traite de cette façon ! Je le lui ai demandé très poliment.

– Je me tiens à votre disposition, jeune sera. Où vous voudrez, quand vous voudrez. Je n'ai aucune objection. Ici même, si vous le souhaitez, ou encore dans votre appartement. Il vous suffit de demander.

Grant était grand, très grand. Très posé et très doux, comme il tendait le bras pour prendre sa main. La pièce était exiguë et seul un espace restreint la séparait du plan de travail. Elle recula contre le meuble, le cœur battant.

– Le désirez-vous, jeune sera ?

– Non, répondit-elle quand elle put parler à nouveau.

Elle l'avait pourtant envisagé, mais il était trop adulte, trop étrange, trop distant.

– Sera n'est plus une enfant et elle peut obtenir tout ce qu'elle souhaite, par n'importe quel moyen. Sera devrait apprendre à contrôler ses pulsions, si elle ne veut pas que les résultats dépassent ses espérances. Bon sang, vous lui avez fait perdre son père, sa liberté et son travail. De quoi allez-vous encore le dépouiller ?

– Lâche-moi !

Il obtempéra et inclina la tête avec respect, avant de s'éloigner et d'ouvrir la porte.

Elle remarqua qu'elle tremblait.

– N'importe quand, jeune sera. Je reste à votre entière disposition.

– Ne me parle pas sur ce ton.

– Les désirs de Sera sont des ordres. Revenez demain. Je vous le promets... nul ne le saura, si vous n'en parlez pas. Jamais.

– Va au diable !

Elle franchit le seuil et s'éloigna dans le couloir. Elle sentait une douleur sourde à l'intérieur de sa poitrine. Tout la faisait souffrir.

Il lui semblait qu'une partie de son être – celle qui constituait ce qu'elle était et non Ari senior – venait de se briser.

Je suis tombée amoureuse comme tous mes semblables. J'ai donné tout ce que je pouvais offrir et n'ai obtenu en retour que du ressentiment. De la haine...

Tous me rejettent...

Elle inspira, atteignit l'ascenseur, entra dans la cabine et pressa le bouton.

Sans pleurer. Non. Elle essuya sa paupière inférieure du bout des doigts, en veillant à ne pas étaler son maquillage. Elle s'était reprise, lorsqu'elle sortit dans le corridor du bas.

Elle savait ce qu'eût dit la première Ari. Elle avait lu et relu le passage. *Eh bien, tu as encore raison, Ari l'ancienne. Je me conduis comme une idiote une fois, mais pas deux. Et maintenant ?*

5

Grant entra dans les toilettes du premier étage et vit Justin devant le lavabo. Il se lavait le visage et l'eau formait des perles sur sa peau blanche, sous l'éclairage vacillant dont tous les résidents de ce niveau se plaignaient depuis une semaine.

– Elle est partie.

Justin tira une serviette et se tamponna la figure.

– Qu'a-t-elle dit ? Et toi ?

– Je lui ai fait une proposition. Je crois que c'est le terme qui convient.

– Mon Dieu, Grant...

L'azi devint aussi calme et détendu qu'il pouvait l'être, compte tenu de l'état de son estomac.

– Il était nécessaire de fournir à la jeune sera un autre sujet de réflexion. Elle a refusé. J'ignorais ce qu'elle ferait et il est superflu de préciser quel a été mon soulagement. Elle n'a pas perdu son temps. Je ne t'ai pourtant laissé seul qu'une heure.

Justin lança la serviette dans la panière et referma ses bras sur ses côtes.

– Ne plaisante pas. Ce n'est pas risible.

– Ça va ?

– J'ai des flashes. Ô Seigneur ! Je... Bon Dieu !

Il se détourna et donna un coup de poing à la paroi. Il s'y appuya, immobile, le souffle court. Son attitude proclamait : Ne-me-touche-pas.

Ce qui était fréquent. Grant n'en avait jamais fait cas, et il prit son ami dans ses bras. Il se contenta de le tenir ainsi jusqu'au moment où Justin respira à fond, une fois, deux...

– J'ai... j'ai cessé... de savoir où j'étais, expliqua Justin entre deux spasmes. Dieu, je... suis parti à la dérive. Je ne pouvais pas me diriger. Elle...

– Il était temps que quelqu'un ose lui opposer un refus catégorique. C'est une nouveauté, pour elle. Calme-toi. Le présent est le présent.

– Elle n'est qu'une enfant ! Je... J'ai agi sans la moindre finesse. J'ai...

– Tu lui exprimais une fin de non-recevoir pleine de politesse et de courtoisie, à mon arrivée. Si elle n'a pu le comprendre, ce n'est pas ta faute. Il est possible qu'elle appelle la sécurité et porte plainte, mais j'ai été témoin de l'incident et je n'hésiterai pas à témoigner sous psychosondage. La jeune sera a besoin de toi. Je lui ai suggéré de réfléchir et de revenir demain, à condition qu'elle se conduise de façon un peu plus civilisée... Je serai là, et je ne te lâcherai plus d'une semelle, c'est promis.

Il repoussa Justin à longueur de bras.

– Elle a seize ans. Sa personnalité exceptée, les rôles sont inversés... elle a un an de moins que toi à l'époque. Elle possède bien plus d'expérience, c'est indéniable, mais elle n'a pas... un comportement d'adulte. Je me trompe ? Elle n'avait pas conscience de ce qu'elle faisait. Comme toi, l'autre fois.

Justin cilla. Une pensée venait de lui traverser l'esprit, l'azi connaissait cette expression.

– Retourne au bureau.

– Où vas-tu ?

– Passer un coup de fil.

– À Denys ?

Justin secoua la tête.

– Bon Dieu ! s'exclama Grant.

Il avait l'impression que le sol s'enfonçait sous ses pieds.

– Tu n'es pas sérieux ?

– J'irai seul, si elle accepte de me voir. Ce qui est loin d'être un fait acquis.

– Non. Écoute. Ne fais pas cela. Si tu as des flashes, tu dois te tenir tranquille !

– Il faut mettre certaines choses au point. Une bonne fois pour toutes. Je vais lui dire la vérité...

– Non !

Grant saisit son bras et le retint avec force.

– Les Nye se feront servir ta tête sur un plateau... Tu vas m'écouter, bon sang ? Même si elle prend ta défense, elle n'a pas le pouvoir de te protéger. Elle n'a rien, pas encore. Pas à l'intérieur de ces murs.

– Et que pourrons-nous faire, quand la sécurité viendra nous arrêter et que nous serons reconnus coupables de viol ? Que deviendrons-nous, dans un des services de l'hôpital, à la merci de la justice de Reseune ? Une simple déposition d'Ari leur suffira...

– Et tu comptes aller chez elle pour lui parler ? Non.

– Pas à son appartement. Je doute être capable de le supporter. Quelque part.

6

Justin but une gorgée de scotch. Il voyait le serveur guider les nouveaux venus vers leur table... Ari en corsage vert pâle garni de perles gris métallisé, Florian et Catlin en tenue noire.

Ceux qui allaient au *Relais* en soirée en profitaient pour exhiber leurs toilettes. Justin et Grant avaient mis leurs plus beaux atours : chemises et vestes de coupe classique.

– Merci, dit Ari quand l'employé tira sa chaise. Trois vodkas-orange, s'il te plaît.

– Bien, sera. Dois-je vous apporter le menu ?

– Nous verrons plus tard, intervint Justin. Si vous êtes d'accord, Ari.

– C'est parfait.

Elle s'assit et croisa les mains sur la table.

– Merci d'être venue, ajouta-t-il quand l'azi fut reparti. Je vous présente nos excuses, pour cet après-midi. C'est ma faute, pas la vôtre.

Elle se recula, les lèvres pincées en une ligne étroite. Sans dire un mot.

– Denys vous a-t-il contactée ?

– L'avez-vous informé de l'incident ?

– Non. J'ai pensé qu'il n'apprécierait guère et j'ignore s'il peut s'en prendre à vous...

– Dans la mesure où il est administrateur, mais il lui serait impossible de me faire quoi que ce soit.

– Je n'en étais pas certain.

Le serveur revint avec les consommations et Justin attendit qu'il eût terminé son travail.

Ari but une gorgée d'alcool et soupira.

– Quel compte est débité ?

– Le mien, alors n'hésitez pas, dit-il.

Pendant que l'azi s'esquivait avec discrétion. Ils occupaient une table isolée, dans un recoin éloigné de la foule : un pourboire conséquent leur avait garanti cette intimité.

– Je tiens en premier lieu à vous dire que... je suis disposé à continuer de travailler avec vous. Le parcours que vous avez décidé de suivre est... semé d'embûches, mais cette quête n'est pas vaine pour autant. Vous avez des idées... qu'il faut développer. J'ignore dans quelle mesure votre modèle est calqué sur la réalité ou emprunté à l'Ari précédente. Mais même si cet emprunt est important, il est surprenant que quelqu'un d'aussi jeune que vous procède à des intégrations. Si la moindre partie est originale... je m'avoue impressionné. Et si je ne tenais pas à prendre le temps de chercher des failles éventuelles dans le raisonnement... eh bien, je me lancerais sans attendre dans ces recherches car le modèle est passionnant.

– Ne vous gênez pas, si ça vous chante.

Sans dépit. Avec raison. D'une voix posée.

– Je ferai peut-être les deux. Si vous m'y autorisez, car je crains que ce ne soit confidentiel.

– Grant peut s'en charger.

– Avec votre permission. Et celle de Yanni. Nous travaillons pour lui.

– Parce que vous avez refusé ce transfert. Je peux encore le demander.

Il ne s'était pas attendu à cela. Il but, et se rappela que Grant pâtirait de ses erreurs.

– Je n'aurais pas cru cette offre encore valable, après l'incident de cet après-midi.

Renvoi. Changement de direction.

Elle but une gorgée de vodka-orange. Seize ans et fragilisée... sur le plan physiologique. Par des émotions que les boissons fortes émoussaient ou aiguisaient. La pensée-flux dans toute sa splendeur, disait Grant. Puberté, hormones en folie, et alcool éthylique.

Laisse tomber, petite ! Tu ne me rends pas un service.

Puissance. Pouvoir politique dont l'onde de choc se propageait d'un bout à l'autre de l'Union : menaces d'assassinat. Et la tension nerveuse qui accompagnait tout cela.

312

– Je suis heureuse que vous souhaitiez en parler, dit-elle. Parce que j'ai besoin de vous. J'étudie les notes de l'Ari précédente... sous kats. Je sais des choses. J'ai proposé à Denys de les publier, après avoir ordonné et commenté chaque fiche. J'ai précisé que je souhaitais vous en charger, et il a refusé. Je l'ai envoyé se faire foutre.

– Ces grossièretés sont déplacées, Ari.

– Désolée, mais je ne fais que vous répéter mes propos. Je n'ai pas voulu en démordre, et ce sera parfait sur le plan politique. Le bureau aura ainsi la preuve que je n'usurpe pas mon identité. Vous saurez sous peu ce qui est à moi et ce qui est à Ari. Je vais vous faire une deuxième confidence. Toutes ses notes ne seront pas révélées. Certaines sont fragmentaires, d'autres top-secret.

Elle trempa ses lèvres dans le verre, dont le niveau avait à peine baissé.

– J'ai réfléchi à tout ceci. Et j'ai un problème, parce que vous êtes un spécialiste des ensembles-profonds, le seul qui puisse m'apprendre ce qu'il faut que je sache... Giraud ne suit pas la même voie que moi. Denys est très fort, mais seulement pour tout ce qui est à court terme ou en temps réel. Vous voulez que je vous dise ? Giraud n'est pas un vrai Spécial. Quelqu'un devait recevoir ce statut pour permettre à Reseune de bénéficier de protections qui lui étaient alors nécessaires. Ce Spécial était Denys, mais il ne désirait pas attirer l'attention sur lui. Il a donc fait en sorte que Giraud obtienne ce titre à sa place.

Il la dévisagea et se demanda si elle lui disait la vérité.

– Je l'ai découvert dans les notes d'Ari, ajouta-t-elle. Maintenant, vous connaissez un de ses secrets. Mais je ne lui dirai pas que vous êtes au courant, car il ne trouverait pas cette confidence à son goût. Vous devrez être prudent. J'ai été son élève pendant des années et il m'apprend encore des choses. Mais je veux travailler sur les macro-ensembles et les ensembles de valeurs.

Vous êtes le seul spécialiste du domaine dans lequel Ari voulait que je m'engage. Je suis ses conseils.

– Vous suivez ses...

– Ses notes. Elle avait tant d'informations à me transmettre, de mises en garde à m'adresser. Il m'arrive de ne pas en tenir compte, et j'ai presque toujours lieu de le regretter. Comme cet après-midi.

– Parle-t-elle de... moi ?

– Un peu. Elle dit avoir persuadé Jordan d'avoir un DP. Elle a eu de longues discussions avec votre père sur les problèmes posés par le clone de Bok et ceux du psych d'un DP qui vit en compagnie de son parent... ou à l'inverse sans lui, comme dans le cas de la deuxième Bok. C'est passionnant. Vous pourrez en prendre connaissance, si ça vous dit.

– Ça m'intéresserait.

– Elle fait aussi référence à Grant. Je peux vous communiquer ces notes. Elles ne seront pas incluses dans ce qui sera publié, car l'administration ne désire pas attirer l'attention sur vous. Et parce que votre père s'y oppose, selon oncle Denys.

Il but une bonne rasade de scotch, décontenancé. Il savait qu'elle l'avait conduit jusque-là, pas à pas.

Elle n'est plus une enfant. Secoue-toi, imbécile. N'oublie pas à qui tu as affaire. Tu as dormi dix-huit ans, il serait temps de te réveiller.

– Vous n'êtes pas venue ici désarmée, fit-il remarquer.

Elle se contenta de le jauger du regard, droit dans les yeux.

– D'où vient l'antipathie que je vous inspire, Justin ? Auriez-vous des problèmes avec les femmes ?

À nouveau désarçonné. Pour de bon. Puis la colère lui permit d'opérer un rétablissement, avant même que Grant eût posé la main sur son genou.

– Ari, j'ai un sérieux handicap car vous n'avez que seize ans.

– Chronologiques.

– Je me réfère au plan émotionnel. Vous ne devriez pas boire d'alcool.

Il la vit hésiter.

314

– La vodka me détend et me fait oublier l'ennui que j'éprouve en présence des imbéciles. Une fois ivre, je suis presque aussi stupide que mon entourage.

– Vous avez tort.

– Vous n'êtes pas ma mère.

– Désirez-vous que nous en parlions ?

Hors sujet.

– J'en doute. Ce qui démontre quels effets pernicieux l'alcool a sur vous.

Elle secoua la tête.

– Revenons-en plutôt au reste. Je veux une réponse franche... étant donné que vous semblez revenu à de meilleurs sentiments. Avez-vous peur des femmes, de mon intelligence supérieure, ou réagissez-vous ainsi parce que ma compagnie vous exaspère ?

– Vous cherchez à provoquer un affrontement, c'est ça ? Je ne suis pas venu ici pour ça.

Un autre mouvement de la tête.

– J'ai seize ans, ne l'oubliez pas. Ari assimile l'adolescence à un véritable enfer. Selon elle, avoir des rapports sexuels avec des CIT fait toujours perdre un ami. Parce qu'il est impossible d'aimer quelqu'un de trop près. Elle ajoute que je ne comprendrai jamais les CIT. Pour ma gouverne, j'aimerais qu'on m'explique pourquoi je vous inspire une telle aversion.

L'odeur du jus d'orange. D'un parfum musqué.

Tout est là, mon chéri. On ne peut espérer obtenir plus. Oh, Ari !

Il retint sa respiration. Il sentait croître la panique, la prise engourdissante sur son poignet.

– Sera, intervint Grant.

– Non, fit-il d'une voix calme. Non.

Lui qui avait su plus de choses sur les femmes dix-huit ans plus tôt qu'il n'en avait appris cette nuit-là et pendant toutes les années suivantes.

Et il réagissait, car elle l'avait conditionné, car il faisait depuis lors une fixation sur cette femme...

– La première Ari avait un faible pour les adolescents, dit-il en choisissant avec soin ses paroles. Ce que j'étais, à l'époque. Elle a trouvé un moyen de pression sur moi. Et mon père. Elle a menacé d'utiliser Grant pour tester des programmes... un Alpha élevé tel un CIT. Pour me contraindre à lui céder, même si je ne l'ai pas compris à l'époque. Rien – absolument rien – n'est votre faute. Je le sais. Disons que j'ai commis une erreur en croyant pouvoir maîtriser la situation. J'avais à peu près votre âge. Et il est exact que j'ai depuis un réflexe de recul quand une fille plus jeune que je ne l'étais m'approche. Et vous avez son visage, sa voix, et même son parfum. Vous n'y êtes pour rien. Seuls ses agissements sont en cause. Je préférerais ne pas entrer dans les détails, ce qui n'est d'ailleurs pas nécessaire. Elle a pris une vid. Peut-être est-elle chez vous, pour autant que je le sache. Sinon, votre oncle pourra vous la remettre. Lorsque vous l'aurez visionnée, vous disposerez de toutes les clés qui vous permettront de me disséquer. Mais je n'en suis plus à ça près. D'autres l'ont fait. Aucun rapport avec vous.

Ari resta assise un long, très long moment, les coudes sur la table.

– Pourquoi a-t-elle fait cela ? demanda-t-elle enfin.

– Vous devriez le savoir. Mieux que moi. Peut-être parce qu'elle allait mourir. Sa cure de réjuv avait cessé d'être efficace. Lorsqu'on prend un cancer à cent vingt ans, le pronostic n'est presque jamais favorable.

Elle l'avait ignoré. Une telle connaissance était angoissante, pour un DP... la durée d'existence limite de son géneset.

– Il y avait des facteurs externes, se hâta-t-il de préciser. Cyteen n'était pas protégée comme à présent, pendant sa jeunesse. Elle a dû inhaler une bouffée d'air local à un moment ou un autre. C'est cela qui l'aurait tuée.

Elle pinça sa lèvre inférieure entre ses dents. Son attitude n'était plus hostile. Elle cessait de se tenir sur la défensive.

– Merci de me l'avoir dit.

– Finissez votre verre, je vous en offre un autre.

– Je savais... quand elle est morte. Pas au sujet de ce cancer.

– Je constate qu'on ne trouve pas tout, dans ces fichiers. Je vous apprendrai le reste. Redemandez-moi si j'accepte ce transfert.

– Est-ce le cas ?

– Posez la question à Grant.

– C'est à Justin d'en décider, déclara l'azi.

7

– Nous avons un contact qui travaille dans le service de maintenance de Planys, déclara Wagner.

Ils suivaient le trottoir, de la Bibliothèque au Palais de l'État.

– Par intérêt, pas par idéal.

– Je ne tiens pas à en savoir plus, répondit Corain. Je ne veux pas que nous soyons compromis dans cette affaire.

– Je n'ai rien entendu et vous non plus, accepta Wagner.

Une femme boulotte aux yeux en amande et aux cheveux noirs frisottés qui occupait le poste d'assistante en chef de la section des affaires légales du bureau des Citoyens : un archétype, avec son attaché-case et son tailleur de coupe classique. Ils venaient de la Bibliothèque, où ils s'étaient rencontrés par hasard... comme convenu.

– Mais nous pourrions supposer que cet homme entame une conversation avec Warrick et lui montre des photos de ses gosses... il est facile de deviner la suite. Warrick lui fait des confidences. Je ne pense pas que vous souhaitiez connaître notre réseau en détail...

– Surtout pas. Ce que je veux savoir, c'est s'il est possible de joindre Warrick.

– Il est resté sous étroite surveillance pendant plus d'un an. Il a un fils qui réside toujours à Reseune, avec un statut d'otage.

– Je m'en souviens. Quel est son profil ?

– Nous ne savons rien sur lui, hormis qu'il a une matrice CIT-DP active. Un chercheur obscur. La Défense est mieux renseignée que nous sur son compte. L'ombre de son père, c'est une certitude. Mais les Warrick, senior et junior, sont assez influents pour que le fils obtienne des laissez-passer. Il a trente-cinq ans et est un ressortissant de Reseune, qui a assuré sa protection lors de son voyage à Planys avec autant de soin que s'il était le Président. Il y a aussi un azi. Un Alpha... Vous vous rappelez ce massacre d'abolitionnistes dans la région de Grand Bleu ?

– L'affaire Winfield. Je n'ai pas oublié. Une histoire liée au meurtre d'Emory ; une des causes de l'altercation entre cette femme et Jordan Warrick.

– Ce dernier considère l'azi comme un fils adoptif et souffre qu'il ne soit pas autorisé à sortir de Reseune. Il est impossible d'obtenir le moindre renseignement sur lui, hormis qu'il vit avec le fils. Je peux vous transmettre tout le dossier.

– Pas à moi ! Les documents compromettants doivent rester aux niveaux inférieurs.

– Compris.

– Mais vous pouvez joindre Warrick.

– Je pense qu'il ne s'est jamais senti frustré à ce point. Il s'est écoulé, combien, dix-huit ans ? Il étudie des projets pour la Défense, mais les labos ont érigé un mur infranchissable pour le séparer des militaires. L'ouvrier chargé de la maintenance des systèmes d'aération travaille pour nous depuis... dix-huit mois, à peu de chose près. Ce que vous devez comprendre, ser, c'est que la sécurité de Reseune est très vigilante. Jordan Warrick n'est pas un détenu ordinaire mais un opérateur psych, un clinicien. Il doit être difficile de trouver des gardes qu'il ne peut manipuler. Le tout est de savoir si nous devons agir ou attendre la suite des événements. C'est la question que Gruen m'a demandé de vous poser.

Corain mordilla sa lèvre. À deux mois des résultats des élections au sein de la Défense, avec une bombe sur le point d'exploser...

Et Jacques qui prendrait sans doute place au sein du Conseil et ferait de Gorodin son secrétaire.

Mais cet homme risquait de se laisser influencer par la tendance dure de l'armée. Et il y avait les rumeurs... sur la santé défaillante de Gorodin et les manigances de Khalid qui était censé être à l'origine des premières. Cet homme était coutumier du fait.

Mais Khalid pouvait encore gagner. Les centristes souhaitaient se débarrasser de ce conservateur... mais ils devaient tenir compte d'une éventuelle réélection. Le compromis Jacques/conseiller et Gorodin/secrétaire négocié par Corain avec Nye, Lynch et les expansionnistes constituait la meilleure des solutions; surtout si Gorodin était effectivement mal en point, car il représentait leurs adversaires politiques.

Il ne lui restait qu'à attendre... et espérer que ce changement à la tête de l'armée leur permettrait de parvenir à un accord avec la Défense. S'ils ne pouvaient joindre Warrick à Planys, ils devraient tenter le tout pour le tout et courir le risque de provoquer un scandale plus important encore. C'était tout le problème.

Si Khalid remportait ces élections... il ne pardonnerait pas aux membres de son propre parti d'avoir voulu sa chute. Il ne les ménagerait pas.

Il deviendrait très dangereux.

– Nous devons conserver ce contact, dit Corain. Mais ne faites pas la moindre imprudence, pour l'amour de Dieu. Ne laissez aucune piste qui permettrait de remonter jusqu'à nous, c'est compris?

8

– J'ignorais ce que je ferais, déclara Justin.

Il jeta un bout de pain aux koïs et ce fut le doré qui monta comme un éclair vers la surface pour le happer. Le blanc se cachait sous une feuille de nénuphar.

– Je ne savais pas. Mais... elle aurait tôt ou tard fini

par apprendre l'existence de cette bande, non? Je préfère que ce soit à présent... tant qu'elle est encore assez innocente pour s'en sentir choquée. Dieu nous aide... si elle ne l'est plus.

– Je me sens rassuré, quand tu décides d'agir.

– Pas moi, bon sang. Je n'étais pas autorisé à prendre cette initiative, mais je me trouvais coincé. C'était le moment ou jamais de... tenter de redresser la situation.

– Tu parles de la vid?

– Tu as compris.

– Ce que je comprends, c'est que nous avons affaire à la fille la plus agressive qu'il m'ait été donné de voir. Pas même Winfield et ses gens... ne m'ont autant impressionné. Je vais te dire une chose. J'ai déjà eu peur. De mes ravisseurs et des membres du commando venus me tirer de leurs griffes... Je croyais qu'ils allaient me tuer, qu'ils avaient reçu cet ordre. J'ai tenté d'analyser le flux, quand je me trouvais sur le seuil du bureau, et il était encore plus puissant... même si je n'arrive pas à le définir. Je sais seulement qu'elle irradiait une telle violence que... je ne pouvais pas me soustraire à ce flux.

La voix de Grant était posée, douce et précise, comme lorsqu'il suivait un raisonnement.

– Mais... il était peut-être provoqué par l'adrénaline... et son titre de superviseur. J'ai pu me tromper, quand j'ai évalué l'intensité de ce que je captais.

– Non, tu as raison. J'ai essayé d'établir son profil... avec objectivité. Comme la première Ari a établi le mien. Si on se base sur les choix qu'elle a faits pour créer son modèle, ce qu'elle aurait essayé si c'était elle qui avait été chargée de l'opération Géhenne... On peut dire qu'elle a atteint le paroxysme de l'agressivité et de l'autodéfense. J'ai tracé un diagramme des phases de son comportement – cycles menstruels, modifications du métabolisme – et pour autant que je puisse en juger elle est saturée d'hormones. Je consulte toujours ces graphiques, avant de la rencontrer. Mais ce n'est pas tout.

Il brisa un bout de pain et en lança un petit morceau au koï tacheté.

– Il y avait toujours autre chose, avec la première Ari. Son esprit est très développé. Lorsqu'il est soumis au flux, les fonctions analogiques deviennent spéculatives... et le contre-courant inférieur procède à des intégrations à une vitesse folle. Je l'ai constaté. Plus important, c'est à elle que l'on doit la théorie de la matrice-flux et on peut en déduire qu'elle connaît ses cycles. Et qu'elle s'en sert. Mais la jeune Ari m'a permis de comprendre une chose que j'aurais dû remarquer il y a longtemps : nous sommes lucides quand nous analysons le comportement des membres de notre entourage, mais pas lorsque nous essayons d'étudier le nôtre. Elle a de graves difficultés à définir son ego. Comme tous les DP, d'ailleurs. Je suis bien placé pour le savoir. Et dans son cas, c'est encore pire. Voilà pourquoi j'ai accepté ce transfert.

– Pour qu'elle reporte son attention sur nous ?

Il cilla afin de chasser de son esprit l'image du visage de l'Ari précédente et le souvenir de ses caresses.

– Elle est vulnérable. Elle manque de contacts humains... C'est l'impression que j'ai eue, en tout cas... qu'elle est peut-être aussi ouverte que je l'étais à l'époque. Et j'ai saisi cette opportunité. Tel a été mon raisonnement. Je me suis dit qu'une telle occasion ne se représenterait peut-être jamais.

Il frissonna et un tic nerveux contracta sa nuque.

– Dieu, je ne suis pas doué pour travailler en temps réel.

– Tu n'aimes pas ces activités, mais cela ne signifie pas que tu n'es pas excellent en ce domaine, fit remarquer Grant. Je vais te dire ce que je pense... Elle serait désolée de nous faire du mal, et je doute que cela s'applique à tout autre CIT. Si elle me prend au mot, pour ma proposition...

» Non, ajouta Grant en remarquant que son ami s'apprêtait à émettre des objections. Je ne crois pas qu'elle le fera, et dans le cas contraire... je me charge de régler la question. Fais-moi confiance, c'est bon ?

– Non, ce n'est pas bon.

– D'accord, mais ne t'en mêle pas : fais ton boulot et

laisse-moi faire le mien. Je préférerais l'affronter sur un terrain plus stable, crois-moi, mais si tu estimes pouvoir confier notre avenir à ton bon sens dans un domaine... fie-toi au mien et contente-toi de ne pas me créer de soucis. J'aurais été deux fois moins sensible au flux, si je n'avais pas craint de te voir revenir et tout ficher par terre. Il m'est impossible de raisonner et de surveiller mes arrières, quand tu es concerné. D'accord ? Promets-le-moi.

– Merde, je ne vais tout de même pas permettre à une enfant gâtée...

– Tu le peux, parce que je suis assez grand pour me protéger. Et que je suis meilleur que toi sur certains plans. Ces derniers sont peu nombreux, mais celui-ci en fait partie. Reconnais ma supériorité en ce domaine et je te laisse tout le reste.

Il dévisagea Grant, ses traits marqués au fil des ans par des tensions épargnées aux autres azis. Il en était responsable. Le fait de vivre avec des CIT avait eu cet effet sur lui.

– Marché conclu ? Ne t'en mêle pas. La confiance doit être réciproque. Comme ça, nous aurons tous les deux une raison valable de nous inquiéter. Dans quelle mesure te fies-tu à moi ?

– Ce n'est pas de toi que je me méfie.

– Si. D'azi à superviseur... Est-ce que tu m'as compris ?

Il hocha la tête, pour ne pas blesser Grant...

Il n'était pas sincère, évidemment, et son ami s'en doutait peut-être.

9

– Il y a une bande, dit-elle à Denys avant de lui préciser laquelle.

– Comment l'as-tu appris ?

– Ma base.

– Il n'y a donc aucun rapport avec ce dîner au *Relais* ?

– Non, répondit-elle sans ciller. Nous avons discuté d'équilibres culturels.

Denys n'appréciait guère l'humour, quand il était sérieux. Ce n'était pas une nouveauté.

– Entendu, dit-il en se renfrognant. Il n'est pas dans mes intentions de te la refuser.

Il envoya Seely chercher la cassette et ajouta :

– N'utilise pas de kats, quand tu la visionneras. Ne la montre pas à Florian et Catlin, et – surtout – ne la laisse pas traîner là où quelqu'un pourrait la trouver.

Elle eût aimé lui demander ce que contenait cette vid, mais l'atmosphère n'était déjà que trop tendue. Elle aborda des sujets différents... son travail, le projet, Justin... sans mentionner leur accrochage.

Elle but une tasse et demie de café et discuta avec son oncle de choses et d'autres, agréables ou désagréables : les élections, la situation à Novgorod, la charge de Giraud – et celle de Corain – jusqu'au moment où Seely apporta la bande.

Elle se fit accompagner par Catlin pour la déposer chez elle, tant l'avoir dans son sac l'inquiétait. Elle bouillait d'impatience, lorsqu'elle arriva, et elle envisagea de se la passer aussitôt.

En raison de son sentiment d'insécurité, elle eût aimé garder ses azis près d'elle...

Mais c'eût été un nouvel acte irresponsable. Elle devait se charger de régler tous les problèmes qui relevaient du domaine émotionnel, malgré son appréhension et son besoin d'être rassurée par une présence amicale... comme un bébé.

Je ne t'aurais jamais conseillé de faire cela, avait dit Denys qui paraissait bouleversé mais à peine surpris. Cependant, je te connais assez pour savoir que rien ne te dissuadera d'aller jusqu'au bout, dès l'instant où ta curiosité a été éveillée. Je m'abstiendrai donc de tout commentaire, mais si tu as des questions à me poser après avoir visionné cette bande... adresse-les à ma base, si tu les juges délicates. Je te répondrai de la même manière. Si tu le souhaites, cela va de soi.

Ce qui signifiait qu'il ne portait aucun jugement sur la situation.

Elle referma la porte du vidsalon et la verrouilla, puis elle glissa la cassette dans le lecteur... sans prendre de pilule. Elle n'était pas stupide au point de se plonger en état d'étude profonde avec une bande au contenu inconnu et non filtrée d'éventuels messages subliminaux.

Elle s'assit et serra les poings, fascinée par des lieux et des visages familiers : Florian et Catlin plus que centenaires ; Justin – c'était bien lui, malgré l'angle de prise de vue – à dix-sept ans ; Ari... élégante et sûre d'elle. Elle avait vu quelques vids de sa génémère à cet âge, mais de simples interviews où elle se contentait de répondre à des questions.

Elle écouta... et découvrit la nervosité qui faussait la voix de Justin, le contrôle qu'Ari exerçait sur la sienne. Il était étrange de si bien connaître cette voix, de la percevoir en soi... et de savoir ce que des kats auraient apporté à une telle expérience. Elle sentit de légers picotements le long de sa colonne vertébrale, l'impression qu'il existait un danger et qu'elle participait à ce qu'elle voyait... par réflexe, affirmait une partie obscure et analytique de ses pensées : l'habitude de cette pièce, la réaction physiologique du système endocrinien accoutumé à prendre des kats en ce lieu, et le conditionnement de toute une vie à réagir aux bandes... *Les azis devaient faire cela*, pensa-t-elle. Et : *C'est le contexte émotionnel qui le déclenche. Je suis heureuse de ne pas avoir pris de tranks.*

Alors que ses muscles recevaient les stimuli solidaires des nerfs qui savaient quels signaux étaient émis lorsque l'autre Ari marchait, s'asseyait et parlait, et un cerveau qui comprenait qu'elle était en chaleur et que son pouls s'emballait... pour un Justin jeune et vulnérable qui captait ces indices et y réagissait avec une nervosité extrême...

Recule, s'ordonna-t-elle. Elle tenta de prendre ses distances, de se soustraire à l'agressivité irradiée par Ari. *Désengage-toi.*

L'interrupteur se trouvait à côté de sa main. Elle

n'aurait eu qu'à tendre le doigt et presser le bouton pour tout interrompre. Mais la sensation sexuelle s'avérait trop puissante, pour un objet de désir autrement hors d'atteinte... et presque irréel. Ce n'était pas l'homme qu'elle connaissait, mais Justin tout de même.

Il lâcha son verre... et elle comprit ce qu'Ari venait de lui faire, quels dangers il courait. Elle avait peur pour lui, mais les muscles qui s'étaient crispés lors de la chute du verre étaient ceux d'Ari et l'inquiétude qui perça à travers la chaleur de l'excitation sexuelle se rapportait au canapé que le jus d'orange risquait de tacher... son canapé...

Ô Seigneur! Elle aurait dû arrêter l'appareil. Sans attendre.

Mais elle ne pouvait s'y résoudre.

10

Un simple *Dans mon bureau à 9 heures* signé par Denys Nye et reçu sur son terminal avait conduit Justin dans la section administrative, jusqu'à une porte qui lui inspirait de l'angoisse.

Ari s'était donc décidée à réclamer la bande, pensat-il. Et son oncle savait, pour leur dîner au *Relais*.

Mais il ne s'était pas attendu à voir Giraud au côté de son frère. Il s'immobilisa sur le seuil, avec Seely derrière lui, puis il entra et s'assit.

— Ne perdons pas de temps à résumer ce que nous savons déjà, déclara Denys. Et pas de discussions sur des points de détail. À quoi diable jouez-vous ?

— J'ai envisagé de m'adresser à vous, répondit Justin. Mais elle était autant embarrassée qu'en colère et j'ai pensé que si je vous contactais, elle... elle risquait d'exploser. Il m'est venu à l'esprit que vous préféreriez l'éviter.

— Vous lui avez donc fait une révélation importante de votre propre chef.

– C'est exact, ser.

Denys se montrait raisonnable... un peu trop. Et Giraud restait assis pour l'étudier, les traits tendus par l'hostilité.

– Je savais que vous me convoqueriez.

– J'ai dû lui remettre la bande. Vous m'avez pris au dépourvu, Justin.

Le Spécial n'est pas Giraud mais son frère...

– J'en suis flatté, ser. Je ne m'en serais pas cru capable. Mais ce n'est pas dans ce but que j'ai pris une telle décision. J'aimerais pouvoir m'expliquer. Ari...

– Je n'ai pas besoin d'entendre vos justifications. Elles sont superflues.

– C'est une simple toquade d'adolescente...

– Elle mène une vie sexuelle bien remplie depuis l'âge de treize ans. Ou moins. Et cette fascination est programmée. Ce n'est pas ce qui nous inquiète. La première Ari avait un comportement bien défini en ce domaine. Vous êtes jeune, mâle et vous travaillez avec elle... c'était prévisible.

– Je ne l'ai pas encouragée !

– Bien sûr que non. Mais vous vous en êtes servi pour tenter de la manipuler.

– C'est faux.

– Un péché du cœur, sinon de l'esprit. Vous l'avez prise en charge, vous êtes devenu son professeur, vous avez tenté de l'influencer... admettez-le.

– Pour l'éloigner de certaines choses...

Denys se pencha en avant sur ses bras croisés.

– Ce qui constitue une intervention, déclara Giraud.

– Dans le but de l'empêcher de se nuire, ou de me nuire.

Cet homme n'avait qu'à ouvrir la bouche pour provoquer en lui une réaction, la résurgence de rêves de kats dans les profondeurs de son être. Il ne pouvait contrôler ses tremblements, oublier que cette voix devenait parfois cinglante comme un fouet... dans ses pires cauchemars. Il regarda Denys et sentit frémir ses muscles.

– J'ai tenté de juguler ses pulsions, de maintenir tout cela hors du flux.

– Jusqu'à hier, fit Denys. Vous avez alors décidé de prendre la situation en main, d'exacerber ce qu'elle ressentait... de vous assurer son contrôle en lui fournissant une clé capitale. C'est une intervention. Vous êtes un opérateur et vous ne pouviez ignorer la nature de vos actes. Je veux vous entendre l'avouer...

– À quoi bon ?

Son cœur martelait ses côtes.

– N'est-ce pas superflu ? Il serait plus simple d'aller directement à la sécurité. Nous gagnerions du temps et cela nous épargnerait des complications.

– Vous réclamez un sondage ?

– Non. Je n'ai jamais dit ça. Mais ce n'est pas ce qui peut vous arrêter, il me semble ?

– Calmez-vous un peu, fils.

Jordan ! Ô Seigneur !

Il veut que je pense à mon père.

– Répondez, ordonna Giraud.

– J'ai fait ça pour sauver ma peau, parce qu'elle est dangereuse. Parce qu'elle pourrait tout aussi bien s'en prendre à vous. Existait-il autre chose à même de l'ébranler, de lui faire reconsidérer la situation ?

– C'est une réponse presque acceptable, dit Denys.

Ce qui le désorienta. Il attendit l'offensive par le flanc.

– J'aimerais savoir... ce que vous pensez avoir déclenché. Que résultera-t-il de votre intervention ? Quel est son état d'esprit ?

– J'espère... répondit-il sans plus pouvoir contrôler sa voix. Je prie pour que cela l'incite à être plus prudente.

– Et solidaire ?

– La prudence me suffirait.

– Vous la courtisez.

– Dieu, non !

– Si. Je ne parle pas de sexe, même si j'imagine que vous n'hésiteriez pas à lui payer un tel tribut en cas de besoin... et à condition que vous réussissiez à trouver le courage de passer aux actes. Mais je sais que vous préféreriez l'éviter. Si la politique peut être à l'origine de la formation d'étranges couples, certains couples peuvent être à l'origine d'une étrange politique.

– Je ne souhaite que survivre.

– Dans son service. Oui. C'est logique. Pour garantir votre protection – et celle de Grant – des conséquences de notre inimitié. Il ne vous reste que quelques années à attendre, voilà ce que vous pensez. Quel poids ont deux vieillards, face à une fille d'à peine seize ans qui héritera d'une puissance que vous pourrez utiliser à votre profit si vous réussissez à gagner son estime ? Mais c'est un parcours périlleux. Très périlleux, même pour celui qui est prêt à vendre... ce que vous étiez déjà disposé à offrir à sa génémère...

De la colère. Voilà ce qu'il... cherche à faire naître en moi.

– ... mais vos choix sont limités.

– Il n'est pas nécessaire de procéder à un sondage pour savoir ce que vous désirez obtenir, intervint Giraud d'une voix très douce. Et les derniers rapports que j'ai reçus... je pense que vous les trouveriez très... amusants dans un sens et alarmants dans l'autre. Les paxistes – vous savez, ces fous qui placent des bombes dans le métro de Novgorod – n'ont rien trouvé de mieux que de se réclamer de votre père...

– Il n'a aucun lien avec eux !

– Bien sûr que non. Bien sûr que non. Mais la police de Novgorod a saisi des tracts pleins d'intérêt. Les paxistes présentent Jordan comme un martyr de leur cause et affirment que le nouveau monstre de Reseune est une création des militaires, que son assassinat et le chaos qui en résulterait permettraient la mise en place d'un gouvernement paxiste...

– C'est de la folie !

– Certes. Et il va de soi que votre père n'est pas au courant.

– Certainement pas ! Mon Dieu...

– N'est-ce pas ce que je viens de dire ? Vous êtes trop émotif, mon jeune ami. C'est une vieille affaire. Oh ! Je ne parle pas de ces terroristes dont le mouvement est d'apparition récente. Mais toutes ces organisations sont imbriquées entre elles. C'est d'ailleurs ce qui rend leurs membres si difficiles à trouver. Cela et le fait que ces fanatiques sont des cas-z. Des imbéciles de drogués si dévoués à leur cause qu'ils permettent à des opérateurs amateurs de procéder sur eux à des effacements mentaux partiels. Ce genre de tarés. Je pensais devoir vous le dire... il y a en ce monde des individus qui n'accordent aucun prix à leur existence, ce qui permet d'estimer celui qu'ils attribuent à la vie d'une adolescente sur qui ils concentrent toute leur hostilité. Et ce sont ces gens qui citent le nom de votre père dans leurs pamphlets. Désolé. Je constate que vous ne trouvez pas ça amusant.

– Pas du tout, ser.

Il était sur le point de trembler. Giraud lui faisait cet effet, sans utiliser de drogues. Parce qu'il savait que l'injection ne tarderait guère et que rien au monde ne lui permettrait de l'éviter.

– Et je sais que Jordan ne le serait pas non plus, s'il était au courant. Ce qui ne peut être le cas, hormis si vous avez pris soin de l'en informer.

– Nous l'avons joint. Il en a profité pour nous charger de vous dire qu'il se porte bien. Je présume qu'il attend avec autant d'impatience que nous des changements à la tête de la Défense. Je voulais simplement que vous sachiez quelle est la situation, car l'assassinat de la première Ari par votre père... redevient d'actualité. Il est cité dans leurs exhortations à tuer son double. Ari finira par l'apprendre. Nous devons le lui dire... pour sa protection. Vous pourriez peut-être régler la question entre vous, de façon civilisée. Je l'espère, en tout cas.

Que fait-il ? Qu'essaie-t-il d'obtenir ?

Que veut-il de moi ?

Dois-je assimiler cela à des menaces dirigées contre Jordan ?

– Quels sentiments inspire-t-elle à votre père ? En avez-vous une idée ?

– Non, ser, je l'ignore. Pas d'hostilité. Je ne crois pas.

– Vous pourrez sans doute l'apprendre, si ces élections sont conformes à nos espoirs.

– Je pense pouvoir influencer l'opinion de mon père.

– Nous le souhaitons, intervint Giraud.

– Mais je m'abstiendrais de soulever la question avec Ari, dit Denys.

– Oui, ser.

– Vous tenez un rôle important, reprit Giraud. Je sais que vous ne me portez pas dans votre cœur. Ce n'est pas une nouveauté, mais je le regrette. Je tiens à vous dire que je ne fais pas partie de vos adversaires, bien que vous soyez convaincu du contraire. Je ne vous demanderai pas de commentaires... pour ne pas mettre votre courtoisie à rude épreuve. Mais sachez que je vous soutiens... et que je vous souhaite de vivre très longtemps. À tel point que j'ai fait une proposition au comité : trente-cinq ans, c'est un peu jeune pour commencer une cure de réjuv, mais il ne semble pas y avoir d'effets secondaires...

– Non, merci.

– Le sujet n'est pas ouvert à discussion. Vous êtes attendu à l'hôpital, avec Grant.

– Non !

– La proposition habituelle. Présentez-vous de votre plein gré ou des gardes iront vous chercher.

– Il est ridicule de me placer sous réjuv à mon âge... et c'est à moi de décider, bordel !

– Le comité n'est pas de cet avis. Point final. Il n'y a pas de quoi vous inquiéter. Les statistiques ne révèlent aucune diminution de la longévité chez ceux qui débutent le traitement plus tôt que les autres...

– En fonction des données qu'on leur a communiquées. C'est absurde. Ari reçoit ces injections, j'en suis certain.

– C'est exact.

– Alors, pourquoi faites-vous ceci ?

– Parce que nous vous accordons de la valeur, et que nous tenons à vous. Vous pouvez aller là-bas de vous-même, ou résister et faire subir une nouvelle épreuve à Grant... ce que je préférerais éviter.

– M'autoriseriez-vous à... l'avertir moi-même ? Je vous demande une demi-heure, c'est tout.

– Voilà qui me paraît tout à fait raisonnable. Allez. Trente minutes, quarante-cinq au plus. Ils vous attendront.

11

Une autre attente interminable. Justin était allongé sur la table et regardait le plafond. Pour tenter de faire le vide dans son esprit, il étudiait la répétition des motifs du carrelage.

Un examen complet et une prise de sang, l'injection de marqueurs dans son système circulatoire, des prélèvements divers. Contrôle dentaire, respiratoire, et tout le reste... Je constate un peu d'hypertension, avait déclaré Wojkowski. Et il s'était permis de rétorquer : Tiens donc, je me demande pourquoi ?

Ce qu'elle n'avait pas jugé amusant.

De nouvelles injections de traceurs dans ses veines, d'autres scanners et sondages dans des parties intimes de son corps, le tout entrecoupé de pauses qui n'en finissaient pas... et il restait allongé pendant qu'ils essayaient de le détendre, afin que les informations soient plus précises.

J'essaie, venait-il de leur dire. Je fais tout mon possible. Vous croyez peut-être que je reste ici à me geler pour mon plaisir ?

Ce qui lui avait valu d'obtenir une robe de chambre. Puis ils le placèrent en biorétroaction tant que son rythme cardiaque n'eut pas ralenti, et ils purent ensuite procéder à leurs tests.

Pourquoi ? avait été la première et unique question de Grant... accompagnée d'un froncement de sourcils, d'un haussement d'épaules, et d'un : Enfin, ce sera toujours ça de pris, non ?

Ce qui de la part d'un azi pouvait être assimilé à une

interrogation. Justin n'avait jamais soupçonné l'administration de Reseune de pousser sa vindicte au point de leur refuser un traitement de réjuv, ou d'attendre l'apparition des premiers symptômes de dégénérescence pour le leur accorder.

Cette pensée lui permettait de se détendre. Mais il avait appelé Base un : *Ari, ici Justin. Grant et moi sommes convoqués à l'hôpital. Ils veulent nous placer sous réjuv, malgré nos protestations. Je tenais à vous informer de l'évolution de la situation...*

Sans aucun résultat. Base un avait enregistré le message. Nul n'était là pour le lire. Ils auraient pu faire un saut chez Ari, mais elle ne pouvait quoi qu'il en soit entrer en conflit avec l'administration. Personne, avait-il dit à Grant, pour s'entendre répondre : Ce n'est que la première séance.

Autrement dit qu'ils pourraient encore changer d'avis. Il fallait de trois à huit semaines de traitement pour que l'accoutumance pût apparaître.

Rien de définitif, pour l'instant.

– Vous reviendrez pour la suite du traitement, avait dit Wojkowski.

– Pourquoi ? Vous tenez à nous voir avaler vos foutues pilules ?

– Vous ne devez pas rater une seule séance. Vous comprenez... l'interruption de cette cure aurait de graves conséquences. Le système immunitaire s'effondrerait.

– Je suis un paramédecin certifié, avait-il rétorqué sèchement. Un psych clinique. Je peux vous garantir que je connais les précautions d'emploi. Ce que je veux savoir, docteur, c'est quels autres produits vous comptez nous administrer.

– Aucun. Je peux vous faire lire la prescription, si vous voulez. Et les ordonnances. Du Neantol. Un nouveau produit combiné fabriqué par la Novachim. Je vous remettrai toute la littérature qui s'y rapporte. Le dernier cri en matière de réjuv. Ça vient de sortir. La plupart des effets secondaires ont été éliminés.

– Je suis donc un cobaye.

– Aucun danger. Bien moins qu'avec le reste, à vrai dire. On évite l'amincissement de la peau, les hémorragies, les ecchymoses, l'appauvrissement en calcium et la décoloration des cheveux qui garderont leur teinte actuelle. La réduction du volume de la masse musculaire, l'ostéoporose et la fatigue prématurée vous seront épargnées. Rien n'a hélas pu être fait pour empêcher la stérilité.

– Je me ferai une raison.

Il se sentait plus détendu. Bon sang, il voulait croire ce que lui disait Wojkowski.

– Quels sont les désavantages, alors ?

– Les patients se plaignent d'avoir la bouche sèche et on a enregistré un cas d'hyperactivité. Il peut y avoir des problèmes rénaux. Buvez beaucoup d'eau, surtout après avoir absorbé de l'alcool. Vous vous déshydrateriez et vous auriez une bonne gueule de bois. Nous ignorons quelles seraient les conséquences si on passait du traitement habituel à celui-ci, et vice versa. Il pourrait y avoir de sérieuses complications. Ce produit est en outre très coûteux, plus de dix mille la dose, et je doute qu'il devienne abordable avant longtemps. Mais la différence de coût est justifiée... surtout quand le patient est aussi jeune que vous.

– Est-ce que Grant... a droit à la même chose ?

– Oui. Absolument.

Il se sentait soulagé par cette confirmation. Il pensait que le Dr Wojkowski avait un sens de l'éthique développé, mais c'était insuffisant pour ralentir son rythme cardiaque.

Dix mille creds la dose. Reseune se mettait en frais pour eux. Seule l'administration pouvait se permettre une telle dépense... pas lui.

On ne trouvait pas ce produit au marché noir.

Les substitutions étaient contre-indiquées.

Les Nye voulaient le placer dans un état de dépendance envers une drogue qu'ils pourraient lui refuser – avec des effets dévastateurs – et que ni les paxistes ni les abolitionnistes ne seraient à même de lui procurer.

Une chaîne invisible. Il maudit leurs peurs. Comme

si une telle mesure était nécessaire. Mais ils augmente-
raient encore leur emprise sur lui. Il avait l'impression
claustrophobique qu'ensuite... ses possibilités seraient
peu nombreuses, et il était harcelé par la terreur que
cette drogue pût avoir des effets secondaires malgré les
affirmations des rats de laboratoire qu'elle enrichissait.

Merde ! Il allait en une seule journée cesser d'être un
jeune homme sain de corps et d'esprit pour devenir sté-
rile et sujet à des altérations physiques, moins importantes qu'il ne l'avait redouté s'ils disaient vrai, mais
malgré tout... une diminution des fonctions. La préservation... aussi longtemps qu'il se verrait administrer
cette drogue et qu'elle serait efficace. Avec une longue
liste de précautions qu'il lui faudrait respecter.

Une faveur, si les résultats étaient bien ce qu'on lui
affirmait.

Et un choc psychologique, pour devoir s'y soumettre
en fonction des décisions de tierces personnes, parce
qu'un foutu comité avait décidé...

Quoi ? De les tenir en laisse ? Dans l'éventualité où il
leur viendrait à l'esprit de s'enfuir et d'aller rejoindre les
rangs des paxistes pour commettre des attentats dans
les couloirs du métro et massacrer des enfants ?

Seigneur ! Ils étaient fous.

La porte s'ouvrit. Sur un tech qui lui demanda une
fois de plus de se dévêtir.

Pour un prélèvement cellulaire. Il désirait également
obtenir un échantillon de son sperme.

– Dans quel but ? aboya Justin. Je suis un DP, bon
Dieu !

Le tech relut ses instructions.

– C'est écrit ici.

Azi. Il suivit à la lettre les ordres reçus.

Avant de laisser Justin avec un point douloureux à la
jambe et un autre à l'intérieur du palais.

Son pouls devait à nouveau battre des records de vitesse. Il tenta de se calmer, car il était probable qu'ils
prendraient sa tension avant de l'autoriser à rentrer
chez lui. S'ils ne trouvaient pas son rythme cardiaque à
leur goût, ils l'expédieraient à l'hôpital où il serait à leur

merci, sans Grant comme garant de sa sécurité et aucune possibilité de porter plainte.

Merde, il faut que tu te détendes.

Tu dois ficher le camp d'ici... rentrer à la maison. C'est le plus important.

La porte s'ouvrit. Sur Wojkowski.

– Comment allons-nous ? s'enquit-elle.

– Nous bouillons de rage, répondit-il avec une amabilité exagérée.

Il s'assit sur la table, sourit, et tenta de stopper l'accélération de son pouls en pensant à des fleurs et un cours d'eau.

– J'ai perdu des bouts d'épiderme et je doute que vous vous préoccupiez de ma dignité. Mais dans l'ensemble, je me porte comme un charme.

– Mmm, fit-elle.

Elle posa un pistolet hypodermique sur le comptoir et jeta un coup d'œil à son dossier.

– Je vais vous donner une ordonnance et vous prendrez ces remèdes. Nous vous passerons une visite de contrôle quand vous viendrez pour la deuxième séance. Voyons s'il ne serait pas possible de réduire un peu votre tension...

– Vous savez ce que vous pourriez faire ?

– Rendez-vous un service. Prenez ces médicaments. Pas de kats plus de deux fois par semaine. Consommez-vous de l'aspirine ?

– Parfois.

– Quelle fréquence hebdomadaire ?

– C'est dans le...

– Je vous en prie.

– Deux, peut-être quatre fois.

– Parfait. Ne dépassez pas cette dose. Si vous souffrez de migraines, venez me voir. Si vous avez des étourdissements ou si votre pouls s'emballe, faites-le immédiatement.

– Je n'y manquerai pas... Savez-vous ce qui se passe ici, docteur ? Ou sur cette foutue planète ?

– Je suis au courant de votre situation. Évitez malgré tout le stress.

– Merci. Merci pour vos précieux conseils, docteur.

Wojkowski prit l'hypo. Justin fit glisser sa robe de chambre sur une épaule et elle lui nettoya le haut du bras. Le pistolet claqua et l'injection fut douloureuse.

Il regarda et vit un cercle ensanglanté sur la peau.

– Merde, c'est...

– Un gel d'implant. L'efficacité durera un mois. Rentrez chez vous. Couchez-vous tout de suite. Buvez beaucoup. Vous aurez peut-être de légères nausées, au début, quelques étourdissements. Si vous voyez des boutons ou remarquez des tiraillements dans la poitrine, appelez aussitôt l'hôpital. Vous pourrez prendre de l'aspirine, pour votre bras. On se reverra en août.

Un message l'attendait dans le système central, lorsqu'il arriva à la pharmacie. *Mon bureau. Ari Emory.*

Elle n'utilisait jamais le local de la section un qui était réservé à la petite équipe chargée d'expédier les tâches administratives.

Elle se référait donc à l'ex-bureau d'Ari senior. Justin et Grant franchirent la porte extérieure et se retrouvèrent devant un meuble derrière lequel Florian était assis... un Florian aux traits juvéniles tendus par l'inquiétude, alors qu'il se levait et disait :

– Grant devra attendre ici, ser. Sera souhaite vous voir seul.

Le café détendit ses nerfs. Il fut reconnaissant à Ari de cette attention et de cette opportunité de se reprendre ; dans ce cadre, avec Ari junior à la place d'Ari senior. Ce n'était pas un bureau grandiose, moins impressionnant même que celui de Yanni. Les parois disparaissaient derrière des étagères pleines de livres, pour la plupart de simples manuels. Bien rangés. Le choc était dû à ce contraste surréaliste. À l'époque d'Ari senior les lieux avaient toujours été en désordre, et il y régnait à présent un ordre presque trop absolu.

Le visage, derrière lui... troublant par ses similitudes et son inquiétude.

Passé et avenir.

– J'ai reçu votre message et je me suis adressée à Denys, lui dit-elle. Sans obtenir quoi que ce soit. Nous nous sommes querellés. J'ai ensuite contacté le Dr Ivanov. Toujours sans résultat. J'aurais pu réclamer une réunion du conseil de Famille, et en cas d'échec faire appel auprès du bureau et du Conseil, à Novgorod. Mais cela aurait été risqué... dans les circonstances actuelles.

Il réfléchit aux dangers et connut la réponse, celle qui lui était déjà venue à l'esprit sur la table du service médical.

– Ça pourrait être pire, dit-il.

Son bras le faisait souffrir. Il avait des nausées et s'attendait à voir ses mains trembler. Suivre le cours de ses pensées lui posait des problèmes.

Si le conseil de Famille était réuni il soutiendrait Denys et Giraud, et ce premier échec handicaperait Ari lorsqu'elle prendrait la direction de Reseune.

Et s'adresser au bureau eût rouvert le dossier Warrick, pendant que des fous plaçaient des bombes dans le métro en se réclamant de Jordan, que nul ne pouvait prévoir le résultat des élections au sein de la Défense, et qu'Ari était encore trop jeune pour affronter ce qui risquait de découler d'un conflit où était impliqué l'assassin de sa génémère.

Ils obtiendraient peut-être gain de cause, si l'affaire était portée devant les plus hautes instances... mais ce n'était pas un fait acquis. Les risques étaient grands, et les gains... négligeables.

– Ils n'ont pas utilisé les pilules habituelles mais un de leurs foutus gels à dissolution lente, et je ne vois pas comment procéder pour m'en débarrasser.

– Merde ! J'aurais dû aller à l'hôpital, ou appeler le Conseil et mettre un terme à leurs manigances...

– Ce qui est fait est fait. Il s'agit d'un tout nouveau produit ; pas de perte de pigmentation, pas d'ostéoporose. Ce genre d'avantages. J'aimerais consulter la fiche de ses caractéristiques avant de décider de la conduite à tenir. Si c'est bien ce que prétend le Dr Wojkowski... il est inutile de nous compliquer l'existence. Et s'il est aussi cher qu'ils le disent, je devrais même les remercier... car je n'aurai jamais les moyens de me l'offrir. Je crois d'ailleurs que c'est le fond de l'affaire. Je ne pourrai pas me permettre de poursuivre seul ce traitement s'ils décident de l'interrompre.

Elle n'en parut pas choquée. Pas du tout.

– Ils ne le feront pas.

– Je l'espère.

– J'ai la bande, fit-elle.

Son pouls s'accéléra et il eut envie de rendre. La douleur, pensa-t-il. Le café mêlé au goût de sang qui subsistait dans sa bouche, là où le tech avait effectué le prélèvement cellulaire. Il se sentait mal. Il désirait rentrer chez lui et se coucher, piqué de partout et avec un bras si douloureux qu'il craignait de lâcher sa tasse.

– Elle est passée par des stades où elle avait de nombreux problèmes, avant sa mort... ajouta Ari. Je sais beaucoup de choses, à présent. Ce que nul ne voulait me dire. Je ne tiens pas à ce que cela puisse se reproduire. J'ai pris l'initiative... vous et Grant êtes dans ma section. Yanni s'en félicite. Il vous aurait volontiers étranglé, quand il a reçu votre note de frais du *Relais*.

Il puisa au fond de son être l'énergie nécessaire pour en rire, bien que cela le fît souffrir.

– J'ai dit à oncle Denys que vous alliez passer sur mon budget et qu'il avait intérêt à l'augmenter. Et comme je venais de lui adresser de vifs reproches il n'a pas osé discuter. Votre allocation mensuelle a été multipliée par dix, avec une couverture médicale totale et gratuité du logement, tant pour vous que pour Grant.

– Seigneur, Ari !

– Cela devrait vous permettre d'engager un employé qui s'occupera des tâches secondaires et vous déchargera des menus détails qui vous font perdre votre temps. Il est préférable pour Reseune que vous le consacriez à vos travaux... et à ma formation. Denys a signé le formulaire sans émettre la moindre objection. En ce qui me concerne, ma section effectue de la recherche. Grant n'aura pas à procéder à des interventions cliniques, hormis s'il le souhaite.

– Il... Il en sera ravi.

Ari leva l'index.

– Je n'ai pas terminé. J'ai demandé à mon oncle pourquoi on ne vous avait pas attribué le titre de docteur quand vous avez dépassé Yanni, et il a répondu que l'administration ne souhaitait pas que vous soyez enregistré auprès du bureau, pour des raisons politiques. J'ai rétorqué que c'était ignoble. Oncle Denys... quand il pousse quelqu'un dans ses derniers retranchements et se heurte à de la résistance, on peut obtenir de lui certaines concessions à condition de ne pas l'effaroucher. Il a dit que si tout se passait bien lors des élections, il déposerait cette demande.

Il la regarda, engourdi par le flux.

– C'est une bonne chose, n'est-ce pas ? voulut-elle savoir.

Elle paraissait inquiète, comme une petite fille qui craignait d'avoir fait une bêtise.

– C'est... parfait. Merci, Ari.

– Vous ne semblez pas aller bien.

– Si, ça va.

Il inspira à fond et posa la tasse.

– Mais les événements se précipitent, Ari. Et les meds ont prélevé quelques morceaux de ma personne.

Elle se leva et contourna le bureau, pour venir vers lui. Prudemment, avec douceur, elle le prit par les épaules – du côté de l'injection une secousse ébranla son bras et se propagea jusqu'à l'os – et elle déposa avec beaucoup de tendresse un baiser sur son front.

– Rentrez chez vous, dit-elle.

Son parfum le cernait.

Mais il prit conscience au-delà du voile de douleur que ce contact n'avait pas provoqué de réaction de recul, ni de flash-bande... rien. Peut-être venait-il d'y échapper grâce à la souffrance, trop intense pour lui permettre de réagir à autre chose encore.

Elle sortit pour dire à Florian de les raccompagner, de les protéger en chemin, de les mettre au lit et de veiller sur eux tant qu'ils ne seraient pas remis de leur épreuve.

Ce qui lui parut être une excellente idée.

B/1 : Ari, ici Ari senior.

Tu as demandé des renseignements sur l'administration de Reseune.

Mon père l'a organisée : James Carnath. Il possédait, m'a-t-on dit, un don pour ce genre de choses. Il ne fait aucun doute que ma mère, Olga Emory, ne s'intéressait pas à la gestion.

Pas même à celle de l'existence de sa fille, mais c'est une autre histoire qui figure dans un fichier différent.

J'apporte ces précisions parce que je me situe entre ces deux extrêmes : j'ai toujours cru dans les vertus d'un laisser-aller relatif. Quand je dirigeais Reseune je m'informais de ce qui se passait aux cuisines (rarement), dans les labos de naissance (à l'occasion), dans les services financiers (en permanence).

L'administratrice d'une telle entreprise a avant tout des obligations morales envers l'humanité, les azis, la population locale et étrangère, les clients et le personnel. Je viens de les citer dans leur ordre approximatif d'importance.

Elle est responsable de la politique suivie pour tout ce qui touche aux matériaux génétiques et biologiques, aux techniques psychologiques et thérapeutiques. Dans ces domaines, elle ne doit jamais laisser des tiers prendre des initiatives à sa place.

Mais elle tient compte de l'avis des superviseurs de section et des chefs de service. Toutes les autres décisions et opérations de routine peuvent être décidées par des subalternes, sous réserve qu'ils soient compétents.

J'ai mis au point un logiciel stocké dans le système central. Il s'appelle Statindex et peut être utilisé à la demande. Passe sur Administratif et teste-le. Il t'informera sur les dépenses, sorties, blâmes, amendes, demandes de transfert, absences, congés maladie, accidents du travail, dépôts de plaintes et incidents de sécurité pour tout individu, groupe, bureau, service ou section. Ces données te permettront de porter un jugement sur l'efficacité des responsables et des employés, à tous les niveaux. Ce programme permet de comparer les secteurs d'activité, de connaître les membres du personnel les plus efficaces.

Il offre aussi la possibilité d'effectuer un contrôle confidentiel sur quiconque, y compris par une vérification du train de vie par rapport aux revenus.

Son utilisation ne laisse en outre aucune trace.

Mais n'oublie pas que ses conclusions doivent être étayées par des enquêtes complémentaires et des entretiens, et que sa fiabilité ne peut être absolue. Une entrevue avec les personnes concernées est toujours conseillée.

J'étais une scientifique autant qu'une administratrice, ce qui me condamnait à une moyenne de quinze heures d'activité journalière. Un com de poche et une équipe vigilante m'informaient des situations où mon intervention paraissait nécessaire, et cela s'étendait de mes travaux aux simples tâches administratives. J'avais pour principe d'arriver au bureau à 7 heures, j'organisais l'emploi du temps de la journée, je m'occupais des urgences et contrôlais les opérations en cours par Base un. J'allais me consacrer à mes recherches à 9 heures, puis je retournais m'assurer que tout se passait bien au bureau après le déjeuner et repartais dès que les éventuels problèmes étaient résolus.

J'avais établi quelques règles utiles.

Je liquidais les tâches administratives avant l'arrivée du personnel, ce qui augmentait mon efficacité. Florian et Catlin se chargeaient de m'épargner les conversations oisives et filtraient les affaires qu'on souhaitait me confier. Florian s'en occupait et adressait les dossiers aux chefs des services concernés. Parfois, il effectuait une vérification et me faisait part de ses conclusions. Il le fait toujours. Je suis devenue la conseillère des Sciences mais c'est plus ou moins pareil. Je refuse de me laisser importuner par les groupes de pression. Telle est l'utilité de l'équipe dont je m'entoure. Elle me fournit des rapports d'enquête où sont consignés les faits et les chiffres, que je fais vérifier par la sécurité de Reseune, et c'est uniquement si l'affaire me paraît importante que j'organise une réunion entre mon groupe et les intéressés. Je suis présente, si c'est indispensable, mais je me fixe un temps limite. Il est sidérant de constater le nombre d'heures qu'on peut perdre sans raison valable.

Confie la paperasserie à d'autres. Insiste pour que les rapports soient accompagnés d'un résumé de leur contenu, des conclusions et/ou des suggestions. Ils doivent en outre correspondre à un modèle précis. Tu trouveras peut-être cela un peu tatillon, mais je ne supporte pas de chercher des informations qui devraient être mises bien en évidence.

N'hésite pas à donner des instructions et à adresser des réprimandes dès que tu remarques quoi que ce soit. Ne laisse planer aucune ambiguïté sur le fond de ta pensée. Un administrateur qui n'exprime pas ses opinions et ses désirs manque d'efficacité, et s'il attend dans l'espoir que ses subordonnés percevront son mécontentement il gaspille son temps.

Informe-toi sur tout. Un jour, je me suis présentée à l'hôpital et j'ai consacré deux heures à faire la tournée des malades avec les infirmières. Cela m'a permis de découvrir une partie des problèmes qui se posaient tant vers le haut que le bas de l'échelle hiérarchique et la moyenne d'ensemble de Statindex a grimpé de quatre points au cours de la quinzaine suivante.

Plus que tout, connais tes limitations et répertorie les domaines où tu es le moins experte. Non pour déléguer ton autorité mais pour apprendre et t'assurer de la compétence des responsables.

Il est indiqué dans les fichiers que tu as le rang de superviseur de section.

Tu es âgée de 17 ans et es émancipée depuis un an et quatre mois.

Ton équipe se compose de : 6 membres.

Un responsable de la recherche : Justin Warrick.

Avec sous ses ordres : 2 personnes.

Ce programme lance Statindex.

Qui répertorie :

0 plainte et 0 réprimande.

0 absence sollicitée.

2 congés médicaux.

187 incidents entre les membres du personnel du service de la recherche et la sécurité, dont 185 affaires classées. Dois-je fournir une liste détaillée ?

AE2 : Non. J'ai pris connaissance de ces dossiers. Tout cela est antérieur à l'affectation des intéressés dans ma section.

B/1 : Projets en retard : 0.

Projets en dépassement de budget : 0.

Demandes de projets : 12.

Projets terminés : 18.

Projets en cours : 3.

Dépenses section, trimestre : 688.575,31 C.

Revenus section, trimestre : 6.658.889,89 C.

Il convient d'attirer l'attention sur les problèmes suivants :

1. Drapeau de sécurité sur : 2 membres du personnel. Service de la recherche : Justin Warrick, Grant ALX.

2. Surveillance renforcée sur : 1 membre de l'administration. Ariane Emory.

3. Alerte sécurité : contacts sous surveillance.

Statut : dérogation signée par l'administration de Reseune.

Cette section a un Statindex global de 4 368 à 5 000. Statindex te congratule et signale ces excellents résultats à l'administration.

Les membres de ton personnel feront l'objet d'une notification individuelle et des félicitations seront inscrites dans leurs fichiers permanents.

13

Des nombres défilaient dans la partie supérieure de l'écran et Giraud déclara à Abban :

– Nous allons réussir.

Ils avaient dîné dans leur appartement de Novgorod

puis s'étaient installés devant la vid pour passer cette soirée d'élections dans l'intimité. L'azi ne buvait que rarement mais le contenu de son verre avait diminué de moitié depuis qu'ils prenaient connaissance des résultats de Pan-paris. Cette station avait apporté un soutien massif à Khalid, lors du scrutin précédent. Cette fois, Jacques l'emportait avec deux pour cent de marge.

– Ce n'est pas terminé, fit remarquer Abban, aussi peu démonstratif que d'habitude. Il reste Wyatt.

Les étoiles situées hors du couloir emprunté par les vaisseaux d'une onde expansionniste avaient un électorat imprévisible. Les garnisons ne souhaitaient pas quitter leur monde, s'opposaient à tout transfert vers d'autres unités et apportaient presque toujours leurs suffrages aux centristes.

Mais le vote de Pan-paris était de bon augure... les mémoires scellées de Station Cyteen pouvaient leur communiquer les résultats qui leur étaient parvenus longtemps auparavant des autres systèmes, à présent que les bureaux de vote de la planète elle-même avaient fermé leurs portes.

– Je te l'avais dit, osa enfin avancer Giraud. Les problèmes de santé de Gorodin n'ont pas fait pencher la balance. Khalid est loin de pouvoir former un troisième parti. Il en serait incapable. Même son propre électorat ne le soutient plus. Nous devons seulement nous préoccuper de Jacques.

– Seulement ? répéta Abban. Crois-tu que cet homme tiendra parole ? Moi pas.

– Il prendra Gorodin comme secrétaire. Il connaît les conséquences d'un manquement à la parole donnée. J'espère que Gorodin ne mourra pas tout de suite et n'attendra pas trop par respect des convenances.

Une fois élu, le modéré attentiste Simon Jacques nommerait Gorodin secrétaire de la Défense, puis conseiller intérimaire. Pour terminer, il démissionnerait et lui rendrait son siège... après quoi débuterait un nouveau round contre Khalid.

Les expansionnistes auraient entre-temps la possibilité de trouver un candidat valable. La règle des deux ans s'appliquerait à Khalid : il devrait attendre l'expiration de ce délai pour pouvoir se présenter contre son vainqueur. Il en découlait que Jacques aurait la possibilité de conserver son siège pendant deux années sans courir le risque d'être défié... mais sa démission juste après l'élection donnerait le signal de départ à une course aux dépôts de candidatures. Le premier à s'inscrire, Gorodin ou Khalid, empêcherait l'autre d'en faire autant tant que deux ans ne se seraient pas écoulés depuis l'élection remportée par Khalid. La Cour Suprême serait appelée à trancher... car si la règle ne s'appliquait qu'aux perdants elle offrait une possibilité d'appel fondée sur des principes de simple équité.

Giraud en conclut qu'il serait plus sage de laisser Jacques à son poste aussi longtemps que cet usage le rendrait inattaquable, pendant que Gorodin – les rumeurs sur sa santé n'étaient pas fabriquées de toutes pièces, cette fois – formerait un successeur. Nul ne croyait qu'il vivrait jusqu'à l'expiration de ce délai.

Un dauphin qui bénéficierait du soutien de Jacques. Si ce dernier respectait ses engagements. Il savait que son avenir financier était lié à des firmes contrôlées par les centristes et qu'il se produirait au cours des deux prochaines années d'âpres luttes intestines au sein de la Défense. Un laps de temps pendant lequel Khalid aurait toujours assez de poids pour les inquiéter. On estimait que les décisions du cabinet de guerre de Gorodin avaient déteint sur Lu au point d'assurer sa survie mais que son caractère hésitant le desservirait en tant que conseiller. Et il était en outre âgé, très âgé.

– Notre réserve de héros s'amenuise, fit remarquer Abban. Je doute que Gorodin trouve un seul représentant de sa génération à même de servir nos intérêts. Quant au nouvel électorat... il n'est pas sensible aux mêmes idéaux. C'est tout le problème.

Soixante-dix ans s'étaient écoulés depuis la guerre... et on lisait dans les rubriques nécrologiques de plus en plus de noms célèbres.

– Les jeunes faucons ne partagent pas un idéal mais

un état d'esprit, rétorqua Giraud. Ils sont pessimistes et croient que seul le pire peut se réaliser. Ils ne se sentent en sécurité que dans les rangs de ceux qui sont à première vue les plus forts. Khalid est plus redoutable comme agitateur qu'en tant que représentant de la Défense. Il plaît aux... inquiets de tous bords, pas qu'aux militaires. C'est toujours après les guerres – en période de confusion ou de dépression économique – qu'un habile manipulateur tel que lui peut trouver des soutiens. Les exemples ne manquent pas. Lu serait le plus compétent pour occuper ce siège mais ce maudit électorat n'élira jamais quelqu'un qui déclare que les problèmes ont quatre ou cinq facettes différentes. Il laisse planer trop d'incertitudes. Le peuple ne recherche pas la vérité mais la confirmation de ce qu'il pense déjà.

– Il existe des solutions plus expéditives. Je ne comprends pas les civs, surtout lorsqu'ils sont CIT. Dans les circonstances actuelles, la loi devient inapplicable et la respecter est de la démence. Il convient d'éliminer la cause du problème sans faire de remous.

Abban était un peu gris.

– Assassiner Khalid. Je le pourrais, sans prendre de risques.

– C'est le fait de créer un précédent de ce genre qui serait dangereux.

– Perdre l'est tout autant...

– Non. C'est cela, la politique. Quand les expansionnistes sont les plus forts, les pessimistes votent pour eux. Puis ils changent de camp. Nous avons bénéficié de leurs voix, et nous les récupérerons encore.

– Quand ?

– Un jour. Je vais te dire une chose : Denys a raison. Ari a donné d'elle une image trop douce.

Le verre d'Abban était vide. Giraud le remplit et rétablit le niveau du sien, ce qui termina la bouteille.

– Quand elle a attaqué Khalid devant les médias... les partisans de cet homme ont été déconcertés mais, écoute-moi bien, ils ont tenu les journalistes pour responsables. Ils croient voir des complots partout. Ils refusent d'admettre qu'Ari est assez énergique pour... assurer leur protection. Et ils ne changeront d'avis que si elle fait le nécessaire pour les convaincre du contraire.

– Ce qui dressera les modérés contre elle.

– Certes. Ce qu'elle a tenté était... très risqué. Elle est parvenue à ses fins... mais avec un effet secondaire. J'en ai discuté avec Denys. Qu'Ari ait remis l'affaire Géhenne sur le tapis a enflammé les faucons et terrifié les colombes... au point de permettre aux paxistes de sortir de l'ombre. Peut-être a-t-elle gagné à notre cause quelques pacifistes qui ont encore plus peur d'elle que de Khalid, mais elle ne lui a pas fait perdre un seul de ses électeurs. C'est Gorodin que les militaires réélisent, un personnage qu'ils connaissent depuis longtemps et qui leur inspire confiance. Ils ne partageront jamais le point de vue d'une jeune fille. Pas ces adeptes de l'inquiétude.

Les chiffres défilaient. La marge s'accentuait, en faveur de Jacques.

– Je vais te dire qui m'inquiète le plus, ajouta Giraud. Justin Warrick. Nous aurons des difficultés à le garder sous contrôle. Au fait, où en est notre homme... celui avec le contact à Planys ?

– L'opération est en cours.

– Nous nous documentons, nous démontrons qu'il existe un lien entre Jordan et la bande de Rocher ou les paxistes, et l'affaire est dans le sac. S'il n'y a rien, nous créerons des preuves de toutes pièces. Je veux que tu t'en charges.

– Bien.

– Il faut placer les centristes dans l'embarras... et il doit exister des rapports entre eux. Voilà qui occupera Corain et fera tenir le fils Warrick tranquille, s'il possède un minimum de bon sens.

– Pourquoi n'optons-nous pas pour des solutions plus radicales ?

– Surtout pas ! Jordie peut nous être utile. Nous délivrons les laissez-passer et organisons un incident à l'aéroport de Planys. Voilà qui devrait suffire. On lui permet d'apprendre que son fils est passé sous réjuv. Notre

Jordie est malin, mais si nous augmentons la pression il commettra des imprudences... il contactera les centristes, et notre homme aiguillera son message vers les paxistes. Nous n'aurons ensuite qu'à faire la lumière... et à les regarder courir se mettre à l'abri.

– Et le jeune Warrick ?

– Denys veut l'épargner, ce qui est ridicule. Mais au moins a-t-il suivi mon conseil... au cas où nous aurions un problème. Les paxistes nous offrent une opportunité magnifique. Les colombes rejettent leur violence, les faucons leurs idées folles. Laissons Ari découvrir qu'ils projettent de l'assassiner et que Jordan Warrick est compromis avec eux. Nous verrons renaître ses bons vieux instincts et son image se modifiera de façon radicale... dans le cadre d'une vague d'attentats et de complots. Nous n'avons besoin de rien d'autre pour attirer vers nous les colombes et les faucons... et lui fournir des ennemis utiles sur le plan politique.

– Le jeune Warrick représente un danger.

– C'est pour cela que sa santé nous intéresse et que nous veillons sur elle. Ne l'avons-nous pas fait passer sous réjuv ? Si Ari se sent menacée... elle réagira. Si Jordan est menacé... son fils bondira. Provoque l'incident dont j'ai besoin et nous n'aurons ensuite qu'à regarder nos adversaires tomber les uns après les autres. Et voir Ari bénéficier d'une leçon très profitable.

Il fixa l'écran, et but le vin à petites gorgées.

– Je vais te dire une chose, Abban. Tu sais quelle importance je lui accorde. Mes principales préoccupations sont Ari et Reseune. Et je veux bien être pendu si je laisse le fils de Jordie Warrick avoir le dernier mot, que ce soit pour l'une comme pour l'autre.

Les résultats de Station Cyteen apparurent, en travers de l'écran.

– Ça y est, dit Abban. Il a gagné.

– Qu'est-ce que j'avais dit ? Jacques est élu.

Catlin apporta du café à sera qui nourrissait les guppys du petit aquarium transféré de la serre-jardin au cabinet de travail. Sera était calme, très calme, quand elle s'adonnait à de telles occupations. Cette activité semblait la détendre, lui permettre d'oublier tout le reste. L'azie réussissait à en comprendre l'utilité. Elle avait conscience de vivre une période de tension : sera attendait une réponse à une protestation adressée à l'administration. Elle était d'humeur exécrable et Catlin eût aimé se retirer aussitôt, mais c'était impossible.

– Merci, dit sera.

Elle prit la tasse et la posa au bord du bureau, tout en essayant d'attraper un brin d'herbe qui flottait dans le bac à l'aide de l'épuisette.

Sera ne regardait pas dans sa direction. Catlin finit par conclure qu'elle l'ignorait de propos délibéré, ou était trop absorbée par ses pensées pour pouvoir en émerger. Elle sortit.

Ou voulut sortir. Elle allait atteindre le vestibule quand son coéquipier vint lui barrer le passage : Florian, angoissé et exaspéré.

Elle s'arrêta, inhala à pleins poumons et retourna se placer à côté du bureau de sera, bien décidée à attirer son attention.

Mais elle eût préféré devoir traverser un champ de mines sous le feu de l'Ennemi.

– Qu'y a-t-il ?

– Sera... je dois vous parler. Au sujet de Planys. Florian dit que... comme j'ai entendu l'information, c'est à moi de vous la rapporter.

Il fallait parfois un certain temps à sera pour quitter l'univers de ses pensées, et il lui arrivait alors de ramener avec elle une partie de sa fureur. À cause de son intelligence, supposait Catlin ; parce qu'elle se concentrait au point de plonger dans un état proche de celui de l'étude-profonde.

Mais Planys était un mot clé, la raison du mécontentement de sera qui regagna le monde réel et la fixa.

– *Quoi*, sur Planys ?

Catlin joignit les mains. *Tu es bien meilleur que moi pour fournir des explications*, avait-elle objecté à Florian. Mais il s'était contenté de répondre : *C'est toi qui as entendu, c'est à toi de le lui dire.*

Parce qu'il se sentait désemparé quand sera s'emportait.

Ce qui risquait fort de se produire.

– Les paxistes de Novgorod, commença-t-elle.

Ils venaient de commettre un autre attentat dans la capitale. Vingt morts et quarante-huit blessés.

– Je ne vois pas le rapport.

– Les services de sécurité. Ils...

Elle se perdait dans les détails, c'était plus fort qu'elle. Elle ne savait jamais ce qu'il convenait de laisser de côté, lorsqu'elle s'adressait à un CIT. Même à sera. Elle décida d'aller droit au but.

– Sera, il est presque établi qu'il existe des liens entre vos adversaires. Les paxistes... ils constituent l'élément le plus violent. Mais on trouve aussi un groupuscule qui se fait appeler le Comité pour la justice...

– J'en ai entendu parler.

– Les deux ne font qu'un. La sécurité est formelle. C'est la même chose. Ils mettent des auto-collants dans les rames du métro de Novgorod – ils n'ont qu'à les appliquer au passage, vous comprenez – et on peut y lire « Comité pour la justice », « Libérez Jordan Warrick », « Non à l'Eugénie » ou « Warrick avait raison ».

Sera se renfrogna.

– La situation s'aggrave, ajouta Catlin.

– Je peux constater que c'est sérieux, bordel... Mais quel est le rapport avec Planys ?

– C'est compliqué.

– Explique. Je t'écoute. N'aie pas peur de te perdre dans les détails. Quelles mesures ont été prises ?

– La police de Novgorod a établi que les explosifs

sont de fabrication artisanale. C'est la première des choses. Ces terroristes sont peu nombreux – je parle des vrais paxistes – mais tout laisse supposer qu'ils servent de couverture à Rocher. Cet homme est introuvable, il doit vivre sous une fausse identité. C'est facile, dans une agglomération où vivent tant de gens. Il doit exister de nombreux rapports entre le Comité, les paxistes et Rocher... et les autorités de Novgorod souhaitent se décharger de ce problème sur les Affaires Intérieures, étant donné qu'il concerne aussi Reseune et que...

– Je sais que nos services collaborent à l'enquête. Continue.

– C'est pour cette raison que le bureau de la Justice nous a demandé d'aider la police. Il serait impossible de prendre des mesures de sécurité comparables aux nôtres, là-bas. Novgorod est une ville bien trop importante. Ils pourraient installer des guichets de contrôle à chaque bouche de métro, mais les paxistes n'auraient qu'à tuer des passants et s'approprier leurs cartes. La plupart des moyens envisageables pour empêcher ces attentats sont coûteux et ralentiraient l'activité économique. Il faudrait des heures aux habitants pour aller à leur travail, et en revenir. La peur contamine Station Cyteen, dont les responsables multiplient les contrôles et font installer des verrous palmaires partout. Les autorités ont fini par conclure que le seul moyen d'avoir les paxistes consistait à les infiltrer. C'est chose faite. Un agent entre dans l'organisation et identifie quelques individus. Il suffit ensuite de consulter les fichier de l'ID et d'utiliser ces données pour faire disparaître quelques terroristes de la circulation, d'accentuer leurs dissentions... on les dresse les uns contre les autres et on poursuit la pénétration tant qu'on ne connaît pas tous les membres du réseau. Voilà comment ils procèdent.

– Tu veux dire que cette opération a commencé ?

Catlin hocha la tête.

– Oui, mais je ne suis pas censée être au courant. Ils savent aussi que les composants des bombes transitent par les aéroports sans être détectés par les contrôles de la sécurité. Selon les rumeurs, les paxistes voudraient élargir leur champ d'action. Ils vont frapper ailleurs. Voilà quelle est la situation, sera.

– Parle-t-on d'interdire tout trafic aérien ?

– Non, sera. La population ne sait rien. Il serait sans objet qu'elle apprenne tout cela. Nos gouvernants s'inquiètent, surtout pour Planys et Novgorod. La capitale parce que c'est l'agglomération la plus importante de Cyteen et qu'elle abrite le port spatial. Planys, à cause du Spécial qui y vit.

Sera referma le couvercle de l'aquarium et posa le filet.

– Continue. Prends ton temps.

– Les dangers sont grands. Dans leurs tracts, les paxistes ne parlent pas que de Jordan Warrick. Ils s'en prennent à vous. Les citadins ont peur de prendre le métro. Ils sont impressionnés par toutes ces affiches où les autorités leur conseillent d'ouvrir l'œil, s'assurer que nul ne laisse des paquets dans les rames. Selon une rumeur, la police aurait installé des déclencheurs électroniques à chaque entrée, afin que les bombes explosent quand les terroristes passent devant ces appareils. Cette information est sans fondement, mais les services municipaux sont assaillis de coups de téléphone : des gens qui réclament de nouveaux tapis-piet, ce qui est ridicule... un explosif peut tuer autant de gens dans un tunnel-piet que dans une rame de métro. La population devrait se faire une raison, mais elle est au bord de la panique. Et quand la peur sera générale le Comité se manifestera et utilisera des mensonges pour dresser les gens contre vous. On pense même que Khalid pourrait être derrière tout cela, surtout la sécurité qui aimerait bien en trouver la preuve. Voilà pourquoi ils prennent tant de précautions dans les aéroports et que Justin n'obtient pas de laissez-passer. Et ce n'est pas le plus grave, sera. Du matériel transite par Planys, et Jordan Warrick serait compromis dans cette affaire. C'est pour cela qu'ils empêchent son fils et Grant d'aller le voir.

Sera resta immobile. En colère. Et bouleversée.

Il n'était pas difficile de deviner pourquoi elle s'était associée à Justin Warrick : Catlin le savait, comme elle avait su dès le premier jour qu'elle ne pourrait se passer de Florian.

Quand on formait une équipe, on se sentait lié à son partenaire et on refusait de le croire capable d'une trahison.

Après un long moment sera s'assit à son bureau.

– Je ne crois pas qu'ils sachent, dit-elle.

– Sauf s'ils ont un agent à Reseune, sera. Ce qui est improbable. Mais le personnel de Planys ne vient pas que d'ici. C'est une faille, que les responsables n'ont pas l'intention de colmater. Ils se contentent d'attendre la suite. Jordan Warrick a eu des contacts avec des abolitionnistes. Des gens respectables, peut-être. Il est pour l'instant impossible de savoir qui. La sécurité espère découvrir si ce ne sont pas les terroristes.

Sera était livide.

– Sera? demanda Catlin, qui s'assit dans l'autre fauteuil et posa la main sur le genou d'Ari. Florian et moi, nous allons essayer de tirer au clair cette affaire, si vous ne révélez pas à Denys que nous sommes au courant. C'est tout ce que nous pouvons faire.

Sera cessa de contempler le néant, pour poser les yeux sur elle.

– Justin ne sait rien.

– Ils l'autoriseront à parler à son père, et ils suivront cet entretien... avec beaucoup d'attention. Ils comptent annuler toutes les mesures de sécurité pour laisser les coudées franches à Jordan...

– Afin de l'inciter à commettre une erreur, le pousser à se compromettre.

– C'est possible, mais ce n'est pas ce qui m'inquiète. Justin devra rester ici et sera bouleversé de ne pas pouvoir aller retrouver son père. Sera...

C'était difficile à dire. Elle commençait à avoir une vue d'ensemble de la situation et elle fit un geste brusque pour empêcher sera de l'interrompre.

– Le cœur du problème se situe à Novgorod. Ce sont les gens qui vous haïssent. Et Jordan Warrick a été autrefois leur allié. Qu'il ait ou non quelque chose à se reprocher est secondaire... ce qui importe c'est qu'ils font de lui un martyr. Cela va lui donner de la puissance et, sitôt qu'il l'aura acquise...

– Il s'en servira.

Catlin hocha la tête.

– Justin est très proche de vous, sera. Il se trouve à l'intérieur de la forteresse. Et son père est un Spécial, un psych, et un Ennemi. La situation est dangereuse. Très dangereuse.

– Oui, répondit-elle avec calme. Oui, c'est exact.

Et, un moment plus tard :

– Bon sang, pourquoi Denys ne m'en a-t-il rien dit ?

– Il devait craindre que vous n'en parliez à Justin.

– Je pourrais régler ce problème. Je le pourrais... bordel, je...

– Que feriez-vous, sera ?

Elle n'eut pas été surprise d'apprendre que sera avait trouvé une solution et fut dépitée de la voir baisser les épaules et secouer la tête.

– La politique, grommela sera. Cette maudite politique. C'est comparable à nos amies qui refusent de s'adresser la parole. Comme des *imbéciles* qui ne peuvent exprimer leurs désirs... ou ces gens qui réclament la disparition de Reseune pour divers motifs, valables ou sans fondement. Comme ces fous qui sèment la mort dans le métro au nom de la paix. Quelle est la part de la raison, dans tout cela ?

Catlin secoua la tête, les idées confuses.

– Je veux savoir qui sont ces déments, ajouta sera d'une voix dure. Si certains d'entre eux ne sont pas de descendance azie ou si ce n'est que la folie des CIT... auquel cas Reseune n'en serait pas responsable.

Et, après une autre pause :

– Quant au reste, je dois y réfléchir, Catlin.

– Sera, je vous en prie, n'en parlez pas à Justin. Ne lui dites rien.

Un long silence.

– Non. Non. Ce serait en effet peu judicieux.

Archives : projet Rubin
Confidentiel, classe AA

Copie interdite
Contenu : transcription du fichier 78346
Bloc 7 – Archives personnelles
Emory I/Emory II

2423 : 11/05 : 2045

AE2 : Base un, de quelles données disposes-tu sur le mot clé : meurtre, le mot clé : Ariane Emory, le mot clé : mort ?

B/1 : Ari senior t'a laissé un commentaire.

Patiente.

Ari, ici Ari senior.

Tu souhaites te renseigner sur les assassinats.

Le programme va évaluer les risques que tu cours pendant que tu prendras connaissance de ce que j'ai à te dire.

Méfie-toi de tes connaissances, et ne permets en aucun cas à des inconnus de t'approcher.

Tu as voulu te renseigner sur la mort. Ne te méprends pas sur mes capacités.

J'ignore combien de temps j'ai encore à vivre, mais je sais que la cure de réjuv a cessé d'être efficace. Petros Ivanov est au courant, et il a fait serment de garder le secret.

Comment j'attends mon trépas ? Dans l'angoisse. Car j'ai conscience de tout ce qu'il me reste à faire.

Seigneur, j'aimerais bénéficier d'une seconde existence.

Mais ce sera la tienne, ma chérie. Et il est impossible de prédire l'avenir, n'est-ce pas ?

Fin d'intervention.

Base un a terminé son évaluation.

Tu as 17 ans. Tu es légalement une adulte.

Il résulte des informations contenues dans les fichiers de la sécurité que la période actuelle est troublée. Partages-tu ce point de vue ?

AE2 : Oui.

B/1 : Ta vie te semble-t-elle menacée ?

AE2 : Oui.

B/1 : De l'intérieur ou de l'extérieur de Reseune ?

AE2 : Je l'ignore.

B/1 : Penses-tu pouvoir accorder ta confiance au bureau des Sciences ?

AE2 : Je ne sais pas. Je manque d'informations. Je veux que mon statut d'accès soit réévalué.

B/1 : Opération en cours.

Dis-moi ce que tu souhaites apprendre.

AE2 : Tout. Tu dois faire pour moi tout ce que tu faisais pour l'autre Ari, sans laisser de traces dans le système.

B/1 : Demande en cours de traitement. Ari senior a laissé un message.

Patiente.

Ari, ici Ari senior.

Tu as demandé à Base un d'utiliser toutes ses possibilités. Le programme compare à divers paramètres ton profil psychologique, tes résultats dans tes études, la situation telle qu'elle se présente dans les divers bureaux et services de la Maison.

T'est-il venu à l'esprit qu'on pourra depuis d'autres bases détecter le mur protecteur dressé autour de la tienne ? Te juges-tu capable de créer une couverture à de telles activités ?

AE2 : Oui.

B/1 : Je ne peux prévoir pour quelle raison tu feras cette demande et il m'est donc impossible de te donner des conseils spécifiques. Mais ce logiciel peut t'accorder cette expansion en fonction d'une estimation complexe basée sur : le temps écoulé depuis que tu es majeure, l'im-

portance et la nature des activités codées des autres bases, tes résultats aux tests, ton profil psychologique et d'autres facteurs qu'il serait inutile de t'énumérer.

J'avais pensé scinder les possibilités de Base un, te permettre d'accéder tout d'abord aux informations sans t'autoriser à entreprendre certaines actions, afin d'assurer la protection de Reseune... et la tienne.

Je me suis ravisée, car je ne pouvais prévoir en quelles circonstances tu déposerais cette demande. Le programme traite le problème, parce que tu souhaites bénéficier d'un statut d'accès supérieur à celui des administrateurs actuels des laboratoires.

Prendre une telle mesure peut être une nécessité, ou constituer une grave erreur.

Avant de continuer sache que plus tes pouvoirs seront grands, plus tu représenteras un danger potentiel pour tes adversaires. S'ils découvrent cette modification de statut, leur nombre et leur acharnement augmentera.

Maintiens-tu ta demande ?

AE2 : Oui.

B/1 : Je te conseille de ne pas utiliser l'extension des fonctions interactives de Base un tant que tu ne bénéficieras pas d'un solide appui politique. Je me réfère à des interventions dans des bases protégées telles que celles de Denys et Giraud Nye, Petros Ivanov, Yanni Schwartz, Wendell Peterson ou John Edwards, parce que les intéressés pourraient s'en rendre compte. Peut-être es-tu aussi intelligente que je l'étais à ton âge, jeune Ari, mais tu es encore inexpérimentée. Demande-toi si une fille de 17 ans a autant d'expérience et d'à-propos politique que ces gens.

Il est cependant sans danger d'utiliser toutes les nouvelles fonctions de collecte de données. Sers-t'en pour apprendre ce qui se passe dans la Maison, mais ne fais rien d'autre tant que tu ne seras pas certaine de pouvoir dissimuler ces activités ou d'avoir une position plus forte que celle de tous tes adversaires de Reseune, du bureau, ou d'ailleurs. Je doute qu'on puisse à ton âge ne laisser aucune trace dans le système.

Comme tu as dû le remarquer, ton initiative ne m'enthousiasme guère. À mon époque, les laboratoires étaient détenteurs de secrets d'où pouvaient découler la guerre ou la paix.

Je n'ai utilisé toutes les possibilités de Base un qu'à partir de 62 ans. J'aurais sans doute pu le faire dès 30 ans, mais à condition de prendre les mêmes précautions et de procéder en suivant les mêmes étapes que celles que je te conseille de respecter à 17. Si tu ne peux survivre grâce à ton intelligence et tes connaissances, soit ta situation est pire que la mienne, soit tu n'es pas aussi adroite que je l'étais.

Souhaites-tu continuer, malgré ces mises en garde ?
AE2 : Oui.

B/1 : *L'expansion des possibilités de Base un s'accompagnera d'une présomption de prise d'autorité sur Reseune. Réfléchis à ce qui se passe, tant dans les laboratoires qu'au-dehors. Demande-toi ce qui pourrait en résulter, et si tu es prête à l'affronter.*

Sache que tes adversaires ont pu prévoir ton initiative et effacer certains fichiers. Mais tant que tu n'utiliseras pas Base un pour procéder à des interventions et – écoute-moi bien – que tu ne révéleras pas que tu sais des choses que ta base n'aurait pu t'apprendre avant cette modification de statut, nul ne se doutera de rien. Garde le secret le plus longtemps possible.

Étudie de quelle manière les autres procèdent pour mentir au système, afin de devenir plus forte qu'eux et ne pas risquer d'être surprise.

Il reste une mesure qui ne sera levée que quand tu prendras le contrôle de l'administration. En l'absence d'une instruction contraire, Base un restera en mode de protection en écriture et te signalera toutes les données qui auraient été auparavant inaccessibles.

Elle t'indiquera aussi quelles informations sont erronées et les comparera à celles du fichier protégé correspondant.

J'ai pris cette mesure à ton intention, au cas où tu réclamerais cette extension sans avoir pris la direction de

Reseune. Le système te demandera toujours une confirmation, avant d'agir à ces niveaux... en d'autres termes, il fonctionnera comme auparavant mais il t'indiquera ce qui était censé t'être inaccessible, pour t'éviter d'entreprendre des actions que tu n'aurais pu décider avec ton statut précédent. La clé de déverrouillage du système est le mot : dévastation. Tu pourras la modifier à ta guise, mais je l'ai choisie pour t'inciter à réfléchir... te rappeler ce qui pourrait se produire si tu ne tenais pas compte de mes conseils.

Il est presque toujours possible de corriger les effets d'une action judicieuse, ce n'est pas le cas pour les actes irréfléchis.

Comprends-tu le fond de ma pensée ?

AE2 : Très bien.

B/1 : Ton statut vient d'être modifié. Base un peut utiliser toutes ses possibilités et a priorité sur toutes les autres bases du système central de Reseune.

AE2 : Récupère les fichiers médicaux et de sécurité jusqu'alors inaccessibles de tous les membres de ma section.

B/1 : Opération en cours.

Fichier : Justin Warrick
Emory I
2404 : 05/11 : 2045

Warrick, Justin.
Ind(ex) Res(ner) Est(imé à) 180 + comp(araison) fav(orable) a(vec) pat <père> (mais) agres(sivité) moin(dre pour) cau(se de) présence dom(inatrice de) p(arent)-s(exe)-id(entique). D'où <ma décision de créer> G(rant)ALX <qui lui servira de compagnon>...

Fichier : Justin Warrick
Emory II
2423 : 10/11 : 2245

Warrick, Justin.
Réf. : psychogenèse.
Selon toutes les indications trouvées dans les fichiers, Justin Warrick a été un sujet d'expérience dès sa conception.
Ari I déclare avoir psyché Jordan pour qu'il ait un DP. Elle précise : « Je n'ai pas le tempérament qui convient pour élever un enfant », et sans doute veut-elle parler d'un DP personnel. Elle ajoute : « Jordan est une perte sèche. » J'avoue ne pas bien saisir le sens de ce commentaire. Soit elle voulait indiquer qu'elle ne pouvait s'entendre avec lui, soit que sa façon de travailler ne correspondait pas à ses espérances. Je pencherais pour la deuxième hypothèse, mais leurs capacités étaient complémentaires et je pense que c'est ce qu'elle a vu en lui.
Ils ont collaboré et se sont très bien entendus au début. Mais, en raison de son éducation, Jordan avait comme elle un tempérament dominateur et ils ont eu de nombreux accrochages qui découlaient de leurs rapports sexuels : il avait alors dix-sept ans et elle quatre-vingt-douze. Ce fut pour Jordan sa seule relation hétérosexuelle et cet échec semble être dû à son homosexualité, à son jeune âge, et au fait qu'il ait été un élève d'Ari... une situation identique à celle de Justin.
Il convient de faire remarquer que, contrairement à son DP, Jordan avait demandé à être affecté auprès d'Ari, sans doute en raison de l'admiration que lui inspiraient ses travaux. Il était jeune et séduisant, mais les tendances d'Ari et la dévotion qu'il portait à cette femme se sont conjuguées pour déboucher sur une expérience décevante.
Nul ne semble avoir relevé un élément : l'index de Jordan Warrick s'est élevé de soixante points au cours de cette période. Si ses résultats étaient auparavant honorables, son potentiel n'est apparu qu'au contact d'Ari. On a parlé à l'époque d'un phénomène dû à sa brusque noto-

riété et à l'opportunité de travailler avec elle. Mais il n'était pas un Spécial, à l'époque, seulement un étudiant assez prometteur.

Je me suis donc renseignée sur les parents de Jordan. Sa mère n'a pas voulu l'élever. Elle avait un poste de chercheur et désirait toucher la prime accordée par Reseune aux femmes qui avaient un enfant mais ne désirait pas s'encombrer de ce dernier. Elle a décidé qui serait le père et à quel moment elle pourrait coucher avec lui en ayant toutes les chances de tomber enceinte au premier essai, puis elle a confié Jordan à son père sitôt après l'accouchement. Cet homme, un spécialiste du psych Ed, a expérimenté sur son fils toutes ses théories. Il l'a incité aux études dès la plus tendre enfance. Il lui a donné des tas de choses... on trouve les traces de nombreuses dépenses pour son fils. Il lui a accordé un amour débordant.

Tel était Jordan Warrick – sans omettre de mentionner Paul, le compagnon qu'il s'était choisi un an après sa rencontre avec Ari. Il travaillait alors avec elle, mais avait déménagé de chez son père.

Ensuite, ses résultats se sont améliorés.

Je pense qu'Ari a procédé sur lui à des interventions constantes. Elle lui a facilité l'attribution de Paul et affirme l'avoir poussé à demander un DP. Il avait alors la trentaine, un an après la mort accidentelle de son père. Jordan se retrouvait sans famille, une tante exceptée. Ari s'est occupée de cet homme éprouvé et, la semaine où a débuté la gestation de Justin Warrick, elle a mis en œuvre Grant ALX. Ses rapports avec Jordan ont été excellents pendant toute cette période et deux ans plus tard elle lui a dit disposer d'un Alpha expérimental qu'elle souhaitait socialiser, en précisant que, s'il acceptait de s'en charger, son propre fils aurait ainsi un compagnon de son âge.

Jordan a accepté. Mais Ari avait choisi l'original de Grant avec minutie et procédé à de légères modifications de ses ensembles. L'altération de son généset de Spécial lui permettrait d'en disposer sans devoir solliciter des autorisations auprès du Conseil et le ferait classifier sujet expérimental : le seul moyen par lequel Reseune détiendrait à jamais son contrat. C'est Ari qui a conçu la première bande de Grant. Elle a utilisé Base un pour se renseigner sur le passé de Jordan et de son père, à l'époque où elle travaillait sur Grant. Et si cet azi a été conçu dans le cadre d'un autre projet, cela ne figure pas dans les fichiers ou les notes d'Ari.

Elle a écrit que Jordan était un mâle dominant mais qu'il se serait soumis si un autre mâle l'avait défié, à cause de son conditionnement. Elle a ajouté certains commentaires sur les plantes qui recevaient tout le soleil et en privaient les autres, pour finir par conclure que, bien qu'étant son DP, Justin ne lui ressemblerait jamais parce qu'il n'avait pas été élevé de la même manière. Sans être un dominateur lui-même, le père de Jordan, Martin Warrick, a fait naître en son fils cette tendance et un égocentrisme qui l'a poussé à apporter à son fils trop d'affection et de biens matériels. Justin a été élevé ainsi, et Jordan s'est avéré bien supérieur à son père. Il était doué pour la manipulation, malgré une faiblesse qui l'incitait à voir en son fils une extension de son être... il pensait que Justin deviendrait un second lui-même sans souffrir des problèmes qu'avait connus le clone de Bok et qui menaçaient tous les DP issus d'un parent à l'intelligence supérieure à la moyenne.

Ari a déclaré à Justin, juste après avoir lu sa thèse : Tant que tu prendras ton père pour Dieu, tu ne pourras aller plus loin. Et ce serait regrettable. Je vais te transférer dans ma section. Cela te sera salutaire et te permettra de voir les choses sous une perspective différente.

J'ignore dans quelle mesure tout cela a été voulu, mais il est indubitable qu'une grande partie a été calculée. Lorsqu'il a écrit son essai, Ari lui a prodigué des encouragements bien qu'il n'eût fait que reproduire des expériences déjà tentées. Elle l'a stimulé, pris avec elle et a effectué sur lui une intervention.

J'ai vu la bande (réf. 85899) et j'en connais la nature. Elle se savait mourante. Il ne lui restait peut-être que deux ans à vivre et c'était par Justin Warrick qu'elle pourrait apprendre si j'existerais un jour... telle que je suis.

Elle définissait des méthodes très précises mais enfreignait souvent ses propres règles. Elle brûlait les étapes et combinait diverses opérations à la fois, parce qu'elle savait capter les états-flux bien mieux que quiconque.

La vid de ce qu'elle a fait à Justin me met mal à l'aise pour plusieurs raisons, mais je la visionne souvent car on trouve très peu d'enregistrements de ses interventions cliniques, et elle a procédé aux autres en respectant des normes très strictes. Mais compte tenu de ce que je sais sur Justin et la psychogenèse... cette bande, si gênante qu'elle soit, montre Ari qui opère hors d'un contexte classique, sans les protections d'usage. C'est extraordinaire. Connaître la situation et étudier ses réactions en simple spectatrice me permet de voir ce qu'elle voyait, la rapidité avec laquelle elle captait les flux et pouvait changer tout un programme sur une inspiration...

Parce que j'ai eu accès aux notes où elle précisait quelles étaient ses intentions, et que nul ne pourrait interpréter mieux que moi son langage corporel.

Cela a été efficace... mais moins que si elle avait pu continuer son travail sur Justin. Et je pense savoir pourquoi mes oncles se sont dressés contre lui.

Transmettre son œuvre à un jeune chercheur tel que Justin correspond au caractère d'Ari, au même titre que l'intervention enregistrée sur cette bande. Elle n'hésitait pas à prendre des risques qui auraient horrifié une commission d'éthique. Cela m'effraie... beaucoup moins qu'il ne le faudrait, parce que je discerne des fragments de ce qu'elle voyait. Et je sais pourquoi elle voulait que quelqu'un suive ses traces... un individu à la sensibilité et à la vision particulières. Seules ses interventions sur les macrosystèmes la terrifiaient... et me terrifient, de plus en plus, à la limite du supportable.

J'ai besoin de lui. Comme elle, je serais dans l'impossibilité d'en expliquer les raisons à mes oncles. Si je leur parlais de ce qu'elle a fait : Écoute-moi, oncle Denys. Ari a inséré un Ver dans le système, il est réel et efficace, et j'ai besoin d'utiliser les ordinateurs et les travaux de Justin Warrick... Je peux entendre Denys rétorquer : Même Ari avait quelques idées folles, ma chérie. Il est impossible de procéder à une intégration à cette échelle. C'est ir-

*réalisable. Et Giraud ajouterait : Quoi qu'il puisse en ré-
sulter, nous réalisons pour l'instant des profits.*

Voilà ce qu'ils me répondraient.

*Et Giraud attendrait que je sois sortie de la pièce pour
murmurer à son frère : Il est temps de prendre des mesures radicales au sujet de Justin Warrick.*

CHAPITRE XIII

1

La sortie du train d'atterrissage lui signala qu'ils entamaient la phase d'approche finale et Grant regarda par le hublot le paysage brun et bleu-gris de Cyteen qui filait sous l'aile droite. Son cœur battait très vite. Ses mains étaient moites et il les serra quand les roues prirent contact avec le sol et que l'appareil freina.

Il voyageait avec des membres de la sécurité de Reseune : ces gardes qui accompagnaient quiconque allait à Planys, ou en revenait. Il le savait, mais avait peur... de choses sans nom, la résurgence des soupçons du précédent voyage, Winfield et Kruger, les fous qui voulaient le déprogrammer et le cauchemar vécu quand la force d'intervention envoyée par Reseune l'avait délivré, dans la semi-inconscience des drogues, pour le ramener à l'hôpital et le soumettre à des interrogatoires.

Douze heures de vol monotone au-dessus d'un océan infini plongé dans les ténèbres l'avaient un peu détendu. Il s'était refusé à parler à Justin de l'angoisse irrationnelle et saturée de flux qui avait grandi en lui à la perspective de ce départ.

Un transfert, se dit-il avec une objectivité clinique. Un transfert de psych-CIT classique. Il s'inquiétait pour la sécurité de Justin resté à Reseune pendant qu'il se rendait seul à Planys, tout en sachant – malgré les affirmations contraires de Justin et de son père – qu'il n'était pas celui que Jordan désirait vraiment voir... sans oublier que l'avion constituait une cible facile à atteindre.

Il plongerait dans l'océan. Il y aurait un sabotage. Des cinglés tenteraient de l'abattre... Ou les moteurs tomberaient en panne sans intervention extérieure et ils s'écraseraient au décollage.

Il avait gardé les doigts refermés sur les accoudoirs de son siège pendant la majeure partie du vol, comme pour tenter un exercice de lévitation et participer à la sustentation de l'appareil.

Les voyages aériens l'avaient déjà rendu nerveux à dix-sept ans, mais cela s'accompagnait à présent de sueurs froides... qui indiquaient qu'il devenait de plus en plus semblable à un CIT au fil des ans.

De retour sur le sol, il n'avait plus d'excuses. Il se voyait contraint de rattacher son angoisse à ses causes véritables : l'appréhension de cette rencontre avec Jordan et le fait qu'il ignorait quoi dire à un homme qu'il avait autrefois appelé son père et qui avait été en outre son superviseur pendant toute son enfance.

La pensée de décevoir Jordan, d'être à l'origine de sa déconvenue, lui faisait presque regretter que l'avion fût arrivé à bon port.

Sans Justin, qui l'aimait au point de lui avoir offert cette opportunité d'effectuer ce voyage. Il n'avait pas ménagé ses efforts pour parvenir à ce résultat. Il ne s'était pas laissé décourager malgré les contretemps et l'interruption des communications, pour que le jour où un laissez-passer serait délivré il soit attribué à Grant. Ils espéraient que d'autres occasions se présenteraient sous peu, mais rien ne pouvait le leur garantir. Il n'existait jamais la moindre certitude, pour eux.

S'il vous plaît, avait-il dit à Jordan au cours de la dernière liaison téléphonique avant le décollage. Je suis gêné. Je préférerais que Justin parte avant moi.

Son ami, par-dessus son épaule : Ferme-la, cette fois c'est ton tour. Il y en aura d'autres.

Jordan : Je veux que tu viennes, je tiens à te voir.

Ce qui l'avait un peu trop ému pour son bien, estimait-il. Les tiraillements qu'il percevait dans sa poitrine étaient dus à des émotions propres aux CIT, et il aurait dû réclamer une bande, s'enfoncer au cœur de son être, et demander à Justin d'essayer d'effacer cette ambivalence avant qu'elle ne pût perturber ses ensembles de valeurs. Mais Justin eût refusé, et il souhaitait analyser cette étrange souffrance qu'il comparait à une fenêtre ouverte sur la mentalité-CIT : une chose qui pourrait lui être utile tant sur le plan professionnel que pour échafauder des projets avec son compagnon. Aussi laissait-il cette plaie suppurer en se disant, quand il pouvait faire preuve de bon sens : C'est peut-être le revers du conditionnement profond, ou encore un simple flux qui émane des ensembles superficiels. Mais d'où proviennent ces réactions physiologiques ?

L'avion roula jusqu'au terminal. Son ami lui avait précisé qu'il n'existait pas de tunnel de débarquement, mais il en voyait un. Et il dut attendre pendant qu'ils passaient l'appareil au jet et mettaient en place le manchon de liaison.

Puis tous se levèrent et enfilèrent des combinaisons D, comme l'avait annoncé Justin.

Il les imita quand le garde qui l'accompagnait le lui demanda. Il enfila la tenue protectrice sur ses vêtements et pénétra dans le tube qu'il suivit jusqu'à la section de décont.

Mousse et arrosage, puis une pièce où il retira le scaphandre en veillant à ne pas toucher le côté extérieur...

Partout où il avait eu l'occasion d'aller, comme chez les Kruger, la technique était très différente : on retenait sa respiration, on se mettait à l'abri, on collait un oxymasque sur son visage et on se déshabillait de l'autre sous un jet d'eau censé emporter toutes les fibres de lainebois.

Ici, le processus était impressionnant : une interminable succession de précautions qui incitaient à se demander à quoi on avait été exposé, ou si tout cela n'avait pas pour but d'augmenter l'impression de sécurité des gens qui vivaient en ce lieu désolé.

– Par ici, ser, lui dit un des azis de la décont.

Il le prit par le coude et l'entraîna à l'écart, dans une petite alcôve.

Fouille corporelle. Il s'y était attendu et se dévêtit quand on le lui ordonna, puis attendit avec patience la fin des opérations. Il avait froid et éprouvait de l'appréhension, mais même les agents de la sécurité de Reseune devaient subir ce traitement lorsqu'ils arrivaient à Planys, ou en repartaient. À en croire leurs dires, tout au moins.

Sans parler du sort réservé aux bagages.

Jordan était venu l'accueillir.

– Grant !

– Bonjour, ser, répondit l'azi, timide et emprunté.

Les ensembles de surface lui disaient de s'avancer pour étreindre Jordan alors que les ensembles-profonds reconnaissaient en lui le superviseur qui l'avait programmé : un dieu et un professeur.

C'était en outre l'homme que Justin serait devenu si la réjuv n'avait pas interrompu le processus de vieillissement dix ans plus tôt.

Il ne bougea pas. Il en était incapable. Ce fut Jordan qui s'avança et le prit dans ses bras.

– Mon Dieu, que tu as grandi ! Je ne m'en étais pas rendu compte, à la vid. Et tes épaules ! Qu'as-tu fait, travaillé comme docker ?

– Non, ser.

Il laissa Jordan le guider jusqu'à son bureau, où Paul les attendait... Paul qui avait si souvent soigné leurs genoux écorchés, pendant leur enfance. Paul l'étreignit à son tour. Puis la réalité de ce lieu commença à se stabiliser au centre du flux et il put admettre qu'il se trouvait à Planys, qu'il y était le bienvenu, que tout était parfait.

Mais il ne voyait aucun garde, ce qui ne correspondait pas à ce que Justin lui avait annoncé.

Jordan sourit et lui dit :

– Ils vont nous apporter les papiers dès qu'ils les auront examinés... Justin t'a bien remis des rapports, n'est-ce pas ?

– Oui, ser.

– Bon sang, je suis heureux de te revoir.

– Je ne pensais pas... que la sécurité était aussi discrète.

Sommes-nous surveillés, ser ? Que se passe-t-il, ici ?

– N'ai-je pas dit qu'ils deviennent raisonnables ? C'est la conséquence la plus tangible de ce nouvel état d'esprit. Viens, nous allons fermer le bureau et rentrer chez nous, pour préparer le dîner... moins raffiné qu'à Reseune, mais nous avons trouvé de quoi faire un festin : un jambon et du vin de Pell. Du vrai, pas du synthé.

Son moral remonta. Il subissait toujours le poids de l'anxiété mais Jordan prenait la situation en main. Il put se détendre en se plaçant dans l'état de dépendance d'un azi face à son superviseur, ce qui s'avérait impossible avec Justin...

... pas depuis son séjour à l'hôpital, après les sondages de Giraud, parce qu'il avait dû ensuite tenir un rôle de protecteur ou de partenaire.

Il lui semblait que le fardeau de nombreuses années de tension tombait de ses épaules et qu'il ne lui restait qu'à suivre Jordan quand il lui en donnait l'ordre ; s'abandonner à la simplicité azie sous la protection d'un homme à qui il savait pouvoir accorder sa confiance... le seul CIT, enfin, qui avec Justin ne lui avait jamais fait le moindre mal, qui connaissait ce lieu mieux que lui, et dont les actes étaient pleins de bon sens.

Il bénéficiait d'un bref répit depuis tant d'années, il n'était plus responsable de rien.

Mais cette pensée fut accompagnée d'une autre : *Non, je dois rester sur mes gardes. Je ne peux me fier à personne. Pas même à Jordan...*

Il se sentait épuisé et eût aimé aller ailleurs quelques semaines, exécuter un travail qui ne mettrait pas son esprit à contribution ; sous la direction d'un superviseur ; logé et nourri, et dégagé de toute responsabilité.

Ce qui n'était pas le cas.

Il les accompagna jusqu'à leur appartement et regarda autour de lui... *Tout est sinistre, là-bas,* lui avait dit Justin. *Le strict minimum.*

Ce n'était certes pas Reseune. Des sièges et des tables

en plastique, comme tout le reste à l'exception des géraniums qui poussaient dans un bac installé sous une source de lumière artificielle et d'un aquarium. Dans l'ensemble il régnait ici une atmosphère presque agréable, ce lieu portait l'empreinte des CIT... ce que Justin qualifiait d'ambiance intime et qu'il considérait quant à lui comme le résultat du besoin irrépressible des CIT d'accumuler des objets saturés de flux et de fractals. Les fleurs symbolisaient la nature. Les poissons étaient des composants du décor aux déplacements imprévisibles et des représentants de la vie; l'eau un élément aussi nécessaire qu'abondant aux clapotis répétitifs à même de détendre un esprit non analytique habitué au flux. Et Dieu sait quoi encore. Justin avait laissé toutes les plantes dépérir après le départ de Jordan, pour en racheter d'autres dès que la situation lui avait paru s'améliorer. Elles devenaient luxuriantes ou se flétrissaient... en fonction de son moral.

Celles-ci paraissaient en pleine santé; un bon signe, chez des CIT.

Rien ne paraissait dangereux, ici, pensa-t-il en retirant sa veste. Paul alla la suspendre dans le placard. Ils semblaient heureux.

Les améliorations qui s'étaient produites dans le monde et avaient fait de ces deux dernières années une période acceptable, pour ne pas dire agréable, avaient eu des répercussions jusqu'à Planys malgré la terreur que faisaient régner les paxistes. Grant regretta que Jordan ne connût pas le langage par signes que Justin et lui avaient mis au point : ces confirmations discrètes de la véracité des propos échangés.

Jordan dut remarquer sa nervosité, car il le regarda, rit, et lui dit :

– Détends-toi. Ils nous surveillent parfois, mais il n'y a pas de quoi s'en faire. Salut, Jean !

Adressé au plafond.

– Nous nous connaissons tous, ici. Planys est minuscule. Assieds-toi. Nous allons préparer du café. Seigneur, nous avons tant de choses à nous dire.

2

En l'absence de Grant l'appartement semblait vide. Justin avait des raisons de s'inquiéter et il prit la décision de ne pas consacrer quatre journées d'affilée à se faire du souci.

Il lut, prit des bandes accompagnées de doses-Ed, lut à nouveau. Ari lui avait fourni un exemplaire de lancement du IN PRINCIPIO d'Emory, l'édition annotée en trois volumes des notes archivées de cette femme, publiée par le bureau des Sciences associé au bureau de l'Information. Les rotatives tournaient sans cesse pour satisfaire la demande sur Cyteen et le contenu de l'ouvrage avait été acheté à prix d'or par les armateurs de divers vaisseaux qui le revendraient à d'autres nations qui régleraient à leur tour les droits, publieraient le livre ou sa version électronique, et négocieraient le copyright avec d'autres cargos qui appareilleraient pour des systèmes de plus en plus lointains.

Jusqu'à la Terre, sans doute.

Pendant que les creds tombaient dans les caisses de Reseune.

Chaque bibliothèque réclamait des exemplaires, de même que les scientifiques qui travaillaient dans ce domaine, mais le plus sidérant était l'engouement des profanes pour un énorme ouvrage illustré accompagné de tant d'annotations que seules trois lignes avaient été écrites par Emory à chaque page et que tout le reste faisait partie des commentaires. Justin et Grant avaient apporté une contribution importante : les textes signés JW et GALX. On trouvait encore YS pour Yanni Schwartz, WP pour Wendell Peterson, et AE2 pour Ari junior qui avait exhumé les notes des archives et rédigé les renvois pour les passages les plus hermétiques. DN désignait Denys Nye, GN Giraud, JE John Edwards et PI Petros Ivanov, en plus des douzaines de techs et d'assistants qui avaient participé au travail de préparation et de collation : tous des chefs de service et administrateurs chargés de relire et de corriger ce qu'avaient fourni leurs équipes.

DP Justin Warrick, lisait-on en caractères minuscules dans la liste des collaborateurs qu'il regardait sans cesse, en secret tel un petit enfant, pour obtenir la confirmation qu'il ne rêvait pas. Grant était cité en tant que Grant ALX Warrick, EP *(emeritus psychologiae)*. Ce titre ne pouvait s'appliquer qu'à un azi docteur en psych, ce qu'il serait automatiquement devenu s'il avait pu acquérir un statut de CIT. Il en était bien plus flatté qu'il ne le laissait paraître.

Vanité CIT, avait-il dit. Mes patients s'en fichent.

Mais son nom figurait sur cette page, imprimé. Et le public s'arrachait les exemplaires disponibles pendant que les listes d'attente s'allongeaient chez les libraires. Le bureau avait prévu une forte demande des bibliothèques mais pas des profanes, et il était sidérant de constater que l'ouvrage s'était vendu avec une telle rapidité à un prix de souscription de 250 creds le volume. L'Information avait finalement décidé de le réduire à 120, puis à 75... déclenchant ainsi une nouvelle avalanche de commandes. Hormis pour les bibliothèques, ils enregistraient peu de ventes sur fiches ou sur bandes. Le grand public préférait les vrais livres tirés sur permafeuilles. Ils étaient des symboles de standing, alors qu'il était plus délicat d'exhiber un microfilm à ses voisins.

La jeune Ari s'avouait sidérée par l'ampleur du phénomène.

Tous savent que la première Ari a réalisé des choses très importantes, lui avait dit Justin. Mais ils ignorent quoi. Ils ne peuvent assimiler le sens de ses écrits mais sont convaincus du contraire. Vous devriez... réunir vos propres notes et leur faire partager votre point de vue sur cette compilation, ce que vous avez appris. Je suis certain que le BI serait intéressé.

Chose guère surprenante, l'Information ne s'était pas fait tirer l'oreille.

À présent Ari bataillait pour remanier ses propres notes. Et elle venait le voir pour lui demander : Pensez-vous que... ou encore pour lui parler de ce qu'ils ne pourraient pas publier, des idées aussi révolutionnaires que celles de l'ouvrage auquel il avait consacré une année, pour l'annoter avec les explications des principes en cause.

Ari avait adressé un exemplaire de IN PRINCIPIO à Jordan.

– Parce que votre nom y figure, avait-elle dit. Avec celui de Grant.

– S'il lui parvient, avait répondu Justin. La sécurité de Planys risque de ne pas apprécier, et je ne parle pas des douanes.

– Entendu. Je le ferai porter par les gardes de Reseune. Laissons-les se débrouiller entre eux.

Elle avait de telles attentions. Depuis un an et demi qu'ils faisait partie de sa section ils avaient vu se réaliser toutes ses promesses. Ils disposaient des services d'un secrétaire et n'étaient plus soumis à autant de pressions...

Dès que des ennuis s'annonçaient, Florian décrochait le téléphone. Et s'il ne pouvait résoudre le problème il déclarait : Attendez, ser, sera va s'en charger... après quoi Ari prenait la relève avec une technique qui passait très vite d'un : Il doit s'agir d'une erreur... à des éclats que les chefs de service préféraient éviter. Peut-être craignaient-ils qu'elle pût s'en rappeler dans quelques années ou encore – et Justin penchait pour cette explication – parce que sa voix tout d'abord très douce devenait rapidement grondante et puissante, au point d'ébranler les nerfs et de raviver certains souvenirs. Mais elle ne s'adressait pas à lui de cette manière, elle ne le rudoyait jamais. Elle ne manquait jamais de lui dire s'il vous plaît et merci... ce qui le rassurait et lui faisait craindre de perdre sa vigilance et sa méfiance, de se bercer de trop d'espoirs en raison de ses promesses...

Imbécile, se reprochait-il.

Mais il était las de lutter et s'estimait satisfait d'avoir

atteint une position où il pouvait enfin reprendre son souffle et espérer bénéficier d'une sécurité relative, même si cela laissait présager des difficultés. Le fait que ces dernières soient reportées à une date ultérieure lui suffisait.

Ari se tenait informée de tout ce qui se passait dans sa section et veillait à ne pas surcharger de travail les membres de son équipe. L'attention qu'elle accordait à leur budget et à leur emploi du temps était – Seigneur ! – comparable à celle de Jane Strassen. En plus des cent vingt pages d'annotations que lui et Grant avaient écrites en trois mois de labeur intensif, elle ne leur avait confié que des tâches de conception : les cas à problèmes préparés par d'autres services et retournés à des niveaux inférieurs sitôt qu'une solution avait été trouvée. Elle ne voulait pas entendre parler de retours, de « pourriez-vous » ou de « nous pensions que vous vous en chargeriez ».

Il analysait les recherches d'Ari, répondait à ses questions, effectuait les quelques travaux dont s'occupait la section, et avait de nombreux loisirs à consacrer à ses projets personnels. Grant avait quant à lui entrepris une étude sur les applications d'une théorie de matrice endocrinienne dans les bandes azies et souhaitait en parler à Jordan... avec impatience.

Ils n'avaient pas mené une existence aussi heureuse depuis... très longtemps. Une seule chose était pénible : être éveillé au cœur de la nuit par des cauchemars dont il ne gardait aucun souvenir.

Ou se figer en plein milieu d'un travail, en rentrant chez lui ou ailleurs, en proie à une brève panique que rien n'aurait pu justifier ; à l'exception de la peur du sol sur lequel il marchait, la peur d'être un imbécile, la peur due à l'absence de choix.

La peur, peut-être, de courir droit au-devant d'un échec. Il craignait que la décision qu'il avait prise pût déboucher sur une défaite dont il ne prendrait conscience que dans quelques années.

Ce qui, se reprochait-il avec sévérité, relevait d'une névrose chronique. Il y résistait et tentait de la déraciner de son esprit dès qu'il la découvrait à l'ouvrage. Mais il n'utiliserait pas une bande pour s'en défaire, pas même un posyt-hyp tranquillisant dont Grant aurait pu se charger... malgré sa terreur.

Imbécile, se dit-il, exaspéré par le chemin que voulaient suivre ses pensées. Il marqua la page et referma le livre.

Emory, comme lecture de chevet.

Peut-être était-ce dû au fait qu'il pouvait entendre sa voix et ses inflexions au fil des lignes.

Et que ses nerfs réagissaient en se crispant.

Au matin, il se leva dans un appartement vide, fit griller des tranches de pain pour son petit déjeuner, et alla travailler... pas dans le bureau minuscule et encombré qu'il avait partagé avec Grant pendant des années mais le local loué par Ari dans le secteur Ed. C'était une sorte de retour aux sources. Ici, ils avaient de la place : une pièce pour lui, une pour Grant et une pour Em, leur secrétaire : un garçon replet et sérieux, ravi d'avoir un poste permanent et la possibilité, selon toute logique, de passer un jour à l'échelon supérieur.

Justin lut le bulletin des sections avec l'exhortation mensuelle à remettre les bons de commande une semaine à l'avance et un pamphlet de Yanni sur les bousculades dues à ceux qui ne respectaient pas les consignes et coupaient par le couloir du rez-de-chaussée. Em arriva à 9 heures, déclara avoir été inquiet en trouvant la porte ouverte, et se mit au travail pendant que Justin reprenait ses recherches.

Il se concentra sur ces travaux jusqu'au déjeuner et se contenta d'un petit pain et d'une tasse de café sans sortir du bureau. Il était ankylosé et il cillait, quand un point se mit à clignoter dans l'angle supérieur gauche de l'écran pour lui signaler la réception d'un message urgent.

Il pressa une touche et le texte apparut :

Je dois vous voir. Je travaille chez moi, aujourd'hui. AE.

Il décrocha le téléphone.

– Ari, Base un, dit-il.

Florian répondit.

– Oui, ser, une seconde.

Et, juste après, Ari :

– Il s'est produit du nouveau. Je dois vous parler.

– Je vous retrouve à votre bureau.

– Est-ce Grant ? Seigneur, lui est-il arrivé quelque chose ?

– Non, passez à mon domicile. Terminé.

– Ari, je...

La base venait de couper la liaison. Merde.

Il n'avait revu Ari sans son compagnon que dans des locaux de la section, ou à l'occasion d'un dîner au restaurant avec elle et ses azis. Il prenait soin de ne pas transgresser ces principes.

Mais tout laissait supposer qu'elle ne lui fournirait aucun détail par téléphone, s'il s'était produit du nouveau...

Il déconnecta le terminal et se leva. Il alla prendre sa veste et dit à Em de fermer le bureau et de rentrer chez lui, puis sortit dans le couloir.

Il se dirigea vers la section où se trouvait l'appartement d'Ari, montra sa carte aux gardes de faction et put passer sans encombre.

Malédiction, pensa-t-il, le cœur battant. *J'espère qu'elle veut me parler d'un problème de travail...*

Et pas de l'absence de Grant.

– Entrez, lui dit Florian. Sera vous attend.

– Pourquoi désire-t-elle me voir ? Est-ce pour une raison importante ?

– Oui, ser, répondit l'azi sans la moindre hésitation.

Justin entra. S'il était en sueur, sa hâte n'était pas seule en cause. Le vestibule, le sol de travertin, le canapé... un flash superposa le passé au présent.

– Au sujet de Grant ?

– Votre veste, ser. Sera doit vous parler au plus vite.

– De quoi ? Que s'est-il passé ?

– Votre veste, ser.

Il dégagea d'un mouvement brusque un bras captif

d'une manche récalcitrante. Il venait de tendre le vêtement à Florian quand Ari arriva par le couloir de gauche.

– Qu'y a-t-il, bon sang ?

Elle lui désigna le sofa installé au bas des marches, qu'elle descendit pour aller s'asseoir.

Il prit place dans l'angle opposé. Ce n'était pas le salon privé, heureusement. Il n'aurait sans doute pas pu conserver son sang-froid.

– Merci d'être venu, Justin. Je sais... je devine ce que doit vous inspirer ce lieu. Mais c'est le seul endroit... le seul où je suis certaine que nul ne peut nous entendre. Je veux que vous me disiez la vérité, toute la vérité : le sort de Grant en dépend. Votre père est-il de connivence avec les paxistes ?

– Mon... Dieu. Non, non ! Comment diable le pourrait-il ?

– J'ai sur mon bureau un rapport selon lequel il y aurait des fuites, à Planys. Jordan... se serait entretenu avec un suspect. La sécurité le surveille, car on le soupçonne de vouloir tenter une intervention sur votre azi...

– Il ne le ferait pas ! Pas... pour une chose pareille. Pas à Grant.

– Il pourrait procéder sans bande, à l'aide d'un mot clé, compte tenu des capacités de votre compagnon. Je sais qu'il a une mémoire prodigieuse.

– Il s'agit d'un coup monté.

– C'est possible. Voilà pourquoi j'ai voulu avoir une explication avec vous avant une intervention de la sécurité. Je suis déterminée à apprendre la vérité. S'il y a une machination, elle est dirigée contre moi. Je le sais... Grant n'avait pas encore obtenu ce sauf-conduit, quand j'ai appris certaines choses. Il est à présent au cœur d'une opération que je réprouve. Je refuse de croire qu'il me veuille du mal, et vous non plus, mais je dois me protéger... et c'est pour cela que j'ai couru ce risque.

Il fut assailli par une ancienne panique, mais il la connaissait trop pour la laisser apparaître.

– Je ne comprends pas.

Ne pas inquiéter l'adversaire, ne pas élever la voix, suivre le mouvement. Il ne pensait pas qu'Ari était l'auteur de ce qui se passait. Il savait qui détenait le pouvoir, dans la Maisonnée.

– Ari, dites-moi ce qui se passe.

– Ceux qui me protègent... ils ne veulent pas que je reste près de vous. J'ai attendu le départ de Grant parce que... une cabale est dirigée contre vous. C'est pour cela que je vous ai convoqué ici.

– Pourquoi ? Que voulez-vous ?

– Savoir. C'est la première raison. J'ai conscience de l'angoisse que vous inspire ce lieu, mais c'est le seul où nous soyons en sécurité.

Elle glissa la main dans sa poche gauche et en sortit une petite fiole de verre ambré.

– J'ai des kats. Une dose profonde. Vous avez le choix entre accepter ou rentrer chez vous. C'est mon unique chance. Vous allez dans le vidsalon, vous prenez ceci et vous me laissez vous psychosonder... et je vous promets, je vous jure de ne pas vous jouer de sales tours. Je veux disposer d'un enregistrement qu'il me sera possible d'utiliser. J'en ai besoin. Il me faut une preuve à présenter au bureau, s'il s'avère nécessaire d'en arriver là. Et c'est pour moi le seul moyen de vous croire.

Il se produisit des flashes-bandes et il fut désorienté, dans l'incapacité d'avoir des pensées cohérentes. Puis il tendit la main vers la fiole et la prit.

Parce qu'il n'avait pas le choix. Il n'existait pas d'alternative. Et il pensa : *Dieu ! j'ignore si j'en serai capable. Je doute de pouvoir conserver ma santé mentale.*

– Où ? demanda-t-il.

– Florian, appela-t-elle.

Il se leva en tremblant et alla rejoindre l'azi qui lui désignait le couloir de droite.

Une porte, ouverte sur un vidsalon avec un divan et des appareils utilisés pour les études-profondes. Il entra et s'assit, posa la fiole près de lui et retira son sweater. Il eut des vertiges.

– Je veux voir Ari. Je veux lui parler.

– Oui, ser. Laissez-moi vous aider à placer la bio-sonde.

– J'exige de parler à Ari.

– Je suis là, répondit-elle depuis le seuil. Je suis ici.

– Faites attention, lui dit-il.

Et il décapsula la fiole et prit la pilule, pendant que les clignotements rouges du cardiographe devenaient de plus en plus rapides. Il regarda les éclairs et se concentra, pour se calmer.

– Votre patient cède facilement à la panique, sera. J'espère que vous le garderez à l'esprit.

– N'ayez crainte, fit-elle d'une voix très douce.

Il étudia les signaux lumineux du moniteur. Une pensée pour son père, pour Grant, et le rythme devint frénétique. *Ralentis*, ordonna-t-il à son cœur pendant que l'engourdissement le gagnait et que la peur tentait de reprendre possession de son être. Il sentit un contact sur son épaule et entendit Florian lui murmurer :

– Allongez-vous, ser, s'il vous plaît. Je vous retiens.

Il cilla, revit cet azi enfant puis effectua un bond dans le temps jusqu'à Florian devenu assez fort pour le soutenir, Florian qui se penchait vers lui...

– Détendez-vous, ser. Êtes-vous bien installé ?

La terreur était sous-jacente, diffuse. Puis il sombra dans une étrange torpeur et sa vision commença à se brouiller. Son pouls s'accéléra.

– Du calme, lui dit Ari d'une voix autoritaire qui s'imposa à sa panique. Détendez-vous. Tout va bien. Tout va très bien. Vous m'entendez ?

3

– Votre père a-t-il été associé à ces gens ? demanda Ari.

Elle était assise à côté du divan et tenait sa main flasque.

– Non, répondit Justin.

D'après ce qu'il savait, tout au moins. Non, non, et non. Il vit le cardiographe s'emballer pour traduire l'accélération des battements de son cœur.

– A-t-il tenté de porter préjudice à l'administration de Reseune ?

– Non.

– Et vous ?

– Non.

Ils ne s'étaient livrés à aucune manœuvre dirigée contre les laboratoires, ou Ariane Emory.

Il n'était en tout cas au courant d'aucun complot.

– N'avez-vous jamais pensé que la sécurité s'acharnait sur vous ?

– Si.

– Pensez-vous que la situation va s'améliorer ?

– Je... Je l'espère.

– Qu'espérez-vous ?

– Qu'on me laisse tranquille. Qu'on me permette de vivre en paix. Qu'on ne mette plus ma parole en doute. Alors, tout sera différent.

– Avez-vous peur ?

– Toujours.

– De quoi ?

– Des erreurs. Des ennemis.

Il souhaitait pouvoir continuer de collaborer avec elle afin de démontrer certaines choses, sur lui et sur son père, dans un monde plus calme...

Il craignait moins pour Jordan que pour Grant. Son père bénéficiait de la protection de son statut de Spécial. Mais s'ils décidaient de procéder à l'interrogatoire de l'azi... ils pourraient le soumettre à tout ce qui leur viendrait à l'esprit, tenter de lui imposer des idées et des comportements. Son ami résisterait. Il se réfugierait dans le néant et y demeurerait, comme il l'avait fait les fois précédentes. Mais s'ils s'obstinaient...

Si la sécurité l'arrêtait et que l'administration de Reseune voulait trouver des preuves contre eux, c'était ce qui se passerait. Il pensait que la politique passait avant la vérité et importait bien plus que la vie d'un Warrick... ce qui n'était pas une nouveauté.

– Jordan n'est pas un assassin. J'ignore ce qui a pu se produire, mais c'était un accident. Sa seule erreur a été de céder à la panique et de vouloir dissimuler les faits, j'en suis certain.

– Comment?

– Je connais mon père.

– Même après vingt ans?

– Oui.

La séance tirait à sa fin, les effets de la drogue s'estompaient. La voix d'Ari était rauque, à cause des questions posées et de la tension.

Je suis presque assez experte pour effectuer la même chose qu'Ari, se dit-elle. *Presque. Mais Justin n'est plus un jeune homme.*

Je pourrais le suggestionner pour qu'il veuille de moi. Ce serait facile. Très facile.

Elle se rappela la bande, et ce souvenir fut accompagné de flashes érotiques qui la troublèrent.

Et, en pensant aux intersections, aux nombreux points nodaux de ses ensembles : *Non, bordel. Merde, merde, Ari, pas si vite, pas d'imprudences.*

J'ai la possibilité de le rendre heureux, de le débarrasser de ses obsessions...

La politique prime tout et le reste vient ensuite, il le sait... et cela s'ajoute à tout ce qui a été faussé en lui.

Pourquoi ne pas atténuer ses inquiétudes, accroître la confiance qu'il me porte?

Mais serait-ce... loyal? Ou sans danger... dans un tel contexte, à Reseune?

Elle se leva, arrêta l'enregistreur et s'assit au bord du divan, à côté de lui. Elle lui caressa le visage avec douceur et le moniteur s'affola.

– Du calme, tout va bien, tout va bien... murmura-t-elle.

Tant que les pulsations n'eurent pas ralenti. Puis :

– Je vous crois, Justin. Je sais que vous ne me feriez pas de mal et ne permettriez à personne de me nuire. C'est pour moi une certitude. Ils ne pourront pas s'en prendre à Grant, à présent que je dispose de cet enregistrement. Je vais rappeler à mon oncle que Grant travaille dans ma section et qu'il doit le laisser tranquille. Parce que je vous crois, vous me comprenez ?

– Oui.

Un changement de rythme du moniteur.

– Vous ne devez pas avoir peur de cet endroit. C'est mon appartement. La première Ari est morte. Tout cela appartient au passé. Vous ne risquez rien, chez moi. Ne l'oubliez pas. Je peux me procurer à l'hôpital tout ce dont j'ai besoin, sans qu'ils en sachent rien... mais vous devrez procéder sur vous-même à un réagencement psychique, comme le ferait Grant. Vous en jugez-vous capable ? Faites un effort, et souvenez-vous de ce que je viens de vous dire.

– Oui...

– Vous ne remettrez jamais cette conviction en doute. Si vous et Grant m'accordez votre confiance et vous adressez à moi quand vous aurez besoin d'assistance, je vous promets de ne pas vous laisser tomber. À présent, reposez-vous. À votre réveil vous vous sentirez détendu. Vous m'entendez ?

– Oui.

Un rythme régulier. Elle se leva, fit signe à ses azis de ne pas faire de bruit et caressa avec douceur l'épaule de Justin. Reste auprès de lui, indiqua-t-elle par gestes à Florian.

Et à Catlin, dans le couloir, elle demanda :

– Quoi de neuf ?

– Rien.

– Ne t'éloigne pas, au cas où Florian aurait besoin de toi.

Elle alla dans son bureau, pour téléphoner.

– Seely ? Passe-moi Denys, tout de suite.

Et quand son oncle répondit :

– Oncle Denys, comment vas-tu ?

– Très bien, Ari, et toi ?

– J'ai quelque chose à te dire. La situation m'inquiète. Je parle du voyage de Grant. Cet azi est vulnérable et j'ai demandé à Justin quel était son avis...

– C'est un problème de sécurité, Ari. Tu ne dois pas t'en mêler.

– Trop tard. Je veux que tu ordonnes aux gardes de Planys de ne pas inquiéter Grant, quoi qu'ils puissent apprendre sur Jordan. J'ai passé un accord avec Justin...

– Je regrette, Ari, mais ce n'est pas raisonnable. On ne peut entraver leur liberté d'action. Tu n'avais pas à prendre un tel engagement, surtout envers Justin. Je t'en ai déjà parlé.

– C'est une des clauses de notre pacte. Il a accepté de se soumettre à un sondage.

– Tu n'as aucune expérience en ce domaine, Ari. Je te l'interdis.

– J'ai réfléchi, oncle Denys. Je deviens une adulte. Nos adversaires ne pouvaient pas faire une campagne en déclarant qu'ils voulaient assassiner une mignonne petite fille. L'apparition des paxistes et des autres groupuscules ne relève pas de simples coïncidences. Nos ennemis constatent que je grandis, et que je représente une menace bien réelle. Ils savent que je leur poserai un jour des problèmes et ont décidé d'utiliser contre moi tous les moyens qu'ils ont à leur disposition. Mais sais-tu à quoi je pense ? Il pourrait se passer la même chose ici, à Reseune. Et je ne laisserais personne toucher aux membres de mon équipe.

– Je reconnais que c'est presque de la prudence, Ari, mais tu n'es pas apte à affronter seule une telle situation.

– Je le suis, oncle Denys. Je ne céderai pas. J'exige que Grant revienne sain et sauf. Florian va prendre l'avion pour aller le chercher et me le ramener. Je compte lui poser quelques questions, sous tranks. Et si je découvre que quelqu'un a procédé sur lui à une intervention, ça ne se passera pas comme ça. Que le responsable soit Jordan ou la sécurité.

– Ari...

– C'est un simple avertissement, oncle Denys. Je sais que tu me désapprouves et je ne tiens pas à entrer en conflit avec toi, mais essaie de comprendre mon point de vue. Tu travailles depuis des années, tu pourrais avoir une attaque... Que deviendrais-je sans toi, si je ne contrôlais même pas ma propre section ? Je devrais accorder ma confiance à des inconnus, sans savoir s'ils en sont dignes. Je ne tiens pas à me retrouver dans cette situation, oncle Denys.

– Nous devrons en discuter.

– Avec plaisir. Mais promets-moi d'interdire à quiconque de toucher à un seul cheveu de Grant, même si tu soupçonnes Jordan d'avoir procédé à une intervention sur lui. Je sais comment réagira Justin, si son père s'est permis de faire une chose pareille. Il ne le lui pardonnera pas et m'apportera son soutien. Mais si c'est vous qui en portez la responsabilité, c'est contre moi qu'il se retournera. Il existe une vieille expression qui convient à la situation, et je ne tiens pas à nager en eau trouble jusqu'à la fin de mon existence. Tout se résume à cela.

– Je sais ce que tu ressens, Ari, mais c'est avant de procéder à une intervention qu'il faut obtenir des informations, pas après.

– Nous aborderons ce sujet et j'écouterai tes conseils, car ils sont toujours pleins de bon sens. Mais ça devra attendre. Pour l'instant, vous devez les laissez tranquilles. Ils font partie de ma section et je compte tenir mes promesses. Tout ce que vous pourriez faire me couperait de mon équipe, et je ne le tolérerais pas.

Il y eut un long silence, à l'autre bout du fil.

– As-tu informé Justin de tes soupçons sur les risques que court Grant ?

– Il en a peur. C'est lui qui a abordé ce sujet. Il a confiance en moi, et pas en la sécurité de Reseune... aussi étrange que cela puisse paraître. Il est vrai que vous ne l'avez jamais ménagé. J'ai recueilli sa déposition, oncle Denys. Je l'ai obtenue sous psychosondage et elle ne peut être contestée. Mais nous serons fixés dès le retour de l'azi, n'est-ce pas ? C'est avec plaisir que je te ferai parvenir une transcription de l'interrogatoire.

Un autre long silence.

– C'est trop aimable. Bon sang, Ari, il faut prendre des précautions, avec Justin. Il a eu de sérieux pro-

384

blèmes psychiques et qu'il ait ou non donné son accord est secondaire. Tu n'as que dix-sept ans...

— J'en aurai dix-huit dans deux mois, vingt pour Base un. Et je suis quelqu'un de capable, très capable... sinon à quoi aurait servi tout le mal que tu t'es donné pour moi ? Peux-tu me répondre ? Je procède à des interventions sur Florian et Catlin depuis plus de cinq ans et je ne risque pas de commettre d'erreurs.

— Bon Dieu, tu as pourtant visionné cette foutue bande. Tu sais qu'il ne conserve qu'une prise précaire sur sa santé mentale dès qu'il est question de toi, et voilà que tu te permets de le manipuler ? Nous avons affaire à un individu de trente-six ans qui a passé la moitié de son existence avec une obsession et tu interviens toute seule, sans prendre de précautions tant pour lui que pour toi. Il pourrait avoir une crise cardiaque ou basculer dans la folie furieuse. Tu sais ce qui risque de se passer ? Un jour où tu travailleras dans ton bureau, tu verras ce charmant jeune homme s'y précipiter en brandissant un coutelas. Voilà avec quoi tu joues. C'est un adulte. Bien des années et des événements se sont écoulés depuis l'incident qu'il a vécu à ton âge... il a changé, ce qu'Ari a implanté en lui a eu le temps de subir des mutations indécelables. À l'époque, il n'a pas été traité parce que je lui ai apporté mon soutien. J'estimais qu'il devait s'en sortir tout seul. J'ai commis une grave erreur, mais je ne pouvais pas savoir que ma nièce laisserait son système glandulaire dissoudre son bon sens, j'ignorais qu'elle prendrait ce jeune homme instable sous sa protection et deviendrait stupide à ce point. Et, bon Dieu ! pense à la tension qu'engendreront tes interventions bien intentionnées... Ne comprends-tu pas que nous n'avons jamais voulu lui faire le moindre mal ? Nous sommes conscients de sa valeur et nous nous sommes efforcés de faire de notre mieux pour assurer son avenir et le protéger contre les dégâts que provoqueraient de tels tripatouillages de son esprit. Et qui en portera la responsabilité ?

— Ce sont de belles paroles, oncle Denys. Mais je sais ce que je fais et mes raisons sont valables.

– Nous en reparlerons, dit-il enfin.

– Entendu. Mais entre-temps, contacte la sécurité de Planys pour interdire qu'on touche à Grant.

– D'accord, Ari. Comme tu voudras. Au fait, la transcription ne peut suffire. Il me faudra la bande de la séance. Tu sais qu'elle seule à de la valeur. Si tu veux bénéficier de mon soutien, tu dois coopérer.

– Je ne demande pas mieux, oncle Denys. Tu es toujours aussi adorable.

– Ari, bon sang, c'est une affaire sérieuse.

– Au fait, ce sera bientôt mon anniversaire et j'aimerais qu'on organise une fête, cette année.

– Ce n'est pas le meilleur moment pour en discuter.

– On pourrait déjeuner ensemble. Disons le 18 ?

Elle alla s'assurer auprès de Base un que Denys tenait parole.

Sois prudente lorsque tu utilises les nouvelles possibilités de ta base, lui avait dit Ari senior. Car la moindre erreur révélerait qu'elle savait ce que nul ne devait connaître... les activités des services de sécurité sur l'autre hémisphère de ce monde, par exemple.

Elle regagna le vidsalon. Catlin venait de l'informer que Justin reprenait connaissance. Les effets des kats ne s'étaient pas totalement dissipés et le moment était idéal pour des explications.

Elle s'assit sur le divan où Justin sommeillait ; avec des lumières tamisées, une couverture jetée sur lui et Florian qui montait la garde.

– Comment allez-vous ? demanda-t-elle.

– Pas trop mal.

Et un pli apparut entre ses sourcils quand il tenta de changer de position. Il renonça.

– Je suis encore un peu dans les nuages. Je dois me reposer. J'ai besoin de silence.

Sur la défensive. Pas le moment. Elle posa la main sur son épaule.

– Réveillez-vous un peu.

C'était une autre intervention, mais bénigne.

– Tout va bien. Je savais que vous n'aviez rien à vous

reprocher. J'ai joint Denys, pour lui ordonner de ne pas toucher à Grant. Votre ami est en sécurité, mais je dois vous parler. Vous resterez ici, dans la chambre d'ami. Je ne vous conseille pas de rentrer chez vous avant d'être remis.

– Je le peux.

– Bien sûr, mais pas ce soir. Si ça peut vous rassurer, Florian montera la garde devant la porte pour vous garantir que nous respecterons les convenances. Nos chambres sont situées aux extrémités de deux ailes opposées. Entendu ? Dès que vous pourrez marcher, Florian vous mettra au lit.

– Chez moi.

– Désolée, mais j'ai encore des choses à vous dire. Vous ne partirez pas avant. Dormez, maintenant.

Compte tenu de son état, la suggestion fut suffisante. Ses paupières s'abaissèrent, remontèrent, se fermèrent à nouveau.

– La chambre d'ami, dit-elle à Florian. Dès qu'il pourra se déplacer. Et je veux que tu restes auprès de lui, pour t'assurer qu'il va bien.

4

Ce n'était pas sa chambre, et il vécut un instant de panique. Justin tourna la tête et vit Florian couché sur l'autre lit, tout habillé, avec son visage enfantin à l'expression innocente révélé par la faible clarté d'une seule applique. Les yeux ouverts.

Il se rappela son entrée dans cette pièce située au bout d'un couloir dont il gardait un vague souvenir, mais les résidus des drogues le désorientaient et le déconcertaient. Il aurait dû se sentir angoissé, en ce lieu et sous tranks. Il resta allongé pour sommeiller. Il se disait que la réaction se produirait dès la disparition de son hébétude. Il était habillé à l'exception de son sweater et de ses chaussures. Quelqu'un avait jeté sur lui une couverture et glissé un oreiller sous sa tête. Ce n'était pas la chambre d'Ari, Dieu merci.

– Êtes-vous réveillé, ser ?

– Oui.

Et l'azi s'assit au bord de l'autre lit.

– Concierge, annonce à sera qu'elle peut voir Justin.

Ce dernier se redressa en s'aidant de ses mains, manqua perdre l'équilibre, massa son menton recouvert d'une barbe d'un jour.

– Quelle heure...

– Concierge ? demanda Florian.

– 4 h 36.

– Je vais préparer le petit déjeuner. Sera ne se lève guère plus tard, même en temps normal. Vous trouverez un nécessaire de toilette dans la salle de bains, ser. Ainsi qu'un peignoir. Mais elle sera sans doute habillée. Puis-je aller rejoindre ma coéquipière ?

– Sera est presque prête, annonça Catlin en lui servant du café.

Catlin... qui n'avait pas tressé en nattes ses cheveux blonds, un voile clair et ondulant qui tombait sur son uniforme noir.

– Un nuage de lait, ser ?

– Non, merci.

Des enfants, pensa-t-il. Une situation risible : lui – à son âge –, enlevé, drogué, et pour finir nourri par une bande de gosses...

Il se sentait assez bien. L'interrogatoire avait été moins brutal que ceux de Giraud, dans tous les domaines. Mais il était épuisé et ses jambes en coton ne lui inspiraient guère confiance.

Ce qui n'avait rien d'étonnant, compte tenu de la forte dose de kats, et expliquait pourquoi Catlin lui présentait une soucoupe qui contenait une pilule de vitamines et de divers minéraux. Il l'avala avec son café, sans discuter.

Un traitement pour les chocs post-cataphoriques.

Ari arriva, vêtue d'un sweater et d'un pantalon bleus très simples. Ses cheveux bruns descendaient sur ses épaules, comme lorsqu'elle était enfant. Elle recula une chaise et s'assit sur sa droite.

– Bonjour... Merci Catlin, dit-elle à l'azie qui lui servait du café et l'additionnait de crème.

Elle se tourna vers lui :

– Alors, comment vous sentez-vous ? Est-ce que ça va ?

– Vous aviez quelque chose d'important à me dire.

– Au sujet de Grant. Nous pouvons vous préparer le petit déjeuner que vous voulez.

– Non, merci. Bon sang, ce n'est pas le moment de jouer.

– Je ne veux pas jouer mais m'assurer que vous ne resterez pas avec le ventre vide. Prenez au moins quelques toasts. Nous avons du miel authentique.

Il contint son impatience et se servit une tranche de pain grillé sur laquelle il étala une pellicule de beurre, puis de miel. On trouvait désormais des ruchers, à Moreyville, et d'autres élevages : poissons, grenouilles. On prévoyait d'étendre l'agglomération en amont en dégageant les rives de la Volga avec des explosifs pour créer de nouvelles plaines destinées à l'agriculture.

– Voilà, dit Ari. J'ai parlé à Denys, la nuit dernière. Il a donné l'ordre à la sécurité de laisser Grant tranquille. Il n'a pas été facile de le convaincre, mais je lui ai dit que je ne pourrais pas me sentir tranquille en sachant que des inconnus avaient la possibilité de procéder à des interventions sur des membres de ma section. Tout se résume à cela. Nous avons conclu un accord. J'effectue mes propres contrôles et, si je m'estime satisfaite, tout en reste là. En bref, s'il y a un problème... je procède à un interrogatoire et l'affaire est classée.

Il regarda le bout de toast qu'il tenait. Il avait perdu tout appétit.

– En d'autres termes, de nouveaux psychosondages.

– J'espère que ce ne sera pas nécessaire, Justin. Mais ces paxistes sont dangereux. Et ils le deviendront encore plus... car ils peuvent constater que je ne plaisante pas. Peu de gens sont dignes de ma confiance. Et de la vôtre, car lorsque la politique devient ce qu'elle sera bientôt... vous êtes mieux placé que moi pour savoir qu'elle fait d'innocentes victimes. Vous m'avez demandé d'intervenir, pour votre père. Eh bien, c'est chose faite. Je viens de lui éviter une arrestation. Et j'ai empêché que Grant ne soit psychosondé. Il est probable que Jordan ignore quels risques il a courus, et je vous conseille de ne pas lui en parler. Grant va revenir, Jordan est hors de danger, et vous ne semblez pas vous porter plus mal qu'hier.

– Je ne sais pas.

Je ne me sentais pas secoué comme ça, en tout cas. Je ne sais pas, je ne sais pas, je ne sais pas et, bon sang, ai-je le choix ?

– Vous ne tenez pas à avoir maille à partir avec la sécurité. Giraud ne vous porte pas dans son cœur, et je dirais même que vous lui inspirez de l'antipathie. Je n'ai pas besoin d'être une psych confirmée pour m'en rendre compte. Je veux que vous restiez dans ma section, mais tous sauront alors que vous pourriez servir de moyen de pression contre moi. Et, de façon indirecte, ce sera aussi le cas de Grant et de Jordan. Giraud veut compromettre votre père, ou vous... et il y réussira si nous n'avons pas de quoi démontrer que vous m'êtes loyaux. Vous devez me fournir cette preuve, vous et Grant. Ensuite, vous bénéficierez de ma protection. Si vous refusez... je devrai vous éloigner de moi et personne ne pourra plus vous faire confiance, parce que mes ennemis verront en vous une arme pouvant être utilisée contre moi. C'est ainsi. Et je pense que vous en avez conscience. N'avez-vous pas dit que vous espériez que tout finirait par s'arranger si... vous restiez près de moi ? Je vous cite. Vous en souvenez-vous ?

– Non, mais cela ne me surprend pas.

– Je veux que vous fassiez partie de ma section, que vous travailliez avec moi. Mais il va de soi que si j'ai des soupçons... je devrai pouvoir vous interroger pour les dissiper. C'est ainsi.

– Je n'ai pas le choix, il me semble ?

Il mordit dans le toast, déglutit et fut surpris de découvrir que le miel et son estomac faisaient bon ménage.

– Vous voudriez que j'ordonne à Grant de se soumettre à un psychosondage effectué par une gosse de
dix-sept ans?

– Je ne tiens pas à ce qu'il soit angoissé. Vous devez
lui fournir des explications.

– Bon sang, je...

– Il ne lui est rien arrivé, non? Quand vous le verrez
descendre de l'avion, vous saurez que je tiens parole et
pourrez lui dire pourquoi j'agis ainsi. Vous serez ensuite à l'abri de tous vos adversaires. Vous n'aurez plus
à redouter qu'on commette des erreurs ou qu'on vous
accuse à tort. Je ne suis plus une gosse, Justin. Je sais
ce que je fais, mais mes pouvoirs sont encore limités.
C'est pour cela que je ne peux vous protéger hors de ma
section et que je dois vous faire passer derrière le mur
dressé par ma sécurité... vous et d'autres amis.

– Nous. Grant et moi. Bien sûr, bien sûr. Mais répondez-moi franchement. Agissez-vous à l'insu de vos
oncles? Giraud ne se cache-t-il pas derrière tout cela?

– Non. J'ai confiance en vous.

– Je devrais en déduire que vous êtes stupide, ce qui
n'est pas le cas.

– Réfléchissez. Vous et Grant êtes les uniques adultes
à même de m'aider. Je dois vous avoir près de moi
parce que vous m'êtes nécessaires et que je peux vous
contrôler, car je suis la seule à accepter de faire une
chose dont vous avez besoin. Je pourrais réclamer de
l'aide extérieure. Mes adversaires aussi.

– Ils ont en outre la possibilité de... menacer mon
père.

– Pas à l'intérieur de ma sphère d'influence. Vous
vous y trouvez. Et vous n'aurez qu'à me le dire, si vous
le croyez menacé. Réfléchissez à cela : seriez-vous plus
en sécurité tout seul? Qu'en est-il pour Grant? En
outre, si votre sort est lié au mien je doute que votre
père tente quoi que ce soit contre Reseune, non?

Il la fixa, choqué. Un moment plus tard il haussa les
épaules, mordit dans son toast, et but pour pouvoir déglutir.

– Vous savez, j'ai essayé une tactique du même genre

avec la première Ari. J'avais alors dix-sept ans. Une sorte de chantage. Vous savez ce qui en a résulté.

– Ce n'est pas du chantage. Je me contente d'exposer les faits. Je vous dis que si vous franchissez cette porte et quittez ma section...

– Giraud me fera subir un psychosondage sans me laisser le temps de dire ouf. Il recommencera avec Grant, au moindre prétexte. C'est très clair. Merci.

– Un prétexte qu'il pourrait bien... créer. Je répugne à le dire, car il a de bons côtés, mais il en serait capable. En outre, il est mourant. Ne le répétez pas. Je ne suis pas censée le savoir. Mais ce fait a changé ses motivations. Il ne s'est jamais entendu avec votre père – que ce soit sur le plan personnel ou professionnel – et ils ont eu un violent affrontement à l'époque où Jordan travaillait avec Ari. Giraud réprouve ce qu'il appelle une attitude propre aux Warrick... une façon de procéder tendancieuse, une méthodologie interventionniste qui aurait à ses yeux contaminé la section Ed et ses bandes avec ce qu'il appelle « l'influence des Warrick ». Ce n'est pas le cas. Ari savait ce qu'elle faisait. Et ce qui exaspère Giraud est en fait dû à Ari... mais il refuse de l'admettre. Pour lui, Jordan est à l'origine de tout cela – et je crois que même votre père a fini par s'en convaincre – mais c'est faux. Giraud nie l'évidence et veut en finir avec les centristes avant de mourir. Son frère est âgé, lui aussi, et il pense que je deviendrai très vulnérable quand ceux de sa génération auront disparu. Il voit en votre père un pion que nos adversaires pourront utiliser, en vous la personnification de l'influence des Warrick au sein même de Reseune, et en moi une adolescente qui accorde plus d'importance à ses glandes qu'à son cerveau. Il veut vous éloigner de moi. Je devais me convaincre que vous étiez loyal et démontrer aux Nye que je sais ce que je fais. Je connais un moyen de les contrôler... Il suffit de leur dire que j'ai trouvé dans les notes d'Ari des passages qui vous concernent.

Il déglutit avec peine.

– Est-ce exact ?

– C'est ce que je compte leur annoncer.

– Vous l'avez déjà dit. Vous venez d'éluder ma question.

– Vous savez aussi bien que moi qu'il est parfois nécessaire de mentir. Yanni estime que certaines contre-vérités professionnelles sont justifiées.

– Merde...

– Si je mens, c'est pour vous protéger.

– Contre qui ? Vous utilisez les mêmes méthodes qu'elle, jeune sera. J'espère que cela ne s'accentuera pas.

– Je suis votre amie. J'avoue que j'aimerais être bien plus que cela, mais je me suis résignée. Faites-moi confiance. Si vous n'y parvenez pas, qui pourrait se fier à vous ? Je vous ai évité une arrestation. Et je vous remettrai la bande de la séance. Je le ferai toujours. Pour Grant aussi. Je ne veux pas que vous puissiez vous méfier l'un de l'autre.

– Bon sang...

– Soyons sincères. C'est un problème épineux dont je préfère me débarrasser. Essayons autre chose. Vous craignez que je ne vous manipule... comme je compte le faire avec Denys. Vous serez moins en danger avec mes psychosondages effectués sans contrôle qu'avec ceux de Giraud malgré toutes les précautions qu'il prend. Vous avez peur de confier votre destin et celui de Grant à une enfant. Mais je suis l'élève d'Ari – en ligne directe – et de Yanni. Si je n'ai pas de diplôme... ce n'est pas seulement parce que je ne me suis pas présentée à l'examen. Certaines informations ne doivent pas figurer dans les fichiers du bureau. J'avoue avoir des pensées qui manquent de maturité. Quelques-unes sont égoïstes, mais je ne les mets pas en pratique. Vous vous êtes réveillé à l'autre bout du couloir, il me semble ?

Il rougit et s'apprêta à subir un flash-bande, à cause du lieu, de sa tension nerveuse. Il se produisit mais fut léger et sans impact véritable. Il ne fit que revoir le visage d'une Ari plus âgée qui s'apprêtait à aller travailler, comme si de rien n'était, malgré le traumatisme qu'il venait de subir...

Du ressentiment... presque aucune honte.

– Vous avez fait quelque chose, déclara-t-il à l'Ari de dix-sept ans.

Ses dix-sept ans.

– Je vous ai dit que vous n'aviez aucune raison de redouter ce lieu. Je pensais qu'il vous inspirait de l'angoisse. Cela ne m'a pas paru contraire à l'éthique.

– L'éthique est sans rapport avec cela, ou avec elle.

Elle fut choquée par sa repartie, blessée. Et il regretta de ne pas avoir su tenir sa langue.

– Désolé, je ne voulais pas. Mais, bon Dieu, si vous jugez indispensable de me placer sous kats, abstenez-vous de toute intervention !

– Votre embarras est dû à mon jeune âge... c'est ça ?

Il y réfléchit et tenta de se calmer. De la colère. Pas de la frayeur.

– Oui, cela me gêne.

– Moi aussi. Parce que vous êtes bien plus vieux que moi. J'ai à longueur de temps l'impression que vous allez critiquer tout ce que je fais. Ça me rend nerveuse, n'est-ce pas drôle ?

– Le terme ne me paraît pas approprié.

– Je vous écouterai.

– Allons, Ari, je vous ai déjà demandé de ne pas jouer à la petite fille. Vous avez cessé d'écouter qui que ce soit.

– Je prête toujours attention aux propos de mes amis. Je ne suis pas l'Ari précédente. Je l'ai précisé, il me semble ?

Une autre secousse pour le système nerveux.

– Ce n'est qu'une question de sémantique.

Elle se mit à rire.

– Vous marquez un point. Mais je trouve votre esprit très vif, ce matin.

C'était exact, et il dressait un rempart pour le protéger de la panique.

– Vous vous y prenez avec plus de douceur que Giraud. Je vous l'accorde, jeune sera.

Le « jeune sera » l'irritait. Il le savait. Il enregistra sa réaction. Un homme ne couchait pas avec une jeune sera. Et elle était honnête. Il vit le froncement de sourcils auquel il s'attendait, et qui – d'après tout ce qu'il connaissait sur le flux – traduisait de la sincérité.

– Mais je veux avoir cette bande, et pouvoir parler à Grant.

5

Elle faisait de l'équitation, cet après-midi-là : elle sur Pouliche, Amy sur Bayard – un nom que son amie avait trouvé dans une histoire. Le troisième cheval portait donc un nom, contrairement aux chèvres et aux porcs qui n'étaient que des matricules, à de rares exceptions près.

Ari avait décidé que Pouliche resterait Pouliche et ils appelaient la fille de Jument Fille ou Pouliche II. Et Pouliche II était la monture de Florian, même s'il ne pouvait la posséder légalement. Nul CIT ne la montait. Mais le troisième cheval était à Amy et portait le nom de Bayard, et les quatrième, cinquième et sixième appartenaient à Maddy, Sam et 'Stasi; quand ils ne faisaient pas de petites courses dans les champs pour transporter des choses là où les roues des camions écrasaient les plantes et où les humains ne pouvaient aller à pied.

Un jour, les chevaux auraient une écurie et une piste qui leur seraient réservées. Ari l'avait décidé. Dans les zones protégées l'espace était précieux et oncle Denys jugeait cela extravagant. Il refusait d'accorder son autorisation.

Mais *elle* nourrissait des projets d'exportation vers Novgorod, des bêtes que les citadins pourraient regarder pendant quelques années puis dont elle louerait l'utilisation, une prolongation de la production de bandes instinctives d'équitation et de connaissance des animaux qui se vendaient aussi vite qu'ils pouvaient les dupliquer... aux gens qui souhaitaient savoir à quoi ressemblaient les cochons, les chèvres et les chevaux, comment ils se déplaçaient, et ce qu'éprouvait un cavalier. Les spatiaux en achetaient et les commercialisaient sous l'étiquette de bandes ludiques. Les stationneurs en faisaient autant. D'un bout à l'autre de l'espace on trouvait désormais des gens qui savaient monter à cheval, sans en avoir touché ou vu un seul.

Cela eût amplement remboursé le coût de l'écurie et de la piste, des travaux de terrassement et d'agrandissement de la plaine de Reseune, avait-elle rétorqué. Il n'était pas utile de retourner le sol comme pour les cultures et le crottin amenderait la terre.

— Ils mangent leur poids en or, avait objecté Denys au milieu d'un chapelet de « non » catégoriques.

— Les céréales sont des ressources renouvelables, comme le fumier.

— Nous ne procéderons à aucune expansion, et nous ne tenons pas à ce que tes extravagances fassent la une des journaux dans un tel climat politique. Ce serait une grave *imprudence,* Ari.

— Nous en reparlerons plus tard, avait-elle dit, vaincue.

Entre-temps les chevaux effectuaient avec docilité les menues tâches qu'on exigeait d'eux.

L'enclos était le lieu le plus agréable de Reseune car, comme dans son appartement, on pouvait discuter sans s'inquiéter des écoutes. C'était utile quand elles oubliaient les règles de prudence et qu'Amy Carnath se détendait et lui tenait certains discours.

Car Amy était désormais malheureuse. Sam venait de se trouver quelqu'un : Maria Cortez-Campbell, une fille très gentille ; Stef était retourné auprès d'Yvguenia ; et Amy... Elle partageait son temps entre l'équitation, ses études, et la production de guppys qui lui valait d'avoir un statut officieux de cadre au sein de l'importante section d'exportation de Reseune et un titre de superviseur provisoire en recherche génétique.

Amy restait la plus intelligente de ses amies et devenait à dix-sept ans un personnage... ou tout au moins une sorte de personnage : jolie dans le genre échalas, non parce qu'elle *était* belle mais qu'elle avait un physique intéressant ; ce qui pourrait encore s'accentuer.

Mais Amy s'avérait bien trop lucide pour pouvoir être heureuse. Les garçons aussi brillants qu'elle faisaient défaut, dans leur tranche d'âge. Seul Tommy pouvait plus ou moins soutenir la comparaison, mais il était son cousin et ne s'intéressait pas aux mêmes choses qu'elle. Plus grave, il avait un faible pour Maddy Strassen. C'était presque du sérieux, pour ce couple.

– Comment ça se présente ? lui demanda Ari lorsqu'elles furent seules, sous un ciel serein.

Et elle s'apprêta à entendre une longue histoire.

– Bien, merci.

Un soupir, et ce fut tout.

Ce qui ne ressemblait guère à Amy. D'habitude, Ari avait droit à *ce salopard de Stef Dietrich*, suivi d'une liste interminable de sujets de récrimination.

Ari ne connaissait pas cette Amy et elle la regarda, intriguée.

– On ne le dirait pas, fit-elle.

– Toujours les mêmes trucs. Stef. Maman. Autant résumer.

– Tu atteindras ta majorité ce mois-ci et tu seras libre de faire ce qui te plaira. Tu peux obtenir un poste dans ma section, je te l'ai toujours dit.

– Je ne te serais d'aucune utilité. Justin... c'est différent. J'ai un tas d'activités, aux exportations. Le commercial, voilà ma spécialité. C'est l'unique utilisation que j'ai pu trouver à mon psych. Ce n'est pas ton domaine. Je me demande à quoi je pourrais te servir.

– Tu n'as jamais eu d'incidents avec la sécurité et tu es très forte en affaires. Tu serais une excellente super. Tu réussis tout ce que tu entreprends, et c'est d'ailleurs ton problème. Tu te mets tout de suite à l'ouvrage, sans prendre la peine d'apprendre. Ce que je voudrais, c'est que tu consacres un peu de temps à étudier. Rappelle-toi quand je t'ai attirée dans les tunnels et que nous avons mis sur pied notre bande. Je t'ai révélé mon projet avant d'en souffler mot à qui que ce soit. Tu seras toujours la première.

– De quoi parles-tu ?

Amy paraissait soudain effrayée.

– La première quoi ?

– Cette fois, c'est du sérieux. Je ne te propose pas de jouer à des trucs de gamins mais d'occuper un poste important dans la Maison. Tout évolue, très vite. Alors je commence par toi, comme autrefois. Veux-tu travailler avec moi ?

– Dans quel domaine ?

– Génétique. Un projet qui pourrait te servir de couverture, jusqu'à ce que tu te sois décidée. N'importe quoi, je m'en fiche. Tu recevras un salaire et une participation sur les bénéfices réalisés...

Les yeux d'Amy s'étaient écarquillés.

– Je ne te placerai pas dans la même sous-section que Maddy, pour éviter les accrochages. Mais, entre nous soit dit, tu es plus intelligente qu'elle. Et plus discrète. Je compte faire appel à toi pour les affaires délicates. Il y en aura. Giraud est en fin de réjuv. C'est un secret. Très peu de gens le savent, mais de plus en plus s'en douteront. À sa mort, il faudra élire un nouveau représentant des Sciences. Et ce sera une magnifique opportunité pour les paxistes et tous ceux qui désirent se débarrasser de moi...

– Je le sais.

– Tu sais aussi pourquoi ils m'ont créée, comment ils m'ont élevée, ce que je suis. L'Ari précédente avait des ennemis qui voulaient sa mort, et l'un d'eux l'a tuée. Plus je lui ressemble, plus les gens ont peur... car j'ai quelque chose de surnaturel. J'inspire de la frayeur à des gens qui étaient deux fois moins intimidés par la première Ari... Est-ce que tu as peur de moi ? Réponds franchement.

– *Peur* n'est pas le terme qui convient. Pas vraiment. Dire que tu as quelque chose de *surnaturel* l'est plus, car tu n'as pas ton âge... sauf quand tu es avec nous. J'en ai parlé avec Maddy. Parfois... nous avons envie de faire un truc stupide, pour nous défouler. Et...

Elle chevaucha en silence pendant un moment et tapota l'encolure de Bayard.

– Ma maman se met en colère contre moi parce que je me conduis de façon bizarre. Elle semble me prendre pour une gosse et s'inquiéter pour moi. Un jour, elle m'a

crié : « Je me fiche de ce que fait Ari. Ma fille, c'est toi...
Ne me regarde pas comme ça et ne t'avise pas de me
dire comment je devrais t'élever. » Elle m'a giflée, et je
suis restée plantée là... sans savoir quoi faire. Je ne pouvais ni riposter, ni m'enfuir en pleurant, ni saisir quelque chose et le jeter. J'étais... paralysée. Et elle a pleuré.
Et j'ai pleuré, pas parce que j'avais mal mais parce que je
savais que je ne correspondais pas à ce qu'elle avait
espéré.

Amy leva les yeux vers le ciel et le soleil se refléta sur
une larme.

– Alors... Eh bien, maman s'est mis dans la tête que je
la quitterais à la première opportunité et elle en est très
malheureuse. Nous en avons discuté, un jour. Tu lui
fais peur. Elle ne me comprend pas et affirme que si je
n'ai pas eu de véritable enfance, c'est à cause de toi. Elle
ajoute que tu n'as pas eu une seule chance de mener
une vie normale. Je ne sais pas, je pensais avoir vécu
comme les autres. Nous nous sommes bien amusées.
Nous avons fait des choses que maman ne sait pas.
Mais ça ne me dit plus rien. Je ne veux plus jouer, Ari,
et tu connais le fond de ma pensée. J'en ai assez de Stef
Dietrich, des disputes avec ma mère, des cours, des de-
vinettes de Windy Peterson, de ses foutues questions
pièges et de ses règles à la con. Je pense que c'est pareil,
pour Maddy.

– Pourrais-tu travailler avec Sam ?

– Enfer, depuis qu'il bave devant cette écervelée... ce
n'est pas très gentil à dire, non ? Mais je ne vois vraiment pas ce qu'il lui trouve.

– Fiche-lui la paix, Amy.

– Ne t'inquiète pas. Tout ça, c'est fini. Tu sais ce que
je voudrais ? Ce que tu as trouvé auprès de Florian. Pas
d'histoires, pas de prises de bec pour des riens, pas de
jalousie. Si je pouvais me le permettre, bien sûr...

– Eh bien, il me semble que tu serais plus efficace
avec un assistant, si tu acceptais mon offre. Mais je
crains que tu ne te sentes frustrée si ce n'est pas un Alpha et il ne doit pas y en avoir beaucoup de disponibles.
Je te fournirai la liste de leurs matricules. Les Baraque-

ments verts sont la meilleure source d'approvisionne-
ment. Il en découle qu'il ressemblera plus à Catlin qu'à
Florian mais... tu devrais pouvoir arranger ça.

Amy se contenta de la fixer. Elle rougit un peu.

– Un jour, ajouta Ari, tu seras à ton tour super de section. C'est mon intention. Quand je dirigerai Reseune.
Et nous ne jouons pas aux suppositions, nous envisa-
geons l'avenir. Je veux que tu bénéficies du soutien dont
tu as besoin, que tu aies auprès de toi quelqu'un capable de te protéger, de te seconder dans ton travail.
Dans ton cas, un azi mâle et intelligent est une réelle
nécessité. Si c'était une fille... tu finirais par la tuer. Est-
ce que je t'ai bien psychée ?

Amy éclata de rire et ses joues s'empourprèrent da-
vantage.

– Je ne sais pas. Je dois y réfléchir.

– Bien sûr, Amy. Je t'accorde cinq minutes.

– C'est déloyal.

– Comme dans le sous-sol. C'est la même chose. J'ai
un besoin immédiat de mes amis, toi la première. Mais
les dangers existent... si je suis une cible, vous risquez
d'en être à votre tour.

Amy mordit sa lèvre.

– Ça, je m'en fiche. Je suis sincère. Ce que je redoute,
c'est l'accrochage avec maman. Tu sais ce que je pense ?
Elle veut me garder près d'elle. Elle constate que ton influence sur moi est plus forte que la sienne, et elle a
toujours voulu que je travaille dans la section de psych
Ed, même si ce n'est pas dans cette spécialité que je
suis la meilleure.

– Bon Dieu, tu crois peut-être qu'une DP n'est pas capable de savoir qui est qui ?

– Je le sais. Mais... tu n'as pas l'autre Ari qui te fou-
droie du regard quand tu prends ton petit déjeuner.

– Quelle existence comptes-tu mener ? La tienne ou la
sienne ?

Amy secoua la tête.

– La mienne ou la tienne ? Je ne dépends que de *moi*,
Ari. Je ne veux pas de ta charité. Si tu me proposes un
véritable travail, si je *mérite* mon salaire, alors d'accord.

– Affaire conclue ?

– Topons là.

– Il nous faut contacter Maddy. Ensuite, nous irons voir Sam, et Tommy.

– Et 'Stasi aussi. *Elle*, ça ne me fait rien. Mais Stef Dietrich peut aller au diable.

– Il ne fait pas partie de mon équipe. Il ne crée que des complications et je n'ai pas besoin de lui.

Elle se dressa sur les étriers puis se rassit et ajouta :

– Nous aurons Maddy, Sam et Tommy. Pour 'Stasi, c'est d'accord. Mais nous les recruterons dans le même ordre que la fois précédente. Une priorité liée à l'ancienneté, en quelque sorte. Je vais te dire : je suis confrontée à un problème, ce qui est à la fois une faiblesse et un atout... en la personne de Justin Warrick. Il nous aidera. Mais ils sont nombreux à vouloir l'atteindre. Or, Justin et Grant sont nos seuls alliés hors de notre groupe, si tu vois ce que je veux dire.

– Il est assez intelligent pour nous compliquer l'existence.

– J'y ai réfléchi. Mes oncles ne veulent pas de lui près de moi. Ils parlent de l'influence des Warrick et le jugent nuisible. Je sais d'autres choses. Je peux te les dire, si tu es avec moi.

– Je le suis.

– Denys s'intéresse aux notes d'Ari et... à la psychogenèse. Mais je ne lui ai pas tout communiqué. J'ai classé tout cela en trois catégories : les choses que je garde secrètes, celles d'ordre général qui ont été publiées et celles qui restent à divulguer. Le projet Rubin... Il est confidentiel, mais le mur de sécurité qui l'entoure est une farce... je ne vis pas dans l'isolement et tous ceux qui ont de vagues notions de la théorie endocrinienne peuvent déduire ce qui m'est arrivé. Sais-tu sur qui il veulent garder le secret le plus absolu ? *Justin Warrick*. Parce qu'il n'est pas Jordan, mais pas non plus un clone semblable à celui de Bok. Il pourrait faire entendre sa voix à Reseune, s'ils lui en laissaient l'opportunité. Il est intelligent, il comprend ce que je suis, et il est un Spécial dans toutes les acceptions du terme... le titre excepté. Il est en outre l'élève d'une Spéciale : Ari – un autre détail dont ils évitent de parler, et qu'il est lui-même le DP d'un Spécial. Justin est bien plus important que Rubin, malgré ce qu'ils ont pu raconter aux militaires. Ari l'a conditionné, mais ils ne le disent pas non plus à la Défense parce qu'ils ont peur de lui et de ses possibilités. Denys doit savoir qu'Ari a procédé sur lui à une intervention. Mon oncle lui a permis de ne pas suivre un traitement, alors qu'il souffrait vraiment de choses... attribuables à Ari. Le meurtre de ma génémère a fichu sa vie par terre, pas seulement parce que c'est son père qui l'a commis mais surtout parce qu'il avait... besoin d'elle.

– Que lui a-t-elle fait ?

– Elle a procédé sur lui à une intervention importante, peu avant son assassinat. Elle n'a pu achever ce qu'elle avait entrepris et cela a déterminé la trame que suivrait l'existence de Justin. Ce n'est pas tout... mais le reste est d'ordre personnel et je n'en parlerai pas. Tout cela a été brutal.

– Comme ce qu'ils t'ont fait ?

Elle y réfléchit.

– Oui, avec quelques différences. Jordan désirait avoir un fils qui lui ressemblerait. Ce qui aurait été impossible. Ari savait avec précision ce qu'elle voulait obtenir de ce généset et est parvenue à ses fins. C'est le fond de l'histoire. Elle a manipulé ses ensembles-profonds... avec beaucoup de doigté.

Amy lui adressa un regard.

– La psychogenèse est à double sens, comme toute forme de clonage. On peut obtenir une réplique identique, ou encore le fruit du travail d'un concepteur. Je suis la copie la plus fidèle de l'original qu'on ait créée à ce jour. J'ai déclaré à Justin que je n'étais pas la première Ari et il m'a répondu que ce n'était qu'une question de sémantique. Et je pense qu'il a raison. Il y a eu des différences : maman, Ollie, Denys... qui n'a rien en commun avec Geoffrey Carnath, Dieu merci. D'autres événements se sont produits. Mais j'ai eu Florian et Catlin et je n'ai pas remis en question les théories qu'on me fournissait... qu'on m'imposait. Je sentais qu'elles étaient valables. Je sais ce qui m'a permis de dépasser Ari. J'ai dû travailler. J'étais terrifiée. Je ne pouvais me réfugier dans le domaine de l'abstraction en laissant à mon entourage le soin de s'occuper de mes besoins matériels. J'ai appris à me concentrer, et à avoir des pensées originales pour affronter des situations en temps réel. C'est la raison principale. Le clone de Bok n'est pas sorti des ténèbres, n'a rien possédé, n'a jamais *été* quelqu'un. Tu sais ce que j'aurais répondu aux questions qu'ils posaient à cette malheureuse ? Allez vous faire foutre ! Et si j'avais aimé jouer du piano, bordel, je ne m'en serais pas privée ! Et j'aurais peut-être craché sur les profs de maths qui ne m'enseignaient pas ce que Bok avait dû apprendre... ce qu'on découvre en vivant dans l'espace, bon sang ! Mener une existence de spatiale et avoir conscience que les maths sont l'essence de la vie et de la mort ! Le clone de Bok s'est vu débiter des théories froides et sans âme. Elle était une créatrice, et ils ne lui ont pas donné de la glaise à façonner mais de la poussière. Ils l'ont protégée de tout et n'ont pu comprendre sa musique. C'était une pianiste médiocre qui ne pouvait interpréter ce qu'elle ressentait. Mais je me demande ce qui résonnait à l'intérieur de son crâne, et pourquoi elle passait de plus en plus de temps dans un univers d'abstractions. Je ne suis pas certaine que l'expérience ait été un échec. Je n'exclus pas que son entourage n'ait pu communiquer avec elle, ou que le système de notation ne convenait pas à ce qu'elle voulait écrire. Je m'interroge sur l'ensemble de la symphonie et me demande si elle ne se contentait pas de jouer l'accompagnement... Euh...

Elle secoua la tête.

– C'est tout aussi étrange, non ?

– Les ords ont analysé ce qu'elle a écrit. Ça n'a rien donné.

– Ils comparaient cela aux théories de Bok. Mais elle n'a pas connu sa génémère.

– Tu penses à ce que lui avaient fourni ses professeurs ?

– Peut-être. Ou autre chose, sans rapport apparent.

– J'aimerais consulter ce dossier, pour savoir ce qu'ils ont essayé.

– Fais-le. Fais ce que tu veux. Tu appartiens désormais à une section de recherche, non ? Tu choisis tes projets, tu les inscris sur ton budget, et notre balance comptable ne basculera pas pour autant dans le rouge. Les guppys et les bettas nous rapportent de quoi nous offrir de nombreuses heures d'utilisation des ordinateurs.

6

Le hall de l'aéroport de Reseune était presque désert. Tous les appareils qui assuraient les vols réguliers de la RESEUNAIR avaient décollé et les passagers en transit étaient repartis pour Novgorod, Svetlansk ou Gagaringrad. En plus des membres des services de sécurité du petit terminal on ne voyait qu'une poignée de gardes venus de la Maison accueillir leurs camarades de retour de Planys. Comme lui, pensa Justin.

Mais Florian avait gagné le secteur de débarquement où les simples civils ne pouvaient pénétrer, après lui avoir avoir avoir dit :

– Sera Amy Carnath est de l'autre côté de la salle avec Sam Whitely, ser. Ce sont deux amis de sera. Ils resteront à distance, mais si vous avez des ennuis ils utiliseront leur com de poche pour m'avertir. Je reste sur la fréquence de sécurité...

Il avait effleuré un petit bouton, à côté de sa carte.

– J'écoute les instructions transmises par le centre. S'il devait se passer quelque chose, n'opposez aucune résistance. Nous nous chargerons de régler la question.

Les deux observateurs demeuraient de l'autre côté de la salle : un jeune homme fortement charpenté et au visage carré, avec une musculature et une attitude indiquant qu'il n'exerçait pas la profession de comptable... Whitely était un nom de la Ville et non de la Maison, mais Justin se rappelait l'avoir vu dans l'entourage d'Ari ; et la fille de Julia Carnath, Amy, l'ombre d'Ari, maigre, studieuse, et à l'esprit vif ; très vif à en croire sa réputation. La nièce de Denys Nye et un garçon qui paraissait capable de plier un tuyau à mains nues... un couple qui inciterait les gardes à réfléchir à deux fois avant d'intervenir, si l'administration souhaitait éviter un esclandre.

La présence de ces gosses le rassurait.

Merde, un adulte protégé par des enfants et adopté par une jeune fille... la copie conforme d'une femme qui avait autrefois abusé de lui, ce qui le gênait le plus. Il n'avait pas eu une seule chance, face à une Ari plus que centenaire et au mieux de sa forme, mais il trouvait humiliant de penser que son double n'avait eu qu'à se baisser pour... le cueillir et le placer dans cette situation. Grant se trouvait derrière ces portes et devait se demander pourquoi le garde du corps personnel d'Ari participait au contrôle des bagages et à la fouille. Il avait dû sursauter en prenant conscience que quelque chose clochait, avant de se réfugier en lui-même sans opposer de résistance ; parce qu'il ne pouvait rien espérer, hormis que son compagnon n'était pas dans une cellule et pourrait bientôt venir le rejoindre.

Florian avait refusé de lui transmettre un message. Désolé, ser. Je dois me plier au règlement, mais je m'efforcerai de hâter les formalités.

Et Grant le suivait, sans savoir vers quoi, sans savoir ce qu'était devenu son ami, sans savoir que ce dernier l'attendait pour lui annoncer...

Seigneur, pour lui dire qu'Ari les convoquait dans son appartement. Qu'il devrait se soumettre à un psycho-sondage. Qu'il n'avait pas à s'en inquiéter... parce qu'il venait d'en subir un lui aussi.

Il était étonné de vivre avec autant de calme ce nouveau cauchemar, de pouvoir observer les membres de la sécurité et les deux jeunes gens qui discutaient, écouter les bruits qui trahissaient une intense activité derrière les portes. Des employés alignaient les bagages sur des tables où les gardes de Reseune les fouilleraient, pour vérifier chaque objet sans rien négliger. Ils contrôleraient même les sceaux apposés sur la trousse de toilette et le contenu des flacons opaques.

Il était habitué à ces contrôles. Pas de doublures, et tout devait être placé dans des bouteilles ou des sachets transparents, avec le moins de vêtements possible, tous les documents dans la mallette et débrochés pour qu'ils puissent passer dans un scanner.

Il suffisait de se munir de pulls ou de chemises froissées pour que les gardes pensent à l'existence de doubles coutures et de faux cols.

Il étira ses jambes devant lui, se pencha en arrière et essaya de se détendre. Il sentait renaître en lui une ancienne panique, pendant que les minutes s'écoulaient avec autant de lenteur que des heures.

Tout va bien, Grant. Je suis certain qu'elle n'a pas procédé à une intervention sur moi.

Tiens donc ?

Mais qu'aurions-nous pu faire, hormis espérer que sa réincarnation ne suivrait pas le même chemin qu'elle ?

Si elle a ces notes, bon sang, elle sait quelles étaient les intentions de sa génémère à mon égard. Elle peut changer de cap... ou achever ce qui a été commencé, terminer ce qu'elle avait prévu. Et dont j'ignore tout. J'ai parfois pensé que cela aurait peut-être été préférable... si Ari n'avait pas été tuée. Et à condition que son projet soit cohérent. À présent, ce n'est pas ce que la première Ari aurait pu réaliser. Je suis un adulte. J'ai effectué des recherches personnelles, j'ai établi un programme...

Et Grant, mon Dieu... dans quoi l'ai-je entraîné ? Que puis-je essayer ?

Les portes s'ouvrirent sur son compagnon. Il portait sa mallette. Florian le suivait, avec la valise.

– Le car, ser, dit ce dernier.

Il tendit la main pour désigner la sortie, pendant que Justin se levait et venait à la rencontre de son ami.

– Je suis heureux de te revoir, déclara Grant.

Il avait l'expression hébétée propre aux passagers des vols transocéaniques qui venaient de subir une demi-journée de décalage horaire. Justin le prit par l'épaule et lui tapota le dos.

– Comment s'est passé le voyage ?

– Oh ! Au sol tout a été parfait. Jordan et Paul... tout va bien, pour eux, j'ai beaucoup aimé. Nous avons eu d'interminables discussions.

Ils entendirent les portes du service de contrôle se rouvrir et Grant lança un regard derrière lui, ce qui lui fit perdre le fil de ses pensées.

– Je...

Devant eux, d'autres battants s'écartèrent, sur le portique où un car attendait.

– Ça va, ici ?

– Grâce à Ari, répondit Justin.

Il gardait une main collée contre le dos de son ami, pour l'inciter à ne pas s'arrêter. Florian posa la valise sur le plancher du véhicule et monta aussitôt. Il ordonna au conducteur de démarrer, pendant que Grant et Justin venaient le rejoindre.

– J'ai dix autres passagers à prendre, protesta l'homme.

– Nous sommes prioritaires. Montez, ser.

Ils entrèrent dans le car et Florian referma aussitôt la portière.

L'azi mit le contact et démarra.

– Vous pourrez revenir les chercher ensuite, lui dit Florian.

Qui resta à son côté pendant que les deux autres passagers s'installaient sur la première banquette.

– Que se passe-t-il ? demanda Grant d'une voix toujours posée.

– Tout va bien, répéta Justin.

Il prit le poignet de son ami et exerça deux pressions

à l'emplacement du pouls, du bout des doigts. Une confirmation. Il sentit l'azi se détendre.

Florian vint s'asseoir en face d'eux.

– Catlin retient l'ascenseur, dit-il. Les gardes de faction aux portes seront sans doute surpris en voyant le car sans les autres passagers. Le temps qu'ils viennent demander au conducteur ce qui se passe, nous entrerons. Ce que nous faisons n'est pas illégal, mais nous ne souhaitons pas provoquer une altercation pour des questions de juridiction ou de priorité. S'ils nous interpellent, ne vous inquiétez pas, ne soyez pas nerveux. Nous nous en tirerons sans accrochage, si vous me laissez parler et suivez mes instructions. Nous nous dirigerons droit vers les portes puis en direction de l'ascenseur... Catlin et moi avons souvent exécuté de telles manœuvres.

– Mais, nous nous retrouverons au niveau résidentiel de la section un, fit remarquer Grant, toujours avec calme.

– C'est là que nous allons, lui répondit Justin. Il s'est produit un incident de frontière et Ari a fait le nécessaire pour que nous ne finissions *pas* dans les griffes de Giraud.

– C'est à souhaiter.

Grant accompagna ces paroles d'un soupir et Justin tapota son genou.

– Ton retour à la Maison est plutôt pénible. Je regrette.

– Ça va, murmura son compagnon.

Il ne paraissait pas plus abattu qu'au cours de toutes ces dernières années. Justin prit sa main dans la sienne et la serra avec force. Grant s'adossa au siège pendant que le véhicule entamait la montée de la colline.

Florian était attentif à ce qu'il entendait par l'écouteur glissé dans son oreille gauche. Il se renfrogna, puis ses sourcils se haussèrent.

– Ah !

Un éclair dans ses yeux, un sourire.

– Les gardes de l'aéroport se sont plaints du départ

408

de notre car, et le centre de sécurité de la Maison vient de leur répondre qu'il a été réquisitionné par sera et que ser Denys a confirmé qu'elle était habilitée à prendre des mesures de protection pour Grant. Nous n'aurons pas de difficultés à entrer.

– Des ennuis ? demanda Grant.

– Modérés. Des complications, à Planys ?

– Aucune. Absolument aucune.

– Parfait.

Et, comme le conducteur du car risquait de les entendre, il ne répondit pas à la question qu'il lisait dans les yeux de son ami.

L'ascenseur s'ouvrit sur la vaste étendue du couloir extérieur de la résidence d'Ari, dans lequel ils sortirent avec les bagages... que Catlin et Florian s'étaient appropriés. Florian, qui s'adressa à voix basse au néant pour informer Ari de leur arrivée.

La porte de l'appartement s'ouvrit, plus loin dans le passage.

Et Justin prit Grant par le bras.

– Nous avons quelques problèmes, dit-il à présent qu'ils étaient en sécurité dans le secteur personnel d'Ari. Giraud s'en est pris à nous. Il avait organisé un coup monté pour te faire accuser de je ne sais quoi. C'est presque certain. J'ai dû passer un accord avec Ari.

– Quelles en sont les... clauses ?

Il raidit ses doigts, à deux reprises.

– Nous nous soumettons à un sondage. Quelques questions. Aucun danger, je te le jure.

– Pour toi aussi ?

Son compagnon était inquiet. Très inquiet. Pas : *Tu m'affirmes que ce n'est pas un coup pourri ?* mais : *Est-ce que ça va ?*

Justin le fit tourner vers lui et le prit dans ses bras, pour une brève étreinte.

– Rassure-toi. Elle est *notre* alliée, d'accord ? Ce n'est pas un jeu, il n'y a rien d'autre, elle nous protège et c'est tout.

Grant le regarda et hocha la tête.

– Je n'ai aucun secret, dit-il.

Sa voix était grêle, un peu rauque.

– Y assisteras-tu ?

– Non. Elle dit... elle dit que je la rends nerveuse. Mais j'attendrai dans la pièce d'à côté. Je ne m'éloignerai pas de toi.

Justin feuilletait la revue que Florian avait eu l'amabilité de lui fournir pour tromper son attente – le dernier numéro du *Bulletin du bureau des Sciences* dans les pages duquel il réussissait à se perdre de temps en temps. Mais les articles de physique étaient ardus et on trouvait dans la partie consacrée à la génétique le rapport de Franz Kennart de Reseune sur l'élaboration du zooplancton, un processus dont il s'était déjà longuement entretenu avec l'auteur. Un biologiste avait écrit un texte sur la disparition des écosystèmes autochtones de Cyteen et l'apparition de zones mortes dans les vallées proches de Svetlansk, où des bactéries anaérobies créaient de grandes poches de méthane.

Ce qui n'était pas suffisant pour retenir son attention. Même les illustrations n'attiraient pas son regard. Il se contentait de lire leurs légendes et des paragraphes isolés pendant que l'anxiété nouait son estomac. Ce n'était pas une nouveauté, pour lui : lire des rapports en attendant qu'on vînt l'arrêter, tenter de résoudre un problème de vie ou de mort en temps réel tout en étant soumis aux caprices d'une administration qui pouvait refuser de lui fournir des nouvelles sur la santé de son père.

Il feuilletait les pages, revenait en arrière, se concentrait un instant sur des cartes géologiques de Svetlansk puis sur des clichés de cadavres de platythères. C'était affligeant, bien que cela eût permis de disposer de plus de place pour les cultures, les cochons, les chèvres et les humains. L'image d'un homme en scaphandre qui permettait de se faire une idée de la taille de la créature, un individu réduit au nanisme par la carcasse pourrissante d'un géant qui avait dû vivre des siècles, rappelait les photos des chasseurs souriants de Vieille Terre qui posaient en exhibant de larges sourires devant des monceaux de corps, de crânes de tigre, de cornes et de défenses en ivoire.

Des larmes coulèrent sur ses joues. Il en fut surpris et sa gorge se serra. Pour un foutu platythère, bon sang ! Parce qu'il attendait et ne pouvait pleurer pour Grant, qui l'eût regardé avec curiosité avant de lui dire : *Le flux provoque de bien étranges réactions, ne trouves-tu pas ?*

Il s'essuya les yeux et tourna une page, puis les suivantes, tant qu'il ne se fut pas calmé. Faute d'avoir trouvé quelque chose à même de retenir son attention, il pensa : *Ô Seigneur ! Combien de temps lui faut-il pour poser quelques questions ?*

La première Ari a conçu Grant. La nouvelle a eu accès à ce projet et dispose de son manuel. Comme Giraud.

Giraud, dont l'intervention avait fait de lui un cas-z.

Lui est-il arrivé quelque chose ?

Non, ils m'auraient appelé. Ils m'auraient certainement averti.

Il posa le magazine sur la table et laissa reposer ses coudes sur ses genoux, enfonça ses paumes dans ses cavités oculaires puis croisa les doigts derrière sa nuque et tira sur son cou pour atténuer une douleur de plus en plus vive.

Supposons que mon père ait implanté quelque chose au fond de son esprit... Grant pourrait l'assimiler, le segmenter...

Mais Jordan ne se serait pas permis de le faire. Jamais.

La porte s'ouvrit, dans le couloir. Il leva les yeux en entendant la voix d'Ari, ses pas légers.

Elle entra dans la pièce. Elle paraissait très lasse.

– Il dort. Pas de problème.

Elle vint jusqu'au canapé et lui dit :

– Je n'ai rien trouvé. Il ne s'est rien passé. Il se repose. J'ai découvert de la tension... justifiée. Il s'inquiétait pour vous. Je ne vous empêcherai pas de le réveiller. Mais je lui ai dit qu'il est en sécurité. Je remettrai l'enregistrement à Giraud, car je n'ai pas le choix. Mon oncle est obsédé par ce qu'il appelle votre influence. Et vous pouvez deviner ce qu'il imaginerait si je m'en abstenais.

– Ce n'est pas ce qui le fera changer d'opinion. Même si cette bande démontre notre innocence sans laisser planer le moindre doute... il se convaincra du contraire.

Elle secoua la tête.

– Vous rappelez-vous ce que j'ai dit à Denys au sujet de certaines notes de travail d'Ari senior ? Je lui préciserai que je tiens la situation en main et que lorsque j'aurai terminé les agissements de Jordan importeront peu. Il peut cesser de s'inquiéter de l'influence des Warrick, étant donné que je vous contrôle tous les deux.

C'était crédible, suffisamment pour alimenter les craintes qui le minaient et lui rappeler l'Emory précédente : des strates de vérité intercalées entre des subterfuges et un sens de l'humour plus que douteux. Il se massa la nuque et tenta de réfléchir, mais les pensées s'égaillèrent devant sa panique... hormis celle qui disait : *Tu dois t'y résigner, cette gosse est la seule force de la Maison qui importera un jour, tu n'as pas le choix, pas le choix, pas le choix.*

... en outre, avait-elle dit de l'autre côté de la table où ils prenaient leur petit déjeuner, *si votre sort est lié au mien je doute que votre père tente quoi que ce soit contre Reseune, non ?*

– Je veux vous parler de Giraud, fit-elle. Parfois, il m'inspire de la haine. Parfois, je l'aime presque. Il est sans pitié pour ses adversaires. Il est fasciné par les modèles réduits, les microcosmes et les gadgets scientifiques. Il se considère comme un martyr et s'est résigné à effectuer les tâches les plus viles et à être haï. Il a peu de points faibles, à l'exception d'une antipathie profonde pour votre père mêlée de ressentiment d'ordre personnel et... de moi, parce que je le prends toujours par le cou bien qu'il m'ait manipulée. Tel est Giraud. Vous et moi, nous nous situons aux deux extrêmes de ce qu'il ressent. Je ne dis pas cela pour que vous compatissiez à son sort mais pour que vous sachiez à qui vous avez affaire.

– Je le sais déjà, merci.

– Quand on vous joue des mauvais tours... un petit problème apparaît au niveau de l'ego. N'est-ce pas ce qu'on apprend en psych ? Cela déclenche une crise. On se demande si on n'est pas responsable de nos malheurs, avant de se convaincre que tous nous croient dans l'erreur... n'est-ce pas ce qui se passe ? Et l'ego doit alors se restructurer pour permettre au flux d'emporter le doute. Il faut alors que l'adversaire reçoive une étiquette bien précise qui ne laisse aucune place à l'incertitude. N'est-ce pas ainsi que ça se passe ? Vous le savez. Remettre cette valeur en question est pénible, mais vous devez savoir certaines choses sur Giraud pour pouvoir décider de la conduite à tenir.

– Je ne pense pas que ce soit réalisable, quand sa vie est en jeu.

– Il vous a fluxé. Pour de bon. Allez-vous lui permettre de s'en tirer à si bon compte ou m'écouter ?

– Faites-vous ceci sous kats, sera ?

– Non. Vous en sentiriez l'écho, il me semble ? Ce que je vous inspire est si puissant que vous ne parvenez pas à avoir des pensées cohérentes. Vous êtes fluxé sur moi, Giraud, Jordan, vous-même. Sur tout le monde, Grant excepté. C'est lui que vous voulez protéger. J'ai une affaire à vous proposer. Giraud est mourant.

L'adrénaline le saturait au point de l'engourdir. Le cerveau réagit et le flux se régularisa, bien qu'il sût qu'elle procédait à une intervention et qu'il pût suivre pas à pas son action. Puis il fut sidéré de découvrir qu'elle faisait cela à tâtons, qu'elle improvisait au fur et à mesure de sa progression.

Le nœud céda et il s'ouvrit, comme sous l'effet des drogues. Il eut même des étourdissements.

– Entendu. Mais je relève une faille dans votre raisonnement. Mon compagnon ne sera jamais en sécurité tant que vous pourrez l'atteindre.

– Il ne se retournera pas contre vous. Intervenir sur lui serait stupide, car il est pour vous le seul point d'attache stable et je veux savoir avec certitude où vous vous situez. C'est sur vous que j'interviendrai... en cas de besoin. Mais si Grant ne court aucun risque, vous vous rappellerez – chaque fois que vous envisagerez d'entreprendre quoi que ce soit à mon encontre – que votre père n'a pas eu le pouvoir de se protéger, et vous encore moins, alors que j'en suis capable. Je ne ferai jamais de mal à Jordan, pas plus qu'à Grant. Mais je ne peux prendre un tel engagement en ce qui vous concerne. Et vous en connaissez la raison. Vous êtes ma seule protection face à une menace qui n'est pas dirigée que contre moi.

C'était étrange, il ne ressentait aucune panique. Du travail en profondeur, à nouveau. Il découvrait cela à travers une nappe de brouillard à l'intérieur de laquelle l'intellect reprenait le contrôle et disait : *Et vous êtes pour moi un atout, vous aussi.*

Mais, à haute voix :

– Puis-je voir Grant ?

Un hochement de tête.

– Je l'ai dit. Mais vous resterez ici... pendant quelques jours. Tant que je n'aurai pas réglé le problème avec mes oncles.

– C'est une excellente idée.

Derrière les frémissements de la peur, il se sentait très calme, voire même soulagé.

Le flux s'amplifia. Ses défenses se dressèrent. Il pensa que Giraud pourrait ordonner leur arrestation malgré les objections de Denys.

Ou organiser leur assassinat. Cet homme n'eût pas redouté de ternir sa réputation. Un expert – d'une façon infâme – qui servait une Cause. Ari disait vrai sur ce point. Il eût même sacrifié l'estime qu'elle lui portait, s'il avait obtenu en échange la certitude qu'elle ne courait plus aucun danger.

Et il ne reculerait devant aucune bassesse, car il lui

fallait détruire l'opinion qu'Ari avait d'eux. C'étaient leurs idées qu'il devait discréditer.

Cet homme avait voulu le compromettre par l'entremise de Grant. Chaque voyage à Planys représentait un risque. Il était une fois de plus coupé de son père. *Plus* de visites. Aucune opportunité de le voir. Il pouvait s'estimer heureux d'avoir récupéré Grant indemne. Et si Giraud s'en prenait à Jordan...

Jordan qui savait son fils et son fils adoptif alliés au double d'Ari...

La liste des *si* se poursuivait à l'infini et il n'existait aucune méthode qui permettait de démêler vérités et mensonges. Tous pouvaient mentir. Tous avaient raison. Toutes les initiatives de son père les mettraient en danger. Faute de pouvoir les atteindre, Giraud se retournerait sans doute contre lui pour disposer d'un moyen de pression sur eux et faire naître des doutes dans l'esprit d'Ari...

Qui avait dit... *Je vous contrôle tous les deux...*

Dieu !

Il sortit dans le couloir et s'avança jusqu'à la porte du vidsalon plongé dans la pénombre. Grant était allongé sur le divan, endormi et tranké. Florian se trouvait là, une sombre silhouette qui montait la garde dans un angle. Catlin était absente, ailleurs dans cet appartement, au cas où il eût transgressé les instructions et se fût aventuré dans les autres pièces, pensa-t-il.

Il posa la main sur l'épaule de son ami et lui dit :

– Grant, c'est Justin. Je suis là, comme promis.

L'azi grogna et prit une inspiration profonde, avant d'entrouvrir les paupières.

– Je suis là, répéta Justin. Tout va bien. Elle dit que tu n'as rien à te reprocher.

Les yeux de son ami s'étrécirent alors qu'il luttait pour se dégager des liens tissés par les tranks et lui tendait la main. Il la prit.

– Tu m'entends ?

Une pression, à l'intérieur du poignet.

– Tout va bien. Tu veux qu'on te porte dans un lit, Florian et moi ? Tu veux te coucher ?

– Ici, marmonna Grant. Je veux rester ici. Je suis las. Si las...

Et ses paupières se fermèrent.

7

– Je m'en suis assez bien tirée, déclara Ari en mâchonnant une feuille de salade.

Ils déjeunaient au *Relais*, le 18 décembre.

– Ils ont regagné leur appartement et tout le monde est content. Il n'y a aucun problème avec Jordan, il ne subsiste pas la moindre incertitude. Je ne voulais pas laisser Justin et Grant à la merci de Giraud, voilà tout. Tu n'as pas à t'inquiéter. Je peux me débrouiller toute seule. Dois-je te le répéter ?

– Tu sais ce que j'en pense, lui répondit Denys.

– J'apprécie ta sollicitude, mais...

Un petit mouvement des sourcils, un sourire étudié.

– Tu devais te faire autant de soucis pour Ari senior.

– Ce qui ne lui a pas évité d'être assassinée.

Un point.

Sensible ? Son oncle était dans tous ses états. Son frère aussi. Il avait le désordre en *horreur* et l'approche de sa mort en créait dans la Maisonnée. Des rumeurs commençaient à circuler. Il n'y avait pas eu de fuites, mais le physique de Giraud, de plus en plus fragile malgré sa forte charpente, était révélateur d'une santé défaillante.

– Ce n'est qu'une simple supposition. Qui sait ? La tuyauterie a pu céder. J'ai examiné la porte. Le moindre courant d'air suffit à la déplacer. La conduite cryo a peut-être explosé toute seule. Ari est atteinte par le jet, elle tombe et son crâne heurte le comptoir. Le battant se referme. La thèse du meurtre servait vos intérêts. Un *assassinat* justifiait que vous preniez des mesures draconiennes.

– Est-ce la version de Justin?

– Non, celle du Dr Edwards.

– *Quand* John t'a-t-il débité de pareilles conneries?

– Pas en ces termes. Il m'a simplement enseigné la méthode scientifique. Il ne faut éliminer aucune hypothèse. Certaines sont plus plausibles que d'autres, voilà tout.

– Les aveux du meurtrier donnent du poids à certaines, il me semble?

– Ce devrait être le cas.

Elle découpa une tranche de concombre.

– Tu sais qu'ils se laissent aller, aux cuisines? Regarde un peu.

Elle empala une côte de laitue.

– Devraient-ils nous servir ça?

– Revenons à nos moutons, ma chérie. Les raisons pour lesquelles tu t'es entichée de cet homme, par exemple. Tes glandes jouent un rôle bien plus important dans cette affaire que tu n'acceptes de l'admettre. Si tu refuses de reconnaître tes points faibles, il finira par s'en rendre compte.

– Tu oublies un détail, oncle Denys. Justin n'est pas son père. Il ne pourrait pas tuer, pour les raisons qui l'empêchent de travailler en temps réel. Même Giraud ne lui inspire pas de haine. Il est sensible aux souffrances de son entourage. C'est Ari qui a développé en lui cette tendance. Elle l'a accentuée, de façon prononcée. Je dispose de ses notes, vois-tu? Et je sais aussi qu'elle avait jeté son dévolu sur Jordan. Quand elle a constaté qu'il ne lui serait d'aucune utilité, elle l'a poussé à avoir un DP qu'elle a ensuite pris... au sens le plus strict du terme. Si elle n'était pas morte, Justin se serait rapproché d'elle au fil des ans – soit en comblant la brèche avec son père soit en rompant toute attache avec lui – parce qu'il existe dans leurs rapports un élément regrettable et qu'il aurait fini par en prendre conscience.

– Et c'est, mmmm ?

– Jordan l'aurait étouffé. Ari n'a jamais redouté la concurrence, mais ce n'est pas le cas de cet homme. Leurs relations – je parle de Justin et de son père – seraient devenues de plus en plus tendues, sous l'influence d'Ari. J'ai l'intention de reprendre tout cela à mon compte. Jordan est arrogant et dogmatique, et il nourrit des projets pour sa réplique, mais ses espoirs seront déçus parce que son fils est condamné à s'opposer à lui et à gâcher son existence, depuis qu'Ari lui a administré une décoction d'indépendance. Et ce n'est pas le genre de chose que l'ego de Jordan pourrait accepter.

– Tu ne connais même pas cet homme.

– Ari l'a longtemps côtoyé, et je m'exprime en son nom. Elle a organisé toute sa vie. Elle a créé Grant pour qu'il ait une influence bénéfique sur Justin, en tant qu'associé au potentiel identique. Son original était lui aussi un Spécial, si tu n'as pas oublié. Mais elle a conditionné dans ses ensembles-profonds un respect sans réserve de son contrat, ce qui devait permettre à un garçon poussé à la réussite par son père de trouver auprès de lui le soutien qui lui était indispensable sur le plan affectif. Ari comptait utiliser Grant pour éloigner Justin de Jordan, le moment venu. À présent, c'est moi qui en dispose. Je suivrai les instructions d'Ari, dans cette affaire. Elle appréciait les compétences de Jordan mais voulait les utiliser à ses fins... ce qui serait la cause de leur affrontement tragique, d'après ce qu'on m'a dit. Il l'aurait accusée de lui voler ses idées et de se les approprier. Justin a émis des réserves comparables et m'a avoué son ressentiment. Mais j'ai surmonté cette difficulté.

– Pourrais-tu m'expliquer comment ?

– Disons que je me suis conduite avec un peu plus de bon sens que ma génémère. Je n'ai pas couché avec lui et nos rapports sont restés strictement *professionnels*.

– Voilà qui me soulage.

– Je l'avais prévu, et je sais que Giraud en sera ravi.

Je m'imagine ce qu'il doit penser. Tu peux lui annoncer qu'il ne s'est rien passé entre nous, quand Justin a séjourné dans mon appartement. J'ai pu l'effrayer, mais pas trop. J'ai été très sage. J'en ai profité pour procéder à quelques réajustements de l'intervention qu'Ari a effectuée sur lui pendant qu'il était inconscient, et je me félicite de l'avoir laissé tranquille. Ce qu'il éprouve se changera bientôt en reconnaissance.

– Tu es trop sûre de toi pour ton âge, jeune sera.

– Je ne suis pas que cela, oncle Denys. Ce qui met la plupart des gens mal à l'aise. J'apprécie de pouvoir être moi-même avec toi. Et avec Giraud. Et je me félicite que tu te montres si raisonnable. Je ne suis plus la petite Ari du passé. Je me rapproche de l'autre Ari, bien plus que je ne le laisse voir. Elle agirait comme moi. Ainsi, mes ennemis croient avoir du temps devant eux, ce qui est un moyen de régler le problème. Et d'établir ma position. C'est d'ailleurs pour cela que je dois te parler de Giraud.

– Que veux-tu me dire, à son sujet ?

– Tu aimes ton frère, n'est-ce pas ? Il est ton bras droit. Que feras-tu, à sa mort ?

Denys inspira et laissa sa main reposer à côté de son assiette. *Un partout*. Il n'avait jamais baissé sa garde. Un froncement de sourcils coléreux, puis une expression plus sereine.

– Selon toi ?

– Je ne sais pas. Je me demande si tu y as pensé.

– Je le fais. Nous y réfléchissons tous les deux. Tes agissements ne simplifient pas notre tâche. Tu sais que notre situation sera très précaire, au Conseil.

– Giraud s'en inquiète et a peur pour moi. « L'influence des Warrick ». Seigneur, j'en ai si souvent entendu parler... Laisse-moi te dire une chose : Justin n'ourdit *pas* de sombres machinations contre moi.

Elle vit les yeux de son oncle se river sur le néant et elle tapa sur la table.

– *Écoute-moi*, oncle Denys.

Il la regarda à nouveau.

– Cesse de me prendre pour une idiote, tu veux ? J'ai besoin de lui pour des raisons bien précises. Je dois disposer de ses connaissances *professionnelles* dans un certain domaine, maintenant ou dans un proche avenir.

– Il n'existe rien que tu ne pourrais réaliser toute seule, jeune sera.

– C'est possible, mais pourquoi se donner cette peine quand quelqu'un d'autre est qualifié pour s'en charger à ma place et me faire ainsi gagner du temps ?

– Voilà qui le flatterait.

– Oh ! Il en obtiendra le crédit. Je lui en ai fait la promesse. Et, contrairement à son père, Justin n'a toujours tenu qu'un second rôle. Il n'a pas le caractère inflexible de Jordan.

– Que feras-tu de ce dernier, quand tu dirigeras Reseune ? Peux-tu me le dire ? Le laisseras-tu agir à sa guise ? Ce serait d'une stupidité sans bornes, Ari. Et c'est exactement ce que Justin compte te demander... ce qu'il a *déjà* dû te demander, n'est-ce pas ? J'en suis sûr, comme je suis certain qu'il a réussi à gagner ta sympathie.

– Il l'a fait, et j'ai voulu savoir s'il estimait que son père était digne de confiance... et s'il pourrait se défendre de ceux qui veulent se servir de lui. Comme les paxistes.

– Jeune femme, tu t'ingères dans des affaires qui te dépassent.

– Je n'ai pas besoin d'utiliser mes capacités supérieures à la moyenne pour comprendre ce que Giraud voulait leur mettre sur le dos... juste après m'avoir annoncé que cet homme avait des contacts avec les centristes. Je suis désolée d'avoir contrecarré les projets de ton frère, mais ils risquaient de ruiner une opération bien plus importante... la mienne. Et je ne peux le permettre.

Elle resservit du vin. Ils avaient chassé le serveur en lui disant de ne revenir que s'ils utilisaient la sonnette.

– Le problème, c'est que tu n'as pas confiance en moi, oncle Denys. Rappelle-toi ce que je t'ai dit au sujet de l'eau trouble. Je n'aime pas ça. Pas du tout. Giraud a des pensées un peu trop tortueuses à mon goût et je voudrais que tu les redresses. Il est las et malade, et je ne sais comment aborder ces questions avec lui.

– Je te croyais omnisciente.

– Eh bien, disons que je sais assez de choses pour comprendre qu'il va mal. Il tente de le dissimuler et refuse de l'admettre en ma présence. Il le prendrait très mal, si j'essayais de le raisonner. Hormis si je le faisais sous tranks, et je ne tiens pas à procéder à une intervention sur mon oncle. Tu es le seul qu'il écoutera, le seul qui puisse le calmer, parce qu'il sait que tu es objectif... ce qu'il ne pense pas de moi. Et il reste une dernière chose que tu dois lui dire... Reseune n'est pas placée que sous l'influence des Warrick. Il y a aussi celle des Nye, et il doit savoir qu'elle est bien plus importante et... indispensable, tant pour moi que pour les laboratoires.

– C'est agréable à entendre.

– Je n'ai pas encore abordé le sujet principal. C'est une affaire un peu délicate, oncle Denys, et je ne voudrais pas que tu le prennes mal. Il est difficile de discuter avec Giraud, mais... il possède un sens pratique dont j'ai besoin, au même titre que Reseune. Selon toi, que dirait-il d'avoir une réplique ?

Denys resta figé un long, très long moment.

– Il serait sidéré par cette proposition et ferait remarquer qu'on ne dispose pas sur lui d'autant d'informations que sur la première Ari.

– Il est possible que ça marche, c'est même probable. Je n'aurai besoin que des enregistrements stockés dans le système central de la Maison. Merde, c'est si délicat ! Je ne sais comment aborder la question. J'ignore ce qu'il ressent à l'approche de la mort. Il... ne m'en a jamais parlé. J'en déduis qu'il ne tient pas à ce que je le sache. Mais je connais sur la psychogenèse plus de choses que vous n'en saviez lorsque vous avez lancé ce programme. Je n'ai pas tout couché par écrit mais... je peux différencier le nécessaire du superflu, et je sais quelles graves erreurs vous avez failli commettre. Je pense mener à bien la duplication de Giraud. S'il m'y autorise.

– Ce n'est pas un mort qui pourrait t'empêcher d'agir à ta guise.

– Tes désirs sont importants, et ceux de Giraud plus encore, car tout est basé sur les psychsets et la réplique doit s'accepter telle qu'elle est. C'est capital. Et il y a le choix du parent. Tu es bien âgé pour prendre en charge un autre enfant. J'ai pensé à Yanni, dont les capacités et la rudesse conviendraient. Il y a encore Gustav Morley. Mais tu serais le meilleur, parce que tu connais des détails de votre jeunesse dont toi seul peux te souvenir. En outre, tu es objectif. Tu l'as été avec moi, mais il est vrai que tu ne m'étais pas apparenté. Il faut en tenir compte. Je crains que tout cela ne représente un stress trop important et je ne suis pas certaine que tu aies le désir de tout recommencer avec ton frère.

Il avait posé sa fourchette.

– Je dois y réfléchir.

– Je te demande de lui parler... Fais-lui comprendre que je ne veux pas me dresser contre lui. Il me sera utile, même si je ne peux encore prévoir à quoi. Voilà ce qui me motive. Dis-lui... que j'ai de l'affection pour lui et que je sais pour quelles raisons il a agi comme il l'a fait, mais ajoute que je sais des choses qu'il ignore et qu'il doit me laisser tranquille, me permettre de prendre des décisions personnelles. Dis-lui... que toutes ses leçons ont porté leurs fruits. Il m'a appris à me protéger. Et précise-lui que s'il désire savoir ce que ressent une réplique... je me ferai un plaisir de le lui expliquer.

– C'est un sujet qui m'intrigue, avoua Denys un instant plus tard. Quel est le degré d'intégration ? Peut-on parler d'un transfert d'identité ?

Un doux sourire.

– Les profils ? Disons qu'ils sont très proches. Quant à ce que l'on éprouve... Eh bien, on se dit : *Je n'aurais jamais fait ça*, pour le faire juste après. On se souvient presque de certaines choses. Parce qu'elles appartiennent à une suite d'événements qui s'enchaînent jusqu'à notre point d'origine. Parce qu'on est la continuité d'une personne et que ses actes ont été importants, qu'on côtoie ses connaissances, ses ennemis et ses amis. Et parce que ce qu'elle ressentait est présent dans le ventre, les glandes, le système circulatoire ; et que tout cela acquiert un sens de plus en plus évident. Il me suffit de voir ma génémère sur une bande issue des archives pour communier dans ma chair avec elle. Ses épaules s'affaissent et je redresse les miennes... *Tiens-toi droite, Ari, ne t'avachis pas*. Je lis de l'inquiétude dans son regard... et je me sens menacée. Si c'est de la colère, mon pouls s'emballe. J'écrirai un article sur ce sujet, quand il aura perdu son caractère confidentiel. Mais je ne voudrais pas le voir publié dans le prochain numéro du *Bulletin du bureau*. C'est un de ces processus que Reseune pourrait confier à des sous-traitants pour les cas les plus simples, mais pas pour les Spéciaux qui posent toujours des problèmes. Je pense aussi aux Alpha, aux CIT. Et cela signifie de plus en plus d'êtres exceptionnels... qui verront le jour à Reseune.

Denys l'étudia un long moment, sans ouvrir la bouche.

– Je suis en grande partie la femme que tu as connue autrefois, ajouta-t-elle. Malgré mon physique juvénile et ma voix qui n'a pas encore mué. Il se produit une sorte de fusion. Mais je consulte à présent ses dernière notes, pas ses hypothèses de départ. La psychogenèse est pour moi une chose acquise. J'irai plus loin, bien plus loin qu'elle ne l'a fait. N'est-ce pas conforme à vos désirs ?

– Tu... tu les dépasses.

Elle rit.

– Comment dois-je l'interpréter ?

– Nous sommes très fiers de toi. Je le suis, à titre personnel.

– Tu m'en vois ravie. J'ai beaucoup de reconnaissance, pour toi et pour Giraud. Vois-tu, Ari était une mégère intransigeante. Elle est devenue ainsi pour de multiples causes. Mais reproduire ce travers était superflu. Je peux avoir de l'affection pour mes oncles et être aussi impitoyable qu'elle en cas de besoin, pour la simple raison que j'ai un sens de l'autodéfense très développé... parce que, en dépit de tous les atouts dont je dispose, je constitue une cible et que j'en ai conscience. Je ne laisserai personne me menacer. J'attaquerai la première. C'est dans ma nature. Je voulais que tu le saches.

– Tu es très... impressionnante, jeune sera.

– Merci. Mes oncles le sont également. Vous êtes des anges, et je vous aime beaucoup. Réfléchis à mes projets, pour ton frère, et parle-lui. Tu me diras ensuite ce qu'il en pense.

Il se racla la gorge.

– Je doute... je doute qu'il refuse.

Se produit-il un transfert d'identité ?

Elle savait que Denys avait posé cette question à titre personnel.

Qu'est-ce ?

Est-ce que... je... garderai des souvenirs ? C'était une interrogation folle, qu'un homme sain d'esprit aurait dû s'abstenir de se poser. Elle avait éludé la réponse, pour affermir son avantage.

– Je viens de penser à une étude pleine d'intérêt. Un jour, il faudra nous réunir pour comparer ce que nous savons, Giraud et moi. J'ai une illusion de souvenir. Je me demande si ce sera aussi son cas.

Denys n'avait pas avalé une bouchée depuis trente secondes. Il restait avachi sur sa chaise, réduit à l'impuissance.

Tu devrais avoir honte, se reprocha-t-elle. *Ce que tu lui fais est abject.*

Mais un élément de son être en éprouvait une vive satisfaction.

Qu'est-ce qui m'arrive ?

Je bous de rage, voilà. Parce que je suis jeune et encagée, parce que Denys est Denys et que son frère choisit bien mal son moment pour rendre l'âme, sans me laisser une seule possibilité de le remplacer au Conseil. Merde, je ne suis pas prête à affronter l'existence sans lui !

La fourchette de Denys cliqueta dans l'assiette. Il mangea une autre bouchée. Il était bouleversé.

Comment peut-on prendre du plaisir à agir de la sorte ? Mon Dieu. C'est un vieillard. Qu'y a-t-il de faussé, en moi ?

Elle perdit à son tour l'appétit. Elle tria la salade et jeta son dévolu sur un bout de tomate.

Elle y réfléchit, cette nuit-là. Elle partageait avec nervosité son attention entre un sandwich préparé par Florian, les informations et le clavier... qu'elle préférait au scripteur quand elle écoutait quelque chose : ses doigts étaient une interface de sortie pour des données stockées dans un tampon de son esprit. Pause. Tic-tic-tic. Pause. Pendant qu'elle utilisait sa mémoire visuelle pour revivre le déjeuner avec oncle Denys et que les fonctions logiques procédaient à une analyse politique des propos échangés. *Y a-t-il transfert d'identité ?* C'était une question folle, même si cela lui inspirait des sentiments aussi fous... qu'elle aurait pu expliquer en termes pleins de bon sens et respectables : elle pratiquait l'étude-profonde et pouvait par un effort de volonté abaisser son seuil de réceptivité avec plus d'efficacité que la plupart des gens qui prenaient des kats, les vids représentaient une personne qui lui était identique et évoluait dans un environnement semblable au sien, et il eût été plus étonnant encore que l'interaction constante des flashes-bandes et de l'expérience quotidienne des mêmes couloirs, gens et situations n'eût pas amalgamé le passé et le présent dans un cerveau accoutumé au flux.

Denys devait le comprendre, sur le plan logique.

Tous le devaient.

Merde, ce n'était pas la bonne façon de procéder. Elle prenait en considération les mouvements d'ensemble, pas les mouvements individuels.

Les masses harassées, les travailleurs de Novgorod trop affairés pour penser.

Écoute et apprends, ma chérie : ce sont les gens ordi-

naires qui t'enseigneront les choses les plus fondamentales et les plus sensées. Remercions Dieu de les avoir.

Et méfie-toi de quiconque pourra leur faire prendre à tous la même direction. Celui-là sera exceptionnel.

Le peuple avait conscience... de la force de Reseune, de la puissance autrefois détenue par la première Ari.

IN PRINCIPIO était un phénomène : les théories fondamentales d'Ariane Emory, sa méthodologie, les principes de Reseune, mis à la portée des profanes instruits. Et on voyait apparaître dans l'esprit du public le miroitement de ce que nul démagogue n'aurait pu expliquer avec clarté avant que cet ouvrage n'eût éveillé un intérêt aussi surprenant qu'universel.

Il servait de bible à des penseurs marginaux, une espèce à la fois nouvelle et gênante d'individus qui assimilaient Emory à une prophétesse et se livraient entre eux à des expérimentations qu'ils appelaient des Intégrations ; dans l'espoir de développer l'étendue de leur conscient. On comptait déjà dans la section médicale de Reseune trois CIT de Novgorod qui avaient plongé vers la folie en prenant des surdoses importantes de kats et en procédant à des interventions profondes. Ils attaquaient à présent le vieux Gustav Morley, dont ils critiquaient la méthodologie, et quelques-uns avaient tenté de sortir du terminal de la RESEUNAIR pour monter vers la Maison en se battant contre les gardes. Ils proclamaient être venus voir Ariane Emory... et l'administration envisageait de construire un aéroport commercial à bonne distance de celui où membres de la Famille et voyageurs en transit s'étaient jusqu'alors côtoyés avec indifférence. Une poignée de soi-disant disciples d'Emory s'étaient rendus à Moreyville pour louer un bateau, jusqu'au moment où la population locale avait deviné leurs intentions et averti la police.

Mon Dieu, que ferai-je si je rencontre un de ces fous ? Que veulent-ils ?

C'est une toquade. Une mode. Ça passera. S'ils n'avaient pas cela ils verraient des extraterrestres sur leurs vids.

Pourquoi ne l'ai-je pas prévu ?

Nous l'avons fait. Justin l'a fait. Il y a toujours une so-lution de facilité, la Voie secrète... qui mène à n'importe quoi. Novgorod est plongée dans le chaos, les paxistes menacent la population, les salaires n'augmentent pas pour compenser la pénurie...

Des signes de danger. Les gens cherchent des réponses, des raccourcis vers la Vérité.

Dans les travaux d'une Spéciale assassinée...

Dans la personne de sa réplique, alors que les Nye dé-clinent, que la période d'instabilité ayant suivi le meurtre d'Ari I débouche sur une situation explosive : élections sur élections, attentats, disette, et l'Enfant... l'Enfant qui devient femme et démontre sa compétence en publiant le Manuscrit légendaire de celle dont elle est la réincarna-tion...

C'est ce que j'espérais faire comprendre aux Sciences...

Mais la compréhension de la population de Novgorod se situe à un niveau différent...

La descendance des azis... le collège électoral de Re-seune : la création d'Ari et non une simple hypothèse tes-tée par un ord de la sociologie. Tout est là. Tout est en place.

Et Giraud, maudit soit-il, ne peut garder son siège pour me le transmettre.

– Vid coupée, dit-elle.

Elle se pencha en arrière et ferma les yeux. Elle sen-tait les fourmillements annonciateurs de ses flux mens-truels.

Demain, je devrai travailler ici, éviter mon entourage.

Aujourd'hui, j'ai blessé Denys. Je l'ai Eu, et c'était un acte de cruauté gratuit. Pourquoi ai-je fait cela ?

Qu'est-ce qui peut expliquer une telle colère ?

L'augmentation du taux d'adrénaline, sans parler d'un certain cocktail endocrinien.

Merde, c'est un coup de couteau dans le dos. Il ne le méritait pas.

Je sais, pour Ari. Son mauvais caractère, son maudit

emportement... la rage qu'elle craignait toujours de libérer...

Sa frustration face à l'irrationnel... dans un univers trop lent pour son esprit...

Dieu, qu'est-ce qui m'arrive ?

Elle remarqua un goût de sang dans sa bouche et prit conscience d'avoir mordu sa lèvre. Elle se plongea dans la contemplation du néant.

Elle colla ses mains à son front, se pencha contre le dossier du siège, ferma les paupières... pour penser à la bande, la vid de Justin...

Non ! Pas quand elle était soumise à un tel flux. Pas lorsqu'elle assimilait cela à un substitut. Elle devait laisser cette maudite chose dans le placard, inaccessible.

Ce n'était pas une bande ludique...

Merde, Ari, débarrasse-toi de ces idées !

Va voir tes foutus poissons. Regarde-les frayer, pondre et vivre leur brève existence dans l'univers clos de l'aquarium posé à côté du bureau.

Le sexe et la mort. Ils se reproduiraient et dévoreraient leur progéniture, si Dieu n'intervenait pas avec son épuisette. Quelle serait la durée d'un tel écosystème ? Dans ce calcul entrent en ligne de compte la biomasse, les morts, les naissances et la lumière artificielle.

Si les bleus étaient placés avec les gros, il n'en resterait plus un seul...

Sais-tu si les poissons distinguent les couleurs ?...

Elle se mit à respirer avec plus de régularité. Le temps ralentit son cours. Elle put enfin soupirer, réduire le flux, chasser certaines pensées. Elle se leva, arrêta le terminal et gagna sa chambre, sans faire de bruit pour ne pas attirer l'attention de Florian et de Catlin.

Elle désirait se coucher, rien de plus. Mais dès qu'elle fut assise sur le lit son regard se posa sur la commode où était assis Poo-Poo, élimé et minable. Il ne portait sur elle aucun jugement.

Elle pensa à le ranger dans un tiroir. Si Justin était

venu dans cette pièce, il eût éclaté de rire en voyant ce pauvre Poo-Poo.

Cela résumait son problème... le temps des jeux appartenait au passé, il n'y avait plus d'échanges de reparties avec les amis, plus de pointes, plus de piqûres de l'esprit acéré d'oncle Denys, plus de coups d'aiguillon destinés à la faire rentrer dans le rang. Elle tentait de provoquer une réaction mais il n'y avait plus rien, seulement les parades prudentes d'un homme âgé qui ne détenait plus le pouvoir et se voyait désormais attribuer un rôle de victime.

Parti à la dérive dans la noirceur de l'espace.

Bienvenue dans le monde des réalités, Ari. Poo-Poo perd ses poils. Denys est un vieillard apeuré. Et c'est toi qui l'effraies. Nul ne souhaite te tenir tête : qui désirerait essuyer défaite sur défaite ?

Je pourrais faire tout ce que je veux, à Reseune. Prendre n'importe qui, n'importe quoi, leur démontrer de quoi je suis capable... en un jour, je sèmerais la terreur et leur ferais comprendre quelle est ma puissance...

Ce qui est un bon moyen de se rendre populaire, non ?

Poo-Poo la fixait avec ses grands yeux noirs.

Je devrais te mettre au travail, te placer sur le bureau. Tu es le meilleur interlocuteur que j'aie à ma disposition dans tout Reseune.

Merde, j'aimerais que quelqu'un plaisante avec moi, me fasse rire, me réponde, bon Dieu !

Je peux voir les stations stellaires, les ensembles-azis, tout l'univers dans un flux ralenti, si lent, et si dangereux...

Quel conseil me donnes-tu, Poo-Poo ?

Amy, Maddy, Tommy et Sam. Florian et Catlin. Justin et Grant. Yanni. Et Andy, en bas à l'AG.

Ils parlent, pauvre imbécile. Tout l'univers a quelque chose à dire. Ouvre grandes tes oreilles et reste émerveillée.

Nelly. Maman et Ollie. Denys. Giraud-vivant, et sous peu Giraud-mort.

Les parasites émis par les étoiles.

– ` ... Sera ?

Elle inhala à pleins poumons.

Sa vision redevint nette et elle vit une silhouette noire sur le seuil, grande et blonde. Inquiète.

– Ça va, dit-elle.

Elle ne sentait plus ses jambes. Un handicap stupide. Elle massa ses cuisses endolories et se leva sans grâce, en se retenant à la tête du lit.

Lorsqu'elle put se tenir debout, elle se dirigea vers la commode, prit Poo-Poo et le rangea dans le tiroir.

Catlin l'observait, intriguée. Mais Ari doutait que l'azie eût jamais compris pourquoi elle tenait à Poo-Poo.

8

Punch et biscuits secs. Ari en prit un sur la table, sans faire cas des pâtisseries plus raffinées. Elle le grignota et le savoura puis se servit une coupe de punch vert, celui qu'elle préférait, merci.

Une petite fille traversa la foule des Grands et chipa une poignée de biscuits, puis une deuxième avant de procéder à une retraite précipitée. Ingrid Kennart, âgée de six ans. Un souvenir fugace fit glousser Ari. Pendant une seconde elle ne put savoir si c'était un flash issu d'une bande des archives ou un épisode de son propre passé.

Le Nouvel An, c'était un Nouvel An. Avec une musique différente. Il y avait un orchestre, cette année... un groupe de techs, assez valable. Mais les paillettes étaient toujours les mêmes. Et maman et Ollie...

Elle capta à la limite de son champ de vision le miroitement d'une parure en argent et aperçut un spectre... qui n'était en fait que Connie Morley, un grand échalas aux cheveux noirs remontés en chignon, très élégante...

Elle se sentit mélancolique, sans raison, et reporta son attention sur l'autre côté de la piste où se regroupaient les « anciens »... Denys – sans Giraud qui était resté à Novgorod –, Petros Ivanov, le Dr Edwards (qu'elle ne pourrait jamais appeler *John*, même une fois devenue vieille), Windy Peterson et sa fille, qui dansaient. Peterson qui *essayait* d'apprendre un nouveau pas.

Maddy Strassen, resplendissante dans une robe en satin bleu argenté. Avec de nombreux cavaliers qui se pressaient autour d'elle et de 'Stasi, devenue son ombre fidèle. Amy Carnath, sur la piste avec un jeune azi visiblement gêné mais qui dansait très bien : cheveux blonds en brosse, un physique irréprochable empreint de la raideur des membres de la sécurité, à laquelle il avait appartenu avant qu'Amy ne mît le grappin sur lui. Il commençait d'ailleurs à devenir un peu moins guindé, ce qui amusait tout le monde à l'exception de la mère d'Amy. Ce garçon était un Alpha, aussi socialisé que pouvait l'être un azi des Baraquements verts – oui, sera ! d'une voix sèche. Il s'appelait Quentin : Quentin AQ-8, et il aurait pu se retrouver affecté à la Maison, à RESEUNESPACE, ou encore ailleurs si une des rares agences officielles avait versé le million et quart de creds que valait son contrat pour disposer d'un azi qui resterait placé sous la supervision directe de Reseune et dont la rapidité des réflexes était dangereuse. Quentin AQ se serait quoi qu'il en soit vu attribuer un emploi dans un an.

Selon Florian et Catlin, il était heureux, bien qu'anxieux. Et Amy en était...

... amoureuse. Ce terme paraissait convenir. Il s'agissait en tout cas d'un béguin assez puissant pour l'inciter à exiger qu'il devînt son partenaire. Et Quentin dansait avec elle. Les modes et les coutumes changeaient et on finissait par oublier la raison d'être des anciennes convenances. Les jeunes suivaient les nouvelles tendances et les vieux les toléraient : d'où l'exhibition d'Amy Carnath.

Florian, avait dit Ari pour que son amie ne fût pas seule sur la piste avec un azi. Et un peu plus tard, d'autres les imitaient.

Mais ses gardes du corps devaient assurer sa protection rapprochée et Florian déclina l'invitation de 'Stasi par un : *Désolé, mais je suis en service*.

Le monde changeait. Dans la Maison, ses azis veillaient sur elle avec autant de vigilance que dans la capitale.

Pas de détente. Pas de laisser-aller.

Les autorités de Novgorod étaient terrifiées par la cohue du Nouvel An et les risques d'attentats.

Une sale affaire. Ari I n'avait tenu aucun rôle dans l'apparition du mouvement paxiste, sa réplique en était convaincue. Un héritage culturel, une déviation de l'idéal d'indépendance qui avait servi de fondation à l'Union. Les petits-fils et petites-filles des scientifiques et techniciens rebelles tuaient des enfants dans les couloirs du métro et voulaient s'emparer du pouvoir.

À propos des travaux de Justin, on redoutait l'existence de vers qui se manifesteraient dans vingt ou trente générations. D'autres apparaissaient au sein de l'Union après seulement trois, et ils étaient si dangereux qu'elle courait des risques même dans le cadre d'une fête du Nouvel An où n'étaient conviés que les membres de la Famille et leurs proches collaborateurs, sous la protection de Florian et Catlin qui surveillaient tous les convives. Avoir le choix offert à un habitant de Novgorod : marcher sur des kilomètres dans des tunnels-piet ou procéder chaque jour à l'analyse des manchettes des journaux et de l'humeur des politiciens pour estimer si emprunter une rame de métro pendant dix minutes ne représentait pas un trop grand risque – sans mentionner les cas-z qui agressaient les gens pour leur voler leur carte – devait faire de l'existence un véritable enfer. Mais les citadins ne voulaient pas entendre parler d'un système de contrôle qui eût entravé leurs libertés.

Ari pensa que son seuil de déclenchement de l'angoisse était bien plus bas que le leur. Ils ne cédaient pas à la panique et les paxistes pouvaient aller au diable. Et elle, Ari Emory, suivait l'évolution de la situation et se demandait s'il n'aurait pas fallu lancer un programme de rachat de quelques milliers d'azis militaires réjuvenables et les faire venir à Reseune pour les reconditionner : une opération semblable à celle que ses oncles avaient lancée avant sa naissance...

Il n'était pas question de créer un précédent en envoyant une véritable armée assurer le maintien de l'ordre dans la capitale, mais d'un simple prêt de personnel du Territoire administratif de Reseune à la municipalité de Novgorod. Les circonstances imposaient de trouver une parade, même si cette dernière prenait la forme d'un déploiement de forces dans tous les tunnels-piet et toutes les stations de métro.

Les laboratoires n'avaient-ils pas été fondés dans le but de fournir des hommes ? Elle rédigeait une proposition en ce sens et comptait la remettre à Denys, qui lui opposerait à coup sûr un refus. Reseune réalisait à nouveau des bénéfices et son oncle ne prendrait pas le moindre risque pour ce qu'il appelait ses folies.

Elle soupira et le regarda, à l'autre bout de la salle : un vieillard épuisé aux bien étranges habitudes. En consultant sa base, elle avait découvert un monceau d'études non publiées dont elle eût aimé pouvoir discuter avec lui : des analyses des échanges entre les stations qui provoqueraient des remous lorsqu'ils seraient rendus publics... *elle* ne pouvait les comprendre mais c'était une œuvre monumentale et pleine de statistiques ; un impensable travail sur l'interaction de l'économie et les thèses expansionnistes absolument fascinant ; une étude exhaustive du développement de la société de consommation au sein des tranches de la population de descendance azie qui incluait les courbes spécifiques des valeurs psychconditionnées sur plusieurs générations de sujets testés ; une analyse de la psychologie dupliquée ; une histoire complète de Reseune ; et des recherches sur les systèmes militaires qu'elle avait attribuées à Giraud... avant de mettre en évidence des tournures de phrases et des expressions qui démontraient que Denys était l'auteur de tous les écrits publiés sous le nom de son frère. Et ce stockage secret, ce trésor d'idées... gardé dans les archives ? Jamais révélé, seulement remanié de temps à autre, ajusté... un labeur impensable effectué par un homme à tel point obsédé par son désir d'anonymat qu'il avait fait accorder son statut de Spécial à son frère. Giraud qui avait eu droit aux honneurs pendant que Denys restait en arrière-plan et feignait de cantonner ses activités aux travaux administratifs et aux prises de décision sans importance, comme l'approbation des projets de recherche et de développement et leur mise en œuvre.

Pendant qu'il se chargeait d'élever une enfant – tolérait la présence de cette intruse dans sa tour d'ivoire, avec ses fêtes d'anniversaire, Nelly, et deux jeunes aspirants de la sécurité –, il écrivait ces textes qui n'étaient pas destinés à être publiés, seulement à s'allonger et s'allonger encore.

Un homme étrange, se dit-elle. Et sans doute était-elle pour la première fois de son existence objective à son égard. Il accepterait d'élever la réplique de son frère. C'était presque certain. Et il attendait le décès de Giraud non dans l'affliction mais dans l'angoisse d'une catastrophe imminente.

Il était facile de comprendre pourquoi Denys avait accepté de la prendre chez lui et de bouleverser l'organisation de tout Reseune pour disposer à nouveau des capacités d'Ariane Emory : cet homme avait une intelligence supérieure à la moyenne... et le problème classique des Alpha : un manque de contrôle, l'absence de frontières, la dérive au sein des ténèbres de l'espace, nul esprit auquel se heurter, aucun mur pour renvoyer un écho. Denys était exceptionnel, dément, obsédé par sa sécurité et sans doute incapable de croire son travail achevé... d'où ces modifications continuelles. Il analysait un macrosystème qui ne cessait de croître...

avec perfectionnisme et le désir impérieux d'être exhaustif.

Il n'avait pas besoin des autres. Il n'était qu'un simple observateur.

Et il considérait la mort – celle de son frère autant que la sienne – avec incrédulité. Denys occupait le centre de son univers dans lequel Giraud avait un statut de satellite. Son intérêt pour la psychogenèse était naturel. Cela le fascinait à tel point qu'il avait presque perdu sa pondération avec elle. Il voulait trouver l'immortalité, même s'il n'existait aucune continuité au niveau du conscient... et elle lui en avait fait miroiter la promesse : si Giraud était essentiel... il l'était plus encore.

Elle se tourna, posa la coupe au bord de la table et sursauta. Elle s'était attendue à voir Florian derrière elle, mais elle découvrit Justin. Elle fut irritée par sa nervosité, et ennuyée de s'être conduite avec stupidité devant témoins.

Il prit sa main et déclara :

– Je n'ai pas dû oublier.

Et il tendit l'autre main.

Elle l'étudia et pensa : *Combien de fois a-t-il eu l'occasion de s'exercer ?* puis elle leva sa main vers la sienne. Les doigts entrelacés, ils s'avancèrent sur la piste, vers des danseurs plus âgés et plus lents. Il avait bu, de nombreux verres, mais il se déplaçait avec grâce et devait avoir lui aussi conscience que les femmes et leurs cavaliers rataient un pas pour les regarder bouche bée, que la musique vacillait et reprenait.

Il lui sourit :

– Ari ne dansait jamais, mais ses apparitions en public alimentaient les conversations pendant une semaine.

– Que diable faites-vous ?

– Ce que je fais ? Ce que vous avez fait... avec Florian... et la jeune Amy. C'est parfait. Parfait, Ari Emory. Bien vu. Je me suis dit... un peu de réhabilitation sociale... deux fois dans la soirée... en supposant que vous possédiez un certain sens de l'humour...

Les autres danseurs recouvraient leur aisance. Le sourire de Justin était pincé, contenu à dessein.

– Vous n'avez pas d'ennuis, n'est-ce pas ?

– Non. Je me suis dit que... J'ai perdu une tranche importante de mon existence, pendant que je m'efforçais de rester dans l'ombre. Alors... pourquoi pas ?

Elle entrevit le fauteuil de Denys, près de la porte. Vide.

Et elle pensa : *Dieu. Jusqu'où cela va-t-il aller ?*

Le morceau s'acheva. Il y eut des applaudissements. Elle regarda Justin, trop longtemps et devant trop de témoins.

J'ai commis une grave erreur.

Il faut la rattraper, bon Dieu... c'est comme pour Amy et Quentin, ils vont établir un parallèle. Les indices ne manquent pas...

Elle quitta la piste, main dans la main avec lui, en direction de Catlin.

– Elle va vous apprendre les nouvelles danses. Elle est formidable... Catlin, donne-lui une leçon, d'accord ?

L'orchestre se remit à jouer et l'azie sourit, prit Justin par la main et le ramena parmi les danseurs.

Grant... à côté du mur. Il les observait, sans dissimuler son inquiétude.

– Florian, dit-elle. Va lui demander ce que cherche Justin.

– Bien, sera.

Il s'éloigna.

Denys n'était plus dans la salle. Seely non plus.

Justin vient de se lier à moi... en public. Tous le savaient déjà mais... je l'ai laissé faire... et ça va alimenter les rumeurs.

Elle regarda la piste où, avec courage, Justin réussissait presque à suivre Catlin. Dans l'angle de la salle, Florian s'entretenait avec Grant.

Mon oncle... parti.

Florian revint avant la fin de la danse.

– Grant parle de la folie des CIT. Il dit qu'il n'avait

pas la moindre idée de ce que ferait son compagnon. Il sollicite votre aide mais n'ose intervenir, par crainte d'un esclandre. Il déclare que Justin est placé sous une étrange influence émotionnelle depuis qu'ils sont retournés vivre dans leur appartement... Il a précisé qu'il souhaitait vous en parler et a ajouté : Sera a procédé à une intervention, demande-lui si c'est le résultat qu'elle escomptait obtenir.

Ari se renfrogna.

– Merde.

– Maddy, murmura Florian.

Une idée plus valable que la sienne, tant elle était fluxée.

– Oui, va !

Merde, merde ! Je veux bien être pendue s'il est innocent. Denys était là, toute la Famille nous observait...

Plus de faux-fuyants. Il n'est pas un gosse. Pas plus que Denys. Ils ne se conduisent plus avec moi comme avec une enfant, eux non plus. Grant pense à un faux pas émotionnel... à moins que ce ne soit ce que Justin lui a dit de répéter.

Merde, je devrais le soumettre à un psychosondage.

Et ensuite il ne me ferait plus jamais confiance, il ne serait plus le même, pas vrai ?

Catlin et Justin quittaient la piste. Maddy Strassen approcha d'eux avec sa grâce singulière, murmura quelques mots à Catlin et prit le bras de son cavalier pour l'entraîner vers le buffet pendant que l'orchestre faisait une pause. 'Stasi Ramirez arrivait pour le prendre par l'autre bras.

Grâce à Dieu.

Ari put respirer plus calmement, certaine que Denys avait des espions qui lui rapporteraient la suite des événements.

Petros Ivanov, par exemple.

Ce qui ne pourrait que l'aider, à ce stade.

Grant – aussi discret que le permettaient son élégance et sa chevelure rousse – restait dans un angle de la salle. Il tenait une part de gâteau et une coupe de punch et parlait à la jeune Melly Kennart, âgée de douze ans. Avec innocence.

Maddy fit deux danses avec Justin et Ari invita un Tommy Carnath à l'expression sinistre.

– Patience, lui dit-elle. Bon Dieu, nous avons un problème.

– Le problème c'est ce type. Il t'a fait du rentre-dedans. Ton oncle est fou de rage.

Si Tommy s'en était rendu compte, les autres convives avaient dû en faire autant.

Et rien ne permettrait de réparer une pareille erreur. Elle aurait dû indiquer qu'elle refusait cette ouverture.

Le mettre dans l'embarras et le renvoyer ? Il était sensible à de telles actions. Il avait couru ce risque. Il venait de miser sa carrière et peut-être sa vie en jouant ce va-tout, et il n'était *pas* stupide, non. Un homme qui ne s'écartait à aucun moment de l'étroit parcours suivi tout au long de son existence ne pouvait modifier ainsi son comportement sur un coup de tête. Quelle que fût son ivresse. Et les circonstances. Justin devait avoir réfléchi aux conséquences de ses actes.

Il l'avait coincée : Prenez mon parti devant toute la Famille ou rejetez-moi, tout de suite.

Je le tuerai.

Je le tuerai pour ce qu'il vient de me faire.

9

– Justin est ici, annonça Florian par l'entremise du concierge.

Et Ari répondit, sans relever les yeux de son bureau :

– Il était presque temps. Conduis-le au boudoir. *Lui* seul.

– Grant ne l'accompagne pas, sera.

Il n'avait pas encore invité le visiteur à entrer. Un bip l'eût informée de l'ouverture de la porte extérieure. Elle l'entendit et termina de rédiger une note destinée au système central avant de se lever, de commander la déconnexion de Base un puis de suivre le couloir.

Justin se trouvait dans la pièce qui contenait pour lui tant de souvenirs pénibles. Il suivait le passage derrière l'énorme canapé à armature de cuivre et admirait les toiles, pendant que Florian attendait près du bar en tentant de faire oublier sa présence... une gêne inconsciente. Ses azis n'avaient jamais visionné la bande.

Ari avait choisi le lieu de leur rencontre.

Un échange de bons procédés.

– J'aimerais savoir ce que vous espériez obtenir, hier soir ? lui lança-t-elle.

Il lui tournait le dos. Ils étaient séparés par le puits central.

Il se tourna et désigna le tableau qu'il regardait à son entrée.

– C'est celui que je préfère. L'étoile de Barnard. Une telle simplicité. Mais cela fait vibrer des cordes sensibles, ne trouvez-vous pas ?

Des cordes sensibles, en effet. Il me Travaille... voilà son but.

– Grant a réclamé mon aide, lui dit-elle. Vous l'avez terrifié. J'espère que vous en êtes conscient. Que cherchez-vous ? À tout détruire ? Quelle ingratitude. Je vous ai débarrassé de Giraud et évité la prison. J'ai pris des risques, pour vous. Je vous ai accordé des faveurs et j'ai fait tout ce qui était en mon pouvoir pour vous aider. Et comment me démontrez-vous votre gratitude ? Vous me placez dans l'embarras en public, vous me mettez dans une situation délicate. Je n'ai pas la prétention de vous surpasser en ce domaine, Justin Warrick, alors ne me racontez pas que vous avez obéi à une impulsion. Vous vouliez m'obliger à faire un choix. Vous soutenir ou vous désavouer, à un moment choisi par vous. Et si Tommy Carnath s'en est rendu compte, et que Florian et 'Stasi Ramirez en ont fait autant, dites-moi si Yanni Schwartz, Petros Ivanov et mon oncle ont pu ne rien remarquer.

Il fit le tour de la cavité, jusqu'au bar.

– Je vous présente mes excuses.

– Vos *excuses* ne peuvent suffire. Je veux vous entendre exposer avec clarté ce que vous voulez.

– Soumettez-moi à un interrogatoire. N'est-ce pas une des clauses de notre accord?

– Ne me poussez pas à bout. J'essaie toujours de vous protéger, vous m'entendez?

– Oui.

Il se pencha contre le bar et regarda l'azi.

– Florian.

– Ser?

– Un scotch avec de l'eau, s'il te plaît.

– Sera?

– Comme d'habitude, pour moi. C'est bon, Florian.

Elle descendit les marches et s'assit sur le canapé. Justin vint la rejoindre et fit reposer son coude sur le dossier du siège, comme tant d'années plus tôt, par réflexe ou mise en scène aussi délibérée que la sienne... elle n'aurait pu se prononcer.

– Entendu. Je vous écoute.

– Je n'ai pas grand-chose à dire. Hormis que j'avais confiance en vous.

– *Confiance en moi!* Pourquoi, pauvre idiot?

– Comme ça... C'est tout. Qu'aurais-je dû faire? Me résigner à travailler dans votre section et à rester près de vous jusqu'à la mort de Denys en gardant la tête basse et la bouche close? Vingt foutues années passées à me morfondre dans mon coin à l'occasion des fêtes de toutes sortes... entouré de CIT qui se croiraient contraints d'aller se justifier auprès de la sécurité ou de votre oncle si on les surprenait à m'adresser la parole? Une vie de rêve, Ari.

– Je regrette, fit-elle.

Avec sincérité. Elle n'avait que trop connu cette situation et avait vu cela se reproduire pour Justin.

– Mais ça n'explique pas pourquoi vous avez agi de la sorte. Pourquoi vous avez choisi un instant aussi inopportun... quand je venais d'apaiser les craintes de Denys, de tout régler.

– Désolé, fit-il avec amertume.

– C'est tout ?

– Il n'y a pas de moments opportuns... jamais. Il y a toujours quelque chose qui ne va pas. Je suis à nouveau coupé de mon père, à cause de Giraud. J'ai votre parole qu'il n'est pas en danger, mais c'est tout.

Sa voix chevrotait. Florian posa le whisky près de sa main, sur le rebord du canapé, puis il vint vers Ari pour lui tendre sa vodka-orange.

– Je n'en doute pas, reprit-il après avoir bu une gorgée d'alcool. Mais c'est ce qui m'a motivé. Certains pourraient s'en prendre à mon père. Dont Giraud. Il est si facile d'avoir un accident – l'erreur d'un pauvre idiot de garde azi –, non ? Une perte épouvantable... un Spécial, pensez donc. Mais comme vous l'avez dit, votre oncle est mourant. Il s'en fiche. Vous le sous-estimez, si vous ne le croyez pas capable de se débarrasser de Jordan, hormis... hormis si rien n'est réglé à Reseune et que je représente une menace contre laquelle il ne peut rien. Près de vous. *Alors*, il hésitera et s'abstiendra de toute action précipitée, il ne fera pas la moindre imprudence. Je souhaite attirer son attention, l'accaparer jusqu'au jour de sa mort. C'est aussi simple que cela.

C'était plausible, pour quelqu'un qui possédait l'état d'esprit de Justin Warrick. Il connaissait Giraud et ne détenait aucun pouvoir ni aucun atout à abattre, à l'exception d'Ari Emory et de l'habitude d'avoir des ennuis.

– Une opportunité s'est présentée. Je n'ai rien projeté en détail. J'ai constaté ce que vous aviez fait pour la fille Carnath – Amy – et je me suis dit que si vous vous mettiez en colère... eh bien, il me serait peut-être possible de rattraper le coup. Et que si vous m'apportiez votre soutien j'atteindrais Giraud. Les gens croiraient que c'était plus important qu'en réalité et s'en inquiéteraient. Je regrette que cela ait pu nuire à vos projets, mais j'en doute. J'ai pu ficher en l'air vos plans destinés à me réhabiliter aux yeux de la sécurité, peut-être ; irriter Denys, c'est certain... mais saboter un de vos plans personnels... j'en doute fort.

– Rien de comparable au gâchis que vous avez fait pour vous-même.

– Parfait. Pour l'un comme pour l'autre.

– Vous êtes un sacré imbécile ! Vous auriez pu m'en parler, me faire confiance pour veiller sur Jordan...

– Non, c'est impossible. Vous n'êtes pas en contact avec les militaires, vous n'occupez pas la position de Giraud, pas même celle de Denys. Vous ne connaissez pas leurs véritables intentions.

Il ignorait l'extension des possibilités de Base un. Il n'en avait pas la moindre idée. Et elle ne pouvait lui en parler. À aucun prix. Elle but une gorgée de vodka-orange, posa le verre et secoua la tête.

– Vous auriez pu au moins m'informer de vos intentions.

– Pour que vous vous teniez sur vos gardes ? Non. Ce qui est fait est fait. Vous m'avez demandé d'être sincère, et je le suis. Je vous demande une dernière chose : faites un psychosondage si ça vous chante, mais cette fois ne transmettez pas la bande à Denys.

– Qui vous a dit que je l'avais fait ?

– Personne, mais il est facile de deviner ce qui pourrait apaiser ses craintes. Ne lui remettez pas celle-ci. Cela ne pourrait que nuire à mon père sans améliorer ma position face aux Nye.

– Hormis s'ils ignorent si j'approuve votre initiative.

– Vous leur remettez donc les bandes.

– Celles que je déclare avoir prises. Je ne leur ai jamais communiqué les notes d'Ari qui vous concernent. Ils ne savent pas ce que j'ai fait pour réparer une partie des dégâts qu'elle a provoqués dans votre esprit. Les questions non résolues. Ils ne savent rien de la petite intervention qui vous permet d'être ici, si près de moi, sans trembler de frayeur.

– Et sans connaître pire que cela, bien pire que cela. Il m'arrive encore d'avoir des flashes-bandes, mais ils n'ont presque plus d'impact. De simples souvenirs –

avec plus de recul que je n'en ai jamais eu –, sans quoi il m'aurait été impossible d'agir comme je l'ai fait au cours de cette soirée, de venir ici ensuite, ou d'envisager... ce que j'avais prévu de faire pour attirer sur moi les foudres de Giraud.

– Et c'était ?

– Coucher avec vous.

Elle en fut ébranlée. Il venait de dire cela avec tant de désinvolture qu'elle se sentit plus embarrassée qu'offensée.

– Je n'ai rien envisagé que vous n'ayez sollicité sans équivoque, ajouta-t-il. À plusieurs reprises. Vous satisfaire et... rendre Giraud très, très inquiet. Sans vous nuire... je ne l'ai jamais désiré. Pour être franc, je doutais d'être capable de mettre ce projet à exécution. Alors j'ai... pris une direction différente quand l'opportunité s'en est présentée, voilà tout. J'espère ne pas vous offenser. Et je n'en parlerais pas si je ne souhaitais pas exposer mes arguments en étant en pleine possession de mes moyens, lorsqu'il m'est possible de présenter ma défense.

Il agissait ainsi de propos délibéré, pour dresser une barrière psychologique qui empêcherait Ari de réclamer un sondage. Il voulait apaiser la situation, la laisser se calmer. Et révéler un nombre de vérités suffisant pour rendre le tout plausible.

Il était venu ici sans Grant. Alors qu'il se savait en danger.

Bon sang ! les possibilités se multipliaient à l'infini dès qu'elles se rapportaient aux motivations et à un Spécial non reconnu officiellement dont le stress était alimenté de toutes parts et par tout son entourage... dont le fait qu'elle eût effectué une intervention sous kats, trouvé des choses capitales pour lui et tenté de renouer de vieux fils brisés... en remontant aussi loin qu'elle le pouvait dans un esprit qui avait tant changé depuis qu'Ari avait pris ses notes ; et en tenant compte de l'inversion de leurs âges.

Très compliqué. Très, très embrouillé.

– Vous avez réduit à néant tout mon travail, dit-elle. Vous m'avez attiré des ennuis. J'ai d'excellentes raisons d'être en colère. Et je ne vous ai pas laissé tomber, bon sang !

– Je l'espérais.

– C'est un foutu merdier.

Elle s'abstint de lui communiquer les assurances qu'elle pouvait lui donner sur la sécurité de son père, ou de lui apprendre de quelle manière elle les obtenait. Passer pour une idiote était irritant, mais moins que de se comporter comme telle.

– Me voici fâchée avec Giraud. Je ne vois pas pourquoi je devrais résoudre les problèmes que vous m'avez attirés, parce que vous risqueriez encore de me trahir en vous imaginant que je vous pardonnerais.

– Je n'avais pas le choix.

– Bien sûr que si ! Vous auriez pu m'en parler.

Il secoua la tête, avec lenteur.

– Vous m'avez forcé la main. Vous m'avez placée dans une situation difficile.

– Je n'avais pas le choix.

– Et à présent je dois faire le nécessaire pour empêcher Giraud de s'en prendre à vous, faute de quoi tout cela n'aura servi à rien, c'est ça ?

– En quelque sorte. Que pourrais-je ajouter ? J'espère que vous le ferez. Je l'espère, et je n'ai accordé ma confiance qu'à très peu de personnes, au cours de mon existence.

– Merci.

Un hochement de la tête, empreint d'ironie.

– Vous vous en tirez à bon compte. Vous obtenez ce que vous voulez sans devoir coucher avec moi.

– Ari, ce n'est pas ce que je voulais dire.

– Je sais. J'ai manqué de fair-play.

Un lien affectif avec Ari était présent dans les ensembles-profonds de Justin... elle le savait. Et elle sentait que ce conditionnement était en ce moment même à l'ouvrage.

Cette ligne avait deux hameçons. Il espérait la ferrer... pour irriter Giraud. Il effectuait toujours des manœuvres : elle savait dans quel but.

Mais la ligne s'enfonçait bien plus loin qu'il ne l'imaginait.

– Le souhaiteriez-vous ? s'enquit-il.

– Je ne sais pas... Non. Pas comme le paiement d'un service rendu. Il y a un appartement d'hôtes, au bout du couloir. Allez vous y installer. Florian va vous accompagner. J'avertirai Grant de venir vous rejoindre. Mes azis feront le nécessaire auprès du service domestique et iront chercher chez vous tout ce dont vous pourrez avoir besoin. S'ils oublient quelque chose, vous irez le récupérer avec eux.

Il paraissait choqué par sa proposition.

– Vous voulez bénéficier de mon aide, ajouta-t-elle. Elle a un prix. Elle vous coûtera votre appartement, votre indépendance, le confort qu'elle *me* coûte. Mais vous n'irez pas à la sécurité et vous ne débiterez pas tout ce que vous savez sur moi à Giraud. Ce qui est l'autre facette de votre menace, si je ne m'abuse.

– Je ne vois pas ce que je pourrais lui dire...

– Je suis certaine que vous y réussirez. Vos cartes vous ouvriront la porte de sécurité. Vous allez vous installer dans la section un. Je ne sais pas encore qui je devrai pousser pour vous faire de la place, mais vous êtes désormais sous *ma* surveillance et je ne tolérerai pas la moindre protestation.

– Aucune, fit-il posément.

10

– *Voici Grant*, annonça le concierge.

Justin se leva d'un bond et atteignit la porte à l'instant où l'azi l'ouvrait, entrait dans l'appartement, et lui demandait :

– Est-ce que ça va ?

En le prenant de vitesse.

– Très bien, répondit Justin avant de l'étreindre. Et toi, pas de problèmes ?

Grant secoua la tête.

– J'ai reçu l'appel, j'ai dit à Em de s'occuper du bureau et je suis sorti dans le couloir, où Catlin m'a cueilli. Elle m'a escorté jusqu'à l'ascenseur et a déclaré qu'elle irait chercher tout ce qui nous est indispensable dans notre appartement.

Il ne posait pas de questions, une habitude prise au fil de toute son existence.

– Nous pouvons parler, ici, dit Justin.

Il prenait conscience que rien ne pourrait désormais être dissimulé à Ari, si elle le voulait. Et il eut un vertige, car leurs vieilles précautions devenaient sans objet. Cette pensée l'ébranla et lui donna une impression de solitude qu'il ne put analyser.

– Dieu, ce n'est pas comme chez nous, pas vrai ?

Grant s'agrippait à lui. Il frissonnait, sans savoir ce qu'il redoutait. Il avait conscience que plus rien n'était sûr... pas même leurs méthodes d'autodéfense.

Ce n'était pas leur foyer, le lieu où ils avaient toujours vécu, l'abri qu'ils s'étaient bâti. Ils se rapprochaient du cœur de Reseune.

– Pas de sondage, précisa-t-il. Ari a voulu connaître la raison de mon acte. Je le lui ai dit, et c'était la moindre des choses. Tu peux constater à quoi correspond l'idée qu'elle se fait d'une sécurité accrue. Je vais te faire visiter les lieux. Tu n'en croiras pas tes yeux.

Il reprit le contrôle de son système nerveux et fit tourner Grant vers la perspective ouverte sur le séjour et la salle à manger.

Il s'agissait d'un appartement immense, quelles que soient les normes retenues : un vestibule de pierre, au plafond lambrissé de lainebois plastifié ; un salon avec une séparation grise et des tables en verre fumé ; et au-delà un coin-repas aux carreaux et aux murs blancs, des meubles noir et blanc. *Mon Dieu*, avait-il pensé en découvrant ce dépouillement glacial : *un oreiller rouge, un*

*objet coloré auquel ta santé mentale pourrait se raccro-
cher dans cet endroit sinistre...*

– C'est... très grand, commenta Grant.

Par diplomatie, sans doute.

– Viens.

Et il procéda à la visite complète des lieux.

Les couloirs étaient plus agréables : des tons pastel,
en direction d'une cuisine vert givré puis d'un passage
blanc qui conduisait à des chambres dans des tons de
gris et de bleu – beaucoup de pierre grise, une touche
de brun à l'occasion. Une salle de bains sybaritique noir
et argent, avec de nombreux miroirs. Une autre, blanc
et vert pâle.

– Mon Dieu ! s'exclama Grant lorsqu'il ouvrit la porte
de la chambre principale.

Un violent contraste de noir et de blanc, avec un lit
démesuré.

– Cinq personnes pourraient y coucher.

– Elles l'ont probablement fait, dit Justin.

Et il effectua un retour en arrière. Une expérience pénible.

– Ils vont nous apporter de la literie et quelques pro-
visions. Ils disposent d'une sorte de scanner dans lequel
ils font tout passer, y compris les vêtements. Cet appareil dépose une marque sur tous les objets. Si nous en-
trons avec quelque chose qui ne la porte pas...

– L'alarme se déclenche. Catlin me l'a expliqué. Cela
s'applique même aux chaussettes et aux sous-vêtements,
dit Grant avant de le regarder. Était-elle en colère ?

Justin hocha la tête.

– Un peu. Dieu sait qu'elle avait des raisons de l'être,
mais elle a accepté de m'écouter. C'est déjà... ça.

Son ami ne dit rien, mais son silence était aussi éloquent que le coup d'œil qu'il lança vers le plafond.
Sommes-nous sous surveillance ?

Parce que Grant savait... tout ce que son ami venait
d'avouer à Ari, jusqu'à son intention d'attirer sur lui l'attention de Giraud. Mais ils ne pouvaient aborder certains sujets là où on pouvait les entendre ; des faits

qu'Ari découvrirait dans le cadre de ses psychosondages mais qu'il ne révélerait que sous la contrainte. Il ne tenait pas à lui dire que Grant était au courant pour ce qu'il avait ressenti dans le salon de son appartement, pour les retours dans le passé...

L'impression éprouvée au niveau des entrailles – les bonds temporels, la vision des yeux d'Ari tour à tour vieux et juvéniles –, la prise de conscience qu'il avait alors été bien plus jeune qu'elle ne l'était à présent et que les sensations sexuelles qui accompagnaient tous ses contacts avec d'autres êtres humains avaient un point de convergence spécifique conditionné par la drogue...

Il aurait pu coucher avec elle. Il s'en sentait capable... dans une zone de son imagination. Il l'avait même désirée, le temps d'un battement de cœur, avant le flash violent et l'assaut de la panique qui l'avaient enchâssé entre un espoir fébrile et une terreur innommable. Comme si elle était la clé de son salut.

Ou de sa destruction.

Seigneur, que m'a-t-elle fait ?

Quelles clés détient-elle ?

– Justin, Justin...

Il se retint à l'épaule de son ami et frissonna.

– Ô Dieu...

– Qu'est-ce qui t'arrive ?

Les doigts de l'azi se refermèrent sur sa nuque et y exercèrent une forte pression.

– Justin ?

Son cœur s'emballait. Il devint aveugle, fut en sueur, et se serait cru perdu dans le néant si son compagnon ne l'avait pas tenu.

C'est ce qu'elle voulait... il y a si longtemps. Elle désirait que je fasse... une fixation sur elle...

J'ai échoué, et j'ai entraîné Grant et Jordan dans ma perte...

Il n'y a rien de plus, mon chéri...

Ver. Maître psych. Elle était la meilleure...

Jouissance et souffrance. *Liens de conditionnement profond...*

448

Son cœur battait avec peine et le faisait souffrir. Mais il savait pouvoir s'y adapter, comme il avait pu s'accoutumer au reste, toujours. C'était la vie, rien de plus. Il pouvait vivre.

Même en sachant que la pire des choses qu'il avait subies n'était pas d'ordre sexuel, que le sexe n'avait constitué qu'un moyen.

Enseignement endocrinien et flux, employés au mieux de leurs possibilités pour orienter un adolescent vulnérable et terrorisé vers un autre chemin, lui faire prendre une voie qu'il suivrait jusqu'à la fin de ses jours.

Elle a voulu que je naisse.

Oui, il était possible de vivre. Même quand le sol s'effondrait sous ses pas, même en étant cerné par la noirceur de l'espace.

– Qu'a-t-elle fait?

Une voix à la fois posée et inquiète, issue des ténèbres mentales, une pression exercée autour de sa nuque.

– Elle m'a remis les clés il y a longtemps, murmurat-il. Je le savais, bon sang, j'aurais dû le comprendre...

Ce qui l'entourait redevenait plus net. Il recouvrait le sens de la vision : le contour de l'épaule de Grant, la pièce noir et blanc dans ce qui n'était pas leur foyer, la pénible certitude qu'ils ne retourneraient jamais dans leur appartement familier avec ses pierres brunes et le coin-repas qu'ils avaient toujours assimilé à un abri malgré la surveillance constante des services de sécurité...

– Elle se savait mourante, Grant. Elle était la meilleure des analystes... elle pouvait lire dans un sujet comme nul autre n'en serait capable. Crois-tu qu'elle n'ait pas percé à jour Giraud?

– Tu parles d'Ari senior?

– D'Ari. Elle savait qu'il n'était pas un génie. Elle savait qui pourrait la seconder. Ne crois-tu pas qu'elle les connaissait tous bien mieux que nous? Ari a dit... que j'étais le seul à pouvoir lui enseigner quelque chose. Le *seul*. Elle déclare avoir besoin de mes recherches. Elle a consulté les notes laissées par sa généméère et suit la voie qu'elle lui a tracée...

Grant le repoussa en arrière, inquiet. Justin vit alors son visage comme l'eût fait un étranger, avec objectivité. Pour la première fois. Une perfection surnaturelle... l'œuvre d'Ari, du généset au psychset.

Tout, absolument tout. Tenter d'aller à l'encontre de ses desseins eût été voué à l'échec. Même Grant constituait un des éléments de ses projets. Il était pris au piège, et l'avait toujours été.

Elle voulait Jordan, mais il ne s'est pas révélé à la hauteur de ses espérances. Elle a voulu ma création. Elle a conçu Grant.

Elle m'a lié à elle... en me jouant ce tour abject...

Tout était imbriqué...

Champ d'application trop vaste, champ d'application trop vaste...

– Justin ?

Dieu, sa réplique est-elle aussi forte qu'elle, sait-elle seulement ce qu'elle me fait ?

Qui garde le doigt sur l'interrupteur ? Quelle Ari ?

Est-ce important – que l'une trace un chemin dont il est impossible de s'écarter – que l'autre prenne la relève et me contraigne à y avancer...

Grant prit son visage entre ses mains, lui donna une petite tape sur la joue.

– Justin !

– Ça va, dit-il.

Je le terrifie. Mais je n'ai pas peur. Je suis...

Aussi froid que de la glace. Calme.

Connaître la vérité peut s'avérer utile.

– Je vais bien. Mais... je me suis perdu dans mes pensées.

Il recula de quelques pas et regarda le couloir ; ce passage étranger, si différent de celui de leur foyer.

– C'est comme... si je venais de m'éveiller en sursaut. Comme si je m'étais affranchi de tout pendant un instant et que mon esprit s'était projeté au-delà.

450

Il sentit la main de Grant sur son épaule et signala avoir perçu ce contact d'une pression de la sienne... à nouveau effrayé, parce qu'il était seul et que son ami voulait le rejoindre... ce qui risquait de s'avérer irréalisable. Nul n'aurait pu parvenir jusqu'à lui. Et Ari se trouvait loin au-devant, au cœur d'un territoire qui était le sien et celui de sa génémère, en des lieux où Jordan n'avait pu se rendre.

L'isolement absolu.

– Cette pauvre gosse *est* Ari. Merde, c'est bien elle. Nul ne pourra jamais la rattraper. Elle est partie vers un univers où nul ne peut aller et dont on ne peut parler. C'est ce qui va lui arriver. C'est ce qui m'arrive... parfois.

Il cilla et tenta de revenir vers Grant. Il vit réapparaître les lumières, le décor dénudé, la salle à manger noir et blanc au bout du couloir.

– Bon sang, on devrait commander au service domestique un vase rouge, ou d'autres machins. Des coussins, des tableaux, n'importe quoi.

– De quoi parles-tu ?

Sa formation de super remonta à la surface. *Reprends-toi. Tu l'effraies.*

– Flux. On ne trouve rien d'humain, ici. Tant que nous n'aurons pas apporté quelques objets personnels et colorés, des choses qui nous appartiennent, cet endroit restera aussi chaleureux qu'un bain dans de l'eau froide.

– Est-ce important ?

– En un certain sens.

Il cilla pour tenter de dissiper une nappe de brouillard et avoir une vision rapprochée plus nette.

– C'est peut-être que... il m'est venu à l'esprit que nous serions venus vivre ici il y a longtemps, si Ari n'avait pas été assassinée. Ce logement devait nous être destiné.

– Justin, de quoi diable parles-tu ?

– Simple bon sens. Ari ne voulait pas détruire Jordan,

451

elle avait besoin de ses capacités. Elle se savait condamnée et avait conscience que les Nye étaient deux salopards pragmatiques. Des conservateurs bon crin. Pas elle. Ne crois-tu pas que la perspective de leur confier sa réplique l'inquiétait ? Si elle avait disposé de deux années supplémentaires, ou seulement six mois, je pense – je sais – qu'elle aurait achevé ce qu'elle avait entrepris et qu'il m'aurait été possible de combattre Giraud, de faire entendre ma voix pour tout ce qui se rapportait à leur façon d'élever Ari, en faisant partie de l'administration, avec un poste élevé au sein du bureau, la place de Peterson... qui sait ?

Mais je ne suis pas devenu ce Justin.

Ari suit le programme prévu par sa génémère. Elle respecte ses instructions.

Et c'est un chemin plein d'embûches. Si elle n'a pas une perspective suffisante pour pouvoir le comprendre, pour me comprendre... il est très dangereux.

Pas parce que je lui souhaite du mal.

Mais parce que je ne peux pas empêcher qu'on lui en fasse. J'ai des obligations... je dois les assumer.

– Je ne veux pas la blesser, Grant.

– Pourrait-on en douter ?

Il lui était impossible de tout dire. Ari affirmait qu'ils n'étaient pas placés sous surveillance, mais le savait-elle ? Ses possibilités étaient réduites et peut-être n'exprimait-elle que des vœux pieux : elle le lui avait confessé... un aveu qui servait à le manipuler au même titre que le reste. *Il ne faut jamais croire que je suis quelqu'un de simple... dans tous les sens du terme.*

– Non, répondit-il à Grant. Pas en fonction de mes plus chers désirs.

M'entends-tu, Ari ?

Écoutes-tu ce que je dis ?

– *Message,* annonça le concierge.

Ce qui éveilla Ari, et Florian.

– *Code privé, de Base trois.*

Giraud.

Giraud était à Novgorod. C'était le cas quand elle avait été se coucher, tout au moins.

– Merde, grommela-t-elle.

Elle roula hors du lit et chercha ses pantoufles et sa robe de chambre à tâtons.

– Dois-je me lever, sera ?

– Rendors-toi, Florian. C'est un appel de Giraud. Je m'y attendais. Ainsi qu'à un de Denys...

Elle enfila une pantoufle, puis l'autre, tout en glissant les bras dans les manches de la robe de chambre. Elle noua la ceinture.

– Un peu de lumière, bordel ! Concierge. Huit secondes. Éclaire le couloir.

La pièce devint assez lumineuse pour lui permettre de voir son chemin jusqu'à la porte, pendant – un regard par-dessus l'épaule – que Florian remontait les couvertures sur sa tête et s'enfouissait dans les ténèbres. Elle ouvrit le battant, cilla face à la clarté plus vive et se frotta les yeux pendant que l'obscurité revenait derrière elle.

Elle referma la porte et vit Catlin dans le couloir, en peignoir, les cheveux défaits.

– Retourne te coucher. Ce n'est que Giraud.

Catlin disparut.

Elle eût aimé boire une tasse de boisson chaude mais ne voulait pas déranger ses azis. Ils avaient eu beaucoup de travail pour déménager les affaires de Justin avant que la sécurité ne pût fouiller ses papiers et ses notes. Ils avaient dû en outre passer au scanner ces dernières et tout ce dont ils auraient besoin pour se vêtir et préparer leur petit déjeuner. C'était à ses yeux une condition indispensable pour que son hôte pût se détendre un peu.

Ce qui n'était pas le cas de son oncle.

Elle atteignit le bureau, s'installa dans son fauteuil et dit :

– Message, concierge. Je suis seule.

– *Message de Base trois à Base un. Ari, ici Giraud.*

D'accord, d'accord. Qui d'autre aurait pu m'appeler depuis cette base ?

– *Abban va porter cette bande à Reseune et revenir aussitôt à Novgorod. Il sera sans doute sur le chemin de l'aéroport, quand le système t'éveillera. Je n'ai pas de temps à perdre, et lui non plus. Mais tu dois deviner ce qui m'a incité à te contacter.*

Ai-je droit à trois suppositions ? Pour cette danse ?

Si c'est le cas, comment as-tu été informé si rapidement de la dernière facétie de ta nièce ?

– *Je suis ennuyé, Ari. J'ai dû m'y reprendre à deux fois, pour enregistrer ce message. La première version était un peu brutale. Mais je pense comprendre les motivations qui se cachent derrière tes actions.*

»*Je garderai donc mon calme. Ne m'as-tu pas dit : Je ne t'écoute pas quand tu cries, oncle Giraud ?*

»*Nous sommes tous les deux trop âgés pour de tels enfantillages, et la colère n'a pas sa place dans une affaire aussi importante. Alors, prête-moi bien attention. Ce message s'effacera automatiquement, hormis si tu demandes sa copie... C'est à toi de décider s'il doit figurer dans les archives, mais je te le déconseille pour des raisons qui te viendront sans peine à l'esprit. Cette bande n'est destinée qu'à Base un. Sauf si j'ai commis une erreur impardonnable, tu devrais être la seule à en prendre connaissance.*

»*Il s'est produit un nouvel attentat. Mais sans doute le sais-tu déjà.*

Merde ! Non.

– *Un grand restaurant. Cinq morts, dix-neuf blessés,*

la foule du réveillon. Voilà qui sont nos adversaires, Ari. Des fous. Peu leur importe de faire d'innocentes victimes.

»Je vais t'expliquer point par point, de la façon la plus logique possible, pourquoi ta prise de position en faveur du jeune Warrick n'était pas judicieuse.

»Je t'ai déconseillé de venir à Novgorod car je prévoyais que le battage fait par les médias conduirait à de nouveaux attentats, et la population est très tendue. Elle s'accoutume aux dangers et tente de survivre, mais elle cherche un bouc émissaire sur lequel rejeter la cause de ses problèmes, et je ne voudrais pas que tout ce sang retombe sur toi. Nous ne désirons pas que tu sois placée au cœur de la controverse.

»Ta suggestion de fournir à Novgorod des forces de maintien de l'ordre est excellente. J'ai honte de ne pas y avoir pensé. La municipalité est susceptible et l'arrivée de troupes importantes portant l'estampille de nos laboratoires suscite sa méfiance, mais la situation est désespérée et c'est pour elle la seule solution, à l'exception de voies qu'elle ne souhaite pas emprunter : je parle de faire appel à l'armée, étant donné que son budget ne lui permet pas d'engager du personnel supplémentaire. Les gardes de Reseune constitueront des cibles, dans les couloirs du métro, mais ce ne seront pas des cibles faciles... et nous pouvons lever des troupes suffisantes pour maîtriser la situation. La Défense nous fournira les moyens de transport et l'armement nécessaires, et la population de Novgorod n'en saura rien. Jacques nous accorde son soutien, car les militaires sont irrités par ce qu'ils appellent l'attentisme du bureau. Nous marquerons des points sur tous les tableaux, en plaçant toute l'administration de l'Union sous un jour plus favorable.

»Ce qui soulève un autre problème, Ari. Tu comprendras que je ne l'aborde pas avec plaisir mais... tu sais que ma vie ne tient plus qu'à un fil.

Pitié, oncle Giraud !

Tu devrais avoir honte.

– Dépouille la situation de son contenu émotionnel et

écoute-moi. Tu dois commencer à réfléchir sérieusement à ce que tu feras après ma mort, parce que je peux t'assurer que tes ennemis ne s'en privent pas.

»Khalid n'est plus bloqué par la règle des deux ans. Il pourrait défier Jacques, mais il n'a pas encore présenté sa candidature. Les centristes soutiennent le conseiller actuel car ils ont peur de Khalid, qu'ils ne peuvent contrôler. Quant à Corain, il voit en lui une menace personnelle, quelqu'un qui aimerait l'évincer à la tête de la coalition. Et Corain n'est plus un jeune homme. Khalid l'appelle le vieillard épuisé... en privé, mais de telles choses s'apprennent vite.

»Moi, il me traite de mort en sursis. Ce n'est pas très agréable à entendre mais je commence à me faire à cette idée. Il ignore qu'il a vu juste.

Mon Dieu, oncle Giraud. Quelle vision des choses !

– Prends le Conseil, Ari. Catherine Lao a presque mon âge. C'est, avec Harad et moi, ta meilleure alliée. Je meurs... Jacques manque de caractère et Gorodin forme un remplaçant, un certain Spurlin. Cet homme est valable mais il s'intéresse moins à la politique qu'à la défense des intérêts de son bureau. Me suis-tu ?

Que trop. Je te précède.

– J'ai commis une grave erreur quand j'ai pris des mesures contre Warrick sans te consulter au préalable. Nous nous sommes opposés, et tu en as pâti. J'en ai fait une autre en m'abstenant d'avoir une franche explication avec toi. J'ai à présent certaines raisons de croire que tu peux accéder à ma Base...

Oh, non !

– ... et à celle de Denys. Si ce n'est pas cela, tu possèdes un sixième sens pour minuter tes actions.

»J'avoue en avoir été déconcerté. Je ne savais quoi faire. Je suis âgé, malade, et effrayé, Ari. Il n'est pas dans mes intentions de m'apitoyer sur mon sort, mais tu dois comprendre que tes oncles ont des faiblesses. Je devais prendre des mesures immédiates, et je m'en suis abstenu. Mon comportement aurait pu être plus judicieux si j'avais été plus jeune, mais ce n'est pas certain. De tels

doutes sont le fléau de tout esprit qui raisonne. Je n'ose agir parce que je tiens compte de trop d'éléments et que les possibilités sont nombreuses... ou encore parce que je ne parviens pas à faire un choix.

»J'en fais un, à présent. Il est désespéré. Je vais te dire toute la vérité. Jordan Warrick a des contacts avec un nommé McCabe qui travaille à la maintenance des systèmes d'aération de Planys et qui reste en liaison avec le bureau de Mikhaïl Corain. J'adresse ce dossier à ta base...

Tu étais pourtant censé ne garder aucun rapport de sécurité sans entrer les informations dans les fichiers du système central, oncle Giraud. C'est une nouveauté. Que nous caches-tu encore?

– ... et c'est une affaire importante. Je te la résumerai en te disant que Warrick remet ça. Tu trouveras une transcription de sa rencontre avec Lu, le secrétaire de la Défense, à l'époque où Gorodin était conseiller. C'est un document confidentiel qui n'a pas été divulgué à l'occasion du procès Warrick. Il négociait son transfert à Lointaine, juste avant la mort de la première Ari. Ses manigances ont été dévoilées, ses espoirs se sont envolés en fumée. Ari a su qu'il avait pactisé avec Corain et elle a dû lui apprendre la nature des rapports qu'elle entretenait avec son fils.

»Jordan a visionné cette bande. Je peux en témoigner. Mais j'ignore ce que ses capacités professionnelles et sa connaissance de son fils ont pu lui permettre d'en déduire... mais je sais, comme toi, Justin et – j'en suis certain – Jordan, que cela ne s'est pas résumé à quelques ébats sexuels et une tentative de chantage avortée. Il savait que: A, pas plus Denys que moi nous n'autoriserions son fils à aller le rejoindre; B, Ari avait procédé à un nombre d'interventions restant à déterminer sur la personne de Justin. À la place de Jordan Warrick, qu'en aurais-tu conclu?

Mon Dieu, Giraud!

– Il sait que Justin s'est associé à toi. Nous l'avons surveillé de près, pour découvrir ce qu'il sait. Il constate que son fils est de plus en plus proche de toi, et qu'il au-

rait tout à perdre s'il t'arrivait un accident. En ce domaine, ce que tu as fait est valable. J'ai tout d'abord tenté de m'interposer en croyant que tu te comportais telle une adolescente en chaleur, mais ton instinct t'a permis de voir juste. À présent je me souviens – et c'est le propre de la vieillesse – qu'Ari était comme toi. Je te fais confiance, et je t'adresse cet avertissement : Jordan s'est toujours méfié de son fils. Justin n'a jamais compris son père. Justin... Il est idéaliste et honnête, mais soumis à l'influence de son père qui est pour toi un adversaire implacable, un ennemi qui s'oppose à Reseune et à tous les principes que défendent les laboratoires. Que tu couches avec son fils m'inquiète moins que ta prise de position en sa faveur... le fait que tu aies rompu l'isolement politique dans lequel nous avions pu le placer pour l'empêcher de te nuire. Avoir des rapports sexuels avec lui est sans conséquence. Si cela pouvait te guérir de ton attirance pour lui, j'en serais même ravi.

»Mais lui permettre de s'élever au sein de Reseune... c'est catastrophique.

»Laisse-moi faire une digression. Je sais que tu pourras assimiler le sens de ce qui en découle.

»La santé de Gorodin est encore plus défaillante que la mienne. Je ne sais pas, pour Lao. Je pense avoir une année devant moi, si mon état ne s'aggrave pas. Ensuite, je devrai laisser à Lynch le soin de mettre à exécution mes décisions, dont je vous informerai au préalable, toi et Denys.

»À ma mort, et si je parviens à le convaincre de sortir de Reseune, mon frère me remplacera et pourra remporter l'élection. Si. Il réagit assez mal à la perspective de me perdre.

»Je ne t'ai pas remerciée pour... ton vote de confiance. Je ne sais quoi dire à ta proposition de me dupliquer. Je me sens flatté, mais pas concerné sur un plan personnel, si ce n'est que cela peut aider Denys. Je ne m'attends pas à ce qu'il y ait une continuité entre nos individus. Je ne suis même pas certain que vous mettrez cela en pratique et je doute d'être important à ce point. Mais Denys l'est, et

compte tenu de la valeur qu'il m'accorde... il est exact que cette mesure sera utile. Mais si ce sont bien tes intentions, n'en parle pas aux médias. Le public a accepté une certaine fillette très mignonne. Mais j'étais un morveux ronchon, l'autre Ari aurait pu te le dire, et tu imagineras sans peine quelle sera la fureur de mes adversaires s'ils savent qu'ils doivent se préparer pour un nouveau round contre moi. Je présume que Justin connaît tes intentions. Il est bien trop proche de toi pour l'ignorer, et je prie le Ciel pour qu'il n'en ait pas informé son père... parce que en ce cas Corain est lui aussi au courant.

»Je ne veux pas que Denys élève ma réplique. Confie cette tâche à Yanni. Il est aussi têtu que l'était notre père, et je tiens à ce que mon frère me remplace à Novgorod, s'il est possible de l'inciter à sortir de Reseune. Tu ne seras pas encore capable de gérer les laboratoires : tu auras au maximum vingt ans et il faut à ce poste quelqu'un d'expérimenté. Le meilleur candidat est Yanni Schwartz. Mais tu dois avant tout commencer à assumer un rôle politique et à donner de toi l'image d'une professionnelle. Tu devras te faire élire grâce à tes propres capacités, au bon moment.

»Mais n'espère pas que nos ennemis attendront ce jour sans rien faire. Khalid n'a pas oublié qu'il te doit un cuisant revers. Je suis certain, sans pouvoir le prouver, qu'un lien unit les paxistes, le parti de Rocher, les abolitionnistes et des éléments apparemment respectables de la coalition centriste, peut-être même dans ses plus hautes sphères. Je ne dis pas que Khalid fait placer des bombes dans le métro mais qu'il est prêt à utiliser l'existence du mouvement paxiste contre toi – la peur de la puissance de Reseune –, ce genre de choses...

»Ma mort ne devrait pas entraîner des changements qu'aux Sciences. Khalid lancera un défi à Jacques. Nous sommes coincés, en ce domaine. Spurlin, le poulain de Gorodin, ne nous enthousiasme guère. Gorodin ne pourra se représenter pour des raisons de santé. Lu a été mis sur la touche, et c'est un homme amer. Nous voudrions que Jacques démissionne et nomme Spurlin mandataire, mais il assimile cela à un complot expansionniste... à juste titre, d'ailleurs. Il refuse d'admettre qu'il n'a aucune chance contre Khalid. Il ne tient pas compte des sondages qui indiquent qu'il est en chute libre. Soit Corain l'incite à se raccrocher à son siège dans l'espoir d'un renversement d'opinion improbable, soit cet homme est un sacré imbécile. Lors d'une conversation privée Corain m'a dit qu'il avait pressé Jacques de démissionner, pour se voir opposer une fin de non-recevoir. Jacques est exaspéré par son étiquette de bouillotte pour ce siège et d'homme de paille de Gorodin, et il est déterminé à conserver son mandat après la mort de ce dernier... en donnant ainsi un nouvel exemple d'ambition personnelle qui nuit aux intérêts de l'Union.

»Voici ce que je redoute : deux élections, sans savoir quel sera l'état de santé de Gorodin. Et juste après que les médias auront fait un battage autour de mon décès et de mon remplacement par Denys. Je crains que Jordan Warrick n'en profite pour rompre le silence et lancer des accusations. Il proclamera son innocence et affirmera que je l'ai fait chanter pour qu'il endosse la responsabilité de la mort d'Ari. Tu peux imaginer quel embrouillamini tu as créé en réhabilitant son fils. La première Ari ne m'aurait pas trahi comme tu viens de le faire.

Dieu ! Grand Dieu !

Serait-il innocent ?

– Jordan Warrick ne peut être soumis à un interrogatoire, compte tenu des lois actuelles. Il peut lancer des accusations sans perdre l'immunité que lui accordait son silence. Il aura la possibilité de n'importe quoi, après avoir attendu cette opportunité pendant deux décennies... une opportunité dont il bénéficiera parce que tu nous as empêchés de le compromettre avec les paxistes. Il serait encore temps de le faire, si tu acceptais de mettre ton intelligence à contribution. Ce n'est pas ce qui te vaudrait la gratitude éternelle de Justin, mais je ne dirai jamais assez que tu es bien plus adroite que moi, jeune sera, et je te crois capable de louvoyer entre ces écueils.

»Tu disposes des notes d'Ari qui le concernent. Je te

suspecte d'avoir effectué une intervention sur lui et je m'abstiendrai d'émettre des hypothèses sur sa nature. Mais je sais que sans elle il n'aurait jamais pu faire ce qu'il a osé tenter la nuit dernière. Je l'ai psychosondé assez souvent pour le connaître et savoir quels sont ses problèmes, qui ne sont qu'en partie attribuables à la première Ari...

Sois maudit. Sois *maudit*, Giraud !

– Je ne voudrais pas entraver cet amour naissant et idyllique, Ari, mais il est nécessaire que tu saches que Justin a été chargé d'un lourd fardeau émotionnel par son père. Si tu as lu les notes d'Ari, tu ne peux l'ignorer. Tu te crois capable de traiter un cas auquel même Petros et Gustav n'osent pas toucher. Je te fais confiance pour augmenter la pression sur Justin Warrick, comprendre ce qui se passe en lui, et déduire ce qui se produira s'il entend son père déclarer qu'il a été victime d'un coup monté.

»J'en arrive à un stade où je me vois contraint de me décharger sur toi d'un grand nombre de choses. J'avais espéré pouvoir t'éviter de prendre une décision désagréable. Elle t'échoit, parce que tu m'as contré et empêché de discréditer Jordan Warrick. Je n'insisterai pas. Je tiens depuis toujours le rôle du méchant de la Famille et je n'ai aucune objection à tirer ma révérence. Si le cœur t'en dit de changer de position dans cette affaire, tu pourrais utiliser les preuves des activités de Jordan à ton avantage dans tes rapports avec son fils. Je suis certain que tu suis mon raisonnement. Si tu décides d'opter pour cette solution, n'hésite pas à me contacter.

»Tu as dû comprendre pourquoi j'ai pris tant de précautions pour éviter que cette bande ne soit archivée. Elle est dangereuse. Et ce n'est pas à ma réputation que je pense. C'est ta vie qui est en jeu, et si tu utilises ta vivacité d'esprit tant vantée tu comprendras qu'elle doit passer avant tout le reste.

»Veille surtout à empêcher de donner trop de pouvoir à ceux que tu souhaites protéger. En cent trente-trois ans d'existence, ma chérie, c'est sans doute le précepte *de sagesse le plus important qu'il m'ait été donné d'apprendre.*

»Je te tiendrai au courant de l'évolution de la situation. Abban pourra faire la navette entre la capitale et Reseune. Les autres moyens de communication ne m'inspirent pas confiance. Méfie-t'en, toi aussi.

»Par-dessus tout, considère que ceci est un avis de tempête. Je me surveille. J'ai tiré un trait sur mes quelques vices afin de t'accorder un délai. N'oublie pas ma proposition. Établis ta position avec soin, et ne commets pas d'imprudences avec tes associés. Justice, culpabilité et innocence sont secondaires. La motivation et les opportunités sont primordiales. Rien d'autre ne doit compter.

»Fin.

Elle resta assise un long moment, sans bouger.

– Déconnexion, dit-elle enfin.

Puis elle se leva et regagna sa chambre.

Florian se réveilla, à moins qu'il ne se fût pas rendormi.

Elle se glissa sous les couvertures puis fixa les ténèbres.

– Des problèmes, sera ?

– Ce n'était que Giraud.

Elle se tourna et passa son bras autour de lui, se nicha contre son épaule pour étouffer la colère et la combattre avec tout ce qu'elle avait en elle.

– Seigneur, Florian ! Change-moi les idées, tu veux ?

Archives : projet Rubin
Confidentiel classe AA

Contenu : transcription du fichier 1655646
Bloc 5 – Archives personnelles
Emory I/Emory II

2424 : 03/02 : 2223

B/1 : Ari senior a laissé un message.
Patiente.
Ari, ici Ari senior.
Tu souhaites t'informer sur le pouvoir.
C'est un mot magique, ma chérie. Es-tu seule ?
AE2 : Oui.
B/1 : Tu as 18 ans. Tu es légalement une adulte. Tu as un statut de superviseur de section avec une licence Alpha.

Tu as placé sous surveillance interne : Denys Nye, Giraud Nye, Petros Ivanov, Yanni Schwartz, Wendell Peterson, John Edwards, Justin Warrick, Jordan Warrick, Gustav Morley, Julia Carnath, Amy Carnath, Maddy Strassen, Victoria Strassen, Sam Whitely, Stef Dietrich, Yvgenia Wojkowski, Anastasia Ramirez, Eva Whitely, Julia Strassen, Gloria Strassen, Oliver AOX Strassen, et leurs relations.

Tu as par ailleurs placé sous surveillance extérieure et enregistrement d'informations prioritaire : Mikhaïl Corain, Vladislaw Khalid, Simon Jacques, Giraud Nye, Leonid Gorodin, James Lynch, Thomas Spurlin, Ludmilla deFranco, Catherine Lao, Nasir Harad, Andrew McCabe et leurs Maisonnées.

Souhaites-tu compléter cette liste ou biffer des noms ?

AE2 : Non. Continue.

B/1 : Ari, ici Ari senior.

Tu peux exercer ta surveillance tant dans Reseune que hors du Territoire. Tu as un poste de responsabilité dans les laboratoires et tes résultats peuvent être considérés comme excellents.

Je te déconseille d'entreprendre toute action à l'encontre de l'administration pour la raison suivante : âge chronologique.

Infoscan ne signale aucune anomalie à l'intérieur de Reseune. Es-tu en désaccord ?

AE2 : Non.

B/1 : Tu souhaites te renseigner sur le pouvoir. Il découle de trois choses. Il faut s'en emparer, le conserver, l'utiliser. Les deux premiers éléments sont étroitement liés. Si tu accordes moins d'attention au second tu vas au-devant de sérieux ennuis, car ce qui t'a permis de t'élever est aussi à la disposition de tes adversaires.

Dois-je préciser que la force physique n'a d'utilité qu'aux niveaux inférieurs ? Ne la sous-estime pas, mais le meilleur moyen de parvenir à tes fins est la persuasion. Je parle des techniques psych employées à titre individuel et de façon intensive. Si tu sais ce que j'ai fait pendant mon existence, tu comprendras ce que je veux dire en déclarant que les médias sont d'une importance capitale.

Il existe au moins trois situations possibles, pour la presse. A, indépendance totale ; B, indépendance relative ; C, contrôle total. Dans le premier cas, les journalistes sont vulnérables à toutes les manipulations directes ; dans le deuxième, ils le sont dans certains domaines mais le public se méfie de l'information officielle ; dans le troisième, ce sont les rumeurs qui ont le plus de poids et il suffit de disposer d'une organisation efficace pour imposer son point de vue. Selon toi, à laquelle de ces définitions correspond la situation actuelle ?

AE2 : La deuxième.

B/1 : Tout indique que Cyteen connaît une période troublée.

Le recoupement des données permet de conclure que tu as des raisons de t'inquiéter.

Ton profil établi par Infoscan est le suivant : activités réduites, image positive. Réfléchis aux conséquences d'une éventuelle modification de comportement.

Tu ne dois pas sous-estimer l'importance de l'opinion publique. Mais est-il utile de le rappeler à une opératrice formée à Reseune ?

Souviens-toi que les bouleversements des macrosystèmes sociaux ne sont pas comparables à des secousses sismiques. L'effet rappelle plutôt celui des strates de glace souterraines qui modifient lentement la topographie du terrain sous l'effet des forces géologiques et de la gravitation. Si le risque de voir se produire un événement de type cataclysmique est facile à évaluer, établir à quel moment il aura lieu ou le provoquer l'est bien moins. À l'inverse, il est assez aisé de calculer le facteur temporel d'un cycle lent mais pas d'établir ce qui peut en découler. Les politiciens se laissent souvent emporter par la lame de fond d'un raz de marée alors que Reseune a toujours préféré œuvrer sous terre, avec lenteur et minutie.

J'avoue que de telles comparaisons suscitent en moi de la méfiance, mais je crois avoir affaire à une adulte capable de comprendre le fond de ma pensée.

Je te demande de réfléchir aux bouleversements qui ont eu lieu à Novgorod et sur tout Cyteen pendant ton existence, la mienne, et celle d'Olga. Il se produira encore des choses très importantes, et tu dois prêter attention à ce qui suit :

a) Un des premiers problèmes sera posé par l'accroissement de la population CIT, surtout à Novgorod et dans des stations telles qu'Espérance et Pan-paris qui sont situées à l'écart des routes empruntées par la poussée expansionniste. Les CIT découvriront le chômage, ce qui accentuera l'influence des abolitionnistes qui réclament l'interruption de la production d'azis.

b) Que la capitale de l'Union soit sur ce monde est une

source de tracas, bien que la situation ait jusqu'à présent bénéficié à Reseune. Il peut en découler des difficultés et des menaces pour notre système politique. Le fait que le gouvernement se soit établi à Novgorod plutôt qu'à Station Cyteen place l'ensemble de l'Union sous l'influence de notre planète et de son économie, selon un processus qui me paraît malsain. Ce point de vue va se répandre. Guette son apparition. Il naîtra, même si ce n'est pas pendant ton existence.

Il se peut qu'à l'avenir, pour des raisons impossibles à prévoir, Novgorod perde de son importance et cesse d'être une source de soucis, mais cela m'étonnerait. Cette agglomération bénéficie des avantages offerts par son emplacement géographique et son statut de capitale. Pour conserver certains privilèges tous les moyens seront bons, y compris des manœuvres politiques et des découpages de circonscriptions pour le moins douteux. De telles pratiques pourront saper les fondations de l'Union. Méfie-toi surtout de l'association de a) avec b) ou de b) avec c).

c) Si la population apprend que Reseune a faussé la dynamique sociale sur Géhenne, et ailleurs, il en résultera un mouvement de panique et une méfiance généralisée envers les labos.

d) La simple éventualité d'une ingérence de la Terre dans les affaires de l'Alliance ou à l'extérieur de l'espace humain est un élément déstabilisateur dans les rapports entre les deux blocs ; toute menace – réelle ou imaginaire – dans ce secteur augmenterait encore la tension dans nos relations diplomatiques.

e) L'interrègne de tes tuteurs et la mort ou la défaite de certains de mes alliés favoriseront l'apparition de nouvelles forces politiques, dont des courants abolitionnistes extrémistes. Je prévois qu'au cours de la décennie qui suivra ma mort Mikhaïl Corain sera considéré comme un personnage trop modéré pour pouvoir contrôler son parti et qu'un individu plus radical lui succédera, ce qui modifiera peut-être la nature du centrisme. Étudie avec soin les conséquences de tes engagements politiques. J'ai des ennemis. Peut-être inspireras-tu à tes adversaires des craintes superstitieuses, la peur de l'inconnu, la terreur de ce que tu représentes, et la panique de ce qui pourrait découler des techniques qui ont permis de te créer... pour une société qui ne s'est adaptée que depuis peu à la réjuv. Les incertitudes ont toujours été le levain des démagogues.

f) La découverte d'une nouvelle espèce extra-humaine intelligente serait un facteur de déstabilisation supplémentaire. Un tel événement peut se produire à tout moment. Je t'adjure de soutenir l'effort expansionniste dans les secteurs les plus sûrs de l'espace et de prendre toutes les précautions nécessaires en prévision d'éventuels contacts avec des peuples hostiles. Nous ignorons combien de temps nous avons encore devant nous et, à mon époque, notre stabilité serait à peine suffisante pour nous permettre de faire face.

g) Ma façon de diriger Reseune a pu engendrer de profonds mécontentements, tu risques de te faire des ennemis personnels ou de te voir attribuer une étiquette politique à laquelle certains s'opposeront avec vigueur.

h) Il pourrait se produire des perturbations importantes au sein d'une population azie donnée, ou encore que les intégrations CIT-azis ne s'opèrent pas comme prévu dans certains groupes. J'espère que ce ne sera pas le cas, mais s'il doit y avoir des problèmes tout laisse supposer que ce sera dans le secteur de Pan-paris – en raison des contraintes économiques et du nombre de retraités de l'armée – et ensuite à Novgorod, à la troisième génération... quand les possibilités de terraformage du site ne permettront plus de régler les problèmes de surpopulation. Je crains un affrontement entre l'éthos rebelle des fondateurs de l'Union et l'éthos respectueux de la Constitution des descendants des azis du temps de guerre.

J'espère me tromper.

Mais je t'exhorte à étudier ces situations et à préparer des parades, avant de prendre la moindre initiative.

Évite toute action précipitée : je veux dire par là que tu ne dois rien faire que tu n'aies pas minutieusement étu-

dié, sans pour autant attendre trop longtemps et devoir ensuite agir en hâte et en improvisant.

Le pouvoir fait peser de lourdes responsabilités sur tes épaules, et il influence tes amis et leur attitude envers toi. Ne sois pas naïve, évite les suppositions, ne leur impose pas le poids d'une trop grande confiance.

Et garde par-dessus tout à l'esprit ce que j'ai déjà eu l'occasion de te dire : ne sous-estime pas l'importance de l'opinion publique.

Infoscan t'informe que tu es citée dans : 3 articles parus au cours du dernier trimestre.

Giraud Nye est cité dans 189 articles parus au cours du dernier trimestre.

Mikhaïl Corain est cité dans 276 articles parus au cours du dernier trimestre.

Reseune est citée dans 597 articles parus au cours du dernier trimestre.

Les paxistes sont cités dans 1058 articles parus au cours du dernier trimestre.

Je continue ?

AE2 : Base un, indique-moi la nature, le lieu, la date et l'heure de la dernière entrée d'Ari I dans le système central.

B/1 : Recherche des informations.

Entrée par transplaque, 1004A, 22/10/2404, 18 h 08.

AE2 : Emplacement et heure du décès d'Ari senior.

B/1 : Recherche des informations.

1004A.

Selon l'autopsie, la mort est survenue entre 18 heures et 18 h 30 le 22/10/2404.

AE2 : 1004A, c'est bien la chambre froide du sous-sol de la section un ?

B/1 : Exact.

AE2 : Qui d'autre que moi a demandé ces renseignements ?

B/1 : Aucune consultation avant aujourd'hui.

AE2 : Détail de l'entrée.

B/1 : Recherche des informations.

Ordre à Sécurité 10 : Interruption com : Jordan War-

rick, tout appel. Invoquer mauvais fonctionnement. Ins-truction valide jusqu'à annulation.

AE2 : Base un, cet ordre a-t-il été donné par Ari ?

B/1 : Recherche des informations.

Affirmatif.

AE2 : Base un, à quelle heure Jordan Warrick a-t-il pénétré dans le sous-sol de la section un le 22/10/2404 ?

B/1 : Recherche des informations.

La porte d'accès a été ouverte par sa carte à 17 h 43.

AE2 : Heure de départ de Jordan Warrick ?

B/1 : 18 h 08, même date. Durée de la visite : 25 mi-nutes...

AE2 : Sauvegarde dans mes archives personnelles. Je veux la transcription complète du rapport d'autopsie d'Ariane Emory ; la totalité des dossiers sur Jordan War-rick, mot clé : Emory, mot clé : procès, mot clé : meurtre, mot clé : auditions, mot clé : Conseil, mot clé : enquête.

CHAPITRE XIV

1

– Le premier projet de loi à l'ordre du jour porte le numéro 6789, déclara Nasir Harad. Il a été conjointement déposé pour le bureau du Commerce par Ludmilla deFranco et Simon Jacques, qui proposent un étalement de la dette de Pan-paris. Le débat est ouvert.

Mikhaïl Corain leva la main.

– Bureau des Citoyens. Pour la proposition de loi.

– Finances, dit Chavez. Pour la proposition de loi.

– En l'absence de toute opposition je suggère d'annuler le débat, proposa Harogo.

Corain regarda Nye qui tendait la main vers son verre d'eau, à l'autre bout de la table.

Ils pourraient ainsi gagner du temps. L'acceptation par les expansionnistes de cette mesure destinée à réduire les pressions subies par la banque centrale panparisienne, la promesse de contrats militaires, l'assurance officieuse que Reseune accorderait des délais de paiement à Pan-paris... tout cela était inévitable. L'électorat de Pan-paris était celui de Lao et cette loi constituait la première des décisions prises en faveur de la boucle Paradis de Wyatt/Pan-parisienne qui réclamait la construction d'une station alimentée par une centrale à fusion au Point de Maronne, là où on ne trouvait qu'une masse noire, mais capable d'attirer en son sein un vaisseau.

Quatre propositions de loi avaient été préparées, les expansionnistes révisaient leur position et détournaient des fonds destinés au projet Espoir pour faire face aux problèmes plus immédiats qui se posaient dans l'espace local, et en particulier dans cette boucle commerciale qui était à court de produits exportables depuis la guerre.

Des mesures importantes ; plus que la reconstruction des stations endommagées par l'offensive désespérée d'Azov à la fin du conflit ; plus que le réajustement constant des dettes et les décisions rendues indispensables quand les marchands s'étaient associés à l'Alliance en ne laissant aux banques de l'Union que des comptes débiteurs.

Soixante-dix ans plus tard, un changement de politique destiné à sauver cet élément de l'Union devenait possible, car ceux qui avaient bloqué la situation prenaient conscience qu'il n'existait pas d'autre solution.

– Je propose une annulation du débat, marmonna Harad.

– Proposition soutenue.

– Je réclame un vote.

Un bruit en bout de table. Nye avait renversé son verre sur ses dossiers et restait figé sur son siège... sans faire cas de l'eau qui coulait sur les documents, dans une pose qui paraissait incongrue, comme s'il écoutait quelque chose que lui seul pouvait entendre.

Le cœur de Corain cessa de battre pendant une fraction de seconde. Il prévoyait un effondrement imminent, alors que Lao qui se trouvait à côté de Nye se levait pour le soutenir et que tous s'affolaient, les assistants inclus.

Giraud Nye s'affaissa sur les papiers. Abban écarta Lao et retint son CIT qui basculait entre les sièges.

Les membres du Conseil, les aides, tous cédèrent à la panique, et le pouls de Corain s'emballa.

– Appelez un médecin, ordonna-t-il à Dellarosa, à tous ceux qui pourraient s'en charger.

Pendant qu'Abban allongeait Nye sur le sol, ouvrait son col et tentait de le réanimer avec précision et méthode.

Puis le calme revint, hormis pour les assistants qui sortaient de la salle. La scène était étrange : nul ne bougeait, tous paraissaient avoir été paralysés par le choc, à l'exception d'un jeune aide qui proposait à l'azi de le relayer.

L'équipe médicale arriva : des pas précipités, le fracas du matériel. Les conseillers s'empressèrent de s'écarter pour laisser passer les médecins puis attendirent en silence pendant que des brancardiers apportaient une civière, entouraient Nye, le soulevaient et l'emportaient.

Vivant, pensa Corain, ébranlé. Il ne pouvait comprendre sa réaction, ou pourquoi il sursauta quand Nasir Harad abattit son maillet pour suspendre la séance.

Nul ne bougea pendant un moment. Les centristes et les expansionnistes se regardaient, toujours sous le choc.

Puis Simon Jacques réunit ses dossiers, les autres l'imitèrent, et Corain fit un signe à ses assistants.

Après quoi ils procédèrent à un repli précipité, pour réévaluer la situation, s'enquérir avec discrétion de la gravité du malaise, découvrir si Nye pourrait s'en remettre.

Ou pas.

Auquel cas... Auquel cas, la situation politique avait irrémédiablement changé.

– ... *effondré dans la Salle du Conseil*, entendirent-ils annoncer par le système de communication.

Et tous s'immobilisèrent dans les bureaux et les couloirs, pour attendre la suite. Justin demeura comme paralysé, les bras chargés des listings du dernier test de la sociologie. Au fond de son être, quelque chose de froid et d'indéfinissable lui murmurait qu'en dépit de ce que Giraud lui avait fait subir...

... il y avait bien pire.

– *Son état s'est stabilisé au poste des urgences du Palais de l'État puis il a été évacué par aéroambulance vers l'unité de soins intensifs de l'hôpital Mary Stamford de Novgorod. Il a fallu renoncer à le transporter jusqu'au centre médical de Reseune car les avions disponibles n'étaient pas dotés de l'équipement nécessaire.*

»*Son compagnon Abban demeure à son côté.*

»*Le secrétaire Lynch, aussitôt informé, a prêté serment en tant que représentant intérimaire pour les affaires urgentes.*

»*L'administrateur Nye demande que les souhaits de prompt rétablissement et les questions sur l'état de santé de son frère ne soient pas adressés à Novgorod mais au bureau de l'hôpital de Reseune, qui reste en liaison directe avec Stamford.*

»*Le personnel des laboratoires est prié de reprendre son travail de façon normale. Les bulletins de santé seront communiqués dès réception.*

– Bon sang, grommela quelqu'un à l'autre bout de la pièce.

Justin prit ses listings et sortit dans le couloir. Derrière la séparation de verre des gens s'attardaient pour discuter en formant des petits groupes.

Il sentait des regards se river sur son dos, il faisait l'objet d'un peu trop d'attention à son goût.

Il lui semblait... que le sol se déplaçait sous ses pieds, même si tous s'étaient attendus à une nouvelle de ce genre.

– Ils nous préparent, déclara un tech. Giraud doit être mort. Ils ne l'annonceront pas avant que son mandataire ne l'ait remplacé au Conseil. Ils ne peuvent rien dire, entre-temps.

C'était épouvantable... de devoir passer voir Denys. Mais un simple appel par l'entremise du concierge eût manqué de chaleur humaine et Ari se présenta à la porte de l'appartement et déclina son identité. Florian et Catlin se tenaient derrière elle et ne pouvaient la protéger de ce qui l'attendait derrière le battant : le deuil d'un vieil homme condamné à affronter une solitude qu'il n'avait – selon Giraud lui-même – jamais pu envisager.

Il lui vint à l'esprit que si son oncle pleurait, s'il s'effondrait devant elle, il en serait honteux et en colère. Mais il n'avait pas de plus proche parent qu'elle. Elle regrettait malgré tout de ne pas être ailleurs et de ne pouvoir refuser de se conduire en adulte responsable obligée d'assumer l'erreur que cette visite serait peut-être.

Mais il lui fallait essayer, pensait-elle.

– Oncle Denys, c'est Ari. Souhaites-tu me voir ?

Une brève attente. La porte s'ouvrit, sur Seely.

– Entrez, sera, murmura-t-il.

L'appartement était si petit, si dépouillé comparé au sien. Denys aurait pu s'en faire attribuer un plus vaste et lui apporter tout le luxe qu'il désirait. Mais c'était son ancien foyer et la nostalgie la métamorphosa brusquement en une étrangère trop âgée. Florian et Catlin qui entraient avec elle étaient eux aussi devenus des adultes bien trop grands à l'échelle de ce lieu : le petit séjour, le coin-repas, la suite sur la droite qui leur avait été attribuée, à eux et à Nelly ; le couloir sur la gauche qui conduisait au cabinet de travail, à la chambre de son oncle et aux quartiers spartiates de Seely.

Elle regardait dans cette direction quand Denys sortit de son bureau, livide et les traits tirés. Il parut déconcerté de la voir.

– Oncle Denys.

– Tu as appris.

Elle hocha la tête et s'interrogea sur le comportement qui devait être le sien en ces circonstances – elle que l'Union considérait comme un génie pour résoudre les problèmes psych, pour façonner, disséquer et provoquer les réactions humaines – mais c'était très différent quand le contexte émotionnel remontait jusqu'à ses propres racines. Le réorienter, telle était la seule possibilité que proposait la logique. Rediriger et concentrer son attention sur autre chose : *le chagrin se focalise sur lui-même, et le flux superpose un sentiment de culpabilité au besoin d'autodéfense...*

– Comment vas-tu, oncle Denys ?

Il respira à fond, à plusieurs reprises. Il garda une expression désespérée pendant quelques instants puis redressa le menton et répondit :

– Il se meurt, Ari.

Elle s'approcha pour l'étreindre et eut conscience d'être... calculatrice et indifférente au fond de son être pendant qu'elle lui caressait l'épaule, se dégageait et demandait :

– Seely, mon oncle a-t-il encore du cognac ?

– Oui, sera.

– J'ai du travail, protesta Denys.

– Un peu d'alcool ne peut te nuire. Seely.

L'azi sortit et elle prit son oncle par le bras.

– Te tourmenter est sans objet, dit-elle. On n'obtient jamais rien, ainsi. Giraud savait ce qui allait se produire. Écoute, tu sais ce qu'il a fait, tu sais ce qu'il a prévu, ce qu'il veut que tu fasses...

– Pas *moi* ! rétorqua Denys d'une voix sèche, avant d'abattre sa main sur la table. Je n'ai pas l'intention d'en discuter. Lynch le remplacera au Conseil. Mon frère peut s'en remettre. Il est prématuré d'organiser ses funérailles, ne trouves-tu pas ?

– Si, mais...

Il ne l'accepte pas. Il refuse de regarder la réalité en face.

Seely, Dieu merci, arriva avec le cognac pendant que Florian et Catlin restaient près de la porte et tentaient de se faire oublier.

Elle prit son verre, but une gorgée. Denys l'imita, avec moins de modération. Il frissonna.

– Je ne peux pas aller à Novgorod.

Elle découvrait sa fragilité dans la courbure de sa bouche et la sueur qui formait une pellicule sur sa peau blême malgré la fraîcheur de l'air ambiant.

– Tu le sais.

– Tu peux faire ce que tu décides, oncle Denys. Mais ne viens-tu pas de me dire que ce n'est pas le moment d'en discuter ?

– C'est impossible. Je l'ai dit à Giraud. Il le sait. Il m'a conseillé de prendre des bandes. Il sait que je ne suis pas doué pour la politique.

– Là n'est pas la question.

– Il se meurt. Tu le sais et je le sais. Et son idée de m'envoyer à Novgorod... Bon sang, il aurait dû savoir.

– Tu ferais des merveilles.

– Ne dis pas de bêtises. Tu m'imagines en train de faire un discours ? Moi ? Un orateur ? Quelqu'un qui devrait tenir des conférences de presse ? Je ne conviendrais pas à un tel poste. Dans les coulisses... eh bien, je ne me débrouille pas mal. Mais je suis trop âgé pour changer. Je ne suis pas un politicien, Ari, et je ne le serai jamais. Il n'existe aucune bande qui répare les dégâts provoqués par les ans, aucune bande qui pourrait faire de moi un tribun...

– Giraud n'est pas très doué en ce domaine, lui non plus, mais c'est un excellent conseiller.

– Sais-tu que quand je suis descendu te voir à l'AG, l'autre fois, je n'étais pas sorti d'entre ces quatre murs depuis... l'âge de neuf ans ?

– Mon Dieu, oncle Denys.

– Tu ne l'avais pas déduit ? Tu me déçois. Je suis allé m'assurer que ma nièce adoptive ne mettait pas son joli cou en péril. Sais-tu que je ne pouvais pas détacher le regard des moniteurs de l'aéroport quand ta génémère arrivait dans son foutu jet ? J'ai peur des catastrophes. Je consacre mon temps à m'apprêter à apprendre une mauvaise nouvelle. C'est ainsi que je manifeste mon courage, comprends-tu ? Ne me demande pas de tenir des conférences de presse.

Il secoua la tête et fit reposer ses coudes sur la table.

– Les jeunes gens... ils risquent leur vie avec insouciance parce qu'ils n'en connaissent pas la valeur.

Il pleura, un mouvement convulsif des épaules et du visage. Ari prit la carafe et le resservit ; la seule gentillesse qui lui vint à l'esprit.

Elle ne dit rien pendant un quart d'heure, ou plus. Elle attendit que son oncle eût vidé l'autre verre.

Puis le concierge annonça :

– *Un message d'Abban AA à Base deux, communication spéciale.*

Denys attendit un moment avant de répondre :

– J'écoute.

– *Ser Denys,* fit Abban d'une voix privée d'intonations par la distance, *Giraud vient de mourir. Je me charge du transfert de son corps à Reseune, selon ses instructions. Il a en outre demandé la fusion de sa base avec la vôtre.*

Denys enfouit son visage entre ses paumes.

– Abban, intervint Seely, mon ser te remercie. Dis-moi ce que je peux faire pour t'aider.

Ari resta assise, très longtemps. Puis Denys s'essuya les yeux et renifla avant de dire :

– Lynch. Quelqu'un doit avertir Lynch. Dis à Abban de s'en charger. Lynch doit remplacer Giraud. Il faut qu'il présente sa candidature. Tout de suite.

Les membres de la Famille arrivaient dans le Jardin oriental, par groupes de deux ou de trois. Ils portaient des vestes ou des manteaux car l'air était vif, par cette matinée d'automne.

Des absences remarquées permirent à Ari de prendre conscience de façon plus aiguë qu'elle se retrouvait en première ligne... Dix-huit ans, parfaite dans le deuil et digne comme elle savait l'être. Elle portait la broche de topazes à son col, le bijou offert par Giraud... *quelque chose qui n'aurait appartenu qu'à toi...*

Assister à ces funérailles était une des obligations auxquelles elle se fût volontiers soustraite, si cela avait été possible.

Mais Denys avait fait un épouvantable gâchis. Il avait été au-dessous de tout, en refusant d'être nommé conseiller des Sciences et d'assister à la cérémonie funèbre. *Denys* était là-bas dans le vieux labo de la section un, occupé à superviser la récupération et l'implantation du généset CIT 684-044-5567... et bien qu'elle pût comprendre ses raisons Ari en avait des frissons de dégoût.

Il ne restait donc qu'elle, la nièce adoptive de Giraud en tant que plus proche parente... sans avoir avec lui des liens génétiques mais un statut familial qui la plaçait avant Emil Carnath-Nye, Julia Carnath-Nye et Amy. Elle ne se sentait pas à son aise, dans ce rôle, tout en sachant que l'attachement que Julia portait à Giraud était plus motivé par l'ambition que par l'affection. Mais Julia pouvait aller au diable. Ce qu'elle ne supportait pas c'était de prendre la place qui revenait de droit à Amy. C'était cela, le plus gênant. Les Carnath-Nye formaient un groupe, une petite entente guère cordiale : Amy accompagnée de Quentin (Ari ne s'était-elle pas fait escorter par Florian et Catlin?) pour assurer sa sécurité personnelle en cette période plus que troublée et non pour exhiber *son* azi devant la Famille et sa mère. Une version des faits à laquelle devait croire cette dernière.

Julia et son frêle Emil étaient offusqués d'avoir Abban à leur côté... Abban qui avait été bien plus proche de Giraud que ses parents, et même que Denys. Il avait tenu sa main dans la sienne, quand Giraud avait rendu son dernier soupir, et il s'était ensuite chargé des formalités en l'absence de tout membre de la Famille.

De telles attitudes devraient disparaître, elle l'avait fait clairement comprendre... en scandalisant les anciens. Elle voulait les informer de ce qu'elle ferait quand elle détiendrait le pouvoir, et si cela les choquait ils pouvaient aller au diable.

Amy était présente; Maddy Strassen se trouvait au premier rang, avec tante Victoria – la sœur de maman, et à cent cinquante-quatre ans une des doyennes de l'univers. La réjuv ne semblait pas vouloir trahir Victoria Strassen, même si elle fondait comme neige au soleil et devenait plus maigre et plus frêle chaque année, au point de sembler composée de plus de force vitale que de chair. Elle devait utiliser une canne, et Ari en fut attristée. *Maman aurait son âge, et elle serait aussi fragile*. Elle décida de se tenir le plus loin possible de Victoria, et pas seulement parce que cette femme la haïssait et lui reprochait l'exil de sa sœur à Lointaine.

Le clan des Whitely était là : Sam et sa mère, avec les Ivanov, les Edwards, Yanni Schwartz et Suli, et les Dietrich.

Justin et Grant n'étaient pas venus. Justin avait décliné l'invitation, très poliment, ce qui évitait à Ari de se retrouver dans une situation délicate. C'était l'unique faveur dont elle avait bénéficié, tant des membres de la Famille que des étrangers. Les journalistes s'étaient regroupés dans la salle de presse de l'aéroport, une demi-heure plus tôt dans la matinée : un rendez-vous pour une interview dans l'après-midi, une cinquantaine de demandes pour rencontrer Denys...

Désolée, s'était-elle chargée de leur dire, en privé et devant une caméra. *Même ceux d'entre nous qui ont consacré toute leur existence à l'étude du psych peuvent éprouver du chagrin, seri.* Avec de la froideur et une touche de sa propre détresse qui permettrait d'apporter à Reseune ce que Giraud eût appelé un peu d'humanité. *Mon oncle était très proche de son frère, et il n'est plus très jeune lui non plus. Il refuse le siège de conseiller que lui a légué Giraud et le transmet à Lynch pour des raisons de santé... Non. Absolument pas. Nos laboratoires n'ont jamais considéré détenir un monopole sur les Sciences. En tant que plus ancienne institution scientifique de Cyteen, Reseune doit participer à la vie politique de notre monde et je suis certaine qu'elle présentera d'autres candidats, mais pour autant que je sache nul ici ne compte briguer ce poste pour l'instant. N'oubliez pas que le Dr Nye aurait pu se faire remplacer par un représentant des laboratoires et qu'il a désigné le secrétaire Lynch. Car cet homme est un responsable respecté aux compétences indubitables.*

Puis, suite à un feu nourri de questions : *Seri, le Dr Yanni Schwartz, chef de la section un de Reseune, pourra vous fournir des précisions sur ces points spécifiques...*

... Non, sera, nous verrons plus tard. Certes, l'Ari précédente a occupé ce siège. Je suis pour l'instant superviseur d'une section de recherche, j'ai une équipe et des projets en cours...

Tous les journalistes présents avaient mordu à l'hameçon, sans perdre de temps... ils flairaient un scoop dans un domaine très éloigné de celui de ce reportage. Elle avait lancé l'appât et ils s'étaient empressés de le happer, sur un fond de musique funèbre. Elle venait de leur faire miroiter une histoire qu'ils ne pouvaient décemment approfondir pour l'instant.

Mais ils étaient revenus sur le sujet dès la fin du direct : quels étaient ses projets, dans quelle mesure faisait-elle partie de l'administration, avait-elle des responsabilités à ce niveau ?

Des questions dangereuses. Très dangereuses. Elle avait eu un flash de corps ensanglantés, de rames de métro déchiquetées, le plan fixe d'un jouet au milieu des ferrailles tordues.

Seri, tous les administrateurs de section participent aux prises de décision.

Comprenez-moi, seri : je ne suis pas une idiote. Il n'est pas dans mes intentions d'en dire plus alors que les cendres de mon oncle n'ont pas encore refroidi.

Mais tenez-en compte et évitez de me sous-estimer, à l'avenir.

Je suis ici en tant que porte-parole de ma Famille, leur avait-elle alors rappelé. *C'est ma préoccupation immédiate. Il me faut à présent vous laisser, seri. Je dois aller sur la colline pour le service funèbre qui débutera dans une demi-heure. Veuillez m'excuser...*

C'était la première inhumation à laquelle elle assistait : une urne qui contenait des cendres, enfouie dans le sol et recouverte d'une stèle mise en place par deux jardiniers.

Elle tressaillit en entendant le bruit mat de la pierre qui tombait sur le lit de terre. Un si petit récipient, pour un si grand homme.

Enterré au lieu d'être incinéré dans le soleil. Elle savait ce qu'elle choisirait pour sa dépouille mortelle... la même chose qu'Ari senior, que maman. Mais c'était peut-être plus approprié, pour oncle Giraud.

Emil Carnath demanda aux associés et aux collègues du défunt de dire quelques mots.

– J'ai une déclaration à faire, lança aussitôt Victoria Strassen.

Seigneur ! pensa Ari.

Qui s'arma de tout son courage en prévision de ce qui allait suivre.

– Giraud m'a chassée, lors des funérailles de ma sœur, commença Victoria d'une voix trop sèche et trop forte pour un corps si frêle. Je ne le lui ai jamais pardonné.

Depuis le premier rang, Maddy adressa un regard angoissé à Ari : *Désolée.*

Tu n'y es pour rien.

– Et vous, Ariane Emory DP ? Allez-vous me faire expulser parce que j'ose exprimer des vérités ?

– J'attendrai que vous ayez terminé pour prendre la parole, tante Victoria. Maman m'a enseigné les bonnes manières.

Dans le mille. Les lèvres de Victoria se pincèrent pour dessiner une ligne très fine, et elle dut utiliser ses deux mains pour prendre appui sur sa canne.

– Ma sœur n'était *pas* votre mère. C'est le problème, ici. Les mots ne veulent plus rien dire. La mort est la mort, rien de plus. Et c'est préférable. C'est ce qui permet depuis toujours à la société humaine de fonctionner. Les vieux laissent la place aux jeunes. Je n'ai rien de personnel à vous reprocher, sera, car vous n'avez pas décidé de naître. Mais où se trouve Denys ? Hein ?

Elle regarda autour d'elle et fit parcourir un demi-cercle à sa canne.

– Où est-il ?

Un mouvement de foule, dû au malaise.

– Sera ? murmura Florian derrière l'épaule d'Ari.

Il attendait des instructions.

– Je vais vous le dire, aboya Victoria. *Denys* s'est enfermé dans les labos pour recréer son frère, comme il a recréé Ariane. *Il* s'est approprié la plus grande puissance scientifique et économique de toute l'histoire et a manqué de peu la conduire à la banqueroute. Je ne parle pas de ce pauvre Giraud qui se contentait d'exécuter ses ordres, nous le savons tous. Oui, Denys a bien failli réduire Reseune à néant dans le cadre de sa quête insensée de l'immortalité. Dites-moi, jeune sera, avez-vous hérité des souvenirs d'Ariane ? Vous rappelez-vous votre vie antérieure ?

Dieu ! Ce n'était pas une question qu'elle eût souhaité se voir poser en ce lieu et en ce moment, tel un défi, dans un contexte métaphysique.

– Nous en parlerons un jour, répondit-elle d'une voix forte pour être entendue de tous. Devant un verre, tante Victoria. Je présume que vous me posez une question d'ordre *scientifique* et que vous ne souhaitez pas m'entendre parler de réincarnation.

– Je me demande quel nom Denys donne à cela. Faites intervenir vos gardes, si vous voulez. J'ai vu assez de folies au cours de mon existence, des fous qui détruisaient des stations pendant la guerre et à présent des fous qui massacrent des enfants dans le métro, des fous qui ne se contentent plus de laisser faire la nature et ne veulent pas avoir des fils ou des filles mais des petites copies d'eux-mêmes par l'entremise desquelles ils pourront réaliser leurs fantasmes, sans tenir compte des désirs de ces pauvres gosses. Les funérailles tomberont-elles bientôt en désuétude ? Tout le monde le pense, ici. Rien ne m'oblige à mourir, je peux imposer mes volontés à un pauvre idiot de dupliqué qui n'aura pas son mot à dire et permettra à mes idées de continuer à se propager après ma disparition.

– Nous sommes ici pour parler de Giraud, cria Yanni Schwartz. Faites-le et laissez tomber le reste, Vickie.

– Je l'ai fait. Je dis adieu à un être humain et je souhaite la bienvenue à Gerry DP. Que Dieu protège notre espèce !

Les autres discours furent, heureusement, plus conventionnels... quelques poèmes, un : *Nos opinions divergeaient parfois, mais il avait des principes*, de Petros Ivanov, et un : *Il a fait prospérer Reseune*, de Wendell Peterson.

Ce fut ensuite au tour des parents les plus proches, qui prenaient la parole en dernier. Pour réfuter ce qui avait été dit avant, estima Ari.

Et ce fut à elle de clore la cérémonie, à cause du statut qu'elle se voyait attribuer parce que tante Victoria avait dit vrai en ce qui concernait le lieu où se trouvait Denys et la nature de ses activités.

– Je dois vous faire un aveu, déclara-t-elle. Il fut un temps où mon oncle m'a inspiré de la haine. Je pense qu'il en était conscient. Mais au cours de ces dernières années j'ai appris à mieux le connaître. Il collectionnait des hologrammes et des modèles réduits, il aimait les microcosmes et les choses banales, sans doute parce que ses activités ne possédaient aucune finalité, qu'il subissait un flux constant et se trouvait confronté à des décisions que lui seul acceptait de prendre. Il est faux de dire qu'il se contentait d'exécuter les ordres de son frère. Il s'adressait à Denys pour les questions d'ordre politique et veillait à ce que les volontés du bureau soient mises en application, mais il savait différencier les idées valables des autres et n'a jamais hésité à soutenir son point de vue. Il n'en faisait pas étalage, voilà tout. Il extrayait l'essence d'un problème et optait pour les solutions les plus efficaces.

» Il a servi l'Union dans son effort de guerre. Il a effectué sur la personnalité humaine et sur la mémoire des recherches qui sont toujours des références en ce domaine. Il a accepté de siéger au Conseil dans un contexte de grave crise nationale et a ensuite défendu les intérêts de son électorat pendant deux décennies critiques... au cours de ma génération, la première à ne plus avoir de liens directs avec les Fondateurs ou la Guerre.

» Il m'a dit beaucoup de choses, pendant l'année écoulée. Abban a fait de fréquents voyages entre ici et Novgorod...

Elle chercha à capter son regard mais il fixait le néant, dans cette attitude propre aux azis affligés.

– Il nous a servi d'intermédiaire. Giraud se savait mourant et ne s'intéressait guère à sa réplique. Nous avons parlé de cela, et de bien d'autres choses. Il faisait preuve d'un calme admirable. Il s'inquiétait pour son frère. Ce qui m'a le plus marquée, c'est sans doute sa façon d'aborder tous les problèmes, de prendre des dispositions bien précises dans tous les domaines...

Même si Denys semait ensuite une belle pagaille.

– Pendant le dernier semestre, il a tout ordonné avec tant de minutie que ceux qu'il tenait au courant de ses affaires auraient pu entrer dans son bureau, prendre son agenda, trouver immédiatement les dossiers concernés et savoir ce qu'il convenait de faire en priorité. Il m'a avoué avoir peur de la mort. Il aurait aimé rester parmi nous encore cinquante ans. Il n'a éprouvé de remords pour aucun de ses actes, il ne m'a jamais demandé de lui accorder mon pardon. Il s'est contenté de me remettre les clés et les dossiers, et a paru touché que je ne lui tienne plus rigueur de rien. Tel est le Giraud que je connais.

Elle en resta là.

Remettre les dossiers; une autre déclaration faite de propos délibéré, comme avec les journalistes.

Elle n'agissait pas de cette manière pour saper le terrain sous les pas de Lynch. Denys avait refusé de faire partie du Conseil et quelqu'un devait occuper son siège. Reseune était sous le choc. Certains pressaient Yanni de présenter sa candidature, de lancer un défi à Lynch.

Non, avait rétorqué Denys, suffisamment concentré pour prévoir cette possibilité. Pas de défi. Cet homme est inoffensif. Laissez-le tranquille.

Elle ignorait ce qu'en pensait Yanni. Elle doutait qu'il recherchât les honneurs.

Mais le refus de Denys de remplacer son frère le privait d'une opportunité de devenir l'administrateur de Reseune et *cela*, se disait-elle, avait dû le décevoir; même si la plupart des membres de la Famille avaient deviné que Denys ne voudrait pas siéger au Conseil.

Elle prit soin de se diriger vers Yanni à la fin du service funèbre et de le prendre par le bras pour le remercier pour son soutien, en veillant à ce que toute la Famille pût les voir.

Que tous sachent que cet homme ne serait pas écarté du pouvoir, lorsqu'elle prendrait la tête des laboratoires.

– Je sais ce que vous faites, dit-elle avec ferveur, sans se soucier de qui pouvait l'entendre. Je n'oublierai pas, Yanni. Vous m'entendez?

Elle serra sa main. Yanni lui adressa un regard – comme s'il se demandait pendant un bref instant si ce n'était pas un simple baume pour son orgueil blessé puis prenait conscience qu'elle l'informait d'une chose très importante avec la subtilité propre à tous les messages transmis au sein de la Famille.

Rien d'officiel. Mais les témoins étaient nombreux. Il en fut profondément touché.

Avec elle, estima Ari. Comme Amy, Maddy et les représentants de la nouvelle génération.

Et les autres membres de la Maisonnée sauraient interpréter les indices : elle avait pris position sur divers fronts et commencé à se faire des alliés, non en se basant sur un système de privilèges pour les jeunes mais sur les compétences d'un homme qui venait de se voir refuser un poste d'administrateur et bénéficiait dans la Maison de bien plus de respect qu'il ne devait l'imaginer.

Elle devait indiquer clairement que Yanni était dans son camp et lui laisser le soin de réunir des partisans : il avait les pieds sur terre et ne se laissait berner par personne. N'avait-il pas privé sa propre fille de toute autorité après avoir constaté qu'elle en avait abusé ? Il n'accordait aucune faveur pour d'autres raisons que le mérite. Il avait cette réputation, alors qu'il se considérait comme un vieux birbe irascible.

Il lui faudrait se réévaluer. Il le ferait.

Yanni ne se laisserait pas séduire par les lèche-bottes et les Stef Dietrich de la Maison ou d'ailleurs.

Il avait été un des amis de Jane. Et elle pensa, avec satisfaction, que maman eût approuvé son choix.

4

Elle regagna la Maison par l'extérieur, le long des murs du jardin, en direction des portes lointaines. Le calme était, Dieu merci, revenu après l'agitation due aux interviews. *Maudite Victoria*, se dit-elle. Et elle pensa que Maddy avait regretté de ne pas pouvoir se rendre invisible.

– Vous devez vous demander pourquoi les CIT font de telles choses, dit-elle à ses azis. Eh bien, moi aussi.

Ils la regardèrent. Comme Florian ne semblait pas souhaiter faire de commentaire, Catlin déclara :

– C'est bizarre, quand des gens meurent. On a l'impression qu'ils devraient être là. C'était comme ça, aux Baraquements verts.

Ari la prit par l'épaule, sans s'arrêter. Souvenirs. Catlin était celle qui avait vu périr ses semblables.

– Tu ne te laisses jamais abattre, pas vrai ?

– Non, sera. Je ne désire pas qu'on parle de moi.

Ari ne put s'empêcher de rire. *On peut compter sur elle.*

Florian ne dit rien. C'était lui qui se chargeait de capter les signaux dans la foule et de les analyser pour leur donner un sens. Il s'occupait des vivants.

– Il nous a quittés, déclara Ari lorsqu'ils atteignirent la Maison. Bon sang ! c'est étrange.

Et elle regarda Florian. Son expression tendue indiquait qu'il captait quelque chose digne de retenir son attention. Ses azis restaient en permanence à l'écoute de la fréquence de la sécurité, à tour de rôle.

– De Novgorod, dit-il. Jordan Warrick... Il vient de proclamer son innocence... Il dit... avoir passé des aveux sous la contrainte. La sécurité de Reseune a donné l'ordre de le placer en détention...

Le cœur d'Ari bondit. Mais tout devint limpide, pour elle.

– Florian, dit-elle alors qu'ils franchissaient les portes, code J rouge, vas-y. Nous sommes sur A ; passe sur Q et en Con2.

S'assurer de Justin et de Grant : Catlin et moi nous chargeons de Denys ; va protéger la base et reste sur place, tu pourras utiliser la force, mais en dernier recours.

Cela, pendant qu'un garde dont le com n'était pas réglé sur la même fréquence paraissait surpris de les voir se diviser et se mettre à courir.

– Ils ne disent plus grand-chose, commenta Catlin alors qu'elles s'éloignaient.

– L'information a-t-elle été communiquée à la presse ?

– Com 14 est saturé d'appels.

Les journalistes de l'aéroport, à l'affût d'un scoop important et cernés par des gardes inquiets et peu bavards.

– Merde, Denys devrait s'en charger ! Que fait-il, bon Dieu ?

Catlin tapota le récepteur auriculaire.

– Il est toujours dans le labo. Base un, relaie les transmissions de Base deux. Affirmatif, sera. Il a donné pour consigne d'ajourner toutes les questions ; il dit que cette accusation est une manœuvre politique, je cite, portée à un moment regrettable et sans le moindre respect pour le chagrin des proches. Il dit, je cite toujours, que la Famille revient des funérailles et que les bureaux sont déserts. Reseune fournira un communiqué dans une demi-heure.

– Dieu soit loué, dit-elle avec ferveur.

Denys se réveillait. Il ripostait.

Il était temps.

5

C'était une journée idéale pour rester chez soi, pensait Justin ; à cause de la situation dans la Maisonnée et de la désorganisation des services de sécurité. *Je ne voudrais pas sembler alarmiste*, disait un message d'Ari retransmis par le concierge, *mais je serais plus tranquille si vous et Grant vous absteniez de tout déplacement superflu au cours des prochains jours. Travaillez à domicile. Mes obligations sont nombreuses et je ne peux tout surveiller. La sécurité est désorganisée par une guerre de succession intestine. J'espère que cela ne vous ennuie pas trop. Venez, si vous souhaitez assister aux obsèques, mais ne restez pas isolés.*

Je vais suivre votre conseil, s'était-il empressé de répondre. *Merci. Je sais que vous êtes très occupée et je doute que notre présence à ces cérémonies soit nécessaire, ou appréciée. Mais si Grant ou moi pouvons faire quelque chose pour vous, nous nous en chargerons avec plaisir.*

Elle n'avait pas pris de leurs nouvelles... elle semblait les avoir oubliés, mais Justin ne trouva pas cela étonnant en de telles circonstances. Les journalistes s'interrogeaient sur la santé de Denys et les retombées politiques de l'abandon du siège de conseiller que Reseune détenait depuis sa fondation. Ils se demandaient si les centristes pourraient présenter un candidat valable aux Sciences et si Lynch, le secrétaire désormais conseiller par procuration, possédait les qualités nécessaires pour tenir un rôle de chef de parti comme l'avait fait Giraud.

– La santé de Denys n'est pas en cause, objecta Grant.

Ils regardaient les informations, dans le séjour.

– J'ignore ce qu'il fait, répondit Justin.

Confiant en la parole d'Ari qui leur avait assuré qu'ils n'étaient pas sur écoutes :

– Mais perdre son frère l'a traumatisé. C'est la première fois que cet homme m'inspire de la pitié.

– Ils vont faire un DP de Giraud et Denys a besoin d'Ari. N'est-ce pas ironique ?

– Quel âge a-t-il... cent vingt ans et des poussières ? Et son poids... c'est un sérieux handicap. Il pourra s'estimer heureux s'il vit encore dix ou quinze ans. Il lui faut son soutien, non ?

– C'est voué à l'échec, affirma Grant.

Justin regarda son compagnon, calé à l'angle du canapé dans un nid de coussins... ils en avaient trouvé des bleus et des rouges.

– Denys *doit* créer le moule, sans quoi il n'y aurait aucun espoir pour Giraud. J'en ai la ferme conviction. Yanni a connu leur père, mais il est trop jeune pour s'occuper du double comme Jane Strassen l'a fait pour Ari... et je ne parle pas de la façon dont les Nye l'ont traité.

– Il ne leur doit rien, ça ne fait aucun doute.

– Et nous ignorons toujours ce qu'on trouve dans les écrits qu'Ari a hérités de sa génémère. Je la soupçonne de savoir des choses qu'elle n'a pas divulguées et de tenir sa langue devant ses tuteurs.

– Elle dit... que certains éléments sont superflus.

– Mais que le nécessaire est... indispensable. Et Denys ne peut tout savoir, dans sa position. Voilà ce que je pense. Et elle fait en sorte que la situation ne puisse évoluer.

– J'ai entendu dire que le jeune Rubin se lançait dans la chimie ?

– Un élève studieux, mais aux résultats médiocres.

– Pour l'instant.

Grant manifesta sa désapprobation par un geste.

– Pas de Stella Rubin. Personne pour lui dire quand il doit respirer. Avoir une vie infernale est indispensable aux CIT. Tu leur as dit de ne pas lui laisser trop de libertés... mais il reste un sujet de contrôle pour le projet. Ils font peser toutes les contraintes sur Ari et ménagent Ben, pour découvrir ce qui est nécessaire... Je te parie que nous devons cette décision à Denys, plutôt qu'à Yanni. Schwartz n'a jamais été coulant avec qui que ce soit.

– Mais... il se sent concerné par cette affaire. Le suicide de Rubin l'a affecté et sa fille en est en partie responsable. Voilà qui pourrait expliquer sa soudaine bonté.

– Ben sert d'élément de comparaison. Ce qui en résulte...

– C'est : A, que l'expérience ne peut réussir à tous les coups ; B, que certains génésets ont une réaction plus positive que d'autres à la tension...

– D'accord, d'accord, mais nous avons dans les deux cas...

– C, qu'il convient d'apparier avec soin le tuteur et le sujet. Ne sous-estime pas les effets de la différence entre Jenna Schwartz et Ollie Strassen.

– Sans oublier qu'Oliver AOX est un mâle de type Alpha et Stella Rubin une femelle à l'intellect peu développé, intervint Grant en levant le doigt. J'aimerais faire une étude sur le jeune Rubin. Absence de stimulation suffisante pour faire dévier le flux. L'instabilité va de pair avec les tendances suicidaires et un esprit exceptionnel. Dans notre cas, on parle d'ensembles défectueux.

– Et on les répare.

– Ce qui fait dans la plupart des cas perdre au sujet tous ses atouts. Nous en revenons à Ari junior. Elle a pu révéler tout ce qu'elle sait au comité, mais j'en doute ; pas si elle est aussi proche de l'autre Ari qu'elle semble l'être. Elle a un instinct de conservation développé. Je pense que l'accès à ces programmes lui sert de moyen de pression... et que Denys doit commencer à s'en rendre compte.

Justin y réfléchit et eut un haussement d'épaules involontaire.

– Ils affirment que Base un ne peut être consultée que si elle a identifié Ari. C'est peut-être vrai.

– Pourquoi pas ? Il est même possible que sa base... dispose d'une certaine autonomie. Qu'elle soit capable d'assurer sa protection.

– En mentant sur la taille de ses fichiers ?

– Et en envahissant d'autres terminaux pour analyser ce qui s'y trouve. J'ai réfléchi à la façon dont j'aurais écrit ce logiciel... si j'avais été l'Ari précédente. C'est elle qui m'a conçu et il est possible que...

Une grimace.

– J'ai peut-être en moi quelque chose de... Le mot qui me vient à l'esprit est *inné*, mais il n'est pas approprié. Disons que je peux entrer en résonance avec ses programmes. Je me rappelle mes premières intégrations. J'étais encore enfant mais... je me souviens d'un étrange plaisir *sensuel* provoqué par la façon dont tout s'assemblait, la précision avec laquelle s'imbriquaient tous les éléments. Elle était exceptionnelle. Crois-tu qu'elle n'a pas tout préparé pour sa duplication ? Ou qu'elle aurait pris moins de précautions pour une CIT issue de son propre généset que pour un simple azi ?

Justin y réfléchit. Il pensa à l'expression de son compagnon, aux intonations de sa voix : un fils qui parlait de son père... ou de sa mère.

– Pensée-flux, dit-il. Une chose m'intrigue... As-tu de l'amour pour elle, Grant ?

Un rire, une surprise passagère.

– De l'*amour* ?

– Ce n'est pas impossible. Pas impossible du tout.

– Reseune est mon contrat. Je ne pourrai jamais m'en libérer.

– *Reseune est mon contrat ?* Ce n'est pas de cela que je parle, mais du flux tel que le ressentent les CIT. Celui qui s'accommode des ambivalences. Le trouves-tu à ton goût ?

Un froncement de sourcils.

– J'ai peur, car cette Ari a effectué un sondage et dispose des notes de sa génémère – et donc de mon manuel d'utilisation – j'en suis certain. Et si... et si... C'est mon cauchemar, Justin. Je me demande – quand mon imagination est fluxée au maximum – si Ari ne m'a pas créé à l'intention de sa réplique, si elle n'a pas implanté en moi quelque chose qui se manifestera quand elle me fournira la clé... puis le flux se retire et je me dis que c'est ridicule. Je vais te parler d'un autre cauchemar : je suis terrifié par ma bande-programme.

Un frisson glacé parcourut Justin, par solidarité.

– Parce que Ari en est l'auteur ?

Grant hocha la tête.

– Je refuse de la prendre sous tranks, désormais. Je sais que je n'aurais qu'à avaler des kats pour en être capable, mais je me dis alors : Je peux m'en passer, me débrouiller sans elle. Je n'en ai pas besoin. Les CIT s'accommodent du flux et en tirent un enseignement. Et je... J'apprends à mon tour.

– J'aurais préféré que tu m'en parles un peu plus tôt.

– Tu te serais inquiété. Sans raison. Je me sens très bien... hormis quand tu me poses des questions du genre : *Aimes-tu Ari ?* Seigneur, c'est la première fois que je m'interroge en termes propres aux CIT. Et tu n'as pas tort, je la vois nimbée d'une aura complexe qui m'angoisse.

– Culpabilité?

– Pas de ça avec moi.

– Désolé.

Grant modifia sa position dans le lit de coussins.

– T'est-il arrivé d'examiner mes bandes pour y chercher des anomalies?

– Oui, répondit Justin après une brève hésitation. Je ne voulais pas te le dire... pour ne pas t'inquiéter.

– Je m'inquiète. Je ne peux m'en empêcher. C'est fondamental, pour moi.

– C'est donc ça qui te tracasse...

L'azi lui adressa un haussement de sourcils empreint de tristesse puis resta songeur. Il passa la main dans ses cheveux.

– Je crois qu'elle m'a posé une question qui m'a ébranlé... Je pense savoir quoi. Elle a dû m'interroger au sujet de ma bande... ce qui, je l'admets, me culpabilise un peu. Je ne l'utilise pas comme je le devrais. Je crois qu'elle m'a aussi parlé de mes contacts avec des éléments subversifs. Et j'ai rêvé de Winfield, ces derniers temps. Tout l'épisode de Grand Bleu. L'avion, le car avec ces hommes, cette casemate...

– Pourquoi n'as-tu rien dit?

– Rêver serait-il anormal?

– Pas de faux-fuyants.

– Eh bien, c'est sans importance. Et je sais que je me porte à merveille... quand je ne suis pas fluxé. Si tu veux que je prenne ma bande, je le ferai. Si tu veux me psychosonder... vas-y. Ça ne m'inspire aucune appréhension. Tu le devrais peut-être. Il y a longtemps. Je me serais sans doute senti plus en sécurité, si tu l'avais fait. Si...

Il inclina la tête, lui adressa un regard oblique et rit sans paraître pour autant amusé.

– Si je ne m'étais pas alors inquiété pour *toi*. Tu vois? C'est un piège mental.

– Parce que tu as eu une opportunité de voir Jordan. Parce que tout le monde est fou, ici!

Il sentit la frustration enfler en lui, une angoisse irrationnelle si intense qu'il se leva pour faire les cent pas dans le séjour. Il regarda Grant et eut l'impression que les parois de la pièce se refermaient sur lui, qu'il s'empêtrait et s'entravait dans la vie à chaque demi-tour.

Faux, se dit-il. La situation s'améliorait. Peu importait qu'il ait été séparé de son père depuis un an... l'avenir s'annonçait meilleur, chaque jour qui s'écoulait les rapprochait de celui où Ari prendrait le pouvoir. Et ensuite tout serait différent. Il voulait le croire.

Ils enterrent Giraud, aujourd'hui.

Cela m'effraie. Pourquoi ?

– Je regrette que tu ne m'aies pas écouté et que tu ne sois pas allé à Planys à ma place, déclara Grant.

– Qu'est-ce que ça aurait changé ? Nous aurions été séparés, nous nous serions inquiétés.

– Qu'est-ce qu'il y a, alors ? Qu'est-ce qui te tracasse ?

– Je ne sais pas.

Il se massa la nuque.

– Le fait d'être bouclé ici, sans doute. Cet endroit...

Il pensa à un séjour beige et bleu, et prit brusquement conscience que ce souvenir agréable n'avait pas pour cadre l'appartement de Jordan.

– Seigneur. Tu sais où j'aimerais retourner ? Chez *nous*. Là où nous vivions avant tout ceci...

Dans un miroir, le visage qu'il avait eu autrefois. Dix-sept ans et innocent, derrière un fouillis de flacons sur l'étagère du lavabo, alors qu'il s'apprêtait à aller à un rendez-vous...

Un flash-bande, lourd de menaces et de confusion. Une saveur d'orange.

– ... avant le début de ce cauchemar. C'est ridicule, non ? Je ne souhaite pas redevenir celui que j'étais mais me retrouver à cette époque en sachant tout ce que j'ai appris depuis.

– Nous étions heureux, là-bas.

– J'étais si stupide.

– Je ne partage pas ton avis.

Justin secoua la tête.

– Je le sais, insista Grant. Mets-toi à la place d'Ari. Demande-toi comment tu aurais été... avec son emploi du temps, ses avantages, tout ce qu'elle avait vécu.

– Différent. Plus dur. Plus vieux.

– ... quelqu'un d'autre, voilà tout. Les CIT sont comparables à des dés. Ils ne sont pas cruels à dessein.

– Crois-tu que c'est indispensable ? Ne peut-on pas apprendre sans mettre la main dans le feu ?

– Tu sembles oublier que tu t'adresses à un azi.

– Et c'est à un azi que je pose cette question. Existe-t-il un moyen d'obtenir une Ariane Emory à partir de son généset... ou un autre moi à partir du mien...

– Sans tension ? Peut-on atteindre des états-flux grâce aux simples possibilités de l'esprit... alors qu'ils ont des origines endocriniennes ? Le stress induit par des bandes est-il moins réel – en l'absence de tout risque véritable de se rompre le cou –, laisse-t-il une souffrance moins intense qu'une expérience vécue dans sa chair ? Et si la vid d'Ari n'était que cela... une bande ? Si ces événements ne s'étaient jamais produits... Y aurait-il la moindre différence ? Si Jane Strassen n'était pas morte mais qu'Ari pensait avoir perdu sa mère, serait-elle saine d'esprit ? Pourrait-elle croire en la réalité ? Je l'ignore. Je ne sais pas. Je n'aimerais pas découvrir que tout ce que je pense avoir vécu jusqu'à présent n'est... qu'une bande ; que j'arrive droit de la Ville et ai rêvé tout ceci.

– Seigneur, Grant !

L'azi leva son poignet gauche vers la lumière, pour montrer la cicatrice laissée par les liens que lui avaient mis Winfield et ses abolitionnistes.

– Voilà qui est réel. À moins, bien sûr, que ce ne soit qu'un accessoire dont mes créateurs m'ont doté.

– Il n'est pas bon d'avoir de telles pensées.

Un sourire.

– Il y a longtemps que tu ne m'as pas rappelé à l'ordre. Je t'ai bien eu, pas vrai ?

– Ne t'amuse pas avec ça.

– La réalité ne me pose pas de problème. Je sais la

différencier d'une bande. Et n'oublie pas que j'ai été assemblé avec soin, avec mes ensembles logiques à la bonne place. J'en remercie mes créateurs. Mais le flux a trop de points communs avec des rêves. Alimenté par bandes... il manquerait de structures logiques. Ce serait trop proche de ce que Giraud a fait pendant la guerre, et à quoi j'évite de penser : faire et défaire des esprits ; effacer leur contenu et le réécrire... en y plaçant des choses que le sujet ne peut retourner vérifier et en laissant une part importante à l'imagination. Je ne sais pas, Justin. S'il existe une clé... *Giraud* pouvait la détenir... n'est-ce pas ironique ?

De tels propos avaient un sens étrange et imprécis. Il en eut froid dans le dos.

– Parler de théories avec Giraud...

Mais cet homme était mort, et pas encore ressuscité.

– Ce n'est pas le genre de sujet qu'il abordait avec moi.

– Le tout est de savoir si les bandes peuvent se substituer à la réalité. J'ai sué sang et eau pendant ce vol jusqu'à Planys. Je me sentais impuissant. Voilà à quoi on renonce... ses capacités de survie dans le monde réel.

Justin renifla.

– Tu crois que je ne m'en inquiète pas ?

– Mais cela accélérerait le processus d'apprentissage. Et nous en revenons à notre différence fondamentale : tu puises des connaissances dans le flux, alors que j'utilise la logique pour m'y frayer un chemin. Et nul ensemble CIT n'est logique. Je marque un autre point.

Justin y réfléchit et finit par sourire, dans ce maudit appartement gris, cette prison élégante qu'Ari leur avait attribuée. Pendant un moment il s'y sentit chez lui. Il se rappela que ce lieu était plus sûr que tous ceux où ils avaient résidé depuis ce premier appartement dont il gardait des souvenirs pleins de tendresse.

Puis l'appréhension réapparut. Il avait conscience du profond silence qui régnait dans Reseune, des couloirs déserts, du flux omniprésent.

La vid s'arrêta, en plein milieu d'une phrase.

Le symbole de l'Homme infini apparut sur l'écran. De la musique se fit entendre. Il n'y avait pas de quoi s'inquiéter. Il suffisait qu'un tech trébuchât sur un câble pour que tout le réseau vid fût en panne.

Mais c'était aussi une mesure que la sécurité prenait parfois, pour certains individus.

Mon Dieu ! pensa-t-il avec angoisse, l'habitude de toute une vie. *Étions-nous sur écoutes ? Ont-ils accès à cet appartement ? Qu'ont-ils pu entendre ?*

6

– Oncle Denys. Je dois te voir tout de suite.

Ari avait utilisé en chemin le com de Catlin, relayé par Base un.

– Bureau du labo, avait répondu Seely.

Tous les suivaient du regard, depuis leur entrée dans la section. Les techs conscients de ce qui se passait et les azis qui savaient interpréter les réactions des CIT. Il n'était pas étonnant que l'arrivée impromptue d'un membre de la Famille en tenue de deuil et se dirigeant vers les bureaux à grands pas les eût incités à interrompre leurs activités, pensa-t-elle ; et au moins n'aurait-elle pas à feindre d'ignorer ce qu'elle savait, les mesures prises à Planys exceptées.

Elle passa devant les techs et les cuves, le lieu où elle était née et où une demi-douzaine de Giraud devaient déjà se développer, puis elle gravit l'escalier métallique qui conduisait au petit bureau administratif réquisitionné par Denys. Seely devait surveiller l'extérieur par la glace à transparence directionnelle, car il leur ouvrit la porte avant qu'elle n'eût atteint la dernière volée de marches.

Son oncle téléphonait... à la sécurité, d'après ses propos. Ari inspira, pour se détendre.

– C'est parfait, dit-elle quand Catlin lui approcha un siège.

Elle retira ses gants et sa veste, les remit à l'azie et s'assit comme Denys raccrochait le combiné.

– Eh bien, sera, dit-il, tu peux être fière d'avoir empêché nos services de faire leur travail, à Planys.

– Où est Jordan ?

– En détention, là-bas. Avec son compagnon. Qu'il soit maudit !

– Mmm, je me suis occupée de *Justin*.

– Puis-je te croire ?

– Tout à fait. C'est de *lui* que je suis venue te parler.

– Ser, dit Florian quand Justin vint lui ouvrir.

L'azi portait l'uniforme de la Maison, mais pas sa veste. Il avait pris le temps de passer se changer, en conclut Justin.

Mais il était intrigué de ne pas avoir été contacté par l'entremise du concierge, ou convoqué à l'appartement ou aux bureaux d'Ari. Florian s'était contenté de venir sonner à la porte.

Le logo excepté, il n'y avait toujours rien à la vid.

– Il s'est produit un incident, ser.

Et Justin pensa : *Mon Dieu, il est arrivé quelque chose à Ari.* Pour être aussitôt sidéré d'avoir eu peur pour elle, pour sa vie qui était désormais liée à la leur.

– Votre père, ajouta Florian, ce qui aiguilla ses craintes dans une autre direction. Il a adressé un message aux centristes. Il se déclare innocent.

– De quoi ?

Il se demandait de quel *incident* Florian voulait parler.

– Du meurtre du Dr Emory, ser.

Justin resta en état de choc, pendant une durée qu'il ne put ensuite déterminer...

Au cours des funérailles de Giraud, bon Dieu... qu'est-ce qui lui a pris ? Qu'est-ce qui se passe ?

– Nous ne connaissons pas encore les détails et sera ne veut pas que ser Denys puisse apprendre qu'elle se tient informée de tout ce qui se passe à l'intérieur de

Reseune, mais elle m'a chargé de vous dire que votre père n'est pas en danger pour l'instant. Elle vous demande de comprendre que la situation est très délicate... pour vous, pour elle, pour Jordan. Qu'il dise ou non la vérité, une telle déclaration aura de graves répercussions politiques. Dois-je préciser lesquelles ?

La sécurité d'Ari. Tout... Il réordonnait sa chevelure quand la main de Grant se posa sur son épaule. Florian... Il paraissait plus âgé et privé de son expression amusée caractéristique, comme s'il venait de perdre un masque, érodé par le temps... *Est-il possible que ce soit vrai ?*

– Elle vous demande de préparer vos bagages, ser. Une autre équipe va s'installer ici pendant notre absence. Grant restera à Reseune et se placera sous les ordres de la responsable...

– Faire mes bagages... pour aller *où* ?

Nous séparer ? Dieu, non.

– Sera vous demande de l'accompagner à Novgorod... afin de l'aider à désamorcer la situation. Vous devrez vous adresser aux médias. Elle ne veut pas que la politique soit mêlée à cette affaire... pour le bien de votre père autant que le sien. Comprenez-vous, ser ? Vous tiendrez une brève conférence de presse à l'aéroport de Reseune. C'est le lieu le plus sûr. Elle a sollicité une rencontre avec le conseiller Corain et le secrétaire Lynch. Elle compte sur vous...

– Mon Dieu, mon Dieu, Grant...

Que dois-je faire ?

Mais son azi n'avait aucun conseil à lui donner. Les CIT sont tous fous, eût-il déclaré.

Ari a perdu l'esprit. Me conduire à Novgorod ? Ils n'oseraient jamais.

Ils veulent se servir *de moi. Voilà leurs desseins. Mon père a été arrêté. Ils désirent que je le traite de menteur.*

Ils n'ont pas besoin de l'éliminer. Ils peuvent utiliser des drogues. Mais ça prend du temps. Du temps que je peux leur permettre de gagner...

Ari... nous ferait-elle cela ?

Florian serait-il venu ici si elle ne lui en avait pas donné l'ordre ?

Une fois devant les caméras – si j'arrive jusque-là – comment pourront-ils m'empêcher de porter des accusations ?

Et Grant.

Il va rester ici... à leur merci. Voilà ce qu'ils me proposent... la santé mentale de mon compagnon en échange de celle de mon père.

Il releva les yeux sur le visage de Grant... bien plus calme que lui, pensa-t-il. Sa logique imperméable au flux lui permettait de comprendre qu'ils n'avaient pas le choix.

J'ai foi en mes créateurs.

– Il m'accompagne, dit-il à Florian.

– Non, ser. J'ai reçu des instructions très strictes. Je vous en prie, ne prenez que l'essentiel. Tout sera inspecté. Grant ne courra aucun danger, avec sera Amy. Sa protection sera assurée par Quentin AQ. Il est très compétent et sera Amy aura ses amis pour l'assister. La sécurité ne pourra pas pénétrer à cet étage ou intervenir sur le système informatique. Sera Amy veillera sur votre azi.

Une fille au visage étroit, intelligente et encline à foncer tête baissée pour régler les problèmes ; une adolescente de dix-huit ans qui semblait les trouver sympathiques, lui et Grant. Honnête. Et sensible comme on pouvait l'être à son âge.

Dieu, ils étaient *tous* aussi jeunes qu'elle.

– C'est la Croisade des enfants, dit-il avant de prendre le bras de Grant. Obéis-leur et tout se passera bien.

– Non, déclara-t-il en face des caméras installées dans le salon de l'aéroport de Reseune. Non, je n'ai eu aucun contact avec mon père. J'espère pouvoir l'appeler... à Novgorod. C'est le milieu de la nuit, sur l'autre hémisphère, et...

Il essayait de dissimuler sa nervosité. *N'ayez pas l'air coupable*, lui avait dit Ari, dans le car. *Ne leur donnez* pas l'impression que vous cachez quelque chose. Vous pouvez leur parler franchement, mais songez aux répercussions politiques de vos paroles. Réfléchissez bien, avant de porter la moindre accusation, car cela ne pourrait qu'embrouiller la situation et nous aurons besoin de Denys... nous ne pouvons pas nous permettre de le dresser contre nous, vous m'entendez ?

– Mon père est... en détention.

Les événements se précipitaient, les zones d'ombre étaient trop vastes.

Les vérités semblaient moins dangereuses que les mensonges, à condition d'en limiter le nombre.

– Tout ce que je peux dire...

Non. Ils risquaient de mal l'interpréter.

– Tout ce que je sais... c'est qu'une enquête est en cours. À l'époque où tout cela s'est passé... mon père m'a tenu les mêmes propos que devant le Conseil. Mais la situation était différente... C'est pour cela que je vais à Novgorod. Je ne sais pas... Ari elle-même ne connaît pas la vérité. Je veux l'apprendre. L'administration de Reseune veut savoir.

– Et je vous assure que j'ai de bonnes raisons de m'intéresser à ce qui s'est passé, intervint Ari.

– Une question pour le Dr Warrick. Pouvez-vous nous affirmer que vous n'êtes pas soumis à des pressions ?

– Aucune, répondit Justin sur un ton catégorique.

– Vous êtes un DP. Ne seriez-vous pas – d'une manière ou d'une autre – plus que cela ?

Il secoua la tête.

– Un DP de type standard. Rien de particulier.

– N'a-t-on jamais procédé sur vous à des interventions ?

Il ne s'était pas attendu à une telle demande. Il se figea, puis déclara :

– Un psychosondage en est une. J'ai été soumis à plusieurs interrogatoires, dans le cadre de l'enquête.

Ils risquaient de remettre sa santé mentale et sa parole en question. Il en avait conscience. Cela sèmerait le doute sur ses capacités à détenir une licence de pra-

501

tique clinique et jetterait une ombre sur ses recherches. Il lui semblait glisser dans un cauchemar, les lumières, le demi-cercle de journalistes. Il s'en détacha, prit ses distances.

– J'ai également subi une intervention pendant que j'étais mineur. J'ai été soigné depuis. Je puis affirmer qu'on ne m'a administré aucune drogue et que je n'agis sous l'influence de personne. Je m'inquiète pour mon père et je suis impatient d'arriver à Novgorod et de répondre aux questions que le Conseil voudra me poser. Je me préoccupe avant tout du bien-être de mon père...

– Serait-il menacé?

– Je ne sais rien de plus, ser. J'attends de pouvoir lui parler et d'obtenir la confirmation de ses propos...

– Douteriez-vous du bien-fondé de la déclaration du conseiller Corain?

– Je souhaite m'assurer qu'il a envoyé ce message. Beaucoup de points sont toujours obscurs.

– Et vous, sera Emory? Que savez-vous?

– J'ai fait quelques hypothèses, mais je serai prudente. Elles mettent en cause certains individus...

– Vivants?

– Et décédés. Veuillez comprendre : nous venons de procéder aux funérailles de mon oncle. Des accusations ont été lancées et pour pouvoir y répondre il convient de consulter des archives qui se rapportent à ma vie privée et à celle de Justin...

Elle se pencha et posa sa main sur la sienne, la serra.

– Nous avons tiré un trait sur le passé. Justin est à la fois mon ami et mon professeur, et à présent nous nous demandons ce qui s'est produit il y a tant d'années, ce qui aurait pu inciter son père à s'accuser à tort. Tout cela nous dépasse, et c'est pourquoi nous avons décidé de nous adresser au bureau des Sciences... et au Conseil, étant donné que ce sont ses membres qui ont procédé à l'enquête. La quête de la vérité ne peut se faire à l'intérieur de Reseune. Le Dr Warrick a lancé des accusations et c'est aux autorités de trancher la question. Je pense d'ailleurs qu'il serait temps de nous rendre à cette audience, seri. Merci.

– Docteur Warrick! cria un journaliste. N'avez-vous rien à ajouter?

Justin regarda l'homme, sans réagir. Il avait oublié qu'on lui donnait ce titre, hors de Reseune.

– Pas pour l'instant. J'ai dit tout ce que je savais.

Il se leva et Florian lui désigna la direction qu'il devait prendre pour gagner la zone d'embarquement et RESEUNE UN qui était paré pour le décollage.

Une phalange de gardes leur ouvrit un passage, un nombre d'hommes assez important pour indiquer que c'était un voyage officiel avalisé par l'administration.

Ce qui répondait aux attentes d'Ari. Giraud n'était plus qu'une poignée de cendres et quelques cellules qui tentaient d'atteindre un statut d'être humain; et Ariane Emory se trouvait investie de toute l'autorité de Reseune.

Il franchit les portes et suivit le couloir qui donnait sur le tunnel d'embarquement. Puis il monta à bord de l'appareil et s'immobilisa aussitôt, surpris. Florian le prit par le bras et le guida vers un des fauteuils de cuir, où il le fit asseoir.

– Désirez-vous quelque chose, ser?

– Une boisson non alcoolisée, répondit-il pendant qu'Ari prenait place en face de lui, que les moteurs grondaient et que des gardes venaient les rejoindre.

– Vodka-orange, dit-elle. Merci, Florian.

Puis, en fixant Justin droit dans les yeux :

– Et merci à vous aussi. Vous vous en êtes très bien tiré.

Il lui retourna son regard, en état de choc; il avait peur des membres de la sécurité qui l'entouraient; peur qu'un de ces hommes pût dégainer son arme et tirer une rafale dans la cabine; peur pour Grant resté dans un appartement placé sous la responsabilité d'une fille de dix-huit ans et d'un garde du corps aussi jeune qu'elle; peur qu'en dépit des affirmations de Florian leurs adversaires ne pénètrent à ce niveau; peur qu'il arrivât malheur à Jordan ou que les paxistes disposent d'un missile capable de détruire leur avion en plein ciel...

Mais il ne pouvait rien faire, hormis dire ce qu'il était censé dire, et avoir confiance... le plus difficile. Baisser ses défenses, exécuter tout ce que lui ordonnerait Ari, et espérer qu'une autre fille de dix-huit ans savait mieux que lui maîtriser la situation.

– J'avais dix-sept ans, dit-il à Ari pendant que les moteurs chauffaient. Quand j'ai décidé d'envoyer Grant chez les Kruger. Et vous connaissez la suite.

Elle boucla sa ceinture et se pencha pour prendre le verre que lui tendait Catlin.

– Avertissement bien reçu. Je sais. Mais nos choix sont parfois limités...

7

RESEUNE UN volait à son altitude de croisière et Ari but une gorgée de vodka-orange puis testa le petit module qu'elle avait agrafé à l'accoudoir de son fauteuil : un appareil sorti d'une mallette pleine de matériel électronique glissée dans le porte-bagages situé à côté du siège. Elle pressa la touche de contrôle. Des bips se firent entendre et un voyant clignota.

Système activé, liaison établie.

En face d'elle, à côté de Justin, Florian répondit à son sourire par un hochement de tête. Il avait réactualisé les codes et, lorsqu'elle ne l'interrogeait pas, l'appareil captait les fréquences de la sécurité et décryptait les messages pour les lui communiquer en clair au fur et à mesure qu'ils lui parvenaient.

Même la Défense n'aurait pu trouver le chiffre utilisé par Reseune : ils l'espéraient, tout au moins.

Ari reprit son verre et se pencha en arrière.

– Tout va bien, dit-elle à Justin. On ne signale aucun

problème et nous serons pris en charge par l'escorte du bureau dans moins de cinq minutes.

Justin détacha les yeux du hublot et la regarda, séparé d'elle par la table pliante. Il avait étudié tous les mouvements à l'intérieur de la carlingue, aussi tendu que Florian ou Catlin lorsqu'ils étaient sur le qui-vive ; il surveillait même le fonctionnement des circuits hydrauliques de l'appareil et la lumière extérieure soulignait un muscle de sa mâchoire, les rides d'inquiétude gravées sur ses sourcils et autour de sa bouche : la marque des ans malgré la réjuv. *Il s'inquiète tant*, pensa-t-elle. *Il est trop intelligent pour accorder sa confiance à qui que ce soit. Certainement pas à Reseune, et pas même à son père. Il finira par douter de Grant, s'ils restent trop longtemps séparés.*

Il tente de déterminer quelle est ma position dans cette affaire, si Grant est en sécurité, dans quelle mesure je suis une jeune idiote et jusqu'à quel point il peut m'accorder sa confiance.

Je ne suis plus l'enfant qu'il a connue autrefois. Il commence à me comprendre et se demande quand le changement s'est produit, quelle est son étendue, et laquelle des deux Ari l'a conditionné pendant qu'il se trouvait sous kats. Il est effrayé... et gêné par la peur que je lui inspire, tout en sachant que ses craintes sont fondées.

Le cerveau doit contrôler le flux, Ari senior ; je crois avoir compris ce que tu voulais dire. Qu'il couche ou non avec moi, tout se résume à cela, et je pense y réussir. Tu n'as pas fait de moi une idiote, Ari l'ancienne. Pas plus que maman et mes oncles.

Si Ollie ne m'a pas écrit c'est parce qu'il tient à sa peau, voilà la vérité. Nous vivons dans un univers dangereux et il doit être aussi angoissé que Grant... là-bas, au milieu d'étrangers. Il n'a pu accorder sa confiance à personne, depuis la mort de maman. Il travaille pour l'administration de Reseune.

– À présent, nous pouvons parler, dit-elle.

Elle jeta un coup d'œil aux membres de la sécurité assis à l'arrière. Le bruit des moteurs serait aussi efficace qu'un audiobrouilleur, s'ils n'avaient pas emporté des micros directionnels. Mais le sac posé aux pieds de Florian contenait des détecteurs et il ne lui restait qu'à espérer que ces appareils étaient à la hauteur de ses espérances ; le statut accordé par Base un à l'azi lui permettait de se tenir informé de tous les progrès de la technique.

– Une simple explication me suffira, dit Justin. Que faites-vous ?

– Je serais heureuse de le savoir. Je n'ai pas choisi cet instant. Je crains que le conseiller Corain ne l'ait fait, et cela ne lui ressemble guère. J'ai peur que la nouvelle ne soit parvenue à quelqu'un comme Khalid, qui doit réagir très vite pour être le premier... et c'est pour cela que nous l'avons appris en plein milieu des funérailles et non ce soir.

Justin semblait décontenancé.

– Vous savez ce genre de choses. Moi pas.

– Si, Justin, mais vous n'avez pas eu droit comme nous aux exposés de Giraud. Et j'avoue que nous avons malgré tout été surpris. Il savait qu'il se produisait des fuites et avait prévu ce que dirait votre père. Il m'a cité les propos qu'il tiendrait à la première occasion. La question n'est pas de savoir si c'est la vérité. Admettons que ce soit le cas.

Elle remarqua qu'il cessait de l'écouter et elle retint son attention en levant un doigt, comme l'eût fait Ari senior.

– Qu'est-ce que ça peut rapporter à Jordan ?

– Quitter l'enfer de Planys ; le réhabiliter ; lui rendre son honorabilité...

– Autant de choses auxquelles je ne m'opposerais pas... en d'autres circonstances. Mais ce n'est vraiment pas le moment. *Réfléchissez*, Justin ; vous savez effectuer les équations sociologiques. Penchez-vous sur celle-ci. Faites une projection à court terme, sur quelques années, et dites-moi ce qui se passera et ce qui en résultera. C'est le plus important. Qu'obtiendra-t-il, que va-t-il se produire ? Deuxième question : Quel camp vient-il de choisir... Et ne me répondez pas qu'il est naïf car *nul* ne l'est, à Reseune. Il n'y a que des gens plus ou moins bien informés.

Il ne dit rien. Mais il réfléchissait à ce qu'elle venait de lui dire, et à ce que sous-entendaient ses paroles : *Laquelle des deux est en face de moi, qu'espère-t-elle, Denys n'a-t-il pas tout organisé ?* Il était bien trop méfiant pour accepter quoi que ce soit au premier degré.

– Qui a transmis ce message à Corain ? lui demanda-t-il. Vous ?

Oh ! Bien raisonné. Le coup ébranla une pensée, la libéra.

– Non. Pas moi, mais... pourquoi pas Denys ?

– Ou encore Giraud.

Elle inspira à fond et se pencha en arrière.

– Une hypothèse intéressante. Très intéressante.

– C'est peut-être la vérité. L'inconnu qui a divulgué l'information peut savoir ce qui s'est passé.

Florian était attentif. Il observait Justin, et Catlin devait en faire autant. *Seigneur,* pensa Ari, qui se surprit à sourire. *Il ne se laisse pas abattre. Je comprends comment il a réussi à survivre.*

– Il me serait plus facile de vous répondre si j'avais une vague idée de ce qui a eu lieu cette nuit-là, dit-elle. Mais nous ne disposons d'aucun indice. J'ai espéré qu'un scripteur avait pu enregistrer la scène, mais Ari n'avait qu'une transplaque. On n'a rien trouvé, sur place. Les renifleurs ont été inutiles, trop de gens étaient passés par là avant que la police ne songe à les utiliser. Un psychosondage aurait été la seule solution, mais la loi l'interdisait et l'interdit toujours. C'est secondaire. Giraud parlait de « l'influence des Warrick ». Il a désigné un ennemi. Le problème qui se pose à nous, c'est de décider ce que nous allons en faire.

Un homme à l'esprit moins vif et plus émotif eût laissé échapper : *Le libérer.* Elle le regardait réfléchir, presque certaine de savoir quelles voies il explorait... le fait que le nom de Jordan fût mentionné dans les graffitis des paxistes, que ses opinions l'avaient dressé contre la première Ari, qu'une élection se préparait aux

Sciences et qu'une autre aurait sans doute lieu à la Défense. Elles seraient toutes deux d'une importance capitale et risqueraient d'entraîner la disparition de Reseune si les centristes les remportaient ; ce qui eût modifié le cours de l'histoire, mis en péril tous leurs projets et tous les buts qu'elle voulait atteindre...

Il resta ainsi pendant trois ou quatre minutes, plongé dans ses pensées et aussi calme que sous kats. Puis, en se contrôlant avec soin :

– Avez-vous procédé à une étude prévisionnelle à partir de cette nouvelle donnée ?

Elle retint son souffle, comme si des liens venaient de céder autour de sa poitrine. *Il y a un écho*, pensa-t-elle, en imaginant ce lieu obscur au cœur du néant. Elle prit son temps pour répondre :

– Champ d'application trop vaste. Je ne veux pas l'attaquer. Je souhaite au contraire qu'il soit en sécurité. Le danger c'est... son intelligence, sa détermination et – même s'il n'est pas l'auteur de ce message – ce qu'il fera devant les caméras.

– Je peux résoudre le problème. Accordez-moi cinq minutes d'entretien téléphonique avec lui.

– Je doute que ça puisse suffire. Il ne vous croira pas. Giraud l'a dit : lorsqu'elle a pris cette vid, Ari a procédé sur vous à une intervention. Votre père a visionné la bande...

Il réagit comme si elle venait de lui lancer un direct dans le ventre.

– Pas vous, fit-elle. Vous ne l'avez jamais vue. Vous ignorez tout. Vous auriez dû me la demander, vous la passer aussi souvent que je l'ai fait. J'avoue qu'elle m'a fluxée, au point que je n'avais plus les idées très claires. Il a fallu que Giraud me fasse remarquer ce qui était pourtant évident. Si j'ai pu le voir, votre père en a fait autant. Il n'a pas porté sur ce qui s'était passé le regard d'un jeune homme de dix-sept ans mais celui d'un psychochirurgien. Il a dû s'interroger sur la profondeur et la fréquence de ces interventions, leur étendue. Vous et Grant, vous vous inquiétez l'un pour l'autre à la moindre séparation. Je le sais. Ne serait-il pas logique que Jordan se demande qui vous êtes... après avoir passé vingt ans loin de vous ?

Justin se pencha pour prendre son verre sur la table, la respiration hachée. Ses narines se dilataient et des tics nerveux indiquaient qu'il souhaitait jeter l'éponge.

– Florian, dit-il, ça ne t'ennuierait pas de... m'apporter quelque chose de plus fort ?

Elle perçut la suspicion de l'azi. Il se méfiait de toutes les tactiques qui pouvaient être destinées à distraire son attention, il y avait été conditionné depuis l'enfance. Ne jamais tourner le dos à un Ennemi en puissance.

– Comme d'habitude, Florian, dit-elle.

Il la regarda, hocha la tête avec déférence et se leva, sans porter les yeux sur Catlin qui était assise à côté d'elle. Il la savait sur le qui-vive.

– Rien ne vous empêche de parler à votre père, mais je le soupçonne de ne plus vous croire depuis des années. Pas... entièrement. Il *sait* que vous avez été psychosondé à plusieurs reprises et il doute de la probité de Reseune. Si vous essayez de le raisonner... je crains de savoir ce qu'il en pensera. Et vous ne pourrez rien y changer, pas en utilisant la raison.

– Vous oubliez un détail, fit-il en se carrant dans son siège.

– Et c'est ?

– Ce qui nous a permis de rester en vie, Grant et moi. Au-delà d'un certain point on se fiche de tout. À partir de...

Il secoua la tête et leva les yeux sur Florian qui lui apportait sa boisson.

– Merci.

– Je vous en prie, ser.

Florian se rassit.

– S'il a la possibilité de s'exprimer devant les médias, il risque de nuire à mes intérêts, et aux siens. Il a dû souffrir de son... isolement prolongé : exilé et coupé de tout ce qui se passait sur ce monde. S'il a voulu vous protéger des conséquences de la divulgation de cette bande – ce qui expliquerait pourquoi il a jusqu'à présent menti –, il vient d'estimer que vous êtes désormais capable de faire face, à moins qu'on ne lui ait dit quelque chose qui l'a poussé au désespoir et incité à risquer le tout pour le tout... s'il est bien l'auteur de ce message, bien sûr. Mais c'est secondaire. L'important, c'est ce qu'il fera. Et nous devons protéger notre image, dans ce merdier.

Il la comprenait. Elle le lisait dans les mouvements de ses yeux, la tension qui apparaissait sur son visage.

– Que pouvons-nous faire ? Grant est à Reseune. J'ignore ce qu'ils comptent faire à mon père...

– Rien. Ils ne toucheront pas à lui.

– Pouvez-vous me le garantir ?

Elle hésita avant de répondre :

– Ça dépend. C'est pour cela que vous m'accompagnez. *Quelqu'un* doit tenter quelque chose. J'aurais préféré rester dans l'ombre un peu plus longtemps, mais il fallait un personnage connu pour retenir l'attention des médias et je suis la seule à pouvoir redresser la situation... avec votre aide. Vous risquez de me trahir. Je ne sais pas. Mais qu'il soit innocent ou coupable, votre père aura des difficultés à garder tout cela sous contrôle ou à se soustraire aux journalistes. Vous êtes mon seul espoir de tout arrêter.

Un autre court silence, puis :

– Comment avez-vous obtenu l'aval de Denys ?

– Comme je vous ai fait installer dans ma résidence. Je lui ai dit que vous m'appartenez, que j'ai procédé sur vous à une intervention, que Grant est un otage plus important à vos yeux que votre père et que si vous deviez faire un choix vous le préféreriez à Jordan ; pour la simple raison que votre père est capable de s'en tirer tout seul alors que Grant... (Un haussement d'épaules.) Ce genre de choses. Denys l'a cru.

Il perçut la menace et la foudroya du regard... en colère et inquiet.

– Vous êtes une manipulatrice hors pair, jeune sera.

Le compliment la fit sourire.

– Giraud nous a quittés trop tôt. Les paxistes mettront cette agitation à profit. Les élections se dérouleront dans le chaos. Il y aura de nouveaux attentats, d'autres victimes... tout finira dans un bain de sang, si nous ne désamorçons pas la situation. Vous le savez. Vous travaillez dans le même domaine que moi. C'est une des choses qui sont en jeu. Soit vous incitez Jordan à tenter une action désespérée et à devenir la figure de proue d'un mouvement incontrôlable dont il ignore peut-être même l'existence, soit vous m'aidez à mettre un terme à cette folie en jouant un petit tour à Denys. Vous pourrez en informer votre père, ça m'est égal. Encouragez-le à attendre que je prenne la direction de Reseune. Nous trompons Denys ou vous provoquez une catastrophe en réclamant que Jordan puisse s'expliquer devant les caméras, en laissant entendre que vous agissez ainsi sous la contrainte...

– Ce qui est la stricte vérité.

– ... ou en donnant de vous une mauvaise image. Vous ne pouvez passer pour un traître aux yeux de votre père. Vous obtenez d'excellents résultats avec les esprits supérieurs et les systèmes de conception, mais vous ignorez comment déceler les pièges, le monde extérieur ne vous est pas familier, vous n'avez pas l'habitude des journalistes et ne savez pas vous mettre en valeur. Pour l'amour du Ciel, suivez mes conseils et soyez prudent. Si vous vous obstinez, vous perdrez tous les moyens de pression dont vous disposez.

Il continua de la fixer, en buvant son whisky à petites gorgées.

– Dites-moi de quoi je dois me méfier, demanda-t-il enfin.

Grant la regardait battre les cartes, fasciné par la précision de ses gestes.

– C'est sidérant, dit-il.

– Ceci ?

Sera Amy parut s'estimer flattée et recommença.

– Ma mère m'a appris à le faire dès que mes mains ont été assez grandes pour que ce soit possible.

Elle distribua des cartes. Seuls Grant et elle jouaient. Quentin AQ n'était qu'une présence silencieuse, un jeune homme de grande taille et athlétique en uniforme de la sécurité qui restait assis et observait... un adolescent capable de briser un cou d'une vingtaine de façons différentes. Grant ne se berçait pas d'illusions sur ses chances de survie s'il menaçait Amy Carnath. Il avait cru devoir rester dans sa chambre, sous tranks ou ligoté, mais la jeune sera s'était efforcée de le rassurer : *Ça ne sera pas long. Ils vont se présenter devant le bureau et je suis certaine qu'ils régleront le problème en moins de deux jours.* En milieu d'après-midi ils avaient pris un en-cas puis elle avait décidé de lui apprendre à jouer au poker.

Grant en était touché et amusé. La jeune Amy prenait sa licence Alpha d'acquisition récente très au sérieux, et elle s'en tirait à merveille : le jeu lui faisait oublier ce qui eût été pour lui un véritable enfer s'il avait été à moitié tranké et condamné à la solitude ; à cause d'une situation qui l'emplissait toujours d'angoisse s'il avait le malheur de se demander si l'avion était arrivé à destination, si Justin était en sécurité, ce qui devait se passer à Planys.

Il eût aimé partir à bord de cet appareil, mais il savait qu'il serait bien plus utile à Justin en tant qu'otage déférent et posé, qui ne jetterait pas de l'huile sur le feu de l'excitation juvénile... ou de la paranoïa de l'administration.

En outre, jouer au poker s'avérait très intéressant. Amy affirmait qu'un azi avait deux avantages sur les CIT. Tout d'abord une capacité de concentration plus grande et ensuite la possibilité de dissimuler ses réactions. Elle avait raison. Il essaierait, avec Justin.

À son retour.

Et de telles pensées s'accompagnaient d'ondes de panique, la peur qu'il pût se produire un malheur, que sera Amy reçût un ordre auquel elle devrait obéir, que les autorités de Novgorod décident d'arrêter Justin. Et comme Reseune détenait son contrat ils ne pourraient se revoir. Plus jamais.

Il ne supporterait pas d'attendre sa réadaptation. Il ferait une chose impensable pour un azi et s'emparerait d'une arme. Le flux semblait lui indiquer qu'un CIT eût réagi ainsi, que c'était la meilleure des solutions. À d'autres instants, il savait que son CIT aurait pu se battre pour se libérer mais pas utiliser une arme contre sera Amy, ou Quentin AQ. Il n'avait pas menti à ser Denys : Justin n'eût jamais fait le moindre mal, pas même à ceux qui lui en avaient tant fait. Il pourrait brandir un pistolet, mais pas presser la détente... même en face de Giraud, qui était quoi qu'il en soit déjà mort.

Non, le moment venu il refuserait de se rendre à l'hôpital mais aussi de tuer. Telle fut la conclusion à laquelle il aboutit pendant qu'il regardait les cartes que la jeune sera venait de lui distribuer.

Selon elle, un joueur de poker devait dissimuler ses intentions et ses pensées. Elle était très intelligente et très forte à ce jeu... pour une CIT. Sans doute ne jouait-elle pas qu'à cela et essayait-elle de lire en lui d'autres choses que la valeur de ses cartes... tout comme il tentait de découvrir en elle plus d'informations qu'elle n'était disposée à lui en fournir.

Et il misait des jetons. Les joueurs étaient censés risquer de l'argent mais tout ici appartenait à Justin et il n'eût même pas osé miser des sommes aussi ridicules que celles qu'elle avait proposées. Il refusait de disposer des biens de son compagnon et se félicitait qu'on lui eût laissé une liberté suffisante pour lui permettre d'aller s'assurer que tous les papiers étaient en sécurité et glaner quelques informations... il savait se comporter comme un annie-docile. *Ça ira*, lui avait dit Justin. Et il ne lui restait qu'à le croire, comme tout azi... pendant qu'il continuait de fluxer sur Winfield, les abolitionnistes, et le fait qu'à trente-sept ans il était un mineur alors qu'à dix-huit Amy Carnath était une adulte. *Merde*, eût-il voulu crier, *dites-moi ce qui se passe et*

*écoutez les conseils de quelqu'un qui a bien plus d'expé-
rience que vous.*

Ce qui eût été inutile. Amy Carnath n'acceptait d'ordres que d'Ari Emory, et il ne pouvait savoir si c'était
Denys Nye ou sa nièce qui prenait désormais les décisions...

8

La vision de l'aéroport raviva des souvenirs d'enfance ; lui, dans la boutique du grand hall, occupé à
mendier quelques jetons-creds à Jordan pour acheter
des babioles. Cette pensée vint à Justin alors qu'ils suivaient le tunnel de débarquement qui reliait l'appareil
au terminal de Novgorod, précédés et suivis par des
hommes armés.

Pas de traversée des salles, lui avait expliqué Ari ; aucune sortie à l'air libre. La situation était trop dangereuse. Ils empruntèrent une porte latérale et descendirent dans un garage où des véhicules blindés les
attendaient.

Des gardes s'emparèrent de lui et le séparèrent d'Ari.
Elle l'avait informé de ce qui se passerait et exhorté à
obéir aux membres de la sécurité, qui le poussèrent
dans une des voitures avec une hâte et une brutalité in-
justifiées.

Mais il ne protesta pas, ainsi pris en sandwich entre
deux gardes sur la banquette arrière. Une main immobilisa son épaule et les portières se verrouillèrent. Puis
l'homme le lâcha et il put s'adosser au dossier pour regarder les premières voitures sortir du garage. Ils rejoi-
gnirent le convoi, passèrent près de l'aile de RESEUNE UN,
longèrent le terrain d'atterrissage et empruntèrent un
portail au-delà duquel leur escorte fut encore renforcée.

Ils avaient droit à une protection officielle, pensa-t-il.
Celle dont devait avoir bénéficié Giraud Nye au cours

de ces années de troubles. Il était assis à l'arrière entre deux individus à la forte carrure. Un homme armé s'était installé à l'avant, à côté du conducteur. Il voyait la chaussée s'étirer vers le fleuve, le pont et l'avenue qui – selon ses souvenirs – conduisait au complexe gouvernemental, avec des cultures dans tous les espaces dégagés, quelques arbres qui avaient grandi depuis qu'il avait pris cette route au côté de Jordan, dans le cadre d'une autre visite organisée...

Puis ils franchirent une courbe et le Palais de l'État apparut devant eux, occupant tout le pare-brise.

– Nous avons changé d'itinéraire ? demanda-t-il. Je croyais que nous devions aller au bureau des Sciences.

– On suit les autres voitures, précisa l'homme qui se trouvait sur sa gauche.

Il l'avait déjà deviné. Et il resta assis et regretta de ne pas avoir comme Grant la faculté de projeter ailleurs son esprit. Il souhaitait en finir au plus tôt. Il désirait...

Seigneur, il désirait rentrer chez lui.

Il voulait trouver un téléphone et s'entretenir avec Jordan, apprendre la vérité. Mais n'était-ce pas secondaire, selon Ari ?

Il était engourdi, saturé de flux. Il cherchait des réponses mais ne disposait d'aucune information, hormis celles qu'Ari avait laissé filtrer jusqu'à lui, pour ramener de l'ordre dans le chaos ou défricher l'unique passage... il ne savait plus. Il avait accepté de mentir à la presse et de réfuter l'innocence de son père... dont il n'aurait d'ailleurs pu jurer.

Il doutait de Jordan, de ses motivations, de son amour pour lui, de tout... Grant excepté. Il finit même par douter de sa santé mentale et de l'intégrité de son esprit.

Même Giraud ne m'a pas mis dans un état pareil.

Un flux d'images, l'ancienne Ari, la jeune, des souvenirs de panique, un entretien dans un bureau :

...Tu t'abstiens de me compliquer l'existence, tu me sers d'intermédiaire avec ton père, et je m'engage en contrepartie à ne pas faire arrêter tes amis et à ne pas ef-

facer l'esprit de ton azi. J'irai même jusqu'à cesser de te mener la vie dure au bureau. Tu sais quel est le prix de tes désirs...

... Je lui ai dit que vous m'appartenez, que j'ai procédé sur vous à une intervention, que Grant est un otage plus important à vos yeux que votre père et que si vous deviez faire un choix vous le préféreriez à Jordan...

Le convoi s'arrêta sous un des portiques du Palais de l'État. Les gardes ouvrirent la portière puis le firent sortir et franchir les portes... avec moins de rudesse, cette fois, sans doute à cause des caméras des journalistes.

Ari vint le prendre par le bras. Une pensée lui traversa l'esprit : il pouvait la repousser, refuser d'aller plus loin, tout raconter aux médias et révéler que Reseune gardait Grant en otage... dire qu'on l'avait conditionné pour le séparer de son père qui avait sans doute vécu vingt années d'exil à cause d'un coup monté...

Il hésita, Ari lui tirait le bras, on le poussait par-derrière.

– Le secrétaire Lynch nous attend, dit-elle. Il est là-haut. Venez. Nous parlerons à la presse ensuite.

– *Votre père est-il innocent ?* entendit-il au sein du tumulte.

Il regarda le journaliste et essaya de déterminer s'il connaissait ou non la réponse, pendant que le temps se dilatait comme dans les cauchemars. Il finit par renoncer et alla où Ari voulait qu'il aille, pour dire ce qu'elle voulait qu'il dise.

– Vous devrez vous débrouiller seul, lui déclara-t-elle lorsqu'ils atteignirent le premier étage et qu'elle le confia aux forces de sécurité du bureau. Je suivrai l'audition sur un moniteur, mais nul membre des laboratoires ne sera présent. Les Sciences ne veulent pas que vous puissiez subir la moindre pression. Ça ira ?

Il repartit avec des hommes en uniforme bleu – des azis créés à Reseune, conditionnés par des bandes préparées à Reseune – qui le conduisirent dans une vaste salle de conférences. Ils le laissèrent devant une table placée en face d'un podium où des inconnus prenaient place dans un murmure confus de conversations...

Des inconnus, à l'exception de l'ex-secrétaire des Sciences : Lynch. Il l'avait vu aux informations. Il s'assit, heureux qu'il y eût au moins un visage familier dans la salle. Celui de l'homme qui présiderait la commission, se dit-il. Il prit le pichet d'eau posé devant lui et s'en servit un verre. Il le but, dans l'espoir d'apaiser son estomac. On était venu lui proposer un repas, à bord de l'avion, mais il n'avait pu manger que quelques pommes chips et une bouchée de sandwich, et il avait bu une boisson non alcoolisée après le whisky. Il souffrait à présent d'étourdissements et de nausées. *Imbécile,* se reprocha-t-il dans le bourdonnemment des conversations échangées à voix basse. *Cesse de rêvasser. Réveille-toi et concentre-toi, bon Dieu, ou ils croiront qu'on t'a drogué.*

Lynch vint vers sa table et lui présenta sa main. Justin se leva et la serra, touché par la gentillesse d'un tel geste. Il lut de l'inquiétude sur le visage qui n'avait jusqu'alors été pour lui qu'une image sur un écran et le contenu de son estomac fut brassé sans qu'il pût en analyser la cause.

– Ça va ? s'enquit le conseiller.

– Je me sens un peu tendu, avoua-t-il.

Les doigts de Lynch serrèrent plus fortement les siens. Une petite tape sur le bras. L'associé de Giraud, depuis longtemps. Il s'en souvint et crut qu'il allait rendre. La salle paraissait s'éloigner, les bruits résonnaient dans son crâne au rythme des battements de son cœur. *Quels sont ses rapports avec Ari ? Tout ceci a-t-il été réglé à l'avance ?*

– Vous dépendez de la juridiction du bureau, déclara Lynch. Nul représentant de Reseune n'est présent. Trois conseillers ont demandé à assister à l'audition : le président Harad, et les conseillers Corain et Jacques. Souhaitez-vous que nous convoquions des témoins ? Avez-vous des objections à émettre sur leur présence ? Vous pouvez récuser des membres de la commission d'enquête.

– Non, ser.

– Ça va aller ?

C'était la deuxième fois que Lynch lui posait cette question.

– Disons que j'ai eu des...

Étourdissements. Non, pas ça ! Il devait être livide. Le souffle de la climatisation glaçait la sueur, sur ses tempes.

– ... difficultés à manger, en raison de mes appréhensions. Pourrais-je avoir une boisson et... quelques biscuits ?

Lynch parut déconcerté puis appela un assistant.

Comme un gosse, pensa-t-il. *Un goûter... une pâtisserie et une tasse de café, un quart d'heure de répit pour reprendre haleine dans une pièce adjacente.* Il regagna l'autre salle et fut pris en charge par Lynch qui le guida vers Mikhaïl Corain, Simon Jacques et Nasir Harad ; des visages qu'il reconnut dans les brumes d'une saturation de flux moins pénible qu'auparavant. Il avait tout au long de sa vie redouté d'attirer l'attention, c'était un des thèmes de ses cauchemars et il se sentait au bord de la panique – avec des flashes de la sécurité, d'une cellule, d'interrogatoires...

La voix de Giraud qui lui disait des choses oubliées depuis mais qui l'emplissaient de terreur.

Réveille-toi, bon sang ! Ce n'est plus le moment de réfléchir mais d'agir !

– Docteur Warrick, dit Corain en lui serrant la main. Heureux de vous rencontrer... enfin.

– Merci, ser.

Quand avez-vous reçu le message de mon père ? eût-il voulu lui demander.

Mais il s'en abstint. Il n'était pas un imbécile. *Audition*, avait dit Lynch. Les conseillers n'étaient pas là pour répondre à ses questions.

– S'il vous faut quoi que ce soit, si vous estimez avoir besoin de protection... vous n'aurez qu'à me le demander.

– Ce n'est pas le cas, ser... mais je vous remercie.

Il veut utiliser Jordan. Et moi. Quelle valeur m'accorde-t-il ? Où cela pourrait-il me conduire ?

Hors de Reseune. Loin de Grant.

Simon Jacques se présenta à son tour : un homme brun à l'aspect banal et au regard fuyant.

– Conseiller... président Harad...

Pendant qu'il serrait la main frêle d'Harad et sondait ses yeux froids et hostiles. Un allié de Reseune.

– J'espère que vous pourrez dissiper une partie de cette confusion, docteur Warrick. Merci d'avoir accepté de venir témoigner.

– Il n'y a pas de quoi, ser.

Accepté de venir témoigner ? On ne m'a rien demandé. Qui a donné cet accord à ma place ? Combien de choses ont-elles été faites en mon nom, et en celui de Jordan ?

– Docteur Warrick, dit Lynch en prenant son bras, si nous pouvions commencer...

Il s'assit à la table, et répondit à des questions : *Non, je ne sais rien d'autre, seulement les déclarations de mon père. Il n'en a jamais discuté avec moi... si ce n'est juste avant l'audition. À son départ de Reseune. Non, on ne m'a pas administré de drogues, je ne subis aucune pression. Je me sens désorienté et inquiet, mais c'est une réaction bien naturelle en de telles circonstances...* Sa main tremblait, quand il prit le verre d'eau. Il en but une gorgée et attendit pendant que les membres de la commission se consultaient à voix basse.

– Pourquoi croyez-vous... ou avez-vous cru... la confession de votre père ? lui demanda un certain Dr Wells.

– Parce qu'il le disait. Et...

Parlez de vos ébats avec ma génémère, lui avait conseillé Ari à bord de l'avion. *Les médias en seront ravis. Les scandales attirent l'attention et il est aisé de manipuler l'opinion quand les gens pensent au sexe. Ils ont une idée bien arrêtée en ce domaine. Ne parlez pas de la bande et nous passerons l'intervention sous silence, d'accord ?*

– Parce qu'il existait un mobile. Tous le pensaient, à Reseune. Ariane Emory me faisait chanter, dans le but de coucher avec moi. Mon père a fini par l'apprendre.

Ses interlocuteurs ne parurent guère surpris. Le Dr Wells se contenta de hocher la tête.

– Quel genre de... chantage ?

Il regarda Mikhaïl Corain, bien que cette question lui eût été posée par un membre de la commission. Il répondit, tout en surveillant les réactions du conseiller à la limite de son champ de vision :

– Un accord venait d'être passé pour le transfert de Jordan à la RESEUNESPACE. Ari a découvert qu'il lui avait forcé la main et m'a proposé de... ne pas contrecarrer les projets de mon père.

Corain ne semblait pas apprécier le terrain sur lequel il s'engageait.

– Elle m'a dit... qu'elle voulait que je reste à Reseune et que je devienne son élève, afin qu'il me soit possible de développer certaines de mes recherches tout en lui offrant la garantie que Jordan ne compromettrait pas son projet de psychogenèse. Elle s'est engagée à approuver mon transfert et à m'autoriser à aller le rejoindre, après quelques années. Elle aurait sans doute tenu ses promesses. Elle revenait rarement sur sa parole.

Ils commençaient à discuter entre eux. *Ils savaient*, se dit-il. *Tous l'avaient su – même Corain – pendant toutes ces années. Les membres du Conseil et du bureau... c'était de notoriété publique, pour moi et Ari. Mais je leur ai révélé une chose qu'ils ignoraient.*

Dieu ! Dans quoi me suis-je fourré ? Quels accords a passés Giraud, dans quoi ai-je mis les pieds ?

– Vous ne souhaitiez donc pas qu'on puisse l'apprendre, dit Wells. Avez-vous eu avec elle des rapports fréquents ?

– Pas vraiment.

– Où ?

– Son bureau. Son appartement.

– Qui a commencé ?

– Elle.

Il se sentit rougir et fit reposer ses bras sur la table, pour se stabiliser.

– Puis-je préciser quelque chose, ser ? Je pense que le sexe n'était pour elle qu'un moyen de... développer en moi un complexe de culpabilité qui m'éloignerait de mon père. Il faut tenir compte de la nature de leurs relations. Je suis un DP, ser. Et il existait un antagonisme tenace entre Ari et mon père. J'ai cru pouvoir reléguer tout cela au second plan. Mais je me trompais, et elle était une experte... elle contrôlait la situation, alors que je n'étais qu'un adolescent sans expérience. Mon père l'aurait compris, mais j'en étais incapable. Je ne voulais pas qu'il puisse l'apprendre.

Une pensée se détacha du flux, une certitude : *Il ne l'a pas tuée. Il n'aurait fait de mal à personne. Il s'est inquiété pour moi et a voulu avoir une explication avec elle, c'est tout... mais je ne peux pas le leur dire...* Ce qui devint un instant plus tard : *Mais n'importe qui peut faire n'importe quoi, en certaines circonstances. Si c'était pour lui inadmissible... s'il jugeait cela intolérable...*

– Votre père vous a-t-il dit qu'il savait ? demanda Lynch.

– Non. Il s'est adressé à elle. Je devais passer voir Ari le même soir. Je n'ai appris sa mort qu'après mon arrestation.

Et ce qui avait jusqu'alors vainement tenté de se mettre en place se verrouilla dans son esprit : un signe bien visible qui lui indiquait où se trouvait la sortie : *Désavoue ce qu'a dit Jordan... joue au fils outragé qui veut défendre son père et acquiers une position qui te permette d'être courtisé par tout le monde. C'est la seule solution.*

Une synthèse de ce que lui avait dit Ari à bord de l'avion, de ses désirs. Ses pièces, qu'elle lui fournissait petit à petit... *Merde, c'est une manipulatrice.* Mais il pouvait les disposer de façon à progresser en gardant un pied sur chaque berge : utiliser l'émotion, l'indignation... s'opposer à Jordan et être vaincu ou vaincre Jordan... ce qui serait plus efficace. Corain pourrait aller au diable, et tous les autres avec. Il aurait une marge de manœuvre acceptable, s'il réussissait à concentrer sur lui leurs efforts, leur désir de le convaincre. Il obtiendrait ainsi des informations, une possibilité de contrôle de la situation. Il lui vint à l'esprit qu'il empiéterait peut-être hors des limites qu'Ari lui avait tracées... mais juste assez pour l'inquiéter et l'inciter à continuer de le Travailler, alors qu'il progresserait le long de l'étroit chemin qui séparait opposition et coopération.

Dans le feu de l'action, quand il avait ses meilleures idées. Il prit le verre et but. Sa main cessa de trembler. *Giraud a détruit mon système nerveux, mais pas mon esprit.*

– Qui d'autre que votre père aurait eu des raisons de tuer cette femme ?

– Je l'ignore, ser, dit-il avant d'estimer que le moment était venu de prendre les devants. Je vais vous avouer quelque chose, ser. Je m'inquiète bien plus de ce qui se passe ici.

– Quelle est votre crainte ?

– Qu'on puisse se servir de mon père. S'il est revenu sur ses aveux... on ne peut le vérifier, pas plus que le contenu de la confession elle-même. Nul ne sait. Nul ne peut savoir. Mon père est un chercheur. Voilà vingt ans qu'il est coupé de tout. On pourrait lui faire dire n'importe quoi. Dieu sait ce qu'on a pu lui raconter ou lui faire, et tout ceci ne me plaît guère. J'ignore si on ne lui a pas tenu certains propos pour le pousser à agir de la sorte, j'ignore si on ne lui a pas fait des promesses, mais je m'inquiète et je suis irrité de constater que son nom est utilisé à des fins politiques... on le *manipule*, ser, et je crains que ce ne soit pour l'impliquer dans des affaires douteuses. Si des gens qui n'ont rien fait pour l'aider voilà vingt ans s'intéressent soudain à lui, ce n'est peut-être pas parce qu'ils sont convaincus de son innocence mais parce que cette affaire peut servir de moyen de pression dans d'autres domaines. Voilà ce que je veux combattre, ser.

Il y eut un silence, puis des murmures.

Ils vont sortir leurs couteaux, pensa-t-il. Il venait d'adopter une position d'attaque et de bâtir une défense pour Jordan, quelle qu'eût été la teneur de sa déclaration.

Sa main tremblait et il faillit renverser le contenu de son verre, quand il but à nouveau. Mais c'était la réaction nerveuse de la fin des combats. Il n'avait pas nourri autant d'espoirs depuis son départ de Reseune.

Corain mordit sa lèvre quand la jeune Emory lui serra la main avec courtoisie, pendant la suspension de séance. Et elle lui dit dans l'intimité offerte par leurs forces de sécurité personnelles :

– Reseune comprend les nécessités de la politique, mais pour Justin tout cela est une affaire personnelle. Il n'a aucun sens de ces choses. Il lui semble que tout recommence... juste après la mort de Giraud, en période d'élections. Je lui ai conseillé de surveiller ses paroles, mais il est bouleversé.

– Vous devriez le ramener à la raison, répondit Corain avec froideur. S'il souhaite que l'affaire ne prenne pas un tour politique, il devra se tenir éloigné des médias car s'il porte des accusations elles remonteront jusqu'au Conseil.

– Je ne manquerai pas de le lui dire.

Elle releva le menton, mais ne lui adressa pas le sourire irritant et plein de suffisance d'Ari senior.

– Il se peut que ma génémère ait trébuché et soit tombée. Je n'en ai pas la moindre idée. La vérité m'intéresse, mais je ne pense pas qu'elle sera révélée pendant cette audition.

Si Ari senior avait tenu de tels propos, ils auraient eu un double sens. Il fixait sa réincarnation droit dans les yeux et eut une certitude : le bureau des Sciences était toujours inféodé à Reseune.

– Je n'aime pas cela, dit-elle. Je parle du moment où éclate cette affaire. La politique évolue, les positions aussi... et des intérêts communs finissent par apparaître. Je prendrai la direction des laboratoires dans quelques années et je compte apporter de nombreux changements. Je voulais vous dire que je ne me sens pas liée au passé, ser.

– Vous n'êtes pas encore administratrice, répondit Corain.

Qui ajouta mentalement : *Grâce à Dieu*.

– C'est exact. Mais la politique m'intéresse, depuis longtemps. Si ma génémère était encore en vie, elle prendrait en considération l'ensemble de la situation et déclarerait qu'il convient de calmer les esprits. Ce qui se passe en ce moment ne sert aucun parti. Seul Khalid peut en bénéficier.

Il la dévisagea un long moment.

– Nous avons toujours adopté une attitude modérée.

– Nos positions se rejoignent, lorsqu'il s'agit de résoudre les problèmes de Novgorod et ceux de la boucle pan-parisienne. Je pense que vous avez raison, pour ces lois... tout comme je sais ne pas me tromper pour le Dr Warrick.

– Vous ne détenez aucun pouvoir, jeune sera.

– Si, à l'intérieur de Reseune. Et ce n'est pas négligeable. Je suis venue ici parce que j'ai des connaissances, ce qui n'est pas le cas de Justin. Or il est mon ami et je ne crois pas que son père constitue une menace, que ce soit pour moi ou pour nos laboratoires. C'est de la psychologie, en quelque sorte : je veux que l'on sache que je soutiens Justin. Il craint que son père ne soit récupéré par des gens dont il réprouverait les méthodes et c'est en ce domaine que Reseune doit protéger ses ressortissants. Je me réfère à lui et à son père. Si cette affaire est tranchée par un tribunal, ce sera très ennuyeux. Seuls les paxistes en bénéficieront... et vous ne devez pas les porter vous non plus dans votre cœur. Existe-t-il un moyen de s'en sortir ? Vous avez l'expérience du Conseil. *Dites-le-moi*.

– Il faudrait tout d'abord que le jeune Warrick rétracte ses accusations, répondit Corain avec un goût amer dans la bouche.

Elle hocha la tête.

– C'est une excellente idée.

– Si j'ai donné à cette commission l'impression que j'adressais des reproches au conseiller Corain, je dois présenter des excuses, déclara Justin d'une voix posée. J'en ai pris conscience pendant la suspension de séance. Je sais que cet homme ne songe qu'à protéger les intérêts de mon père, mais je redoute que des éléments extrémistes aient pu s'immiscer dans tout cela...

9

Il était plus de minuit lorsqu'ils regagnèrent leur hôtel en empruntant l'entrée souterraine puis un ascenseur pour gagner les niveaux placés sous le contrôle des gardes de Reseune. Ari libéra un soupir de soulagement quand la cabine s'immobilisa au dix-huitième étage : une suite immense réservée aux personnalités que Giraud avait louée pour tout le mois, dans un bâtiment dont ses services connaissaient les fondations et toutes les canalisations.

Abban l'attendait devant l'ascenseur. Ari cilla, surprise puis soulagée de constater que cet azi compétent était venu superviser des contrôles auxquels Florian et Catlin n'avaient pu procéder eux-mêmes. Il poursuivait ses activités, bien que Giraud eût été enterré le matin même et qu'il eût vécu un véritable enfer toute la semaine. Sans doute était-il arrivé de Reseune dans l'après-midi, avec le reste de l'équipe.

– Jeune sera, dit-il. Florian, Catlin, j'ai tout vérifié. Je présume que sera prendra la chambre seigneuriale et ser Justin la blanche ou la bleue... au choix.

La chambre bleue était située à l'autre bout de la suite, à l'extrémité d'un couloir et au-delà du vidsalon ; la blanche jouxtait la chambre seigneuriale avec laquelle elle communiquait par une porte pour l'instant verrouillée. Ari avait dormi dans la chambre blanche, lors de ses séjours à Novgorod en compagnie d'oncle Giraud. *Je préférerais la chambre habituelle*, pensa-t-elle. Mais les raisons d'un tel choix étaient émotionnelles et Abban manquait de chaleur humaine pour pouvoir comprendre. Elle avait en outre conscience que ce désir de redevenir une enfant, avec oncle Giraud juste à côté pour régler tous les problèmes, était dû à sa tension et à sa lassitude.

– Justin n'a qu'à prendre la blanche.

Elle le regarda et remarqua qu'il paraissait épuisé.

– Kelly va vous y conduire, et vous y installer... Trouve-t-on quelque chose à manger, ici ? Justin doit être affamé.

Elle s'était adressée à Abban, qui répondit :

– Nous avons pensé que vous n'auriez guère de temps et fait préparer un repas froid qui sera servi dans les chambres : vin blanc, fromage et jambon. Mais si sera préfère...

– C'est parfait, Abban.

Elle entra dans la suite avec Abban sur sa droite, Florian sur sa gauche, et Catlin qui restait en retrait. Ils passèrent devant les gardes et s'engagèrent dans un grand couloir de grès de la Volga.

– Je suis vraiment touchée par cette attention. Tu n'étais pas obligé.

– Giraud m'a demandé de fermer son bureau et de réunir tous ses documents personnels. Et ser Denys m'a chargé de superviser la sécurité de la Maison, avec un pouvoir presque comparable à celui de son frère et sur des bases que j'espère durables. Ce n'est qu'une partie de mes activités.

– Je suis heureuse qu'il ait pensé à toi. Ça va, Abban ?

Cet azi était âgé de plus de cent ans, lui aussi, et il avait passé la majeure partie de son existence avec son superviseur. Sans doute devait-il être désemparé, avec Denys qui ne pensait plus qu'au Giraud-en-gestation. Quelqu'un aurait dû le prendre... ou lui fournir une bande finale et un matricule CIT ; un statut qui ne lui conviendrait guère. Depuis la mort de Giraud il n'avait eu droit qu'à des rebuffades des membres de la Famille et à de nouvelles responsabilités. Ce n'était pas ce qui pourrait atténuer son chagrin. Ari trouvait cela injuste.

– Très bien, sera. Je vous remercie. Ser Denys m'a offert une place dans sa Maisonnée.

Elle en fut surprise, et soulagée.

– Parfait. Denys a eu raison. Je m'inquiétais pour toi.

– Vous êtes trop bonne, sera.

– Je sais que tout est en ordre, ton équipe a dû se charger de tout. Va te reposer.

– Je ne me sens pas las, sera. Je préfère m'occuper.

Ils s'arrêtèrent devant la chambre seigneuriale : une suite enchâssée dans la suite. Abban lui ouvrit la porte.

– Je vais donner des ordres au personnel et commander vos repas... Vos azis dormiront avec vous, n'est-ce pas ? Je ne saurais trop vous le conseiller.

– Oui. Ne t'inquiète pas. Tout est parfait.

Il lui vint à l'esprit qu'Abban eût sans doute préféré voir Justin relégué dans la chambre bleue, à l'autre bout de l'étage. Giraud et son azi n'avaient jamais cru qu'il ne s'était rien passé entre eux.

– Seulement Florian et Catlin, rassure-toi. Tout va bien. Fais-nous servir notre souper et nous n'aurons plus besoin de rien pour la nuit.

– N'oubliez pas que même le concierge central a des capacités limitées, ici. La porte est dotée d'une fermeture manuelle. Pensez à la verrouiller.

– Oui, fit-elle.

Cela piquait au vif Florian et Catlin : l'air supérieur et l'attitude pointilleuse d'Abban... comme s'il avait affaire à des enfants. Elle sourit, heureuse que les épreuves n'aient pas changé son caractère.

– Va. Tout est parfait.

Abban hocha la tête et sortit.

– Il n'a pas à se plaindre, marmonna Florian avec une

irritation qui ne la surprit guère. *Abban* à la tête de la sécurité...

Son esprit tatillon exaspérait Florian. Catlin trouvait ses conseils superflus et les traitait avec dédain. Telle était leur différence. Ari sourit et se dirigea vers l'aire de séjour, remit sa mallette à l'azie puis se laissa choir dans un fauteuil modelable pendant que Florian allait consulter le concierge.

– Seigneur ! soupira-t-elle.

Elle se pencha en arrière et souleva ses pieds. Le fauteuil s'ajusta à ses formes.

– C'est comment ? Assez sûr ?

– Rien n'est jamais assez sûr, rétorqua Catlin.

Elle posa l'attaché-case sur la table de l'entrée, l'ouvrit, pressa un bouton et contrôla les systèmes électroniques.

– La situation est tendue. Je me sentirai plus tranquille après notre départ.

Florian hocha la tête.

– Le concierge a été réinitialisé à 17 h 47, et depuis seuls des membres de notre équipe ont pénétré ici.

– Il aurait dû être branché dès 15 heures, fit remarquer Catlin sur un ton de reproche.

– C'est Abban qui a procédé à la réinitialisation. (Un coup de couteau dans le dos.) Il a dû tout remettre à zéro à son arrivée. (Le coup de grâce.) Je lui demanderai. Sera, restez assise. Nous nous chargeons de tout.

Elle gémit et se pencha pour retirer ses chaussures.

– Je me fiche qu'il y ait une bombe, ici. La seule chose qui m'intéresse, c'est de pouvoir prendre une douche, souper et me mettre au lit... même si quelqu'un m'attend entre les draps.

Florian éclata de rire.

– Le plus vite possible.

Il s'écarta du concierge pour aller jeter un coup d'œil à la mallette de Catlin, avant de prendre son propre matériel.

Ils ne suivraient jamais ses conseils d'imprudence. Ils devaient vérifier eux-mêmes leurs résidences, c'était la

Règle. Catlin l'avait édictée des années plus tôt et ils la respectaient toujours à la lettre. Malgré les inconvénients.

Elle remonta ses genoux sur le siège qui s'adapta à ce changement de position, puis elle ferma les yeux. Elle revoyait le cylindre descendre dans le sol et la pierre tombale s'abattre ; le visage blême d'Abban ; Justin, assis en face d'elle dans l'avion, livide et tendu...

Une journée interminable. Une foutue journée. Corain souhaitait arriver à un accord mais il était prudent et abattait ses cartes sans leur faire de cadeaux. Il avait eu un entretien avec Wells, un membre de la commission, et après la suspension de séance les questions étaient devenues plus brutales et précises.

– Quelle position occupez-vous à Reseune ? À qui la devez-vous ?

– Quand vous êtes-vous entretenu pour la dernière fois avec votre père ? Quel était son état d'esprit ?

– N'avez-vous jamais été soigné pour des problèmes psychologiques ? Qui a appliqué le traitement ?

– Vous avez un compagnon azi, Grant ALX-972. Vous a-t-il accompagné ? Pourquoi ?

– N'avez-vous pas été soumis à une procédure psych que vous auriez omis de mentionner ?

Justin avait tenu bon... à l'aide de quelques mensonges, des péchés par omission, un défi lancé à l'opposition présente à l'intérieur du bureau pour voir si elle disposait de suffisamment de voix pour réclamer un nouveau psychosondage. Ce n'était pas le cas, lui avait-elle affirmé pendant la suspension de séance. Mais je préférerais ne pas devoir en obtenir la confirmation.

Il avait résisté, sans céder, jusqu'au moment où sa voix avait commencé à se briser : la colère grandissait, la nervosité décroissait... il réagissait toujours ainsi, car la politique entraînait la réapparition des flashes, son esprit découvrait d'innombrables possibilités et procédait à des tris et à des recoupements sur une étendue si vaste qu'il oubliait où il était et ce qui se déroulait autour de lui, mais il finissait par surmonter cela et recouvrer son équilibre. En suivant l'audition sur le moniteur de la pièce voisine, Ari avait vu la réaction se produire et su que la commission avait désormais en face d'elle un Justin Warrick revenu dans le monde réel et prêt à passer à l'offensive.

Parfait, s'était-elle dit. *Parfait. Ils pensent pouvoir l'intimider. Il se tenait au loin, jusqu'à présent. Il vient d'arriver. Il est bien trop malin pour s'allier à Corain. Il ne liera jamais son sort à quelqu'un qui commet des erreurs. Il ne peut supporter les maladresses et il m'a dit sous kats : Personne n'a voulu aider mon père. Aucun de ceux qui prétendaient être ses amis. Des propos saturés d'hostilité.*

Ils découvriront qu'ils ont affaire à un Spécial, quand il aura filé avec leurs clés et leurs cartes de crédit. Bon sang, il est très fort quand il se débarrasse de ses entraves. Il est ce que son père aurait dû être... dès que la réaction se produit et qu'il abandonne l'analyse pour agir. Il n'a pas terminé de découvrir ces gens et a horreur de travailler en temps réel. Champ d'application trop vaste. Il ne sait pas établir une moyenne et prendre du recul, il veut disposer de données précises, impossibles à obtenir en temps réel, ou en politique. C'est cette précision qui fait sa valeur en matière de conception, c'est pour cela que ses travaux sont si fiables... et c'est encore pour cela qu'il est si lent et qu'il apporte sans cesse des améliorations : des pièces, pour des intersections qu'il peut voir contrairement aux autres, même Yanni...

Un jour, quand nous serons rentrés et que tout cela sera terminé, nous devrons en parler...

Il existe une forme de recherche qu'il utilise et qui n'est pas programmée, même s'il garde un accès aux ensembles...

S'il pouvait l'expliquer...

Je réussis presque à le cerner. Chaque concepteur a une signature, une façon de procéder, il appréhende cela à un niveau conceptuel. Mais lui, il le transpose dans son travail sur les CIT...

– Ils font monter un plateau, dit une voix inconnue.

Et Justin, allongé sur le lit et sommeillant déjà, fut ébranlé par la panique. Ce n'était pas la voix de Grant.

Cet homme s'appelait Kelly. Sécurité. Il se frotta les yeux, réordonna sa chevelure et marmonna une réponse.

Il se répéta qu'il ne risquait rien, que Kelly était là pour assurer sa protection.

Il se leva, étourdi par la fatigue, le contrecoup de l'afflux d'adrénaline qui l'avait soutenu pendant des heures.

– Je n'ai pas faim.

– J'ai reçu des ordres, ser, lui répondit Kelly.

Sur un ton pouvant laisser supposer qu'il les ferait respecter à n'importe quel prix.

– Merde, laissa échapper Justin qui venait d'avoir une brusque pensée. J'ai rendez-vous à l'hôpital, demain. La réjuv. Seigneur !

Il envisagea d'en parler à Kelly, mais il savait qu'on ne pouvait rien obtenir en s'adressant à de simples subalternes.

– Peux-tu joindre Florian ou Catlin ?

– Oui, ser.

– Alors, dis-leur de me contacter. Je suis à court de médicaments.

Il alla dans la salle de bains et s'aspergea le visage et la nuque d'eau fraîche, à présent inquiet pour Grant... et à la perspective de devoir prendre des produits qui provenaient d'un stock de Novgorod. Il pensa aux mesures qu'Ari avait prises pour protéger Grant et s'inquiéta des conséquences de cette omission. Il se demanda si nul n'avait à Reseune des raisons de procéder à une substitution.

– Ser Justin, fit le concierge avec la voix de Florian. Vous pensez à votre traitement ? Nous l'avons apporté.

– Merci. Et pour Grant ?

– Je ne l'ai pas oublié, ser. Vous le faut-il ce soir ?

Il était soulagé. On pouvait avoir confiance en Florian. Il n'oubliait aucun détail.

– Merci, mais je souhaite me reposer et ce produit me stimule. Je ne veux pas le prendre avant de me coucher.

Sans parler de la souffrance, qu'il n'était pas impatient de connaître. D'autant plus qu'il n'aurait pu se présenter à l'audition du lendemain bourré d'antalgiques.

– Bien, ser. En ce cas, passez une bonne nuit.

– Fin, dit-il au concierge.

Et la porte s'ouvrit. Son cœur fit un bond.

Kelly, se dit-il. Il n'attendait pourtant pas le repas si tôt. Il s'essuya le visage, suspendit la serviette de toilette et regagna l'autre pièce.

Pas de Kelly.

C'était étrange.

– Concierge, appelle Florian AF. La chambre voisine.

Un silence.

– Concierge, réponds-moi.

Déconnecté.

Ô mon Dieu !

– *C'est Abban, sera,* annonça le concierge.

Et Ari s'extirpa du fauteuil pour aller ouvrir la porte. Ses azis n'avaient pas terminé de fouiller les lieux.

– Sera ! fit la voix de Florian, juste derrière elle.

Et elle s'arrêta, pour le laisser passer. Toujours la Règle.

– Je m'occupe du souper, dit-il avant d'ajouter avec un petit sourire : Vous pouvez prendre votre douche.

– Ce n'est pas de refus.

Elle se dirigea vers la salle de bains et jeta un regard par-dessus son épaule, pour voir la porte s'ouvrir sur Abban et deux garçons d'étage.

Au même instant des coups ébranlèrent la porte qui communiquait avec la chambre de Justin.

– Florian ! l'entendit-elle crier.

Et la paroi entra en éruption : un rideau de feu, une onde de choc qui l'atteignit tel un coup de poing et la projeta en arrière, sur l'accoudoir d'un fauteuil. Elle bascula et tomba à genoux pendant que les flammes bondissaient, qu'une rafale d'arme automatique partait sur sa droite et que des balles explosaient sur sa gauche. Pendant une fraction de seconde elle fixa avec horreur une silhouette qui se ruait vers elle, la renversait et l'écrasait sur le sol.

Une deuxième déflagration, qui ébranla ses os.

– Sera ! hoqueta Florian contre son oreille.

Elle tenta de ramper pour lui faciliter la tâche, alors qu'il la traînait en direction de la protection offerte par le fauteuil. La clarté du brasier illuminait le linceul de fumée tendu au-dessus de leurs têtes et la chaleur devenait insoutenable. Une autre détonation et l'explosion d'une balle. Florian se jeta à nouveau sur elle, pour la couvrir avec son corps.

Puis le silence revint, troublé par les crépitements du feu... un crissement du fauteuil repoussé de côté. Florian se déplaça. Elle vit le visage à l'expression menaçante de Catlin, inversé par rapport au sien, juste au-dessus d'elle et nimbé d'un halo orangé. Elle sentit le genou de Florian meurtrir sa jambe et sa main écraser son épaule, comme il essayait de se lever. Il se redressa et la prit par la taille. Catlin en fit autant, de l'autre côté. Florian tituba et se retint à la paroi.

Un mur de feu les séparait de la porte restée ouverte. Des voix s'élevaient au-delà – *Eux ou nous ?* se demanda Ari avec désespoir –, le feu enveloppait des corps qui gisaient sur le sol, déchiquetés par l'explosion, là où s'était tenu Abban. La chaleur brûlait ses mains et son visage...

Qui est l'Ennemi ? Qui nous attend, là-dehors ? Est-il possible de traverser un pareil mur de flammes ? Le couloir est-il en feu, lui aussi ?

Elle perçut l'hésitation de ses azis, puis Florian murmura à un interlocuteur invisible :

– Florian à Sécurité deux. Les détecteurs de fumée ont été débranchés. Il y a un incendie. Accusez réception.

– Ils répondent, dit Catlin.

– Quels *ils* ? demanda Ari.

Et la fumée la fit tousser. Le feu les aveuglait, les grillait, la température ne cessait d'augmenter.

– Bordel de merde, où sont les extincteurs ?

Au même instant le système de protection contre l'incendie se déclencha dans un concert de sirènes.

Le feu ! Justin en fut tout de suite conscient : une chaleur qui l'incita à réagir aussitôt ; une fumée qui agressait son nez, sa gorge et ses poumons... aussi dangereuse que les flammes et plus difficile à esquiver. Il rampa sur des débris de cloison et des bouts de métal brûlants, sentit l'un d'eux entailler sa jambe alors qu'il progressait, perdit l'équilibre et glissa sous un énorme secrétaire qui avait basculé sur l'extrémité du lit. S'éloigner du brasier : telle était pour l'instant son unique pensée. Puis sa vision redevint plus nette et il discerna la porte du couloir derrière le rideau de fumée, au-delà des gravats empilés sur les meubles.

Puis il cessa de percevoir ce qui l'entourait. Il revint à lui à genoux, agrippé à la poignée de la porte. Il tentait de se relever. Il voyait sur sa gauche des lumières qui évoquaient un amas de soleils au cœur d'un univers plongé dans les ténèbres et entendait des cris qui s'élevaient d'un point impossible à situer. Il tira le battant, et dut forcer pour repousser les débris.

Un autre instant de néant. Il se retrouva dans le couloir. Des silhouettes sombres couraient vers lui. L'une d'elles le bouscula au passage et le projeta contre un mur de pierre. Mais l'inconnu s'arrêta, l'aida à se relever et lui cria :

– La sortie ! Par là...

Il toucha le tissu rêche d'une combinaison ignifugée, sentit qu'on collait un masque à oxygène sur son visage. Puis on le traîna pendant qu'il inhalait un air plus pur. Il vit la sortie de secours et tenta de l'atteindre par ses propres moyens, de franchir le seuil... vers une atmosphère respirable. Un homme lui cria quelque chose, le poussa...

Le néant. On le retint. Des gens l'entouraient. Il était dans une cage d'escalier.

– À quel étage ? entendit-il crier. D'où venez-vous ?

Il ne pouvait répondre. Il toussa et faillit tomber, mais des mains secourables se tendirent pour l'aider.

10

– Kelly EK est mort, annonça Catlin qui restait à l'écoute sur la fréquence de la sécurité.

Les hélicoptères se posaient devant l'hôpital Mary Stamford, et Ari repoussa avec colère le méditech qui voulait tâter sa bosse et s'assurer qu'un scanner n'était pas nécessaire.

– Fichez-moi la paix, bon Dieu ! *Où*, Catlin ? Dans la chambre ?

– Le couloir. Seul. Ils l'ont identifié à sa plaque d'ID. Ils poursuivent les recherches de l'autre côté de l'immeuble, là où donnent les issues de secours.

– Seigneur !

Elle leva le bras pour s'essuyer le visage... par réflexe : sa main était couverte de Neoderme.

Les pompiers avaient maîtrisé l'incendie qui avait débuté dans la chambre bleue et la blanche. *Les explosifs se trouvaient dans la blanche*, avait déclaré Florian, très contrarié. *Un contrôle périmétrique n'aurait pas permis de les détecter, mais nous les aurions découverts si nous avions procédé nous-mêmes aux vérifications. Abban nous a psychés. Il tenait le déclencheur : j'ai vu l'éclair de la mallette posée sur la table, et ce matériel est fiable.*

Tout s'était passé trop vite, les appels de Justin avaient alerté Florian et attiré Catlin sur le seuil de la pièce, l'arme au poing, juste après la première déflagration, suite à un enchaînement de pensées du genre : il-ne-peut-se-produire-une-explosion-après-un-contrôle-digne-de-ce-nom ; Abban-l'a-effectué ; *feu !*... une nanoseconde avant qu'un tir d'Abban ne l'eût frôlée. Dangereux avec des munitions normales, encore plus avec des balles explosives. Tout s'était joué le temps d'un saut de synapse, pendant qu'Abban hésitait entre les cibles A et B.

Les instructions de Giraud, se dit-elle. *Il a voulu me faire assassiner...*

Les sauveteurs avaient pénétré dans les ruines de la chambre de Justin et fouillé les décombres, mais Ari n'avait pu croire qu'il était toujours en vie tant que ces hommes n'avaient pas précisé que la porte du couloir se trouvait ouverte et qu'un lourd secrétaire tombé contre la porte de communication avait protégé cette zone de la déflagration. On dénombrait deux morts par asphyxie et Kelly, carbonisé, méconnaissable, *isolé* de Justin auprès de qui il aurait pourtant dû rester, des brûlés à divers degrés : ceux qui avaient tenté d'arriver jusqu'à elle... Dieu les aide. Mais la sécurité de l'étage inférieur était montée avec du matériel d'urgence et un capitaine plein de bon sens avait compris l'avertissement de Florian et était allé remettre en activité le système de protection contre l'incendie – qu'Abban avait débranché – pendant qu'un de ses collègues ordonnait au personnel non qualifié d'évacuer les lieux... une sage décision car la majorité étaient des azis qui auraient tenté de l'aider et seraient morts, sans combinaisons ignifugées.

– *Merde !*

Le produit astringent déposé sur la blessure de son crâne semblait brûler son cuir chevelu. Ils avaient retiré un bout de plastique gros comme un doigt de son épaule. Criblé de tels projectiles, Florian avait perdu beaucoup de sang. Il n'était pas en état d'effectuer des contrôles mais s'était posté à une sortie pour s'assurer que tous les badges étaient vérifiés et qu'aucun membre de la sécurité ne manquait à l'appel.

Abban et les azis qui l'accompagnaient étaient morts. J'ignore s'ils étaient dans le coup, avait dit Catlin. Je n'ai pas eu le temps de me renseigner.

Une ambulance arriva et grimpa sur le trottoir. Justin recula en titubant et recouvra l'équilibre dans le noir, au milieu d'un chaos de lumières, de véhicules de lutte contre l'incendie, d'avertissements amplifiés par des porte-voix, de clients en robe de chambre ou en pyjama qui se regroupaient dans la rue et les allées du jardin. La clarté du brasier filtrait à travers la fumée qui estompait les éclairs des gyrophares, l'eau qui ruisselait autour de l'entrée de l'hôtel puis s'écoulait sur la chaussée.

Il se retrouvait donc dans une rue. Il ignorait comment il était arrivé là et dans quelle direction il devait aller. Il atteignit un banc et s'y laissa choir. Il enfouit sa tête dans ses paumes et remarqua qu'elles étaient moites de sueur malgré la fraîcheur de la nuit.

Un autre vide dans son esprit. Il se dirigeait vers un cul-de-sac encaissé entre deux immeubles. *Tunnel-piet*, lut-il au-dessus d'un escalier qui s'enfonçait sous terre.

Trouve un téléphone, se dit-il. *Demande de l'aide. Tu es perdu.*

Puis : *Je n'ai pas les idées claires. Seigneur, et si...*

Si c'était un membre de la sécurité ? Un garde chargé du contrôle.

Abban... il avait vérifié.

Était-ce dirigé contre moi ? Suis-je le seul à être visé ?

Ari...

Il rata une marche, se retint à la rampe, et arriva au bas de l'escalier. Les portes s'ouvrirent sur un boyau souterrain illuminé et désert qui s'éloignait à perte de vue.

– Oncle Denys, dit-elle.

Et le fardeau lui sembla bien trop lourd à porter. *Oncle Denys*, comme à l'hôpital, quand elle s'était cassé le bras et qu'on lui avait tendu un téléphone pour qu'elle pût avouer sa bêtise à son oncle. Cette fois la situation était différente. Elle s'en tirait sans une égratignure, ou presque, mais elle n'avait aucune raison d'éprouver de la fierté.

– Je vais bien. Florian et Catlin aussi.

– Dieu soit loué ! Ils ont dit que tu avais été tuée, tu comprends ?

– Je suis bien vivante et je n'ai que quelques contusions sans gravité. Mais Abban est mort. Avec cinq autres. Dans les flammes.

Il existait des limites à ce qu'ils pouvaient se dire, quand elle utilisait un des émetteurs auxiliaires que Florian avait adaptés au système mobile.

– Je prends le commandement de tous nos services, ici. Je donne des ordres. Certains gardes sont compromis, la sécurité a été infiltrée.

Sa main se mit à trembler. Elle mordilla sa lèvre et emplit d'air ses poumons.

– Il y a eu deux autres attentats à la bombe, cette nuit ; les paxistes ont fait sauter une ligne de métro dans le centre et ils revendiquent l'attaque contre l'hôtel en menaçant d'intensifier leurs actions. Je reste en contact avec la police de Novgorod et tous nos gens...

– Compris, fit Denys avant qu'elle ne pût dire trop de choses. Je suis soulagé. Nous avons vu tout cela à la vid. Seigneur, Ari, quel gâchis !

– Ne t'inquiète pas. Tout va bien. Les forces d'intervention du bureau arrivent. Regarde la vid.

– D'accord. Il est préférable de ne rien ajouter. Je te donne carte blanche, avec effet immédiat. Je remercie le Ciel que tu sois indemne.

– Je suis déterminée à le rester. Sois prudent, d'accord ?

– C'est à toi qu'il faut donner ce conseil.

Elle coupa la liaison et rendit le combiné à Florian.

– Nous avons reçu la confirmation que l'appareil a décollé de Planys. Il devrait se poser vers 14 h 50, demain.

– C'est parfait, dit-elle en mettant à contribution le contrôle précaire qu'elle exerçait sur ses nerfs.

– Les conseillers Harad et Corain sont en ligne. Ils veulent prendre de vos nouvelles.

Une bien étrange sollicitude, se dit-elle. Et par ailleurs naturelle. Harad était un allié et, en dépit des craintes qu'elle inspirait à Corain, cet homme redoutait encore plus les paxistes et les extrémistes de tous bords.

– Je vais leur parler. Y a-t-il des journalistes, en bas ?

– Vous êtes sous le coup du choc, sera.

– Nous le sommes tous, non ? Bon sang, passe-moi une glace et une trousse à maquillage. C'est la guerre, tu m'entends ?

Le miroir des toilettes du tunnel-piet lui renvoyait le reflet d'un visage maculé de suie qu'il ne put tout d'abord reconnaître. Ses mains, ses bras et l'odeur de suie que dégageaient ses vêtements attireraient l'attention sur lui. Il ouvrit le robinet à fond, fit couler du savon dans ses mains et entreprit de se laver. Il tressaillait chaque fois qu'il effleurait des contusions et des brûlures.

Son pull-over et son pantalon bleu marine étaient noirs de suie, mais le détergent et l'eau en emportèrent une bonne partie et les frottements firent disparaître le reste à l'intérieur des vêtements. Il sécha ses cheveux et ses épaules sous le souffleur puis releva les yeux vers un visage à présent trop pâle qui aurait eu grand besoin d'être rasé. Son pull était brûlé et troué, son pantalon déchiré sur son genou entaillé. Le premier passant qui le verrait avertirait la police.

Et il dépendrait alors des lois de Cyteen.

Il se pencha vers le lavabo et aspergea sa figure d'eau froide, serrant les mâchoires pour combattre les nausées qui le menaçaient depuis qu'il avait repris ses esprits. Ses pensées remontaient vers le niveau du conscient : *C'était le mur de la chambre d'Ari. Celui qui a fait ça appartient à la sécurité...*

Abban. Des instructions de Giraud. Je n'étais pas visé. Si Ari est morte...

Cela lui paraissait inconcevable et l'ébranlait. Ariane Emory avait des années de vie devant elle. Un siècle, au moins, et elle était indispensable à ce monde au même titre que... l'air et la gravitation.

Quelqu'un donne des ordres et veut... faire accuser...
Les paxistes. Jordan.
À Reseune, Amy Carnath attend avec Grant l'arrivée des gardes... Si Ari est morte, que puis-je faire ?
Ils tiennent mon père et mon compagnon... Je suis le seul à être en liberté... le seul qui puisse encore lutter contre eux...

Il se passait quelque chose. Grant venait d'entendre l'appel du concierge, dans l'autre pièce. Ils lui avaient attribué la chambre de Justin, par pure courtoisie, pensa-t-il, parce qu'elle était plus grande... ou encore parce qu'ils savaient. Florian avait réinitialisé le concierge qui n'obéissait plus qu'à Amy Carnath et aucune information ne parvenait jusqu'à Grant, mais ils n'auraient pas réveillé la jeune sera en pleine nuit pour une affaire sans importance. Amy et Quentin parlaient, d'une voix trop basse pour qu'il pût les comprendre, même avec l'oreille collée à la porte.

Il y frappa, avec la paume.

– Que se passe-t-il ?

Pas de réponse.

– S'il vous plaît, jeune sera ?

Merde.

Il retourna s'allonger sur le grand lit vide puis étudia le plafond et tenta de se persuader qu'il n'avait pas de raison de s'inquiéter.

Puis sera Amy utilisa le concierge pour lui demander :

– Grant, es-tu réveillé ?

– Oui, sera.

– Il s'est produit un incident, à Novgorod. Une bombe a explosé dans leur hôtel. Ari n'a rien. Elle va passer à la vid. Veux-tu venir nous rejoindre ?

– Oui, sera.

Sans céder à la panique. Il se leva, prit sa robe de chambre et se dirigea vers la porte, que Quentin lui ouvrit.

– Merci, dit-il.

Il précéda l'autre azi dans le séjour. Amy était assise sur le canapé.

Il s'installa du côté opposé et Quentin prit place au milieu. Puis ils regardèrent les véhicules et la fumée qui s'élevait en tourbillonnant de l'immeuble.

– Y a-t-il des morts ? demanda-t-il d'une voix posée.

Il refusait de céder à la panique. Sera Amy n'était pas cruelle. Elle ne l'eût pas fait lever pour le psycher. Il tentait de s'en convaincre, ce qui s'avérait difficile.

– Cinq membres de la sécurité. Ils parlent des paxistes, mais ne précisent pas comment ils auraient procédé. C'est tout ce que je sais. Nous ne devons pas utiliser le téléphone quand l'Ennemi peut écouter, c'est la Règle.

Grant regarda Quentin et sentit augmenter son taux d'adrénaline, les signes avant-coureurs des frissons, la naissance d'un conflit combat-fuite.

– J'ai reçu un appel du Dr Nye qui m'avertissait de ne pas te laisser sans surveillance. Il a ajouté qu'il aurait préféré te savoir en bas à la sécurité, mais j'ai refusé. Je lui ai dit que nous te gardions enfermé.

– Merci, estima devoir répondre Grant.

Avant de reporter son attention sur l'écran.

Le maquillage dissimulait les brûlures légères, mais pas celles de sa joue ni ses contusions. Elle glissa deux épingles dans ses cheveux et les laissa tomber sur les côtés de son visage. Elle avait un sweater propre dans les bagages récupérés par la sécurité, mais elle décida d'affronter les caméras telle qu'elle était, avec le chemisier de satin gris piqueté de brûlures, taché de sang, de suie et d'auréoles dues à la mousse utilisée contre le feu.

Elle avait repoussé deux fois la conférence de presse, pour laisser aux médias le temps de passer de nombreux extraits du reportage sur l'incendie.

– Ils ont essayé, dit-elle d'une voix grave.

On venait de lui demander d'exprimer son opinion sur ce qui venait de se passer.

Elle utilisa une série de brèves réponses qui lui permirent d'éluder tout ce qui se rapportait aux auteurs de l'attentat et d'enchaîner sur :

– Nous sommes indemnes, merci. Je souhaite d'ailleurs faire une déclaration avant de répondre à vos questions.

» J'ignore les raisons de tout cela, mais je sais qu'on n'a pas voulu me réduire au silence, étant donné que je reste à l'écart de la politique. On désire m'éliminer avant que je ne sois assez âgée pour faire entendre ma voix.

» Cette action a été entreprise par des gens qui souhaitent obtenir le pouvoir sans rencontrer d'opposition. Leur folie a coûté la vie à des gens courageux qui, malgré les flammes et les risques d'autres explosions, ont essayé de me sauver ; plus grave encore, c'était une tentative de destruction du processus démocratique. Peu importe qui en est l'instigateur et qui l'a perpétré. Je doute d'ailleurs que les paxistes en soient les auteurs. Qu'il revendiquent l'attentat n'est pas surprenant. Ils espèrent en bénéficier... car nous sommes en présence d'une poignée d'individus pas assez nombreux pour fonder un parti et incapables d'étendre leur influence faute de disposer d'arguments convaincants. Ils veulent créer une atmosphère qui incitera des imbéciles aux programmes incomplets à les imiter, pour accroître la confusion. Mais que ce soient les paxistes ou un individu qui place ses intérêts personnels au-dessus de la loi, c'est la paix qui est mise en péril, et notre liberté. Cependant, de telles agressions ne font que renforcer les convictions de tous ceux qui respectent la loi et refusent de se soumettre à de vulgaires assassins.

» Moins d'une heure après la tragédie, le président Harad et les conseillers Simon Jacques et Mikhaïl Corain m'ont appelée pour me faire part de leur indignation. *Tous*, quel que soit le parti auquel ils appartiennent, sont conscients de la menace que représentent de telles actions. Mais il est sans objet de le rappeler à la population de Novgorod qui a refusé de se laisser intimider par les agissements des extrémistes, sans accepter pour autant les propositions d'assistance du gouvernement central. Je prends exemple sur les habitants de cette ville. Il est possible de me faire changer d'avis en utilisant des arguments valables mais pas la violence ou la crainte de la violence.

» Ce n'est pas la première fois que des fanatiques tentent de telles manœuvres d'intimidation, et l'histoire nous enseigne que la meilleure parade est le mépris ; ce mépris que ces fous et leur idéologie inspirent à notre peuple. Chaque fois que le Conseil se réunit et que ses membres émettent des opinions divergentes, la démocratie en sort renforcée, car majorité et minorité essaient de parvenir à un compromis qui sauvegardera les intérêts de tous. C'est pour cela que les extrémistes ont recours à la violence et qu'il convient de riposter en reconnaissant la primauté des idées, du fait que les désirs des électeurs doivent être respectés et les inégalités réduites par une meilleure redistribution des ressources, et que le caractère sacré de la vie doit figurer en bonne place dans la liste de nos priorités, juste après notre souci de la qualité de l'existence et le respect de la liberté d'expression. Les auteurs de cet acte inqualifiable ne m'ont pas incitée à battre en retraite. Bien au contraire. Je sors de cette épreuve avec une conscience plus aiguë de l'importance de la loi. Un jour, je présenterai ma candidature au Conseil, et si je suis élue je respecterai les souhaits de mes électeurs, car exprimer une opinion est une chose et chercher à saper l'autorité des représentants du peuple en est une autre. C'est de la dissidence, un sabotage du processus démocratique au même titre que les actions des terroristes, et je ne puis l'accepter.

Prends ça, Vladislaw Khalid.

– Si mon électorat me juge digne de le représenter au Conseil, je n'oublierai pas les sacrifices qui ont été nécessaires pour que nous disposions d'une telle institution et je garderai toujours à l'esprit qu'elle est indispensable, malgré ce qu'en pensent ceux qui se croient au-dessus de la loi et jugent avoir le droit de tuer pour leurs idées.

» J'ai terminé ma déclaration. Je n'ai eu jusqu'à ce jour qu'à me féliciter de m'être tenue à l'écart de la vie publique, mais cela devient impossible car on a décidé de m'éliminer pour m'empêcher d'exprimer mes opinions. Et je les ferai désormais entendre, aussi souvent que nécessaire, car je ne connais pas d'autre moyen de combattre ceux qui souhaitent me réduire au silence.

» Je vais à présent répondre à vos questions.

C'était parfait, pensa-t-elle. Elle les laissa sur un :

– Désolée, mais ma voix m'abandonne.

Et un tremblement de la main qu'elle utilisa pour repousser une mèche de cheveux de son visage. Sans jouer la comédie, cette fois. Elle s'écarta des caméras et dut s'asseoir aussitôt, mais elle avait tenu bon jusqu'à la fin et dit tout ce qu'elle souhaitait dire.

– Du nouveau ? demanda-t-elle à Catlin.

– Non, sera.

Elle soupira et prit le verre d'eau que lui tendait Florian.

– Merde.

Elle se sentait menacée par les larmes, la souffrance, l'épuisement et la frustration dues à une telle situation. C'était l'aube. Elle n'avait pas pris de repos depuis les funérailles de Giraud. La veille.

– Je vais téléphoner à Amy, dit-elle d'une voix posée, sous contrôle. Demandez à Lynch d'organiser une rencontre avec les conseillers, les mandataires et les membres du bureau. Je veux pouvoir être à l'aéroport à 9 heures.

– Vous n'avez pas dormi, sera. Vous devez vous reposer.

Elle y réfléchit. La déflagration résonnait toujours à l'intérieur de son crâne. Les corps calcinés, les couloirs envahis par la fumée, les lumières au-delà du voile fuligineux.

Elle ne souhaitait pas fermer les yeux pour l'instant,

ou se nourrir, ou réveiller ses blessures en enfilant l'autre pull. Les petites gênes l'irritaient, quand elle avait tant de choses à analyser.

Il ne fallait plus penser sous forme d'hypothèses. Il convenait d'agir et de mettre à exécution des décisions prises au préalable.

Manipuler toute l'Union, si nécessaire, et promettre de rétablir l'ordre là où il n'existait plus ; prendre des engagements de modération et de rapprochement pour renforcer la position de Corain, un adversaire qu'elle préférait à Khalid.

S'allier aux centristes pendant un temps, pour leur faire adopter une position plus proche de la sienne... en admettant qu'ils veuillent faire de même et qu'à ce stade les plus habiles et rapides sautent du train en marche en laissant l'opposition surprise occuper sa nouvelle place...

Manipuler le macrosystème, eût dit Ari senior.

Pendant que tout le reste s'effondrait et que rien de ce qu'elle voulait n'était... durable.

À l'exception de Florian et Catlin. Hormis leur loyauté sans faille... la seule chose à laquelle l'assassin d'Ari n'avait pas osé toucher.

Justin s'éveilla et tressaillit en découvrant ses articulations ankylosées. Il avait dû dormir en position fœtale, sur le banc des toilettes. Puis il entendit ouvrir la porte extérieure et tenta de se lever tout en réordonnant sa chevelure, avant l'arrivée des intrus. Mais il n'était pas encore debout, quand il vit en face de lui deux hommes en tenue de travail qui l'étudiaient avec surprise. Il se tourna vers le lavabo et fit couler l'eau, pour s'humidifier les mains et les passer dans ses cheveux.

Et il vit les deux inconnus dans le miroir, juste derrière lui.

Il connut un instant de panique, puis pensa : *Bon sang, ils n'appartiennent pas à la sécurité*. Il fit demi-tour et projeta son coude droit de toutes ses forces, fut ébranlé par l'impact, mais poursuivit la série de mouvements enseignée par les bandes : une rotation complète et un direct au sternum.

Il regarda le résultat de cette attaque pendant une fraction de seconde : un homme envoyé en arrière dans l'angle de la pièce, l'autre par terre... *Dieu !* le premier s'apprêtait à bondir. Il se précipita vers la porte et la fit claquer derrière lui. Il franchit la deuxième de la même manière et sortit dans un tunnel qu'empruntaient déjà quelques voyageurs matinaux.

Et si je m'étais trompé ? Ce type pourrait mourir. J'ai peut-être tué un innocent !

Puis : *Non, je n'ai pas fait d'erreur.*

Et : *Je ne m'étais pas passé cette bande depuis l'enfance. Je ne me serais jamais cru capable d'un tel exploit.*

Il ralentit le pas, les genoux tremblants, les épaules et le dos endoloris. Il savait que sa barbe naissante et sa nervosité attiraient l'attention, et il essaya de se fondre dans la foule ; les mains dans les poches, l'air plus détendu. Il pensait que les deux hommes pouvaient à présent le rechercher avec des intentions meurtrières.

Merde, j'aurais dû leur donner ma carte et leur souhaiter d'en faire bon usage, laisser à la police...

Non. Il n'y a pas de contrôles, ici. Aucun système d'identification. Les habitants ont refusé.

Il se tourna sur un pied, le cou et les épaules ankylosés, regarda derrière lui et repartit. Il doutait de pouvoir reconnaître ses agresseurs dans la foule...

Je n'avais jamais vu un tel nombre d'inconnus... trop de visages, de vêtements semblables...

On le bousculait et on l'insultait : *Encore un de ces cas-z,* marmonna quelqu'un. Il massa sa barbe naissante. Il était dans une galerie marchande et les magasins s'allumaient, leurs rideaux remontaient. Il trouva une pharmacie et acheta un nécessaire de rasage, puis il se dirigea vers une buvette pour commander un petit pain et un verre de simili-orange. Le garçon jeta un regard supplémentaire à sa carte, ce qui accrut sa nervosité.

Justin Patrick Warrick, CIT 976-088-2355DP, y lisait-on, avec en filigrane l'Homme infini : l'emblème du Territoire administratif.

– Reseune, dit le jeune homme en relevant les yeux pour comparer son visage à celui de la photographie... au cas où elle eût été volée. C'est la première fois que je vois une de ces cartes. Vous venez de là-bas ?

Il n'avait encore rien dit. Sa voix était rauque.

– Je... Je travaille dans nos bureaux de Novgorod.

– Hon-hon.

Le garçon la glissa dans la fente puis la lui tendit avec un gobelet et un petit pain.

– Vous me rapportez le verre et son couvercle, et je vous rembourse la moitié.

Ils portaient un numéro : le 3.

– Merci.

Il alla au comptoir et mangea le petit pain en buvant des rasades de la boisson glacée et sucrée. Il avait craint que son estomac ne pût accepter une nourriture vingt fois moins chère qu'au *Relais*.

Où est-ce que je vais comme ça ? Qu'est-ce que je peux faire ?

Il s'essuya les yeux et rapporta le gobelet et le couvercle. Il attendit que le jeune homme eût servi d'autres clients puis lui demanda :

– Où peut-on prendre connaissance des nouvelles ?

– Il y a un panneau, en bas dans le métro.

– Où ?

– Allez tout droit, jusqu'à la station Wilfred, et ensuite prenez à droite. Cet hôtel incendié ?

– Vous savez quelque chose... qui a fait ça, pourquoi ?

Son interlocuteur secoua la tête et s'occupa d'une cliente.

– Emory est passée à la vid, ce matin. Sacrément en rogne.

Le cœur de Justin cessa de battre.

– Elle n'a rien ?

– *Elle* a eu de la chance.

Il le laissa pour prendre une carte et servir un verre.

– Vous êtes de Reseune, je crois ?

Justin hocha la tête.

– *Je pourrais téléphoner ? S'il vous plaît ?*

– Pas d'ici.

Un autre client. Il tendit le doigt et cria :

– Mais vous trouverez une cabine, à l'angle.

– Merci !

Justin repartit d'un pas rapide, au milieu de la foule, dans la direction indiquée. *Appeler le bureau. Demander une protection. Je ne suis pas responsable. Les seuls à blâmer, ce sont les membres de la sécurité...*

Leur chef, Abban...

Il lut le mot *Téléphone* et prit sa carte. Il connaissait l'indicatif du bureau, mémorisé des années plus tôt. Mais il ne lui était jamais arrivé de devoir utiliser un téléphone hors de Reseune et il commença par lire les instructions. *Décrochez le combiné, insérez votre carte, composez l'indicatif ou pressez la touche 0 et demandez...*

– Ser.

Il se tourna vers un individu grand et corpulent en uniforme gris.

Un policier.

Justin lâcha l'appareil, donna un coup de poing à l'homme, et s'enfuit en courant pour se perdre dans la foule.

Il venait d'esquiver un groupe de passants et de s'engouffrer dans un passage latéral quand il prit conscience d'avoir oublié sa carte dans l'appareil.

11

– ... sécurité se sont, dans le meilleur des cas, rendus coupables de négligence, disait Ari aux membres de la commission. Reseune va enquêter et j'ajouterai ceci...

Sa voix se brisa et elle but une gorgée d'eau. Elle s'était changée, peignée... aidée par Catlin et Florian. Elle tremblait... même après avoir pris une tasse de café et un petit déjeuner liquide : sa gorge irritée par la fumée eût refusé autre chose.

– Excusez-moi. Je voulais vous dire que j'assume à titre temporaire la fonction de chef de la sécurité ; j'ordonne des transferts ; je donne des consignes. Je suis prête à conserver ces responsabilités si le conseil de Famille donne son aval. J'ai conscience que mon âge et mon expérience en ce domaine sont un handicap, mais je pense être qualifiée pour porter un jugement sur les responsables et m'assurer que le nécessaire est fait. Dire que la mort de mon oncle a semé un certain désordre dans le service serait un euphémisme... et cette désorganisation a été encore accentuée par le décès de son remplaçant.

– Cet attentat pourrait-il avoir des origines internes ? demanda Lynch.

Elle but une autre gorgée d'eau.

– Je n'exclus pas cette possibilité, ser. Reseune est en pleine mutation. Le Dr Nye – mon autre oncle – est très affecté par la mort de son frère. Sa santé est défaillante. Mais certains responsables pourraient régler tous les problèmes si le conseil de Famille le leur demandait.

– Pour résumer, vous pensez pouvoir redresser la situation.

– Ça ne fait aucun doute.

– Sur le plan intérieur, intervint le Dr Wells, le porte-parole de Corain au sein des Sciences. Mais je m'interroge sur la disparition du Dr Warrick. Excusez-moi, sera Emory, mais vous dites qu'il logeait dans la chambre adjacente à la vôtre et qu'il en est parti ?

– C'est exact.

– Une fuite serait-elle envisageable ?

– Non.

– Pourquoi ? Parce que vous gardez son père en otage ?

– Parce qu'il doit témoigner devant cette commission, rétorqua-t-elle. Les paxistes ont été sacrément... Pardonnez-moi. Ils n'ont pas perdu de temps pour revendiquer l'attentat, et je crains qu'ils n'aient eu des informateurs dans l'hôtel. Qu'ils en soient ou non les auteurs, ils ont pu reconnaître le Dr Warrick parmi les clients évacués et l'enlever.

– Les paxistes, ou d'autres individus.

– Reseune n'y aurait eu aucun intérêt. Nous l'avons conduit ici.

– Son père reste en détention.

– Sous surveillance, à cause d'une autre défaillance de la sécurité qui lui a permis d'avoir des contacts avec l'extérieur. Nous ignorons qui pourrait encore arriver jusqu'à lui. La tentative d'assassinat perpétrée contre moi me fait craindre le pire. Mais pour l'instant je me demande surtout où est Justin Warrick et quelle est sa condition physique.

– Pendant que son père est votre prisonnier.

– Vous pouvez employer les termes que vous voulez, ser. Les faits sont tels que je les ai exposés.

– Ses gardes sont placés sous vos ordres.

– C'est exact.

– De qui recevez-vous des instructions ?

– Je suis les directives fournies par l'administration de Reseune. Je compte modifier les mesures de sécurité qui entourent Jordan Warrick et contacter cet homme, mais je ne suis pas habilitée à décider d'une telle mesure sans l'aval de l'administrateur.

– A-t-on informé Jordan de la disparition de son fils ?

– Non, ser. Nous espérons pouvoir lui fournir des nouvelles moins inquiétantes. Justin est conscient des dangers qu'il court, et il a pu se cacher en attendant d'être fixé sur la situation. Je l'espère, en tout cas.

– Se pourrait-il que cet attentat ait été dirigé contre lui ? demanda Lynch.

– Les bombes incendiaires étaient directionnelles et ont été placées dans sa chambre parce que mes gardes du corps les auraient trouvées dans la mienne. Elles ont été dissimulées avec soin, sans doute derrière un secrétaire... un meuble qui occupait toute la paroi.

Sa voix se brisa et elle but.

– Excusez-moi. Justin s'était rapproché de la porte

communicante pour m'avertir de quelque chose : nous ignorons quoi. Le mur a été soufflé et le meuble a arrêté les éclats, en le protégeant. C'est ainsi que nous savons qu'il a survécu et est sorti de la pièce. Sans doute a-t-il relevé une anomalie. Je compte le lui demander, je veux savoir pourquoi nous avons trouvé le cadavre de son garde du corps *hors* de sa chambre. Il reste de nombreux mystères, en ce qui le concerne.

– Pour mémoire, vous ne pensez donc pas que le Dr Justin Warrick ait joué un rôle quelconque dans cette affaire ?

– Absolument pas. Pour mémoire, je m'inquiète d'un problème au sein de nos services, du personnel attaché à mon oncle défunt... et j'hésite à m'exprimer de façon plus explicite même devant les membres de cette commission. Je réponds à vos questions mais je suis *impatiente* de rentrer à Reseune et de m'entretenir avec des responsables qui pourront décider d'entreprendre une action. Cette attaque démontre que des vies sont en danger.

– Qui les menace ? s'enquit Wells.

– Il serait prématuré de porter des accusations, ser. Nous allons procéder à une enquête, après quoi les autorités compétentes de mon Territoire prendront directement contact avec le bureau.

– Vous êtes bien jeune pour dire à cette commission ce qu'il convient de faire.

– J'ai raison, si l'on s'en tient aux faits, et j'occupe un poste administratif pour lequel il convient de posséder une formation juridique... je me réfère à mon statut de superviseur de section. Il est normal que je m'adresse aux instances de Reseune, car le bureau ne pourrait intervenir que pour des questions d'ordre personnel et il serait égocentrique de qualifier ainsi cet incident. Ce qui se trouve en cause est bien plus important.

– Plus précisément ?

– Il se peut que les lois de Reseune aient été transgressées, que les services de sécurité soient à tel point compromis que même la protection de son administrateur n'est plus assurée... ou encore qu'il soit lui-même impliqué dans cette affaire, ou à la merci de ceux qui le sont. Si je vous dis cela, c'est pour vous faire comprendre qu'il pourrait y avoir de nombreuses victimes si cette commission me retenait trop long-temps à Novgorod ou si un message était adressé à Reseune.

Seigneur, on ne va tout de même pas passer des heures à en discuter ? Ils ne doivent pas apprendre que Jordan Warrick a quitté Planys. Il sera bien trop vulnérable tant que son avion ne se sera pas posé à Reseune... et même après.

Il arrivera à 15 heures, dans Dieu sait quoi !

— En ce cas, les laboratoires devraient peut-être récla-mer l'envoi des forces d'intervention du bureau.

— Il est possible qu'ils le fassent. Mais je vous de-mande pour l'instant de comprendre que la stabilité de Reseune est menacée, de même que sa souveraineté. J'espère me tromper. Je préférerais que tout cela soit dû à des éléments extérieurs, mais je dois hélas en dou-ter.

— Vous parlez d'individus attachés à Giraud Nye. J'au-rais des questions à vous poser, à ce sujet.

Quels membres du bureau étaient associés à mon oncle ?

Lynch ?

Dieu, ai-je fait une erreur ?

— Compte tenu de la fatigue de sera Emory et de son désir de consulter son équipe... intervint Lynch.

— Monsieur le président, l'interrompit Wells.

— La séance est levée. (Le maillet s'abattit.) La com-mission se réunira à nouveau à 19 h 30, si sera Emory n'est pas trop lasse.

Elle libéra sa respiration et repoussa son siège.

— Merci, ser secrétaire, dit-elle avant de regarder Flo-rian qui venait couper son micro.

— Sera, dit-il à voix basse, Justin est dans les tunnels. La police de Novgorod a failli le capturer. Il a perdu sa carte. Ils sont sûrs que c'est lui.

Elle sentit ses jambes la trahir et dut se retenir à la table.

– Il s'est donc enfui ?

Mais ils ne purent en discuter, car Lynch approchait. Elle se tourna et prit sa main.

– Merci.

Il hocha la tête.

– Soyez prudente, sera.

Harad lui souhaita plus ou moins la même chose.

– Sera, se contenta de déclarer Jacques.

Quant à Corain, ce fut en lui adressant un regard plein de méfiance qu'il lui serra la main.

12

– Un autre, ser ? demanda le garde qui venait d'apparaître à côté du siège de Jordan.

– Ça ne peut pas me faire de mal. Paul ?

– Volontiers.

Et, quand l'homme fut reparti vers le bar :

– On ne peut pas se plaindre du service, en tout cas.

– Le soleil se lève, fit remarquer Jordan.

Ils avaient atteint l'altitude de croisière, après un ravitaillement en carburant dans une base ; sans doute Pytho. Tard dans la nuit. Mais le halo de l'aube apparaissait à l'avant de l'appareil, sur la droite.

De Pytho l'avion aurait pu aller à Novgorod ou à Reseune, mais s'il gardait ce cap leur destination était Reseune... ce qu'ils ne pouvaient assimiler à une bonne nouvelle.

Paul comprit le fond de sa pensée. Il était toujours aussi calme ; son soutien depuis tant d'années.

Il souhaitait revoir Reseune, et ce désir lui paraissait étrange. Mais les labos faisaient partie de sa vie, ils symbolisaient la civilisation, et il se sentait heureux de rentrer chez lui. Il espérait voir Justin.

Et redoutait... bien des choses.

– Nous avons le vent en poupe, avait dit un des gardes. Nous allons battre des records.

Les cachettes étaient peu nombreuses, dans les tunnels. Quelques recoins, le renfoncement obscur de la salle d'information. Il fallait une carte pour y entrer mais le seuil bondé de monde lui offrait un refuge provisoire et un point d'observation d'où il pouvait étudier le passage, des deux côtés. Il se réfugia dans d'autres toilettes et se rasa : il avait gardé la trousse et perdu sa carte, mais il n'osait pas s'attarder...

La foule, dans un restaurant, la poussée générale vers un couloir... une supplique à un boutiquier :

– Est-ce que je peux utiliser votre téléphone ? On m'a volé, je dois avertir mon bureau...

– Contactez plutôt la police.

– Non.

Et, en remarquant la méfiance du commerçant :

– S'il vous plaît.

– Police, demanda son interlocuteur dans le combiné.

Justin se tourna et se perdit dans la foule, pour s'éloigner, le cœur battant. Les forces apportées par le petit déjeuner avaient fondu. Il souffrait de la raideur de ses membres et d'un début de migraine. Il se retrouva bien plus loin qu'il ne l'avait cru... un nouveau trou de mémoire. Il jeta un coup d'œil derrière lui, pris de panique.

Il voyait des policiers, à l'intersection. Ils regardaient dans sa direction.

Il repartit et dévala un escalier : *Métro*, lut-il. Il bouscula des passants, arriva au bas des marches.

– Hé ! entendit-il crier.

Il courait, sur le quai de béton. Il évita une collision, contourna un pilier.

Les gens s'écartaient de son passage, se hâtaient de l'esquiver et de prendre la fuite. Il se retrouva seul.

– Restez où vous êtes ! gronda la voix.

Des cris l'informèrent qu'une arme venait d'être dégainée.

Il plongea de côté et quelque chose percuta son dos. Il pensa à un coup de poing, mais il voyait devant lui des hommes en uniforme noir... la sécurité de Reseune, et un garde qui hurlait :

– *Ne tirez pas !*

Lui aussi armé d'un pistolet, qu'il braquait sur lui.

L'engourdissement se répandait dans son dos, à partir de l'épaule, et il perdit l'équilibre. Il tomba sur le béton. Il était conscient mais ne sentait plus ses membres.

– Je suis Justin Warrick, dit-il à l'inconnu en noir qui s'agenouillait près de lui. Contactez Ari Emory.

Puis il entendit cet homme dire, à quelqu'un d'autre que lui :

– Non, c'est un ressortissant de Reseune et il dépend de notre juridiction. Si vous avez des réclamations à faire, adressez-les à mon capitaine.

Ils voulaient le conduire à l'hôpital. Ils voulaient le conduire au poste de police de Novgorod. Ils lui dirent qu'il n'avait pas reçu une balle mais un dard de tranks, dans l'épaule.

– Je suis heureux de l'apprendre, déclara-t-il, ou tenta-t-il de déclarer, car sa bouche ne lui obéissait plus.

Et son soulagement fut encore plus grand quand l'homme lui annonça qu'ils avaient joint Ari et que RESEUNE UN faisait demi-tour sur la piste d'envol pour revenir le prendre.

13

– Je suis encore capable de marcher, grommela-t-il.

Et il gravit seul la rampe d'embarquement. Florian descendit à sa rencontre. Ari l'attendait au sommet des marches en fronçant les sourcils, comme il l'avait prévu.

Elle le prit par la taille et Catlin vint la rejoindre en

repoussant d'autres membres de la sécurité. Les deux jeunes femmes le guidèrent vers le siège le plus proche, mais il s'arrêta le temps de s'assurer qu'Abban ne se trouvait pas parmi les gardes.

– Qui y a-t-il, à bord ? Qui a inspecté cet appareil ?

– Le pilote et le copilote, répondit Ari d'une voix presque aussi rauque que la sienne. Que des gens sûrs.

– Abban...

– Il est mort, l'informa Catlin en lui touchant l'épaule. Nous sommes au courant, ser. Venez.

Il lâcha le dossier du siège et s'y assit, puis il se pencha en arrière et fixa Ari en éprouvant un malaise. Elle s'installa en face de lui.

– Merci de m'avoir attendu.

– Où diable étiez-vous allé ?

– Faire des courses.

La porte claqua et il perdit le fil de ses pensées.

– Désolé.

Il connaissait les soupçons d'Ari... et de ses azis. Il était surpris qu'on l'eût placé si près d'elle.

– Je ne me suis rendu nulle part. J'étais désorienté. J'ai marché au hasard.

L'appareil roulait sur la piste et un paysage aux teintes délavées défilait au-delà des hublots, à la limite de son champ de vision.

– Je me suis éloigné, puis je me suis retrouvé dans le sous-sol. Quand j'ai rencontré des gardes, je leur ai dit de vous contacter.

– C'est un récit très condensé, commenta-t-elle. La population de Novgorod se méfie des gens au comportement bizarre, surtout dans le métro.

Il ferma les yeux, épuisé. Le fauteuil était moelleux, confortable comme une pile de coussins, et il tenta de réordonner ses pensées. Le ronronnement des moteurs effaça tous les autres bruits. Quelqu'un se pencha vers lui et boucla sa ceinture. Il levait les yeux sur Catlin quand la fermeture cliqueta. L'appareil prenait de la vitesse. Ari se sanglait à son siège. Catlin et Florian s'installèrent près de lui.

Le décollage s'accompagna d'une sensation de vertige. L'effet de la drogue, ou un angle d'ascension plus prononcé que les fois précédentes. Il agrippa les accoudoirs et pensa aux risques de sabotage, il se rappela l'incendie...

– Wes, là-bas, est un excellent med, lui dit Ari en haussant la voix pour se faire entendre. Dès que nous serons en vol horizontal, vous pourrez vous coucher. Comment vous sentez-vous ?

– Un peu sonné. Ils ont utilisé un engourdisseur.

Il tenta de se concentrer sur l'instant présent, et la liste des questions qu'il désirait poser.

– Giraud... Jordan... pourrait être en danger.

– J'ai pris la direction de la sécurité. Je sais quels sont nos problèmes. Je me suis présentée devant la commission, pour en parler. Dès notre arrivée nous réclamerons une réunion du conseil de Famille... c'est pour cela que je voulais vous avoir avec nous. D'abord, parce que vous représentez une voix et ensuite parce que vous pourrez témoigner de ce qui s'est passé pendant toutes ces années.

– Vous voulez prendre la place de Denys ?

Elle hocha la tête.

– Et je fais revenir votre père. Il a déjà quitté Pytho. Pour le protéger, pour qu'il y ait des témoins autour de lui. Il me serait possible de détourner l'avion, mais cela révélerait mes intentions. Disons qu'il m'est possible de dissimuler des ordres à mon oncle, pas un jet. Il se posera à 15 heures. Nous arriverons une heure plus tôt. Nous jouons serré. Je pourrai retarder son atterrissage ou l'envoyer vers Svetlansk ou ailleurs, mais seulement *après* notre arrivée. J'espère faire croire à Denys que je viens chercher sa protection, qu'il risque d'ailleurs de me refuser.

Il resta assis, pendant que l'adrénaline redonnait un peu d'énergie à son corps épuisé, et il se demanda comment il réussissait à garder son calme. *Nous allons tous mourir,* se dit-il. *Tôt ou tard... ils nous auront. La sécurité, l'aéroport, l'armée... le bureau... l'administration...*

– Il va en premier lieu s'en prendre à mon père et vos amis. Et ils ne s'en doutent même pas.

– J'ai envoyé un message codé à Amy. Tous sont avertis : elle utilise Base un, et c'est un excellent moyen de protection. Ne vous inquiétez pas.

– Seigneur, pourquoi me faites-vous confiance ?

Elle lui adressa un sourire tors... une expression de sa génémère, à tel point identique que le rythme cardiaque de Justin en fut perturbé.

– Je pourrais parler des risques que courent Jordan et Grant avec Denys, ou du choix que vous avez fait en demandant aux gardes de me contacter. Mais la vraie raison, c'est que je lis en vous, depuis toujours... et bien mieux qu'en tout autre membre de la Famille. Vous êtes mon ami. Je ne peux l'oublier.

– Vous avez une bien étrange façon de le démontrer.

Ses lèvres se serrèrent.

– J'opte toujours pour les méthodes les plus efficaces. Je ne laisserais pas mes amis se placer dans une situation dangereuse. Mon instinct de conservation est très développé, mais vous bénéficiez d'un statut particulier. J'espère que nous ne nous opposerons jamais.

Il ressentit un profond malaise, et estima que c'était l'effet recherché.

– Je veux aider votre père, mais vous devez l'empêcher de s'adresser au Conseil. Il faut m'accorder du temps. *Lui* en laisser pour qu'il apprenne à me connaître et découvre que je ne suis pas l'Ari dont il garde le souvenir.

– Il le fera, si je le lui demande.

– Il se méfiera de vous.

C'était pénible à entendre. Parce que exact.

– Il ne précipitera rien. Il ne trahira pas ses amis, mais ne refusera pas de m'accorder un délai. Il est raisonnable, Ari. Et il tient à moi.

– C'est évident.

Elle inclina la tête en arrière, pour regarder Florian.

– Dis à Wes de s'occuper de lui. Je vais dormir une demi-heure. J'en ai besoin.

Justin pensait la même chose. Il déboucla sa ceinture, se leva de son siège, et laissa le med de la sécurité prendre son bras et l'escorter vers la queue de l'appareil.

14

Grant enfouit son visage entre ses paumes puis se redressa et passa ses mains dans sa chevelure.

– Tiens, lui dit Quentin en lui offrant une boisson qu'il avait été chercher dans la cuisine.

– Merci.

Il la prit et la goûta, assis sur le canapé, pendant qu'Amy Carnath lisait des données qui défilaient sur le moniteur connecté au terminal du séjour.

Justin était indemne. Ses pires craintes paraissaient infondées, mais l'avion n'était pas encore revenu.

Ari avait repoussé la conférence de presse jusqu'à l'aube, pendant que les bulletins d'information devenaient de plus en plus alarmants, et une fois devant les journalistes elle avait tenu des propos qui ouvraient la voie à de nouvelles spéculations... *sans* accuser les paxistes mais en attaquant Khalid par la bande, en laissant supposer qu'il existait des complicités dans les plus hautes sphères du gouvernement, et en annonçant qu'elle comptait présenter sa candidature au Conseil...

Puis un message était arrivé et Base un avait fourni des instructions à sera Amy...

Amy, ici Ari, par Base un. J'ai enregistré ceci à l'avance et je ne peux donc pas répondre à tes questions. Écoute...

Il s'est passé un événement grave. J'ignore quoi, mais si tu prends connaissance de ceci c'est que la situation est sérieuse : je suis blessée, ou morte, ou quelque part hors de Reseune et avec des ennuis.

En premier lieu, protège-toi.

Le signal dont nous sommes convenus est diffusé par

le système central et tous nos amis savent qu'ils doivent prendre des précautions.

Aide-les, si possible. Base un t'est désormais accessible et tu peux l'utiliser avec le même statut que Florian et Catlin, autrement dit tu as la capacité d'obtenir des informations et de procéder à des interventions sans que nul ne l'apprenne, pas même Denys ou Giraud. J'ai prévu une fonction d'assistance, au cas où tu en aurais besoin.

Je doute qu'ils s'en prennent à toi. Ils savent que ma base te protège. Je te déconseille de transformer cet étage en refuge mais agis à ta guise en cas de nécessité.

N'utilise pas Base un pour te renseigner sur ce qui se passe hors de Reseune. J'ai verrouillé cette possibilité car il est très difficile de ne pas se trahir lorsqu'on l'emploie. J'ai prévu diverses possibilités, répertoriées selon un code. Si ce programme a été lancé, c'est que j'ai transmis à Base un les clés correspondantes.

Voici un résumé de la situation :

Tentative d'assassinat; origine; intérieur des labos; Jordan Warrick; non impliqué; transféré à; Reseune; Grant; digne de confiance; Justin Warrick; activités douteuses; pendant séjour à Novgorod; attention à; Denys.

Grant buvait et regardait défiler sur le moniteur des instructions et des codes incompréhensibles. Il soupçonnait sera Amy de ne pas pouvoir les interpréter mais le système informatique qui avait annexé le terminal de leur demeure en était capable et Base un répondait à ses questions.

– Merde, fit-elle.

Ce qui l'inquiéta. Il attendit des éclaircissements, puis se leva. Mais l'attention que lui porta aussitôt Quentin le dissuada de faire un seul pas.

– Que s'est-il passé ? Sera ?

– Oh, bordel ! s'exclama-t-elle avant de se tourner vers lui. La sécurité a coupé l'accès au système central.

– Denys a compris, déclara Grant.

Il frissonna, puis vit l'écran se rallumer.

Programme d'urgence de l'ordinateur central. Quel-

qu'un a tenté une déconnexion. Le bureau en a été informé et les causes ont été analysées.

Phase de réintégration des données. Point d'origine de l'interruption : le centre de la sécurité.

Le contrôle de la totalité des systèmes a été confié à Ariane Emory.

Tous les membres de la sécurité recevront leurs ordres par les voies habituelles. Le centre de la sécurité est privé de toute autorité pour le motif : manque de fiabilité ; l'administration de la Maison est privée de toute autorité pour le motif : manque de fiabilité ; le commandement est transmis à : RESEUNE UN.

– Seigneur, soupira Grant avant de se rasseoir.

– Ça y est, Denys est passé aux actes, déclara Ari.

Elle se carra dans son siège sans cesser de regarder les données qui apparaissaient sur l'écran à cristaux liquides de l'attaché-case. Ses azis se penchaient par-dessus son épaule pour les lire en même temps qu'elle.

– On croirait l'œuvre de mon original, commenta Florian.

– Ça se pourrait. Et du mien. Je suis surprise que Seely ait laissé Denys tenter une chose pareille.

– Il doit exécuter les ordres, même s'il ne les approuve pas, dit Catlin.

– À moins qu'il ne soit pas à ses côtés.

– Possible. Je pense qu'ils se sont retranchés dans la section administrative.

– C'est logique, intervint Florian. Base deux est déconnectée du système mais ils ont dû lui donner une certaine autonomie.

– Denys veut des atouts pour pouvoir négocier. Il n'a rien d'autre à espérer. C'est l'immortalité, qui l'intéresse. Son frère flotte dans une cuve et il ne peut tout contrôler.

– La sécurité n'appréciera pas de devoir intervenir contre la Famille, grommela Catlin. Je peux comprendre Abban et Seely. Mais les autres...

– Tu penses à Yakob ? s'enquit Florian.

– Nos Ennemis pourraient avoir trafiqué une bande. Tous les azis de cette section l'ont peut-être reçue. Ils ont eu vingt ans devant eux. Je n'ai plus confiance en personne.

– Il ne faut pas espérer que l'ad soit privée de système informatique, sera, ajouta Florian. Ils ont dû trouver un moyen... vérifiez s'ils n'ont pas commandé du matériel.

– Sécurité 10 : recherche des acquisitions d'équipement informatique : section administrative...

Elle se tourna vers Florian :

– Pourquoi ? Tu penses qu'il a pu y avoir un magouillage avec la sécurité ?

Il s'appuya au dossier du siège d'Ari et hocha la tête comme elle le regardait par-desssus son épaule.

– Et rien n'apparaîtra peut-être. Ils ont pu assembler des modules qui leur sont parvenus petit à petit. Giraud a pu s'en charger. Il n'avait pas de problème pour passer la décont et les contrôles.

– Sécurité 10 : élargis le champ de la dernière demande : composants informatiques ; recherche sur les vingt dernières années.

» Tu as raison. Denys n'est pas stupide... même en ce domaine. Ce n'est pas bête... connecter Base deux à un ordinateur parallèle qui aurait une sortie dans le système central mais qui n'obéirait pas aux ordres qui en proviennent. Ce serait comme une sorte de clapet, qui le rendrait autonome tout en lui permettant d'utiliser le reste.

– C'est un peu plus compliqué, mais le principe reste le même. Votre génémère avait plus d'un tour dans son sac. Denys devait connaître l'existence de ces protections...

– Ça ne fait aucun doute. Et l'aéroport ? Pourrons-nous y arriver ?

– Tant que nous garderons un contrôle positif pendant l'approche et que nous resterons en liaison. À moins que ce système ne soit capable de choses que je ne peux imaginer. Tout est possible. Jeffrey BJ est le responsable, là-bas, mais j'ignore s'il n'a pas été contaminé. Le mieux est de vérifier le plan de vol puis de tout verrouiller. Et ensuite la base de Denys ne pourra plus rien faire.

– Je connais des gardes capables de prendre la situation en main, déclara Catlin.

– Occupez-vous-en, tous les deux.

Florian contourna son siège pour venir s'asseoir près d'elle. Il prit le microphone et Catlin se percha sur l'accoudoir. Ari les entendit utiliser leur jargon, qu'elle ne connaissait pas mieux que les noms d'azis qu'ils citaient.

Elle continuait d'étudier les données : *Recherche négative*, ce qui ne la surprit guère. L'hypothèse de Florian était sensée et Giraud avait pu se procurer le matériel au fil des ans. Ses oncles avaient eu le temps de mettre leur système en place et de s'assurer de sa fiabilité.

Ils devraient rendre inoffensives les défenses de l'aéroport, poser leur appareil, puis passer à l'action en tenant compte des risques représentés par les tours de précip (une brèche dans la protection compliquerait la tâche de ceux qui voudraient atteindre la Maison) ou du fait que Denys avait pu rappeler tous les cars au sommet de la colline.

Recherche : tapa-t-elle. *Aéroport : véhicules ; ser N°...; graphique.* Le plan de Reseune apparut, avec les deux cars garés devant la section administrative.

Elle adressa des ordres aux tours de précip. Ils n'étaient plus qu'à une heure de vol du terrain.

Puis elle se leva et se dirigea vers les membres de la sécurité regroupés à l'arrière. Ils avaient entendu dire que le système central avait été coupé et s'était rétabli de lui-même.

– Tout va bien, leur dit-elle. Restez assis et écoutez-moi. Florian se chargera des défenses. Wes, Marco, vous resterez à bord de cet appareil avec le Dr Warrick et moi-même, car quelqu'un doit coordonner l'opération. Le Dr Warrick est un ami, mais il ne connaît pas les Règles. Si nous devons nous déplacer, veillez à ce qu'il exécute les ordres. Notre avant-garde pénétrera dans la section administrative. Florian et Catlin en prendront la tête. Tyler, tu passeras juste après eux.

– Bien, sera.

Un petit homme sec et nerveux aux cheveux blancs coupés en brosse qui avait fait partie de l'équipe d'Ari senior. Il y avait encore deux ex-marines, Wes un instructeur des Baraquements verts, des gardes du corps des services diplomatiques et des programmeurs, comme Marco.

– Nous recevrons des renforts, ajouta-t-elle. Florian se chargera des interventions spéciales et Catlin de l'organisation. Elle va vous mettre au courant. Sachez que nous n'improvisons pas et que cette opération est prête depuis deux ans. Nous ne connaissions pas notre cible, mais c'est à présent chose faite. Compris ?

– Oui, sera.

Elle donna une tape sur l'épaule de Tyler puis s'éloigna dans l'allée centrale. Elle passa devant les cuisines et les toilettes du personnel, jusqu'à la chambre où dormait Justin, épuisé.

Brûlé et contusionné, avait ajouté Wes. Ses trous de mémoire étaient sérieux, mais le med avait précisé qu'il n'était pas étonnant de perdre quelque chose quand tout explosait autour de soi.

– Réveillez-vous, Justin, dit-elle. J'ai besoin de vous à l'avant.

15

– Ils sont arrivés, dit Amy. C'est la tour. Ils se sont posés.

Grant put respirer à nouveau.

Amy avait désorienté la sécurité en déplaçant toutes les personnes qui devaient bénéficier d'une protection particulière, en fournissant des données erronées pendant qu'elle contrôlait les positions des unités de gardes dans les bâtiments auxquels ils avaient accès, et en convoquant ceux qui figuraient sur une certaine liste dans la section un avant d'en verrouiller toutes les issues.

Pendant que Sam Whitely organisait le transport de la garnison des Baraquements verts et que Maddy Strassen, 'Stasi Ramirez et Tommy Carnath disparaissaient dans des lieux étonnants : les informations fantaisistes fournies au système central indiquaient qu'ils s'étaient réfugiés dans le labo B et celui de l'AG.

Appel au conseil de Famille, lurent-ils sur l'écran : *Ariane Emory réclame sa réunion avec à l'ordre du jour la nomination du Dr Yanni Schwartz au poste d'administrateur en remplacement du Dr Denys Nye. À 17 heures ou dès que possible.* Grant recula et se croisa les bras. *Il* n'aurait pas à voter. Il suivait sur le moniteur le déroulement des activités qui devenaient frénétiques depuis que RESEUNE UN avait entamé la phase d'approche finale. Il lui vint à l'esprit qu'il ne devait pas être le seul à se sentir soulagé par cet appel : une manœuvre psych savamment calculée, avec une bonne dose d'humour noir : Emory au sommet de sa forme.

Puis Base un adressa brusquement une multitude d'ordres aux membres de la sécurité.

Ari ne relevait pas les yeux de l'écran et Justin ne disait rien. Il se tenait informé sur l'appareil auxiliaire que Florian avait utilisé. Parfois, elle donnait une instruction vocale ou pressait une touche ; et des changements se produisaient. L'équipage de RESEUNE UN restait à son poste, paré à éloigner le jet du terminal ou à le faire redécoller en cas de besoin.

Il eût donné cher pour connaître les codes qui lui auraient permis de suivre l'évolution de la situation.

— Tout va bien, dit Ari. Sam envoie les renforts du vert, et les camions gravissent la colline... on ne signale aucun accrochage. Denys s'est retranché dans l'administration, sans doute à l'intérieur du centre de la sécurité.

Elle apporta des modifications.

Elle voulait ouvrir toutes les portes qui n'avaient pas été sabotées ou placées sous le contrôle d'une base pirate.

Ça nous simplifiera la tâche, avait dit Florian en fourrant dans les poches de sa veste divers composants électriques et électroniques, avant de sortir un premier sac d'un placard et un second d'un autre placard, et de les manipuler avec précaution pendant que Catlin terminait de fournir des instructions aux hommes regroupés à l'arrière de l'appareil.

Ils devaient à présent être à mi-pente, pensa Justin.

– *Sera*, entendirent-ils dans l'interphone ; un appel en provenance du poste de pilotage. *L'administration nous contacte. Le Dr Nye demande à vous parler.*

– Ne le laissez pas distraire votre attention, dit Justin.

– Exact. Relayez l'appel par l'interphone, tous peuvent entendre ce que nous avons à nous dire, ici. Justin, pressez le bouton jaune sur votre accoudoir et donnez-moi votre micro, d'accord ? Le mien me sert déjà.

– *Ari*, fit la voix de Denys, *je trouve que tu fais beaucoup d'histoires pour un rien.*

Elle rit, sans détacher les yeux de l'écran placé devant elle. Elle tendit la main et Justin lui donna le micro.

– M'entends-tu, mon oncle ?

– *Très bien, ma chérie. Pourrais-tu m'expliquer ce qui se passe et rappeler tes hommes avant qu'ils ne détruisent tout dans ma section ?*

– Et toi, voudrais-tu déverrouiller ces portes ? Je te promets qu'il ne te sera fait aucun mal, et je m'engage même à ne pas interrompre la gestation de Giraud.

– *J'ignore ce qui s'est passé à Novgorod, mais je suis certain que tu ne m'as pas tout dit. Pouvons-nous en parler ?*

– Si tu le souhaites.

– *J'accepte de remettre ma démission, en échange de garanties pour moi et mes gens. N'est-ce pas raisonnable ?*

– Tout à fait, oncle Denys. Comment rendrons-nous cet accord officiel ?

– *Arrête tes hommes et confie-moi la garde de la réplique de mon frère. Je suis disposé à prendre ma retraite. Si tu t'obstines, tes troupes subiront de lourdes pertes. J'ai l'impression que tu me tiens pour responsable de ce qui s'est passé à Novgorod...*

Elle rit encore ; mais sans être amusée, pensa Justin.

– Je ne sais pas, et c'est secondaire. J'ai suivi plus rapidement que prévu le parcours que tu m'as tracé et *mon* moment est venu. Les saisons se succèdent. Un phénomène bien naturel. Tu pourras avoir une section, et ton confort... je sais ce qui compte à tes yeux. Tu auras la possibilité d'écrire... je suis au courant. Ton œuvre est fantastique. Il te reste encore tant de choses importantes à faire...

– *Tu me flattes, jeune sera. Je veux aussi Seely.*

Ari réfléchit un instant avant de répondre :

– Je peux accepter, mais sous certaines conditions.

– *Ne touche pas à lui !*

– Je ne lui ferai aucun mal, oncle Denys. Nous arriverons à nous entendre, j'en suis sûre. Je ne porterai pas d'accusations contre toi. Ton existence restera inchangée. As-tu jamais voyagé ? Et tu auras Giraud et Seely près de toi. Tu m'as élevée d'une façon admirable, et tu as été très gentil. Tu aurais pu me traiter comme Geoffrey, mais tu as pris des risques et je t'en suis reconnaissante. De même qu'à Seely et à Giraud. J'étais très proche de lui, les derniers temps, et je doute qu'il soit responsable de tout cela. Je pencherais plutôt pour l'existence d'un ver dans les bandes d'Abban. Je pense que c'est toi qui l'as inséré, mais je peux me tromper. J'ai peut-être une imagination trop fertile. Oh ! J'apprends que nous allons faire sauter ces portes, oncle Denys... il ne te reste plus beaucoup de temps.

– *Arrête-les.*

– Acceptes-tu de sortir ? Avec Seely ?

– *Entendu. Dès que tu seras arrivée ici. Je veux une garantie pour ma sécurité.*

– Tu as ma parole.

– *J'exige que tu sois là, pour retenir tes hommes. En-*
suite, j'ouvrirai les portes.

Justin secoua la tête. Ari le regarda et dit :

– Entendu, oncle Denys. J'arrive.

Elle désigna le bouton de l'autre accoudoir. Il le
pressa, pour couper le micro.

– *Ari.*

Elle enclencha une touche sur son propre fauteuil.

– Terminé.

– Ari, il veut vous attirer à sa portée.

Elle étudia l'écran et répondit :

– C'est possible, mais il est en mauvaise posture.

Elle prit son micro.

– J'ai parlé à Denys. Il demande que nous suspen-
dions l'assaut et vient de démissionner. Confirmation.
Justin, vous allez rester ici.

– Bon sang, Ari...

– Je n'aurais pas accepté si je n'avais pas l'espoir
d'éviter un bain de sang. La sécurité aura bien assez de
travail pour me protéger sans devoir en plus veiller sur
vous. Si quelque chose va de travers, cet avion repartira
pour Novgorod. Vous raconterez tout au bureau puis
serez libre d'agir à votre guise. Mais je préférerais que
vous reveniez à Reseune, pour vous occuper d'Ari III. Je
vous laisse le soin de désigner qui m'élèvera.

Il la fixa.

– J'ai de nombreuses affaires en suspens, lui dit-elle,
debout à côté de son siège. Si je ne m'en tire pas... me
dupliquer deviendra une priorité. Géhenne n'est qu'*un*
de nos problèmes. Et vous avez besoin de moi comme
j'ai besoin de vous.

Elle prit Marco avec elle. Wes déverrouilla la porte et
l'ouvrit.

C'était vrai, se dit-il pendant que le battant se refer-
mait derrière elle. Tout bien considéré... c'était la stricte
vérité.

Puis il se répéta ce qu'elle venait de lui dire : *Ce n'est*
*qu'*un *de nos problèmes,* et *comme j'ai besoin de vous...*

16

– Je n'aime pas ça, grommela Florian.

Il s'était baissé à côté de Catlin, à l'abri du car et de la colline, séparé des portes de verre par une courbe de la route.

Ses mains étaient glacées. Il glissa la gauche sous son aisselle et lut les données qui défilaient sur le moniteur qu'il tenait dans la droite.

– Le tout est de savoir de quoi il dispose, dit Catlin.

Elle s'accroupissait au ras du sol, la poitrine collée à ses bras, eux-mêmes calés sur ses genoux.

– Seely n'est pas un problème pour sera.

Elle lui adressa un regard dur.

– Un tireur embusqué ou quelque chose de plus expéditif l'attend, là-haut. Et ces portes ?

– Une grenade réglera la question. Je suis sûr qu'ils effectuent leurs derniers préparatifs, à présent que sera a quitté l'aéroport. C'est un piège.

– Alors, c'est à nous de jouer. Tu te charges du minutage. Il doit y avoir un déclencheur, dans le hall.

Florian prit une inspiration et bougea sa main ankylosée, son épaule blessée.

– Cellule photoélectrique, sans doute. Hauteur du sol et de la tête, avec un inverseur et un détonateur électrique, je présume... Je passe le premier, cette fois.

L'onde de choc ébranla le car. Ari plongeait, quand Marco la saisit et roula avec elle sur le sol. Mais elle dégagea son torse pour pouvoir regarder pendant que leur véhicule suivait la courbe de la route.

Un tourbillon de fumée sortait des portes du bâtiment administratif. Elle voyait l'autre car arrêté à mi-pente. Les gardes en uniforme noir qui se trouvaient autour se mirent à courir vers le haut de la colline.

Le conducteur stoppa.

Marco la fit coucher sur le plancher et se jeta sur elle.

Et au même instant l'air se mit à trembler et une pluie de terre crépita contre les vitres.

Florian se redressa, s'essuya les yeux et se releva en titubant. Quelqu'un l'aidait. Il ne savait qui, mais on le soutenait et ce ne pouvait être qu'un ami.

Catlin était devant lui à l'intérieur du hall obscur. Il la vit dégoupiller une grenade et attendre... parce qu'un homme tel que Seely pourrait la renvoyer à son expéditeur.

Elle la lança, à l'instant où une silhouette noire indistincte franchissait une porte.

Florian leva son arme. La grenade fit sauter tout l'encadrement. Catlin avait tiré, elle aussi. Elle tira encore, à bout portant, par acquit de conscience.

Florian s'adossa au mur et reprit sa respiration. Le système central annonçait que les équipes des Baraquements verts avaient atteint le centre de la sécurité... par les puits d'ascenseur, à partir des tunnels : une simple promenade, jusqu'aux pièges et aux nids de résistance.

Le hall était empli de fumée bleuâtre. Les sirènes d'incendie avaient commencé à mugir longtemps auparavant.

Catlin revenait en se couvrant avec son arme et Florian assurait la protection de ses arrières.

– Un de plus, fit-elle.

Il hocha la tête.

Avec tristesse, car Denys avait été très gentil avec eux. Il se rappelait la salle à manger, ses rires.

Mais la vie de sera avait été menacée et ses scrupules n'avaient duré qu'une seconde.

Et ceux de Catlin encore moins.

Les portes de l'entrée étaient détruites, des tourbillons noirâtres s'en déversaient toujours quand Ari descendit du car. Ses azis sortirent sous le portique et vinrent à sa rencontre.

– Denys est mort, annonça Florian. Je regrette, sera. C'était un piège.

– Et Seely ?

– Mort, lui aussi, répondit Catlin.

Ari alla jusqu'au porche et regarda dans le hall. Des cadavres gisaient sous la faible clarté des lampes de secours, sous un linceul fuligineux qui les recouvrait lentement. Elle connaissait ce lieu depuis l'enfance. La scène lui paraissait irréelle.

Denys, mort...

Elle regarda ses azis. Catlin, aux yeux limpides et de glace. Florian, qui semblait peiné ; Florian, avec du sang qui coulait d'une entaille à la tempe et d'une autre sur la joue, en plus de ce qu'il avait subi à Novgorod.

Elle ne posa pas de questions. Pas à proximité de témoins.

17

Le jet de Reseune prit contact en douceur avec la piste, freina et se dirigea vers le terminal et la décont... il fallait toujours procéder à un traitement spécial de l'appareil et des passagers pour les vols en provenance d'outre-mer.

– Nous allons devoir patienter un long moment, déclara Justin, la main sur l'épaule de Grant.

Ils auraient pu aller s'asseoir dans le salon des personnalités et de la presse. Mais ils restèrent pour regarder l'appareil rouler jusqu'au tunnel de débarquement, puis étudier les hublots lorsqu'il se fut immobilisé. Justin discerna des ombres qui se déplaçaient à l'intérieur de la carlingue, mais rien de plus.

Cependant, une de ces silhouettes était celle de Jordan, et une autre celle de Paul.

Tout va bien, avait-il dit après avoir été autorisé à contacter l'avion en approche depuis RESEUNE UN, pen-

dant que Grant descendait de la colline pour venir le rejoindre et que Reseune commençait à panser ses blessures. *Ne t'inquiète pas. Yanni Schwartz est notre nouvel
administrateur. Bienvenue à la Maison.*

Il s'inquiétait. Il continuait de regarder par la baie vi-
trée, pendant que les équipes de décont effectuaient
leur travail et arrosaient l'appareil de mousse. Lui et
Grant échangèrent des informations décousues, sur ce
qu'ils avaient su, à quel moment, de quelle manière.

Il s'inquiéta, jusqu'à l'instant où les portes s'ouvrirent
sur deux voyageurs épuisés.

Après quoi ils se dirigèrent vers le salon. Ari l'avait
mis à leur disposition, pour aussi longtemps qu'ils le
souhaiteraient, et le seul car en état de marche les attendait sous le portique pour les ramener à la Maison.

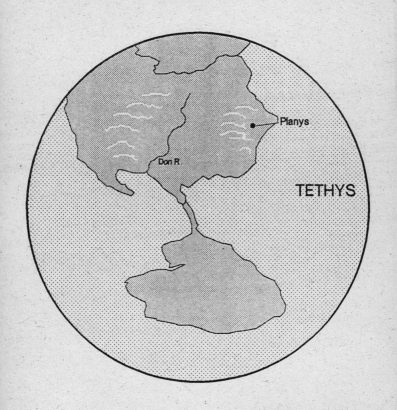

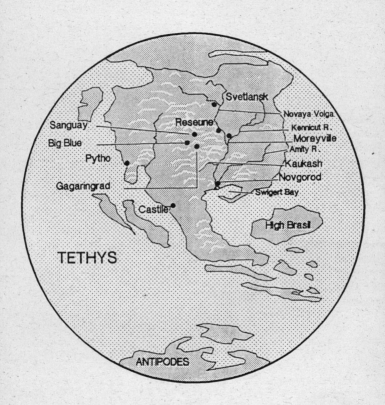

Svetlansk

Novaya Volga

Kennicut R.

Reseune

Sanguay

Moreyville

Big Blue

Amity R.

Pytho

Kaukash

Novgorod

Gagaringrad

Swigert Bay

Castile

High Brasil

TETHYS

ANTIPODES

2936

Composition Communication à Champforgeuil
Impression Brodard et Taupin
à La Flèche (Sarthe) le 24 octobre 1990
1528D-5 Dépôt légal octobre 1990
ISBN 2-277-22936-9
Imprimé en France
Éditions J'ai lu
27, rue Cassette, 75006 Paris
diffusion France et étranger : Flammarion